DOS TUMBAS

PRESTON & CHILD

DOS TUMBAS

Traducción de
Jofre Homedes Beutnagel

PLAZA  JANÉS

Título original: *Two Graves*

Primera edición: marzo, 2013

Printed in Spain – Impreso en España

ISBN: 978-84-01-35390-1
Depósito legal: B-1.045-2013

Compuesto en La Nueva Edimac, S. L.

Impreso en Cayfosa (Barcelona)

L 3 5 3 9 0 1

Lincoln Child dedica este libro
a su hija, Veronica

Douglas Preston dedica este libro
a Forrest Fenn

Agradecimientos

Los autores desean expresar su sincero agradecimiento a las siguientes personas, por su ayuda: Jamie Raab, Jaime Levine, Nadine Waddell, Jon Couch, Douglas Margini, Eric Simonoff, Claudia Rülke y las dos personas que nos sugirieron el título del libro: Julia Douglas y Michael Sharp.

Antes de embarcarte en un viaje de venganza, cava dos tumbas.

CONFUCIO

PRIMERA PARTE

18.00 horas

La mujer de los ojos color violeta caminaba lentamente bajo los árboles de Central Park, con las manos hundidas en los bolsillos de la gabardina. Su hermano mayor avanzaba junto a ella, inquieto, atento al mínimo detalle.

—¿Qué hora es? —volvió a preguntar ella.

—Las seis en punto.

Era una tarde templada de mediados de noviembre. El sol poniente salpicaba de sombras el extenso césped. Cruzaron East Drive, pasaron al lado de la estatua de Hans Christian Andersen, y al llegar al final de una pequeña cuesta se detuvieron como si una misma idea se hubiera apoderado de ambos. Enfrente, detrás de la apacible superficie del Conservatory Water, el Kerbs Memorial Boathouse se perfilaba, cual un juguete, contra la vasta muralla de los edificios de la Quinta Avenida. Era un paisaje de postal: los reflejos del cielo, de un naranja sangriento, en el pequeño lago, los barcos en miniatura que surcaban las aguas en calma entre los gritos entusiastas de los niños… En el hueco entre dos rascacielos acababa de aparecer la luna llena.

La mujer tenía la garganta tensa y seca. El collar de perlas de río le oprimía el cuello.

—Judson —dijo—, no sé si seré capaz.

Sintió aumentar la presión fraternal en el brazo, un intento de tranquilizarla.

—Todo saldrá bien.

Ella observó el panorama con el corazón alborotado. Junto al pretil del lago había un violinista tocando. En uno de los bancos junto al cobertizo, una pareja joven no prestaba atención a nada que no fueran ellos mismos. En el banco contiguo, un hombre de pelo corto y cuerpo de culturista leía el *The Wall Street Journal*. Pasaban grupos de empleados que acababan de salir del trabajo y varios corredores. A la sombra del cobertizo un indigente hacía los preparativos para pasar la noche.

Y allá, ante el lago, estaba él: una silueta inmóvil, espigada, con un abrigo de corte impecable, largo y claro, y el pelo de un rubio casi blanco que la luz del ocaso teñía de platino.

La mujer se quedó sin respiración.

—Ve —le dijo Judson en voz baja—. Yo estaré cerca.

Le soltó el brazo.

Ella avanzó, ciega a su entorno, atenta solo al hombre que la observaba acercarse. Había imaginado miles de veces ese momento en todas sus variantes, y siempre, como amargo colofón, se decía lo mismo: era imposible, jamás dejaría de ser un simple sueño. Y sin embargo, allí estaba él. Se le veía algo mayor, pero no mucho; su piel de alabastro, sus facciones nobles y esos ojos brillantes que tan atentamente la miraban despertaron una vorágine de sentimientos, de recuerdos y también —aun en aquel momento de peligro extremo— de deseo.

Se detuvo a un par de pasos.

—¿De verdad eres tú? —preguntó él con su educado acento sureño cargado de emoción.

Ella intentó sonreír.

—Lo siento, Aloysius. No sabes cuánto lo siento.

Él no contestó. En ese momento, tantos años después, ella se dio cuenta de que era incapaz de interpretar los pensamientos que ocultaban sus ojos plateados. ¿Cómo se sentía? ¿Traicionado? ¿Resentido? ¿Enamorado?

Tenía una cicatriz fina y reciente en la mejilla. Levantó la mano y la rozó con la punta de un dedo. Después señaló impulsivamente por encima del hombro de él.

—Mira —susurró—, después de tantos años seguimos teniendo nuestro amanecer de luna llena.

Él miró en la misma dirección, por encima de los edificios de la

Quinta Avenida. La luna, redonda y amarilla, se elevaba entre las majestuosas construcciones a través del rosa perla del cielo, un trasfondo ideal que empezaba a virar a otro color más frío y violáceo. Su cuerpo se estremeció. Cuando volvió a mirar a la mujer, lo hizo con una expresión distinta.

—Helen... —susurró—. Dios mío. Te creía muerta.

Ella no dijo nada, se cogió de su brazo y, sin que fuera una decisión consciente, empezaron a caminar alrededor del lago.

—Judson me ha dicho que me vas a apartar de... de todo esto —dijo ella.

—Sí. Volveremos a mi apartamento en el Dakota y desde ahí nos iremos a... —Se calló—. Cuanto menos hablemos de eso, mejor. Baste decir que allí adonde iremos no tendrás nada que temer.

Ella se aferró a su brazo con más fuerza.

—Nada que temer. No te imaginas lo bien que suena.

—Ya es hora de que recuperes tu vida. —Él metió una mano en el bolsillo de su chaqueta y sacó un anillo de oro con un gran zafiro estrella—. Así que vamos a empezar por el principio. ¿Lo reconoces?

Ella se ruborizó al mirarlo.

—Nunca pensé que volvería a verlo.

—Y yo nunca creí que volvería a tener la oportunidad de ponértelo en el dedo. Hasta que Judson me dijo que estabas viva. Yo lo sabía, sabía que me había dicho la verdad... a pesar de que nadie me creyera.

Él le cogió con suavidad el antebrazo izquierdo y lo levantó como si pretendiera ponerle el anillo en el dedo. Sus ojos se abrieron como platos al descubrir el muñón de la muñeca; una cicatriz recorría el borde superior.

—Ya lo entiendo —se limitó a decir—. Claro.

Fue como si el baile prudente y diplomático en el que habían participado hubiese llegado a un brusco fin.

—Helen —dijo en un tono más incisivo—, ¿por qué te embarcaste en ese horrendo plan? ¿Por qué me ocultaste todas esas cosas? ¿Por qué no...?

—Por favor, no hablemos de eso —lo interrumpió enseguida—. Había razones para todo. Es una historia terrible, absolutamente terrible. Te la explicaré, te lo contaré todo, pero no en este lugar ni en este momento. Ahora ponme el anillo en el dedo y vámonos, por favor.

Levantó la mano derecha, y él le colocó el anillo. En ese instante vio que ya no la miraba, alguna otra escena detrás de ella había captado su atención.

De repente se puso rígido. Al principio no se movió, la mano de ella seguía en la de él. Después se giró con aparente calma hacia donde estaba el hermano de ella y le hizo señas de que se reuniera con ellos.

—Judson —lo oyó murmurar—, llévate a Helen de aquí. Hazlo tranquilamente pero sin perder un segundo.

Ella sintió en el pecho el aguijonazo de aquel miedo que apenas había empezado a desvanecerse.

—Aloysius, qué…

Él la interrumpió con una breve sacudida de la cabeza.

—Llévatela al Dakota —le dijo a Judson—. Nos encontraremos allí. Por favor, marchaos. Ya.

Judson la cogió de la mano y empezó a alejarse, casi como si lo hubiera previsto.

—¿Qué pasa? —preguntó ella.

Miró por encima del hombro y se quedó horrorizada: Pendergast había sacado una pistola y apuntaba a uno de los aficionados a los barcos en miniatura.

—Levántese —estaba diciendo Pendergast—, con las manos donde pueda verlas.

—Judson… —empezó a decir ella.

La única respuesta de su hermano fue apretar el paso, arrastrándola.

De repente sonó un disparo a su espalda.

—¡Corred! —gritó Pendergast.

La escena pasó sin transición de la placidez al caos. La gente se dispersaba entre gritos. Judson tiró fuerte de su hermana y echaron a correr.

Un tableteo de armas automáticas de fuego surcó el aire. Judson le soltó la mano y después cayó al suelo.

Al principio ella lo tomó por un tropiezo, hasta que vio la sangre que manaba a borbotones de su chaqueta.

—¡Judson! —gritó agachándose a su lado.

Él, tendido de costado y retorcido de dolor, la miró y trató de articular unas palabras.

—Sigue corriendo —dijo sin aliento—. Sigue...

Otra ráfaga de las armas automáticas, otra hilera sibilante y mortífera dibujada por las balas en el suelo de hierba, y Judson recibió otro impacto que lo arrancó del suelo y lo arrojó de espaldas.

—¡No! —chilló Helen saltando hacia atrás.

Cada vez era todo más caótico: gritos, disparos, pasos de gente que huía... Sorda a todo, Helen se hincó de rodillas y fijó la vista horrorizada en los ojos de su hermano, que pese a estar abiertos no veían nada.

—¡Judson! —gritó—. ¡Judson!

Pasaron dos o tres segundos, tal vez más..., Helen no habría sabido decirlo, y luego oyó que Pendergast gritaba su nombre. Alzó la cabeza. Corría hacia ella con la pistola en la mano, disparando hacia un lado.

—¡A la Quinta Avenida! —gritaba—. ¡Corre a la Quinta Avenida!

Se oyó otro disparo. Esta vez fue Pendergast quien cayó al suelo. Ese segundo golpe sacó de su parálisis a Helen, que se puso en pie de un salto, con la gabardina manchada por la sangre de su hermano. Aloysius aún estaba vivo; había conseguido levantarse y parapetarse tras un banco, desde donde disparaba contra la pareja que poco antes solo parecía interesada en besuquearse.

«Me está cubriendo para que escape», pensó.

Helen dio media vuelta y echó a correr con todas sus fuerzas. Llegaría a la Quinta Avenida, despistaría a los matones entre la multitud y seguiría hasta el Dakota, donde se reuniría con Pendergast... Sus pensamientos, teñidos de pánico, fueron interrumpidos por otra ráfaga, acompañada de nuevo por gritos de terror.

Siguió corriendo a toda prisa. La avenida quedaba justo delante, al otro lado del portal de piedra del parque. Solo faltaban quince metros.

—¡Helen! —oyó gritar a Pendergast, lejos—. ¡Cuidado! ¡A tu izquierda!

Miró a la izquierda. Bajo la sombra de los árboles vio a dos hombres en chándal que se dirigían hacia ella.

Se apartó del camino principal, hacia unos sicomoros, y volvió a mirar por encima del hombro. Los corredores la seguían y estaban acortando distancias.

Se oyeron más disparos. Helen redobló sus esfuerzos, pero sus tacones se clavaban en la tierra blanda y le entorpecían el avance. De pronto sintió un tremendo impacto en la espalda y fue arrojada al suelo. Alguien cogió el cuello de su impermeable y la levantó sin la menor contemplación. Ella se resistió y gritó, pero los dos hombres le sujetaron los brazos y empezaron a arrastrarla en dirección a la avenida. Reconoció horrorizada sus caras.

—¡Aloysius! —gritó a pleno pulmón, mirando por encima del hombro—. ¡Ayúdame! ¡Sé quiénes son! ¡Son del *Bund*, de la Alianza! ¡Me matarán! ¡Ayúdame, por favor!

A duras penas distinguía a Pendergast en el crepúsculo. Se había levantado con dificultad. La herida de bala sangraba en abundancia y él avanzaba cojeando hacia Helen.

Enfrente, en la acera de la Quinta Avenida, había un taxi esperando… Los esperaba a ella y a sus raptores.

—¡Aloysius! —volvió a chillar, desesperada.

Los hombres le dieron otro empujón, abrieron la puerta trasera y la metieron en el taxi. En el vidrio templado del parabrisas rebotaron varias balas.

—*Los! Verschwinden wir hier!* —exclamó uno de los corredores, lanzándose a su vez al interior del taxi—. *Gib Gas!*

El coche se apartó de la acera mientras Helen se resistía con fiereza con la única mano que tenía e intentaba llegar hasta la puerta. Atisbó muy fugazmente a Pendergast en la penumbra del parque. Estaba de rodillas, miraba hacia donde ella estaba.

—¡No! —gritó ella forcejeando—. ¡No!

—*Halt die Schnauze!* —le espetó uno de los hombres.

Echó el puño hacia atrás y lo descargó en un lado de la cabeza de Helen. La oscuridad lo inundó todo.

Seis horas más tarde

Un médico con ropa quirúrgica arrugada asomó la cabeza en la sala de espera de la UCI de Lenox Hill.

—Si quiere hablar con él, está despierto.

—Gracias a Dios. —Vincent D'Agosta, teniente de la policía de Nueva York, se guardó en el bolsillo la libreta que había estado consultando y se levantó—. ¿Cómo está?

—Sin complicaciones. —La cara del médico reflejó cierta irritación—. Aunque los médicos son siempre los peores pacientes.

—Pero si él no es... —empezó a decir D'Agosta, pero se calló y lo siguió a la unidad de cuidados intensivos.

El agente especial Pendergast estaba sentado en la cama, conectado a media docena de aparatos de monitorización. Llevaba puesta una vía en un brazo y una cánula nasal. La cama estaba cubierta de historias médicas, y en la mano Pendergast sostenía una radiografía. La piel del agente del FBI, siempre tan pálido, parecía de porcelana. Inclinado sobre la cama, un médico mantenía una conversación de gran intensidad con el paciente, y aunque D'Agosta apenas podía oír las réplicas de Pendergast, era evidente que no estaban lo que se dice de acuerdo.

—... totalmente fuera de cuestión —decía el doctor en el momento en que D'Agosta se acercó a la cama—. Usted aún está en estado de shock por la herida de bala y la pérdida de sangre. Y la herida, por no hablar de esas dos costillas contusionadas, necesita atención médica continuada.

—Doctor... —replicó Pendergast. Normalmente era la quintaesencia de la cortesía sureña, pero en aquel momento su voz sonaba como hielo picado sobre un hierro—. La bala apenas ha rozado el músculo gastrocnemio. No tocó ni la tibia ni la fíbula. La herida era limpia y no ha sido necesario operar.

—Pero la pérdida de sangre...

—Sí —le interrumpió Pendergast—. La pérdida de sangre. ¿Cuántas unidades me han puesto?

Pausa.

—Una.

—Una unidad. Por lesiones en las tributarias menores de la vena Giacomini. Una insignificancia. —Hizo ondear la radiografía como una bandera—. En cuanto a las costillas, usted mismo lo ha dicho: contusión, que no fractura. Las costillas esternales cinco y seis, en las puntas, aproximadamente a dos milímetros de la columna vertebral. Al tratarse de costillas verdaderas, su elasticidad contribuirá a que la recuperación sea rápida.

El médico echaba chispas.

—Mire, doctor Pendergast, yo no puedo permitir que salga del hospital en este estado. Si alguien debería entenderlo...

—Al contrario, doctor, no me lo puede impedir. Mis constantes vitales se sitúan en las normas aceptables. Mis lesiones son menores y puedo atenderlas yo mismo.

—Anotaré en su historial que sale del hospital en contra de mis órdenes.

—Magnífico. —Pendergast lanzó la radiografía a la mesa de al lado como si fuera un naipe—. Ahora, con su permiso...

El médico, tras una última mirada de exasperación al paciente, dio media vuelta y salió de la sala; el que había dejado pasar a D'Agosta lo siguió.

Pendergast miró a D'Agosta como si lo viera por primera vez.

—Vincent.

D'Agosta se acercó rápidamente a la cama.

—Pendergast... Dios mío, cuánto lo siento...

—¿Por qué no está con Constance?

—No hay peligro. Se han redoblado las medidas de seguridad

en Mount Mercy. Tenía que... —Hizo una pausa para controlar su voz—. Venir a ver cómo estaba.

—Mucho ruido y pocas nueces, gracias.

Pendergast se quitó la cánula nasal, extrajo la aguja de la vía situada en la parte interior del antebrazo y se desprendió del tensiómetro de muñeca y del oxímetro de pulso. Sus movimientos eran de una lentitud casi robótica. D'Agosta se dio cuenta de que lo único que lo impulsaba era una voluntad de hierro.

—Espero que no esté pensando de verdad en marcharse.

Pendergast se volvió otra vez a mirarlo. El fuego que ardía en sus ojos (brasas ardientes en un rostro muerto) silenció de inmediato al teniente.

—¿Cómo está Proctor? —preguntó al bajar las piernas de la cama.

—Dicen que muy bien, dentro de lo que cabe. Un par de costillas rotas donde el disparo impactó en el chaleco antibalas.

—¿Y Judson?

D'Agosta sacudió la cabeza.

—Tráigame mi ropa —dijo Pendergast señalando el armario con la cabeza.

D'Agosta vaciló, comprendió que protestar no serviría de nada y fue por ella.

Pendergast hizo una mueca al levantarse; se balanceó casi imperceptiblemente durante un segundo y recobró el equilibrio. D'Agosta le entregó la ropa y corrió la cortina.

—¿Tiene alguna idea de qué coño ha pasado en el parque? —le preguntó D'Agosta a través de la cortina—. Ha salido en todas las noticias. Cinco muertos. En homicidios andan como locos.

—No tengo tiempo para explicaciones.

—Perdone, pero no va a salir de aquí sin contarme qué ha ocurrido.

Sacó su libreta.

—Está bien, hablaré con usted el tiempo que tarde en vestirme. Después me iré.

D'Agosta se encogió de hombros. Se conformaría con lo que pudiera conseguir.

—Ha sido un secuestro muy bien planeado..., excepcionalmente bien planeado. Han matado a Judson y han raptado a mi mujer.

—¿«Han»? ¿Quiénes?

—Un misterioso grupo de nazis, o descendientes de nazis, cuyo nombre es *Der Bund*.

—¿Nazis? Madre mía... ¿Por qué?

—Desconozco los motivos.

—Necesito detalles exactos sobre lo ocurrido.

La voz de Pendergast llegó desde detrás de la cortina.

—Fui al embarcadero para reunirme con Judson y Helen, llevármela a ella y esconderla del grupo en cuestión. Helen llegó a las seis, tal como habíamos pactado. Me di cuenta enseguida de que era una emboscada. Uno de los hombres con un barco en miniatura me pareció sospechoso. No sabía nada de barcos y estaba intranquilo. Sudaba a pesar del frío. Saqué la pistola y le dije que se levantara. Eso lo precipitó todo.

D'Agosta tomaba notas.

—¿Cuántos eran?

Pausa.

—Al menos siete. El del barco. Una pareja en un banco..., ellos mataron a Judson. Un supuesto indigente, que fue el que disparó a Proctor. Imagino que los informáticos ya habrán reconstruido la secuencia del tiroteo. Como mínimo había tres personas más: dos hombres haciendo footing que secuestraron a Helen cuando intentaba huir y el conductor del falso taxi al que la obligaron a subir.

Pendergast salió de detrás de la mampara. Su traje, siempre inmaculado, estaba hecho un desastre: manchas de hierba en la chaqueta y un roto en una pernera, salpicada de sangre reseca. Se anudó la corbata sin apartar la vista de D'Agosta.

—Adiós, Vincent.

—Espere. ¿Cómo narices se ha enterado ese... ese *Bund* del encuentro?

—Excelentísima pregunta.

Pendergast cogió un bastón metálico y se giró con intención de marcharse. D'Agosta lo sujetó por el brazo.

—Esto es de locos. ¿Cómo se va a ir así? ¿No puedo ayudarlo de alguna manera?

—Sí. —Pendergast le cogió la libreta y el bolígrafo, abrió la libreta y escribió algo—. Esta es la matrícula del taxi en el que se han llevado a Helen. Solo faltan los últimos dos números. Aplique todos sus recursos en encontrarla. También tengo el número de licencia, pero dudo que sirva de gran cosa.

D'Agosta recuperó la libreta.

—Cuente con ello.

—Emita una orden de busca sobre Helen. Es posible que sea complicado, porque oficialmente está muerta, pero hágalo de todos modos. Le conseguiré una foto..., será de hace quince años, use software forense para envejecerla.

—¿Algo más?

Pendergast sacudió una sola vez la cabeza, bruscamente.

—Encuentre ese coche.

Salió de la habitación sin decir nada más y aceleró por el pasillo, cojeando.

Veintidós horas más tarde

Para D'Agosta el viaje hacia el oeste, desde Newark hasta Irvington, fue como un regreso a la época de las patrullas por el distrito 41, en el antiguo South Bronx. Tiendas destartaladas, edificios tapiados, calles devastadas... Todo le recordaba tiempos menos felices. Al otro lado del parabrisas, el panorama era cada vez más deprimente. No tardó mucho en llegar al núcleo: en medio de la megalópolis más densa del país, bloques enteros vacíos y edificios quemados o reducidos a escombros. Paró en una esquina y salió con la pistola bien a mano. Pero de pronto, entre tanta ruina, vio una casa con visillos, geranios y porticones de colores, un edificio que se erguía solitario como una flor en un aparcamiento, un punto de esperanza en el desierto urbano. Respiró profundamente. El South Bronx había resucitado. También aquel barrio resucitaría.

Cruzó la acera y atravesó un aparcamiento vacío apartando ladrillos a patadas. Pendergast se le había adelantado: vio al agente al fondo, junto a los restos quemados de un taxi, hablando con un policía uniformado y un pequeño equipo que parecía de la policía científica. Su Rolls-Royce, aparcado en la esquina, desentonaba espectacularmente con la pobreza de las calles.

Al ver llegar a D'Agosta, Pendergast lo saludó con un gesto rápido de la cabeza. Dejando aparte su sobrecogedora palidez, el agente del FBI volvía a parecer el mismo de siempre. A la luz del atardecer, su característico traje negro se veía limpio y planchado, y no había arrugas en su camisa blanca. Había sustituido el bastón de

26

aluminio, tan poco elegante, por uno de ébano con mango de plata labrada.

—... encontrado hace tres cuartos de hora —le estaba explicando el policía—. Yo estaba persiguiendo a unos chavales de doce años que se dedicaban a arrancar cables de cobre. —Sacudió la cabeza—. Y de repente he visto este taxi de Nueva York. La matrícula coincidía con la de la orden de búsqueda, así que he dado aviso.

D'Agosta se fijó en el taxi. Apenas quedaba la carcasa: había perdido el techo, le habían saqueado el motor, los asientos habían desaparecido, el salpicadero estaba requemado y parcialmente fundido, y el volante partido en dos.

El jefe del equipo de la policía científica se acercó desde el otro lado del vehículo.

—Esto ya era prácticamente inservible como prueba antes de que llegaran los vándalos —dijo al tiempo que se ponía unos guantes de látex—. Ni papeles ni documentación. Pasaron el aspirador y lo limpiaron bien: todas las huellas dactilares, borradas. Usaron un acelerador especialmente agresivo. Cualquier cosa que los culpables hubieran olvidado, el fuego la habría devorado.

—¿Y el número de serie? —preguntó D'Agosta.

—Lo tenemos. Coche robado. No servirá de mucho. —El experto hizo una pausa—. Nos lo llevaremos al almacén para examinarlo a fondo, pero esto tiene toda la pinta de una limpieza profesional. Crimen organizado.

Pendergast lo escuchó todo sin replicar. Sin embargo, aunque permaneció en silencio, D'Agosta sentía que irradiaba desesperación, una determinación implacable. De pronto sacó del bolsillo del abrigo unos guantes de látex, se los puso y se acercó al vehículo. Tras agacharse (gesto que le arrancó una breve mueca de dolor), dio dos vueltas alrededor del coche para absorberlo todo con sus ojos brillantes mientras recorría el metal chamuscado con la punta de sus largos dedos. Los demás observaron cómo escrudiñaba el hueco del motor, la cabina en sus dos partes, delantera y trasera, y el maletero. Cuando empezó a rodear el coche por tercera vez, sacó del bolsillo unas cuantas bolsitas herméticas, algunos tubos de ensayo y un escalpelo. Se arrodilló junto al guardabarros delantero —su cara se arrugó un instante por el esfuerzo— y utilizó el escalpelo para meter virutas de barro seco en una de las bolsas, que selló y guardó de nuevo en el bolsillo. Se levantó y completó el tercer circuito, más despacio que antes. Al llegar a la altura de la rueda trasera derecha, volvió a ponerse de rodillas y, usando un fórceps, sacó varias piedrecillas del perfil del neumático y las metió en otra bolsa. Esta también desapareció rápidamente dentro del bolsillo.

—Eso son… pruebas —empezó a decir el policía.

Pendergast se levantó y se giró hacia él. No dijo nada, pero la fuerza de su mirada hizo que el otro diera un paso atrás.

—De acuerdo. Ténganos al corriente —murmuró el policía.

Pendergast lo atravesó con la mirada. Luego miró a los miembros del equipo científico, uno por uno, y por último a D'Agosta. Había algo acusador en esa mirada, como si todos fueran culpables de una ofensa no nombrada. Después se volvió y se alejó hacia el Rolls-Royce, cojeando un poco y apoyándose en el bastón.

D'Agosta fue tras él.

—¿Y ahora qué?

Pendergast no dejó de caminar.

—Voy a buscar a Helen.

—¿Trabajará… oficialmente? —preguntó D'Agosta.

—No se preocupe por mi estatus.

Su frialdad desconcertó a D'Agosta.

—Prosiga con la investigación oficial del homicidio y el secuestro, y si descubre algo interesante hágamelo saber, pero que no se le olvide que es mi guerra, no la suya.

Al ver que D'Agosta se paraba, Pendergast se dio la vuelta, le puso una mano en el brazo y suavizó el tono.

—A usted le corresponde estar aquí, Vincent. Lo que tengo que hacer, debo hacerlo solo.

D'Agosta asintió con la cabeza. Pendergast se volvió y abrió la puerta del coche al tiempo que acercaba el móvil a su oreja. Justo cuando se cerraba la puerta, D'Agosta le oyó decir:

—¿Mime? ¿Sabe algo? ¿Hay alguna novedad?

Veintiséis horas más tarde

Horace Allerton se disponía a gozar de su actividad favorita (una tarde relajante, con una taza de café y una buena revista científica) cuando llamaron a la puerta de su cuidado bungalow de Lawrenceville.

Dejó la taza y frunció el ceño al mirar el reloj. Las ocho y cuarto, demasiado tarde para que lo visitase algún amigo. Cogió la revista, *Stratigraphy Today*, y la abrió con un suspiro quedo de satisfacción.

Volvieron a llamar, esta vez con más insistencia.

La mirada de Allerton abandonó la revista para fijarse en la puerta. Podían ser testigos de Jehová, o alguno de esos chicos tan pesados que vendían suscripciones de revistas puerta a puerta. Si no les hacías caso se iban.

Justo cuando empezaba a leer el principal artículo de la publicación («Análisis mecánico estratográfico de estructuras deposicionales») levantó la vista y se llevó el mayor susto de su vida. En medio de su sala de estar había un hombre con un elegante traje negro y la cara tan blanca como Drácula.

—Pero ¿se puede saber qué...? —exclamó saltando del sillón.

—Agente especial Pendergast. FBI.

En sus narices, como por ensalmo, aparecieron una placa y una tarjeta de identificación.

—¿Cómo ha entrado? ¿Qué quiere?

—¿Es usted el doctor Allerton, el geólogo? —preguntó el agente.

Bajo su tono plácido latía una sombra de amenaza. Allerton asintió y tragó saliva.

Pendergast se acercó en silencio a una silla. Fue en ese momento cuando Allerton reparó en su cojera y en su bastón con pomo de plata. El geólogo se reclinó en su sillón de orejas, precavido.

—¿A qué viene todo esto?

—Doctor Allerton —empezó a explicar el agente del FBI al tomar asiento—, vengo a pedirle ayuda. Tiene usted fama de ser un experto en el análisis de la composición del suelo. Me han llamado especialmente la atención sus conocimientos sobre la deposición glacial.

—¿Y?

El agente metió una mano en el bolsillo, sacó dos bolsas de plástico cerradas y las depositó en la mesa de centro, separadas.

Después de un titubeo Allerton se inclinó para examinarlas. Una contenía una muestra de arcilla micácea mezclada con humus y la otra, piedrecitas de granito porfírico.

—Necesito dos cosas: en primer lugar un mapa de distribución del tipo de arcilla que aparece en la primera muestra.

Allerton asintió despacio.

—Las piedras de la segunda muestra proceden de una trituradora de gravilla, ¿verdad?

El geólogo abrió la bolsa y colocó las piedras en la mano. Eran toscas y afiladas, con bordes que no había suavizado el tiempo, la intemperie ni la abrasión glacial.

—Efectivamente.

—Quiero saber de dónde proceden.

Allerton miró las dos bolsas.

—¿Y por qué viene a estas horas de la noche y entra así en mi casa? Debería pedir cita y hablar conmigo en mi despacho de Princeton.

Un leve estremecimiento recorrió las marcadas facciones del agente del FBI.

—Si se tratara de una consulta baladí, doctor, no lo molestaría a horas tan intempestivas. Está en juego la vida de una mujer.

Allerton dejó las bolsas junto a su taza de café.

—¿Qué… plazo de tiempo tenía usted pensado, para ser exactos?

—Es sabido que tiene usted en su sótano un laboratorio de mineralogía pequeño pero de considerable calidad.

—¿Debo… debo entender que quiere que analice las bolsas ahora? —preguntó Allerton.

La única respuesta de Pendergast fue apoyarse en el respaldo, como quien se pone cómodo.

—¡Pero si podría tardar horas! —protestó Allerton.

Pendergast mantuvo fija en él su mirada serena.

Allerton miró el reloj. Eran las ocho y media. Pensó en la revista y en el artículo que tanto le apetecía leer. Después volvió a mirar al agente del FBI, sentado frente a él. Bajo sus ojos de color gris claro había manchas oscuras, como si llevara mucho tiempo sin dormir. La expresión de aquellos ojos, por otro lado, lo incomodaba enormemente.

—Tal vez si me explicara por qué necesita estos análisis en particular…

—Se lo voy a explicar. Estaban en los neumáticos de un coche que según todos los indicios había recorrido cierto trecho de carretera de gravilla, así como el barro del camino de entrada de una casa. Necesito saber dónde.

Allerton cogió las muestras y se levantó.

—Espéreme aquí —dijo.

Justo antes de irse decidió llevarse al sótano la taza de café.

Treinta horas más tarde

Medianoche. Pendergast estaba sentado en su Rolls-Royce, estacionado en punto muerto ante la casa del doctor Allerton.

Había tenido suerte: aquel tipo concreto de granito solo afloraba en una zona donde también había una gravera. Esta última pertenecía a la Reliance Sand and Gravel Company, situada en las inmediaciones de Ramapo, Nueva York. Era una gran empresa que suministraba grava a gran parte del condado de Rockland. Al entrar en la web de Reliance con su ordenador portátil, Pendergast había logrado establecer el alcance geográfico aproximado de la clientela de Reliance y marcarlo en un atlas del condado de Rockland.

Consultó el análisis del barro que le había proporcionado Allerton. Se componía en gran medida de un tipo inhabitual de arcilla, identificado como halloysita micácea erosionada: un mineral que por fortuna no era habitual en la región, aunque, según el geólogo, sí algo más en Quebec y el norte de Vermont. Allerton le había dado un mapa de su distribución geográfica, copiado de una publicación on line.

Pendergast comparó el plano con la zona de distribución de grava que había marcado. Coincidían en un solo sitio, algo menos de tres kilómetros cuadrados al nordeste de Ramapo.

Abrió Google Earth en su portátil y localizó las coordenadas de aquellos tres kilómetros cuadrados de solapamiento. Después aumentó el zoom hasta la resolución máxima del programa y examinó el terreno: cubierto en gran medida de frondosos bosques, quedaba en la frontera del parque estatal Harriman. También había una parte urbanizada, pero eran casas de construcción reciente y todas las carreteras y vías de acceso se veían bien pavimentadas. En otras zonas había algunos caminos de tierra y casas dispersas, así como unas cuantas granjas, pero no se veían indicios de grava. Por fin vio una estructura de aspecto vagamente prometedor: un almacén grande y aislado. El camino de acceso era largo. Había una pequeña zona adyacente de estacionamiento que a juzgar por su textura, clara y con manchas, tenía aspecto de ser grava sobre suelo fangoso.

Cerró el ordenador, lo guardó y se apartó de la acera con un chirrido de neumáticos, rumbo a la autopista de New Jersey.

Una hora y media más tarde aparcó el Rolls-Royce al lado de la carretera, casi un kilómetro después de la planta de residuos sólidos del condado de Rockland, en una zona boscosa lindante con el almacén. A través de los árboles desnudos, iluminados por la luna, vio el edificio, con una sola bombilla encendida frente a la pesada puerta de metal corrugado. Mantuvo vigilado el almacén durante media hora, pero no entró ni salió nadie. Parecía desierto.

Cogió una linterna de bolsillo del asiento trasero y, sin encenderla, salió del coche y se acercó al edificio a través de los árboles sin hacer ruido. Lo rodeó con precaución. Solo había una ventana, pintada de negro.

Encendió la linterna y se puso de rodillas con una mueca de dolor. Después se sacó la muestra de grava del bolsillo y usó la luz para compararla con la del camino de acceso. Coincidían en todo. Acto seguido recogió con el dedo una pequeña muestra de barro de debajo de la grava, y la extendió entre el pulgar y el índice. Idéntica, también.

Tras recorrer como una exhalación la explanada que rodeaba el almacén, se pegó a la pared de metal corrugado y procedió con sigilo en dirección a la fachada. Por fuera era una construcción ruinosa, en desuso, sin ningún tipo de rotulación. Sin embargo, el candado de la única puerta era muy caro y nuevo para un edificio tan destartalado.

Lo levantó con una mano y pasó la otra por encima con un gesto que era casi una caricia. No se abrió de inmediato. Solo cedió al cabo de una manipulación con un pequeño destornillador y una llave de percusión. Pendergast sacó el candado del cierre y entreabrió la puerta lo justo para ver qué había al otro lado, con el arma lista. Oscuridad y silencio. La abrió un poco más, entró y cerró.

Estuvo unos cinco minutos sin moverse, salvo para iluminar el suelo, las paredes y el techo con la linterna. El almacén, prácticamente vacío, tenía el suelo de cemento y las paredes de metal, cubiertas por estanterías. Parecía brindar tan poca información como el taxi quemado.

Efectuó un lento recorrido por el interior, con algunas pausas para examinar lo que llamaba su atención. Recogía algo, hacía una foto, llenaba bolsas de muestras con pruebas casi invisibles… Aunque el almacén pareciera vacío, bajo el ojo inquisitivo de Pendergast empezó a perfilarse una historia que de momento no era más que un palimpsesto fantasmal.

Al cabo de una hora, regresó a la puerta cerrada del almacén, donde se puso de rodillas y distribuyó por el suelo una docena de pequeños sobres de plástico cerrados, cada uno con su correspondiente indicio: virutas de metal, un trozo de cristal, aceite de una mancha en el cemento, un poco de pintura seca, un fragmento de plástico… Fue observando las bolsas, mientras se formaba una imagen en su mente.

El almacén había servido como hangar de vehículos, y a juzgar por la antigüedad y el estado de las manchas de aceite que había por el suelo, en algún momento lo habían usado bastante. En los últimos tiempos, sin embargo, solo había alojado dos vehículos. Uno de ellos (según las vagas huellas de neumático en el suelo de cemento, marca Goodyear, tamaño 215/75-16) era el Ford Escape que había servido como supuesto taxi durante la huida. Las salpicaduras amarillas de una de las paredes, y unos restos de espray en un trozo de madera tirado en un rincón, como hechos con plantilla, indicaban que era en el hangar donde habían convertido el Escape en falso taxi neoyorquino, con su pintura y su falso medallón.

El otro vehículo no era tan fácil de identificar. Las huellas de neumático eran más anchas que las del Escape; Michelin, con toda probabilidad. Podían corresponder a un turismo europeo de lujo y gran potencia, como un Audi A8 o un BMW 750. En la puerta del almacén se apreciaban restos casi invisibles de pintura, debidos a un contacto reciente con el coche. Pendergast los trasladó con gran cuidado a otra bolsa de pruebas, con la ayuda de unas pinzas. Era pintura de automóvil, metálica y de un color poco habitual: marrón oscuro.

Justo cuando examinaba la pintura, vio algo dentro de la estrecha guía de la puerta corredera: una perlita de río.

Casi se le detuvo el corazón.

Al cabo de un momento, ya recuperado, la cogió con las pinzas y la contempló. Visualizó el regreso del taxi, hacía aproximadamente veinticuatro horas. Debía de contener a cuatro personas: el conductor, dos hombres con ropa de jogging y una acompañante involuntaria, Helen. Dentro del almacén la habían trasladado al coche extranjero marrón. Se disponían a salir cuando hubo un incidente, un intento de fuga por parte de Helen, que abrió la puerta del coche (explicación del rastro de pintura). Al reducirla, sus secuestradores le rompieron el collar, cuyas pequeñas perlas se derramaron por la parte trasera del coche, y sin duda por el suelo del almacén. Seguro que se habían dicho palabrotas; tal vez se hubiera producido algún castigo, y prisas por recoger la explosión de perlas esparcidas por el cemento.

Pendergast miró la bolita que brillaba entre los dos extremos de la pinza. Era la única que se habían dejado.

Con Helen a buen recaudo en el segundo coche, los dos vehículos debían de haberse separado. El falso taxi se había ido a Irvington, a perecer entre las llamas. ¿Y el coche marrón?

Se quedó de rodillas diez minutos más, profundamente ensimismado. Después se levantó, entumecido, salió del almacén, echó el candado y regresó sin hacer ruido al Rolls-Royce.

Treinta y siete horas más tarde

Thomas Purview tenía el prurito de llegar siempre a las siete a su bufete de abogados, pero aquella mañana hubo alguien todavía más puntual: un hombre lo esperaba en el antedespacho. Parecía que acabara de llegar. De hecho, casi parecía a punto de intentar abrir la puerta del despacho, cosa del todo improbable, pensó Purview. En el momento en que entró este último, el hombre se giró y se acercó cojeando con un bastón en una mano y la otra tendida.

—Buenos días —dijo Purview al estrechársela.

—Eso está por verse —contestó el desconocido con acento sureño.

Su delgadez lindaba con lo demacrado, y no correspondió a la sonrisa profesional de Purview. Este se preciaba de conocer los problemas de un cliente solo con verle la cara, pero la de aquel individuo era inescrutable.

—¿Viene a verme a mí? —preguntó—. Normalmente no recibo sin cita previa.

—No estoy citado, pero es algo urgente.

Purview reprimió una sonrisa cómplice. Nunca había visto a ningún cliente que no acudiera a él por algo urgente.

—Pase a mi despacho, por favor. ¿Le apetece un café? Todavía no ha llegado Carol, pero se lo preparo en un minuto.

—No, gracias.

Al entrar en el despacho de Purview, el hombre observó con atención los libros de las paredes y la hilera de archivadores.

—Siéntese, por favor.

Entre las siete y las ocho de la mañana, Purview tenía por costumbre disfrutar de la lectura de *The Wall Street Journal*, pero no pensaba rechazar a un posible cliente, sobre todo en tiempos de crisis.

El desconocido se sentó en una de las muchas sillas del amplio despacho, mientras el abogado lo hacía detrás de la mesa.

—¿En qué puedo ayudarlo? —preguntó Purview.

—Busco información.

—¿De qué tipo?

El hombre pareció acordarse de algo.

—Disculpe que no me haya presentado: agente especial Aloysius Pendergast, del FBI.

Metió la mano en el bolsillo de la americana, sacó su identificación y la dejó en la mesa de Purview, que la miró sin tocarla.

—¿Es una visita oficial, agente Pendergast?

—Lo que me trae aquí es la investigación de un delito, en efecto. —El agente hizo otra pausa para pasear la mirada de nuevo por la estancia—. ¿Conoce usted la finca situada en el 299 de Old County Lane, Ramapo, Nueva York?

Purview titubeó.

—No me dice nada; claro que he participado en muchas operaciones inmobiliarias por Nanuet y los alrededores.

—La finca en cuestión consiste en un viejo almacén que en estos momentos se encuentra vacío y a todas luces abandonado. La dirección de usted figura como la de la SL propietaria de la escritura, y el letrado que consta en el registro es usted.

—Comprendo.

—Quiero saber quiénes son los auténticos dueños.

Purview se tomó un momento para pensarlo.

—Comprendo —repitió—. ¿Trae usted una orden judicial para que le haga entrega de los documentos?

—No.

Dejó despuntar en su rostro una pequeña sonrisa de superioridad jurídica.

—Pues entonces, como agente federal, sabrá que no puedo infringir de ningún modo la confidencialidad con mis clientes facilitándole la información.

Pendergast se inclinó en la silla. Seguía manteniendo una neutralidad facial inescrutable y turbadora.

—Señor Purview, tiene usted la posibilidad de hacerme un grandísimo favor, por el que será recompensado con creces. *Ecce signum.*

Volvió a meter la mano en el bolsillo y sacó un pequeño sobre, que dejó sobre la mesa al mismo tiempo que recuperaba su identificación.

Purview no pudo aguantarse. Abrió un poco el sobre y vio que contenía un fajo de billetes de cien.

—Diez mil dólares —dijo el agente.

Mucho dinero solo por facilitar un nombre y una dirección… Purview empezó a preguntarse de qué se trataba: drogas, tal vez, delito organizado… ¿O quizá una estafa? ¿O incitación al delito? En todo caso no le gustaba.

—Dudo que sus superiores vieran con muy buenos ojos su tentativa de soborno —dijo—. Quédese con el dinero.

Pendergast hizo un gesto como el de ahuyentar a una importuna mosca.

—Le ofrezco una zanahoria.

Y añadió una pausa elocuente, como si se abstuviera de formular la otra mitad de la ecuación.

Purview sintió un escalofrío.

—Todo tiene su procedimiento, agente… mmm… Pendergast. Le ayudaré cuando vea una orden judicial que así me lo indique, no antes. En cualquier caso, no pienso coger el dinero.

Al principio el agente del FBI no contestó. Después, con un levísimo suspiro (imposible saber si de tristeza o de fastidio), cogió el dinero de la mesa y se lo guardó en el bolsillo interior del traje negro.

—Pues lo siento por usted —dijo en voz baja—. Preste atención, por favor. No soy un hombre a quien le sobre el tiempo, sino todo lo contrario. No tengo ganas ni paciencia para discutir sobre minucias legales. Ha demostrado ser una persona honrada. Mejor para usted. ¿Desea que averigüemos hasta qué punto es una persona… valiente? Deje que le diga una cosa: le aseguro que me dará esos documentos. Solo falta saber la cantidad de mortificación que deberá soportar antes de dármelos.

Thomas Purview no se había dejado intimidar por nadie en toda su vida adulta, y no tenía intención de que fuera la primera vez. Se levantó de la mesa.

—Haga el favor de marcharse, agente Pendergast; si no avisaré a la policía.

Ni aun así Pendergast dio muestras de ponerse en pie.

—Las actas del almacén en cuestión son relativamente viejas —dijo—. Unos veinte años. No están disponibles en formato digital. Lo he comprobado. Pero hay tanta información que sí lo está… Flota por el éter virtual, señor Purview. No hay más que alargar el brazo y cogerla. Y yo dispongo de una fuente, alguien de gran talento, a quien se le da excepcionalmente bien esto último. Me ha facilitado otra dirección de la que considero que deberíamos hablar; aparte de la de Old County Lane 299, quiero decir… Se trata de una dirección de especial interés.

Purview levantó el teléfono y empezó a marcar el 911.

—Park Avenue South 129.

La mano se quedó en el aire.

—Verá, señor Purview —añadió Pendergast—, el material disponible en internet no se reduce a informes y documentación. También hay fotos; grabaciones de cámaras de seguridad, por ejemplo, si se sabe cómo acceder a ellas.

Pendergast metió la mano en su traje y sacó una libreta.

—Durante las últimas horas, mi… esto… fuente ha enviado un gusano por la espina dorsal de la red y ha usado software de reconocimiento para encontrar imágenes de su cara. Entre otros sitios las ha encontrado en las cámaras de seguridad de esta dirección específica.

Purview se había quedado muy quieto.

—En ellas aparece usted en compañía de una tal Felicia Lourdes, del apartamento 14-A. Una chica preciosa, que podría ser su hija. Y tiene usted varias. Hijas, me refiero. ¿Correcto?

Purview no dijo nada. Colgó lentamente el teléfono.

—En las imágenes de seguridad aparecen ustedes en el ascensor, protagonizando un apasionado abrazo. Muy conmovedor. Y son bastantes, las imágenes… Será amor sincero, digo yo, ¿verdad?

Otro silencio.

—¿Qué dijo Hart Crane sobre el amor? Que es «una cerilla apagada que se desliza por un urinario». ¿Por qué se arriesgarán tanto las personas? —Pendergast sacudió la cabeza, apenado—. Park Avenue South 129. Muy buen barrio. Me pregunto cómo la señorita Lourdes puede permitírselo. Lo digo por su trabajo de pasante. —Hizo una pausa—. A quien le interesaría sobremanera la dirección es a su esposa, huelga decirlo.

Silencio, todavía.

—Estoy desesperado, señor Purview. No vacilaré en tomar medidas inmediatas si no accede a cumplir mi petición. De hecho, en tal caso, me vería obligado a acudir a instancias superiores.

La palabra quedó flotando en el aire como un mal olor.

Purview pensó un momento.

—Creo que voy a salir un cuarto de hora del despacho para dar un paseo. Si en ese tiempo entrase alguien sin permiso y rebuscara en mis archivos… en fin, no me constaría ni su identidad ni el acto en sí; sobre todo si los archivos en cuestión se dejaran como si no los hubiera tocado nadie.

Pendergast se quedó donde estaba, mientras Purview cogía el *The Wall Street Journal*, salía de detrás de la mesa e iba hacia la puerta. Se giró con la mano ya en el pomo.

—Por cierto, para evitarnos líos, pruebe con el segundo cajón del tercer archivador. Un cuarto de hora, agente Pendergast.

—Que disfrute del paseo, señor Purview.

Cuarenta horas más tarde

Llevaba cuarenta horas con los ojos vendados, y en constante movimiento. La habían metido en el maletero de un coche, en la parte trasera de una camioneta y en lo que supuso que era la bodega de un barco. Tantos traslados furtivos la habían desorientado, haciéndole perder la noción del tiempo. Tenía frío, hambre y sed. Aún le dolía la cabeza por el golpe salvaje recibido en el taxi. No le habían dado nada de comer, y el único líquido que le habían ofrecido era una botella de plástico con agua que le habían puesto en la mano hacía un rato.

Ahora volvía a estar en el maletero de un coche. Durante varias horas cruzaron a toda velocidad lo que parecía una autopista. Luego el coche redujo la velocidad y giró varias veces. Por el traqueteo, Helen concluyó que iban por una pista de tierra.

En todos los traslados entre cárceles improvisadas, sus secuestradores se habían mantenido en silencio. Ahora, al reducirse el ruido de la conducción, los oyó murmurar en la otra punta del vehículo. Hablaban en una mezcla de portugués y alemán que entendió a la perfección, pues había aprendido ambas lenguas antes incluso que el inglés o el húngaro, idioma nativo de su padre. Era, con todo, un murmullo muy leve, que no le permitía distinguir casi nada excepto el tono, que le pareció de irritación y prisa. Calculó que eran cuatro.

Tras varios minutos de viaje accidentado, el coche se detuvo. Oyó abrir y cerrar puertas, y caminar sobre grava. Después abrieron el maletero, y sintió aire frío en la cara. Una mano la cogió por el brazo, la hizo sentarse y la sacó de allí. Se tambaleó y se le doblaron las rodillas. La presión de la mano que la sujetaba aumentó al evitar que Helen cayera. Después la empujaron sin mediar palabra.

Qué raro que no sintiera nada… Ninguna emoción; ni tan siquiera pena o miedo. Después de tantos años de permanecer oculta, de temor e incertidumbre, aparecía su hermano y le daba la noticia con la que tanto había soñado, pero a la que se había resignado que jamás llegaría a oír. Durante un día, uno solo, la había enardecido la esperanza de volver a ver a Aloysius, de reanudar su existencia en común y vivir una vez más como un ser humano normal. Y de repente se la arrebataban, mataban a su hermano y pegaban un tiro a su marido, que también podía estar muerto.

Se sentía como un recipiente vacío. Habría sido mejor no haber tenido nunca esperanzas.

Oyó el crujido de una puerta. La condujeron al otro lado del umbral. El aire de la sala olía a cerrado y humedad. La obligaron a cruzar la estancia, y a través de lo que le pareció otra puerta la hicieron entrar en otro espacio todavía más mohoso. Quizá fuera una casa en medio del campo, vieja y deshabitada. Finalmente la mano soltó su brazo, y notó en sus corvas la presión de un asiento. Se sentó y posó su única mano en el regazo.

—Quitádsela —dijo una voz en alemán, que reconoció enseguida.

Percibió un ligero roce en la cabeza y le retiraron la venda.

Parpadeó dos veces. La habitación estaba oscura, pero después de estar vendados tanto tiempo sus ojos no necesitaban aclimatarse. Oyó que alguien se alejaba por detrás, y que la puerta se cerraba. Después, al levantar la vista, topó con la mirada de Wulf Konrad Fischer; envejecido, por supuesto, pero tan fuerte y musculoso como siempre. Estaba delante de ella, en una silla, con las manos entre las piernas separadas. Al moverse un poco, arrancó una queja a la silla que soportaba su fornido cuerpo. Con sus penetrantes ojos claros, su piel muy bronceada y su cabello, tupido, corto y blanco, exudaba perfección teutónica. La fría sonrisa con que la miraba distorsionaba sus labios; un gesto que Helen recordaba demasiado bien. La apatía y el vacío dieron paso a una punzada de miedo.

—No esperaba recibir una visita de los muertos —dijo Fischer en un tono seco—, pero aquí está: fräulein Esterhazy… perdón, frau Pendergast, que abandonó este mundo hace más de doce años.

Sus ojos brillaron al mirarla, con algún tipo de mezcla entre la diversión, la rabia y la curiosidad.

Helen no dijo nada.

—*Natürlich*, ahora que lo pienso me doy cuenta de lo que pasó. El peón sacrificado fue tu hermana gemela, *der Schwächling*. ¡Ya veo que después de tanto protestar, después de tanta indignación de mojigata, aprendiste de nosotros a las mil maravillas! Casi me siento honrado.

Helen siguió callada. Empezaba a sentir de nuevo la apatía. Mejor estar muerta que vivir con aquel dolor.

Fischer la miraba atentamente, como si calibrase el efecto de sus palabras. Sacó de su bolsillo un paquete de Dunhill y encendió un cigarrillo con un mechero de oro.

—Supongo que no querrás contarnos dónde has estado tanto tiempo, ni si has tenido algún otro cómplice en el pequeño engaño, aparte de tu hermano... Ni si has hablado con alguien sobre nuestra organización...

Ante la falta de respuesta, dio una larga calada al cigarrillo y ensanchó su sonrisa.

—No importa, ya habrá tiempo... cuando hayas vuelto a casa. Seguro que estarás encantada de explicárselo todo a los médicos; antes de que empiecen los experimentos, me refiero.

Helen permaneció en silencio. Fischer había usado la palabra *Versuchsreihe*, cuyo significado, para ella, iba más allá de «experimentos». Al pensar en lo que comportaba, al recordarlo, de pronto tuvo pánico. Se puso en pie de un salto y salió disparada hacia la puerta. Fue un acto irracional e instintivo, que nacía de la atávica necesidad de sobrevivir; pero en el momento en que corría hacia la puerta esta se abrió y aparecieron sus secuestradores justo al otro lado. Helen no frenó. La fuerza del impacto echó a los dos primeros hacia atrás, pero los otros la cogieron y la sujetaron con dureza. Tuvieron que intervenir los cuatro para reducirla y arrastrarla de nuevo hacia la sala.

Fischer se levantó y dio otra calada al cigarrillo, mientras asistía a la feroz y muda resistencia de Helen. Después echó un vistazo a su reloj.

—Es la hora de irnos —dijo. Volvió a mirar a Helen—. Creo que será mejor preparar la jeringuilla.

Cuarenta y cuatro horas más tarde

A las dos y media de la tarde llamaron a la puerta. Kurt Weber dejó su botella de té azucarado, se dio unos toquecitos en la comisura de los labios con un pañuelo de seda, apagó la pantalla del ordenador y cruzó el suelo de baldosas para ir a ver quién era. Un vistazo a través de la mirilla le permitió identificar a un hombre de aspecto respetable.

—¿Quién es?

—Busco la empresa importadora Freiheit.

Weber se metió el pañuelo en el bolsillo del pecho y entreabrió la puerta.

—Dígame.

El hombre del pasillo era delgado, con unos ojos penetrantes de color plateado y un pelo de un rubio casi blanco.

—¿Puede concederme un minuto? —preguntó.

—Por supuesto.

Weber abrió del todo la puerta e indicó un asiento a su visitante. El traje de este último era sencillo (todo negro), pero de muy buena tela, y de corte refinado. Weber, gran amante desde siempre de la moda, se sorprendió arreglándose los puños de manera inconsciente al situarse detrás de su escritorio.

—Qué interesante —dijo el recién llegado, mirando a su alrededor— que lleve la empresa en un hotel.

—No ha sido siempre un hotel —contestó Weber—. En 1929, cuando lo construyeron, se llamaba edificio Rhodes-Haverty, y cuando se convirtió en hotel no me pareció necesario cambiar de oficina. Las vistas de la parte vieja de Atlanta son insuperables.

Weber se sentó.

—¿En qué puedo servirlo?

Casi seguro que era una visita por error, porque las «importaciones» a las que se dedicaba Weber tenían un solo cliente privado, pero no era la primera vez que venían a verlo, y en esos casos siempre se mostraba educado, para dar la impresión de que era una empresa legal.

El visitante tomó asiento.

—Solo tengo una pregunta. Si responde me iré.

Por alguna razón, su tono hizo que Weber titubease antes de contestar.

—¿De qué pregunta se trata?

—¿Dónde está Helen Pendergast?

«No puede ser», pensó Weber.

—No tengo la menor idea de qué me está hablando —fue lo que dijo.

—Es usted el propietario de un almacén en el sur del estado de Nueva York. Fue en ese almacén donde se puso en marcha la operación de secuestro de Helen Pendergast.

—Lo que dice no tiene sentido. Visto que no le trae aquí ningún negocio, no tengo más remedio que pedirle que se vaya, señor...

Weber abrió el cajón central de su escritorio sin dejar de hablar, tranquilamente, e introdujo la mano.

—Pendergast —dijo el desconocido—, Aloysius Pendergast.

Weber sacó su Beretta del cajón, pero el tal Pendergast debió de leerle el pensamiento, porque se abalanzó sobre él sin darle tiempo de apuntar y le arrancó la pistola, que resbaló por el suelo. Mientras tenía cubierto a Weber con otra arma, aparecida como por arte de magia, recogió la Beretta, se la puso en el bolsillo y regresó a su asiento.

—¿Hacemos otro intento? —preguntó en un tono razonable.

—No tengo nada que decirle —repuso Weber.

Pendergast sopesó la pistola.

—¿Tan poco valora su vida? ¿En serio?

Weber había recibido una instrucción muy esmerada sobre el

interrogatorio y sus técnicas: cómo administrarlas y también resistirlas. Otra cosa que le habían enseñado era cómo debía comportarse frente a los demás alguien de sangre y cuna superior.

—No me da miedo morir por lo que creo —dijo Weber.

—Ya somos dos. —Pendergast hizo una pausa—. ¿Y en qué cree usted, exactamente?

Weber se limitó a sonreír.

Pendergast paseó de nuevo su mirada por todo el despacho, hasta posarla una vez más en Weber.

—Lleva usted un traje muy bonito —añadió el agente.

Aunque lo estuvieran apuntando con un Colt de gran calibre, Weber sentía una calma absoluta y un dominio total de su persona.

—Gracias.

—¿Por casualidad es de Hardy Amies, como los que me hacen a mí?

—No, por desgracia; Taylor and Merton, a pocos números de Amies, también en Savile Row.

—Veo que nos une el amor por las buenas prendas. Imagino que tendremos otros intereses en común aparte de los trajes. Las corbatas, por ejemplo. —Pendergast acarició la suya—. En otros tiempos solía tener preferencia por las parisinas de confección artesanal, como Charvet, pero últimamente me decanto por Jay Kos. Como la que llevo ahora. Baratas no es que sean, porque cuestan doscientos dólares, pero en mi opinión los valen con creces. —Sonrió a Weber—. ¿A usted quién le hace las corbatas?

Weber pensó que si era una técnica de interrogatorio novedosa, no funcionaría.

—Brioni —contestó.

—Brioni —repitió Pendergast—. Bien. Sabia decisión.

De pronto, con la misma rapidez de antes, que parecía más una explosión que un movimiento, Pendergast se levantó como un resorte, saltó encima de la mesa y cogió a Weber por el cuello. Arrastrándolo hacia atrás con una fuerza sobrecogedora, subió la guillotina de la ventana más próxima y empujó por ella a Weber, que se resistía. La víctima, aterrorizada, se cogió a ambos lados del marco. Oía el tráfico de Peachtree Street, veinte pisos más abajo, y sentía ascender la corriente de aire.

—Me encantan las ventanas de estos rascacielos antiguos —dijo

Pendergast—. Estas sí que se abren. Tenía usted razón sobre las vistas.

Weber se aferraba desesperadamente a la ventana, sin poder apenas respirar por el terror.

Pendergast descargó la culata de su pistola en los dedos de la mano izquierda de Weber, rompiéndole los huesos. Después hizo lo mismo con la otra. Weber chilló al sentirse empujado al vacío. Sus brazos hacían aspavientos inútiles, mientras sus piernas seguían prendidas al alféizar. Pendergast evitó la caída cogiéndolo por la corbata. Lo alejó aún más de la ventana y lo sostuvo con el brazo extendido.

Weber ejercía una presión frenética sobre el alféizar con las pantorrillas para no descolgarse mientras luchaba para poder respirar.

—Siempre hay que saber lo que se tiene en el ropero, y sus limitaciones —dijo Pendergast, sin abandonar su tono ligero y coloquial—. Mis corbatas Jay Kos, por ejemplo, son de siete pliegues y de seda italiana, tan resistentes como bonitas.

Dio un brusco tirón a la de Weber, que se quedó sin respiración al sentir que una de sus piernas empezaba a deslizarse por el alféizar. Intentó trabarla, como antes. También quiso hablar, pero la corbata lo asfixiaba.

—Hay otros fabricantes que a veces abaratan costes —añadió Pendergast—. Una sola costura, dos pliegues… Ya me entiende. —Volvió a tirar de la corbata—. Por eso quiero cerciorarme de la calidad de su corbata antes de volver a hacerle mi pregunta.

Tirón.

La corbata de Weber hizo un ruido brusco al empezar a desgarrarse. Weber se la quedó mirando sin poder reprimir un grito.

—Vaya, vaya —dijo Pendergast, decepcionado—. ¿Brioni? No creo. Puede que le hayan engañado con una falsificación; o que sea usted quien abarata costes y me engañe acerca de sus proveedores…

Tirón.

La corbata ya estaba medio rota por su parte más gruesa. Weber vio con el rabillo del ojo que en la calle se estaba formando una multitud que señalaba hacia arriba. Oyó gritos lejanos, mientras sentía que empezaba a marearse. El pánico era más fuerte que él.

Tirón. Ras…

—¡Vale! —chilló, tratando de clavar sus dedos rotos y torcidos en la mano de Pendergast—. ¡Hablaré!

—Que sea deprisa, porque esta corbata barata no aguantará mucho más.

—Va a… va a salir esta noche del país.

—¿Dónde? ¿Cómo?

—En avión privado. Fort Lauderdale. Aeropuerto Pettermars. A las nueve.

Mediante un último y brutal tirón, Pendergast metió de nuevo a Weber en el despacho.

—*Scheiße!* —gritó Weber al quedarse en el suelo en posición fetal, cogiéndose las manos destrozadas—. ¿Y si se me hubiera roto del todo la corbata?

Lo único que hizo Pendergast fue sonreír un poco más. Weber lo comprendió de golpe: era un hombre sometido a la mayor tensión que se pudiera sufrir sin enloquecer.

Pendergast dio un paso hacia atrás.

—Si ha dicho usted la verdad, y recupero a Helen sin incidentes, no tendrá que preocuparse por volver a verme; pero si me ha engañado le haré otra visita.

Se paró justo cuando se dirigía hacia la puerta. Se aflojó la corbata para deshacer el nudo y lanzársela a Weber.

—Aquí tiene el original. Acuérdese de lo que he dicho sobre el abaratamiento de costes.

Y tras una última y fría sonrisa abandonó el despacho.

Cuarenta y cinco horas más tarde

El aeropuerto Pettermars. Pendergast tenía algo menos de seis horas para recorrer mil cien kilómetros.

Una consulta rápida a los aeropuertos de la zona le indicó que no había vuelos comerciales factibles, ni vuelos chárter disponibles con tan poca antelación. Tendría que ir en coche.

Había llegado a Atlanta en avión y había cogido un taxi desde el aeropuerto. Necesitaría alquilar un vehículo. Una vez localizada una agencia a pocas manzanas de Peachtree Street eligió un Mercedes Benz SLS AMG nuevo, rojo vivo, y contrató un viaje de ida a Miami con seguro a todo riesgo, a un precio astronómico.

A pesar de que aún no fuera la hora punta, el famoso tráfico de Atlanta ya embotellaba los accesos a las autopistas. Pendergast se metió en la interestatal 75 en dirección al sur y pisó rápidamente el acelerador, cruzando al vuelo una zona en construcción sin abandonar el arcén derecho. Tal como esperaba, el ensordecedor rugido del feroz motor de quinientos sesenta y tres caballos del Mercedes llamó la atención y lo ayudó a abrirse camino. Siguió por el arcén, disparado a más de ciento cincuenta kilómetros por hora, hasta pasar por un control oculto de velocidad.

Magnífico.

De un terraplén salió lanzado un policía estatal de Georgia, con todas las sirenas y luces encendidas. Pendergast frenó tan deprisa que el coche patrulla estuvo a punto de chocar con él. En menos de lo que tardó el agente en anotar la matrícula, Pendergast ya estaba fuera del coche, con la placa en alto, dando zancadas hacia el vehículo policial mientras le hacía señas con la mano de que bajara la ventanilla.

Al llegar al vehículo, se guardó otra vez la placa.

—FBI, delegación de Nueva York. Tengo una misión urgente, de máxima prioridad.

La mirada del agente saltó de Pendergast a la placa y el Mercedes, y viceversa.

—Mmm… Sí, señor.

—El coche lo he tenido que improvisar. Escúcheme con atención: me dirijo al aeropuerto Pettermars, cerca de Fort Lauderdale, por las interestatales 75, 10 y 95.

El agente, que no le quitaba la vista de encima, tuvo que hacer un esfuerzo para no perder el hilo.

—Le voy a pedir que dé un aviso por radio y me autorice para seguir velozmente y sin restricciones el itinerario que le he dicho. Sin paradas. Tampoco acompañantes: iré demasiado deprisa. No creo que haya problemas para reconocer mi coche. ¿Me he explicado bien?

—Sí, señor, pero nuestra jurisdicción se acabará en cuanto salga de Georgia.

—Que el mayor al mando llame a su homólogo de Florida.

—¿Y no sería mejor que la delegación de Nueva York del FBI…?

—Ya le he dicho que es una emergencia. No tenemos tiempo. Haga lo que le he pedido.

—Sí, señor.

Pendergast corrió a su coche y dejó un rastro de goma de cien metros al acelerar, sumiendo al policía en una nube azul.

A las cuatro de la tarde había pasado Macon y seguía hacia el sur como una flecha. Los coches, las señales de tráfico, el paisaje, pasaban como breves manchas de color. De pronto, tras doblar una curva, vio una hilera de luces rojas de freno: dos tráilers subían lentamente una cuesta, el uno junto al otro; al intentar adelantar, el de la izquierda frenaba a los demás conductores, algo de lo más ruin en una autopista de dos carriles.

Pendergast volvió a incorporarse y alejarse del arcén e hizo parpadear los faros para adelantar a la fila de coches, hasta quedar directamente detrás del camión de la izquierda, que no solo ignoró la bocina y las luces de Pendergast, sino que si algo hizo fue ir un poco más despacio, por inquina.

La autopista dibujaba una curva a la derecha. Como a menudo ocurre, el camión del carril lento empezó a invadir el arcén. Pendergast aprovechó la ocasión para colocarse de nuevo en el de la izquierda. Tal como esperaba, el camionero de delante también se desplazó a la izquierda para cerrarle el paso. Era su oportunidad. Redujo un poco la velocidad. Después cambió la transmisión al modo manual, se escoró bruscamente hacia el hueco creado entre los dos tráilers y usó el cambio semiautomático para acelerar ruidosamente de ochenta a ciento cuarenta kilómetros por hora en tres segundos, lanzándose por la autopista vacía hasta dejar muy lejos a los dos camiones. La maniobra le valió dos notas iracundas de bocina de aire.

Siguió conduciendo sin parar. De vez en cuando se metía en el arcén izquierdo o el derecho para adelantar a alguien. Con los más recalcitrantes usaba el claxon y las luces, y a veces los hacía cambiar de carril por miedo, mediante el sistema de acercarse por detrás a gran velocidad sin frenar hasta el último segundo. A las cinco y media había dejado atrás Valdosta y cruzaba la frontera con Florida.

Sabía que el itinerario más directo tenía sus problemas, ya que implicaba atravesar Orlando, con su madeja de accesos atascados y llenos de turistas, así que giró hacia el este por la interestatal 10 rumbo a la costa atlántica. No era una alternativa muy satisfactoria, pero sí la que tenía mayores probabilidades de éxito. En Jacksonville giró hacia el sur y volvió a la interestatal 95.

Paró a repostar en las afueras de Daytona Beach: tras entregar un billete de cien, pisó el acelerador sin esperar el cambio, para sorpresa del encargado.

El tráfico de la autopista empezó a disminuir al hacerse de noche, y los tráilers de largo recorrido iban a mayor velocidad. Pendergast, que había bajado la capota de cristal para mantenerse despierto con el viento nocturno, forzaba el coche al máximo para hilvanar su recorrido entre los camiones. Titusville, Palm Bay y Jupiter pasaron como simples manchas de luz. Al llegar a Boca Raton activó el GPS e introdujo su destino.

Había conducido a un promedio de doscientos kilómetros por hora.

El aeropuerto Pettermars, situado a quince kilómetros al oeste de Coral Springs, se recortaba en el flanco oriental de los Evergla- des. Al acercarse a él por el enorme extrarradio de Fort Lauderdale, Pendergast distinguió una torrecita, unas cuantas mangas de viento y un parpadeo de luces de pista.

Las nueve menos cinco. Vio aparecer la pista del aeropuerto tras un pasto descuidado. Junto al hangar más próximo calentaba mo- tores un monomotor de hélices con capacidad para seis personas.

Pendergast frenó con un chirrido de neumáticos delante del ope- rador de base fija y corrió lo más deprisa que le permitía su cojera hasta acceder al edificio, de una sola planta, pintado de amarillo.

—¿Adónde va aquel avión? —preguntó, sacando su placa, al úni- co administrativo que había en el mostrador—. Es una emergencia del FBI.

El hombre se los quedó mirando, a él y la placa. Solo titubeó un momento.

—El plan de vuelo que han dado es a Cancún.

Cancún. Probablemente fuera un falso destino. Aun así, indica- ba que el avión iba hacia el sur y cruzaría la frontera.

—¿Esta noche hay algún otro vuelo programado?

—Un Lear que llegará de Biloxi dentro de una hora y media. ¿Le puedo ayudar de alguna manera a...?

Pero el administrativo hablaba con el aire. Pendergast había de- saparecido.

Al salir del edificio, Pendergast corrió al Mercedes y se subió a él. El avión ya rodaba hacia la pista, con el motor en marcha. Alre- dedor del hangar y de la pista de rodaje había una valla de seguridad, con la verja de tela metálica cerrada. No quedaba tiempo. Pender- gast dirigió el coche hacia la verja y pisó a fondo el acelerador. El Mercedes rugió al salir disparado y arrancar los dos batientes, que rodaron por la pista.

El avión ya se alejaba por la pista de despegue, acelerando len- tamente. Pendergast se colocó a su altura y miró la cabina. El piloto llamaba la atención: alto y muy musculoso, con la piel muy bron- ceada y un pelo de un blanco inmaculado. El ocupante del asiento contiguo miró el Mercedes a través de la ventana. Era uno de los corredores que habían atrapado a Helen en Central Park. Al reco- nocer a Pendergast sacó rápidamente una pistola y disparó por la ventana.

Después de esquivar el disparo, Pendergast se arrimó al ala, donde no podía alcanzarlo el tirador. Mientras adaptaba la velocidad del coche a la del avión, sopesó brevemente la posibilidad de cortarle el paso, pero era muy posible que el aeroplano se descontrolase, y Helen iba a bordo. Al final optó por acercarse todavía más al ala, sin cambiar de velocidad, y abrir la puerta. Esperó con el cuerpo en tensión. En el momento oportuno, se lanzó desde el coche en movimiento al tren de aterrizaje derecho. Un error ínfimo de sincronización hizo que resbalase por las riostras, y que por un instante sus pies se vieran arrastrados por la pista. Una flexión poderosa de sus brazos lo hizo despegarse del asfalto y adoptar una posición más segura, acompañada de una mueca de dolor a causa de la herida de la pierna.

El avión aceleraba rápidamente; ya iba a más de treinta nudos, y el viento azotaba el pelo y la ropa de Pendergast, que se subió al tren de aterrizaje hasta quedar justo debajo del ala. Se inclinó y desenfundó la pistola. Distinguía a duras penas la silueta del corredor en el asiento del copiloto. Por lo demás, el ala le tapaba toda la visión de los pasajeros.

Ya se veía el final de la pista. Al otro lado solo había pastos y marismas. El piloto parecía tener dificultades para compensar el peso suplementario y la resistencia. Pendergast se inclinó un poco más. El corredor asomó la cabeza por la ventanilla y escrutó la oscuridad, buscándolo. Justo cuando el avión despegaba, Pendergast apuntó con gran cuidado y, adoptando una postura casi horizontal respecto al tren de aterrizaje, disparó al corredor en plena cara.

Un grito acompañó el impacto, que arrojó hacia atrás la cabeza de la víctima. Su cuerpo se contrajo de manera brusca, involuntaria. Después se abrió la puerta, y el cadáver rodó hasta estamparse en la pista como media res, justo cuando volvía a elevarse el avión. Sobrevolaron las marismas. En cualquier momento recogerían el tren de aterrizaje.

Pendergast pensó deprisa. El avión ya estaba a diez metros del suelo. Después de enfundarse la pistola se puso en equilibrio sobre la riostra horizontal, al lado de la rueda, sacó un bolígrafo de su bolsillo y lo clavó en la pequeña lengüeta del colector de combustible, en la base del carenado. Justo cuando empezaba a zumbar el mecanismo hidráulico de la rueda, se preparó para saltar del tren de aterrizaje. Manteniéndose en el ángulo correcto de entrada, alcanzó las marismas con un tremendo chapuzón, hundiéndose en el agua y en el barro del fondo.

Cincuenta y tres horas más tarde

Pendergast estaba al final de la pista 29-R del aeropuerto Pettermars, sentado en un montante de acero. Era una noche oscura, sin estrellas, iluminada solo por las líneas paralelas de luces de pista que se alejaban hacia el horizonte. Al desprenderse del avión se le había reabierto la herida de bala. Había conseguido detener la hemorragia y hecho todo lo posible por limpiar de barro fétido la herida. Necesitaría atención médica más precisa y tratamiento antibiótico, pero de momento tenía cosas más importantes que hacer.

Por encima de su hombro, a cientos de metros de altitud, empezó a dibujarse otra luz: un avión que se acercaba. Poco a poco se diferenciaron las luces de posición y las de aviso. Al cabo de un minuto pasó un Learjet 60 a unos siete metros por encima de su cabeza y se dispuso a aterrizar con un fragor de motores en empuje inverso cuya estela levantó una polvareda brutal.

Pendergast no se fijó.

Ya había registrado el cadáver del corredor, oculto entre las hierbas altas al final de la pista. El derribo de la verja había despertado una brusca actividad en el aeródromo. Había venido la policía para peinar toda la zona, pero se había llevado el Mercedes sin encontrarlos a él ni al muerto.

Desde entonces todo estaba en calma. Pendergast se levantó y rodeó la pista sin abandonar la oscuridad de la hierba, hasta llegar a la gasolinera del aeropuerto, donde había un vetusto teléfono de pago que por algún milagro todavía funcionaba. Llamó a D'Agosta.

—¿Dónde está? —dijo una voz en Nueva York.

—Eso no importa. Emita una orden de búsqueda y captura de un monomotor Cessna 122 con indicativo noviembre ocho siete nueve foxtrot Charlie. Ha salido para México con plan de vuelo a Cancún, pero efectuará un aterrizaje forzoso en un radio de... —Pensó un poco—. Trescientos kilómetros en torno a Fort Lauderdale, a causa de una pequeña fuga en la línea de combustible.

—¿Cómo sabe que tiene una fuga?

—Porque la he provocado yo, clavando un tubo de plástico hueco en el colector. Desde la cabina no pueden remediarlo.

—Tiene que explicarme qué coño pasa...

—Cuando tenga novedades llámeme a este número.

—Espere, Pendergast, por Dios...

Pendergast colgó y salió de la luz que rodeaba la cabina de teléfono, retirándose a la oscuridad de un aparcamiento vacío repleto de palmitos. Se tumbó a esperar en el suelo, debilitado por la pérdida de sangre.

Media hora después oyó sonar el teléfono. Se levantó y fue a la cabina, mareado.

—¿Diga?

—Tengo novedades sobre la orden de búsqueda. El avión ha aterrizado hará unos diez minutos en una pista muy pequeña de las afueras de Andalusia, Alabama. Se ha quedado sin tren de aterrizaje.

—Siga.

—Deben de haber llamado antes, porque los esperaba una camioneta. En la pista solo había una persona, un tipo que tomaba café en el hangar. Ha visto que entraban varios tíos en la camioneta y que se iban cagando leches hacia la... —Una pausa—. Reserva Nacional Forestal de Conecuh. El avión lo han dejado en la pista, como si nada.

—¿El testigo ha visto la matrícula de la camioneta?

—No, estaba demasiado oscuro.

—Avise a la policía de carreteras de Alabama y emita una orden de búsqueda y captura en todos los pasos fronterizos. Van a México. Lo llamaré más tarde. Mi móvil está fuera de servicio.

Una pausa reticente.

—Cuente con ello.

—Gracias.

Pendergast colgó.

Se quedó unos diez minutos sin moverse, sentado en la húmeda oscuridad. Después regresó a la cabina y marcó otro número.

—Sí —dijo la voz aguda, entrecortada, de Mime, el hacker de vida recluida y discutible ética cuyo único contacto con el resto del mundo era justamente Pendergast.

—¿Algo nuevo?

—Pues no sé, poca cosa. Esperaba conseguir algo más antes de comentarle…

Su voz aguda hizo una pausa dramática e incitante.

—No tengo tiempo para juegos, Mime.

—Vale, vale —se apresuró a decir Mime—. He estado escuchando el espionaje electrónico de nuestros amigos de Fort Meade; podríamos decir que vigilando a los vigilantes. —Se rió—. ¿Sabe que, por mucho que digan que no, sí que controlan las llamadas y los e-mails nacionales? He aislado una conversación telefónica que creo que es del grupo que llama usted *Der Bund*.

—¿Está seguro?

—Es difícil estarlo al cien por cien, amigo. Las transmisiones están encriptadas. Lo único que he podido averiguar es que están en alemán. He reconocido algún que otro nombre. Según la triangulación gubernamental de la señal de móvil, se movía deprisa por el centro y el noroeste de Florida.

—¿A qué velocidad?

—La de un avión.

—¿Cuándo?

—Hace setenta minutos.

—Debía de ser el avión que acaba de aterrizar en Alabama. ¿Qué más?

—Nada, solo unas cuantas palabras sin encriptar en español que se referían a un lugar: Cananea.

—Cananea —susurró Pendergast—. ¿Dónde queda eso?

—Es un pueblo de Sonora, en México… a cincuenta kilómetros de la frontera, en medio de la nada.

—Deme una idea del pueblo.

—Según mis investigaciones, tiene treinta mil habitantes. Antiguamente fue muy importante como centro de la minería de cobre, y hubo una huelga sofocada con sangre que contribuyó a desencadenar la Revolución mexicana. Ahora lo único que hay es un par de fábricas en la parte norte.

—¿Ubicación geográfica?

—De Cananea sale un río que va hacia el norte y cruza la frontera de Arizona; el San Pedro, se llama: uno de los pocos ríos del continente que fluyen hacia el norte. Es una ruta importante de contrabando de droga e ilegales. Lo que ocurre es que el desierto de la zona es brutal. Es donde acaban muertos muchos de los que pretenden emigrar. Parece que allá la frontera queda aislada de la hostia; solo es una alambrada, aunque hasta el culo de sensores y patrullas. Y con un dirigible cautivo que de noche ve hasta un cigarrillo en el suelo.

Pendergast colgó el auricular. Tenía su lógica. Sin el avión, y previendo las órdenes de búsqueda y captura en las fronteras, los raptores de Helen habrían tenido que buscar una manera clandestina de cruzar a México, y el corredor del San Pedro hacia Cananea era tan válido como cualquier otra.

Sería su última oportunidad de interceptarlos.

Se alejó de la cabina a trompicones. Aún le daba vueltas la cabeza, y no tuvo más remedio que sentarse bruscamente en el suelo. Estaba débil y exhausto. Perdía sangre y llevaba más de dos días sin dormir ni alimentarse. Sin embargo, aquella súbita debilidad era algo más que física. Su mente, todo su ser estaban heridos.

Analizó a regañadientes su maltrecho estado psicológico. No sabía qué sentía por Helen en aquel momento, si la quería aún o no. Durante doce años la había dado por muerta, una idea a la que se había resignado. Y ahora estaba viva. De lo único que estaba seguro era de que si no hubiera insistido en volver a verla, si no hubiera echado la cita a perder, Helen aún estaría a salvo. Era un fracaso que debía subsanar. Tenía que rescatarla de *Der Bund*, no solo por la integridad de Helen, sino por la suya propia. De lo contrario…

No se permitió pensar en el «de lo contrario». Lo que hizo en cambio, recurriendo a sus últimas fuerzas, fue ponerse en pie. Tenía que llegar a Cananea como fuese.

Cojeó hacia el aparcamiento del aeródromo, bañado por lámparas de sodio. Solo había un coche aparcado, un viejo Eldorado marrón claro. Seguramente el del administrador del aeropuerto.

Por lo visto le iba a hacer otro favor a Pendergast.

Ochenta y dos horas más tarde

Pendergast estacionó el renqueante y maltrecho Eldorado en una gasolinera de las afueras de Palominas, un pueblecito de Arizona. Las únicas paradas que había hecho en los tres mil quinientos kilómetros de viaje habían sido para repostar.

Salió y se apoyó en la puerta para no perder el equilibrio. Eran las dos de la madrugada. El inmenso cielo del desierto estaba sembrado de estrellas, sin luna.

Al cabo de un momento entró en la tienda de veinticuatro horas junto a la gasolinera y compró un mapa del estado mexicano de Sonora, media docena de botellas de agua, unos cuantos envases de cecina, galletas, algún tipo de carne en conserva, un par de trapos de cocina, vendas, ungüento antibiótico, un frasco de ibuprofeno, tabletas de cafeína, cinta de embalar y una linterna. Lo metió todo en una doble bolsa de plástico, que se llevó al coche. Una vez sentado al volante estudió el mapa recién adquirido y lo memorizó.

Salió de la gasolinera y fue hacia el este por la carretera 92, cruzando el San Pedro por un pequeño puente. Atravesado el río, giró a la derecha por un camino de tierra que iba hacia el sur. Lentamente, dando tumbos por los baches, condujo entre mezquites y arbustos de acacia, enhebrando entre las ramas retorcidas las luces de sus faros. El río quedaba a su derecha, invisible pero perfilado en negro por una frondosa hilera de álamos.

Aproximadamente a un kilómetro de la frontera se desvió del camino y se internó hasta donde pudo con el coche por los matorrales de mezquite. Apagó el motor, salió del coche con la bolsa de la compra en la mano y escuchó en la oscuridad. Se oían los aullidos de dos coyotes lejanos, pero era la única señal de vida.

Supo que era una falsa impresión. Aquel tramo de la frontera entre Estados Unidos y México, donde la separación entre los dos países era una alambrada de cinco hileras, estaba plagada de sensores de lo más sofisticados, cámaras de infrarrojos y radares de tierra, y había patrullas fronterizas de respuesta rápida a pocos minutos.

Pendergast, sin embargo, no estaba preocupado. Tenía una ventaja sobre la mayoría de los contrabandistas o delincuentes fronterizos: ir hacia el sur, a México.

Se ató a la americana la bolsa de la compra, convirtiéndola en una tosca mochila que se echó al hombro antes de empezar a caminar.

El movimiento de su pierna herida hizo que volviera a sangrar. Se paró, se sentó y dedicó un momento a retirar la venda a la luz de la linterna, aplicar más ungüento antibiótico y taparla de nuevo con vendas limpias y los paños de cocina. A continuación se tomó cuatro ibuprofenos, y otras tantas tabletas de cafeína.

Tardó varios minutos en volver a levantarse. No podía detenerse. Le quedaba por delante un largo camino. Mascó algo de cecina y bebió un trago de agua.

Esperaba burlar las trampas y sensores electrónicos evitando el camino de tierra y el río. Quizá el enorme dirigible cautivo que flotaba invisible por el cielo nocturno, sobre su cabeza, hubiera detectado su presencia, pero tuvo la esperanza de que no provocase ninguna reacción, al menos de momento.

Incluso en verano, el aire de la noche era frío. Los coyotes habían dejado de aullar. Todo era silencio. Pendergast siguió adelante.

El camino giraba noventa grados para discurrir en paralelo a una alambrada, que constituía la frontera propiamente dicha. Tras avanzar, con la seguridad de haber disparado varios sensores, llegó a la cerca y en cuestión de segundos cortó los alambres y entró por la fuerza en el lado mexicano. Se adentró cojo por la oscuridad, atravesando una despoblada extensión de desierto cubierto de guijarros y salpicado de acacias.

No tardó mucho tiempo en ver faros en el lado estadounidense. Siguió adelante a la mayor velocidad que pudo, hacia los álamos que bordeaban el río. Los círculos de luz de varias linternas horadaron la noche del desierto y barrieron el paisaje hasta posarse en Pendergast y bañarlo en una fuerte luz blanca.

Siguió adelante. En el aire resonó una voz amplificada por megáfono que, primero en inglés y luego en español, le ordenó detenerse, dar media vuelta, levantar las manos e identificarse.

Pendergast continuó su avance ignorando el aviso. No podían hacer nada. No podían perseguirlo, y de poco serviría llamar a sus homólogos del lado mexicano. A nadie le importaba el tráfico clandestino de norte a sur.

Puso rumbo a la hilera de álamos del río. Los focos lo siguieron un momento más, con más órdenes desganadas por el megáfono, hasta que se internó entre los árboles. Entonces desistieron.

Oculto entre las copas protectoras, se sentó a descansar a orillas del San Pedro, que en aquel punto era un modesto riachuelo. Intentó comer, aunque le supiera a cartón. Hizo el esfuerzo de masticar y tragar. También bebió más agua y resistió el impulso de abrir el vendaje, empapado de sangre fresca.

Calculaba que Helen y sus secuestradores cruzarían la frontera más o menos a la misma hora que él, o un poco antes. Era una zona aislada y desértica, cubierta de arbustos y mezquite y atravesada por caminos de tierra sin señalizar, que usaban los inmigrantes ilegales y los contrabandistas de armas y droga. Seguro que *Der Bund* había organizado algún tipo de transporte del lado mexicano por alguno de los caminos de tierra que llevaban hasta Cananea, a cincuenta kilómetros de la frontera. Ellos se desplazarían por aquella red de senderos improvisados, y él debería darles alcance antes de que llegaran a la población y a las vías pavimentadas por las que se salía de ella. En caso contrario, sus posibilidades de encontrar alguna vez a Helen se reducirían casi a cero.

Volvió a levantarse y cojeó por el lecho del río, que por lo general estaba seco, aunque también encontró algunas charcas de agua estancada, de dos o tres centímetros de profundidad. Incluso ahora podía ser demasiado tarde.

Aproximadamente a un kilómetro hacia el sur vio luces lejanas a través de la fina pantalla de los árboles. Entonces se acercó a la orilla, y al asomarse creyó ver un rancho que se erguía solitario en el gran llano desértico. Estaba habitado.

La noche sin luna protegió su aproximación. En las ventanas

del edificio principal, hecho de adobe, brillaban tenues luces amarillas. Era una vieja construcción encalada, con corrales y otras dependencias desfondadas a su alrededor, pero los cuatro por cuatro relucientes de último modelo aparcados a su lado eran señal de que aquel sitio ya no se usaba para la ganadería, sino para algo muy distinto.

Se acercó medio agachado a la zona de estacionamiento. Vio brillar fugazmente un cigarrillo, y reparó en que en la puerta de la casa había un hombre que vigilaba los vehículos y el camino de acceso, fumando con un fusil de asalto en las manos.

Contrabandistas de droga, sin duda.

Rodeó la casa sin salir de la oscuridad. En un lado había aparcada una moto, una Ducati Streetfighter S.

Pendergast, que ahora se movía con suma precaución, se acercó al edificio por el lado ciego. Entre el desierto de matojos y el patio de tierra había un muro bajo de adobe. Se agachó junto al muro y después, con un movimiento felino, saltó por encima y corrió por el patio hasta apoyarse en la pared de la casa. Esperó un momento hasta que remitieran los pinchazos en la pierna. Luego metió una mano en el bolsillo, sacó un cuchillo pequeño pero muy afilado y siguió hacia la esquina.

Esperó con los oídos alerta. Se oía un murmullo de voces, y de vez en cuando la tos del hombre que fumaba fuera. Al cabo de un momento oyó que el vigilante tiraba la colilla y la aplastaba con el pie. Después se oyó un mechero, y el vago resplandor de una luz indirecta bañó el oscuro patio al encenderse un nuevo cigarrillo. Oyó la sonora inhalación del vigilante, que exhaló y carraspeó.

Apoyado en la esquina, Pendergast palpó la tierra y cogió una piedra del tamaño de un puño, con la que dio unos suaves golpes en el suelo. Esperó. Nada. Entonces rascó el suelo con la piedra e hizo un ruido un poco más fuerte.

Al otro lado, el vigilante se quedó muy quieto.

Pendergast esperó y volvió a rascar, algo más fuerte esta vez.

Seguía sin oírse nada. De pronto el rumor de unos pasos furtivos. El vigilante se acercó a la esquina de la casa y se detuvo. Pendergast lo oía respirar. También oyó otro ruido, el de colocarse bien el fusil y disponerse a atacar.

Pendergast se agazapó lentamente, controlando el dolor, y esperó. De pronto el vigilante dio la vuelta a la esquina con el fusil a punto, y en un movimiento instantáneo Pendergast saltó y seccionó con la punta del cuchillo el tendón flexor de su índice derecho, a la vez que empujaba el fusil hacia arriba y asestaba un golpe con la piedra en la sien del vigilante, que cayó sin hacer ruido. Pendergast desprendió de sus manos el fusil M4 y se lo colgó del hombro. Se acercó con sigilo a la Ducati. La llave estaba puesta en el contacto.

La moto, de un modelo agresivo que parecía un esqueleto, no tenía alforjas. Se echó al hombro la mochila improvisada, junto al M4, y de nuevo agachado dio un rodeo por la sombra hasta los tres todoterrenos estacionados en el aparcamiento de tierra. Clavó la punta del cuchillo en un neumático de cada coche.

Volvió a la Streetfighter, se subió al asiento y pulsó el botón de arranque. El potente motor se despertó inmediatamente con un rugido. Sin perder ni un segundo, quitó el punto muerto con el pie, desembragó y aceleró de golpe mediante un brusco giro de la mano derecha.

Al lanzarse por la vía de acceso en una nube de polvo, y superar las ochenta RPM sin pasar de la primera marcha, vio en los retrovisores que un enjambre de narcotraficantes salía del rancho con las armas a punto. Apretó un momento el acelerador y metió la segunda justo cuando empezaban las primeras ráfagas. Los traficantes encendieron los motores y las luces de los todoterrenos. Más disparos, más gritos de venganza… hasta que todo se hundió en la oscuridad, a sus espaldas.

Siguió hacia el sur, cambiando de marcha, atravesando a gran velocidad el desierto baldío. Debía interceptarlos antes de Cananea…

Dio otro acelerón a la Streetfighter, mientras en las alturas, salpicado de estrellas, el inmenso firmamento se movía a toda velocidad por encima de él.

Ochenta y cuatro horas más tarde

Faltaba mucho para el amanecer cuando atisbó algo rojo en la inmensa negrura del desierto: las luces traseras de un vehículo lejano, que circulaba a gran velocidad entre las matas. Quedaba al sudoeste de su posición. A ocho kilómetros al sur vio el resplandor de Cananea.

Giró y se internó por el desierto hasta salir a una de las pistas paralelas que había más al este. La vibración de la motocicleta por los baches, y los golpes de las ramas en las piernas, habían aflojado el vendaje. Sentía correr la sangre por su pierna, y cómo las gotas siseaban al caer sobre el silenciador caliente. Sacó otras cuatro pastillas de ibuprofeno y se las tragó de golpe.

El vehículo había desaparecido en algún punto a su derecha, entre los arbustos. Las luces de Cananea se intensificaron. Según Mime, lo primero que encontrarían serían varias fábricas de pequeñas dimensiones situadas al norte de la población. De las factorías salían vías asfaltadas que llegaban hasta la ciudad y confluían en una carretera más importante. Tenía que darles alcance en el desierto.

El resplandor que iluminaba el cielo por el sur le permitió seguir acelerando y aumentar la velocidad. Solo faltaban tres kilómetros para llegar a Cananea. Calculando que el coche se encontraba más o menos a la misma altura que él, aunque no podía verlo, giró hacia el oeste y empezó a dar saltos entre zanjas y arbustos por el paisaje desértico. Un minuto más tarde vio las luces del vehículo prácticamente al oeste de su posición, en una trayectoria paralela a

64

la suya. Pendergast estaba lo bastante cerca para ver que eran dos todoterrenos, uno detrás del otro; Escalades, a juzgar por su aspecto. Iban deprisa, pero no tanto como él, ni mucho menos.

No parecían haberlo visto.

Se descolgó el M4 con la mano izquierda, sin despegar la otra del acelerador, y puso el fusil en equilibrio sobre el manillar, sujetándolo con un lado del cuerpo. Verificó que estuviese en modo automático.

Mientras tanto, los vehículos ya habían visto sus luces. Para alejarse de él se salieron de la carretera y se internaron entre los matojos, pocos y dispersos.

Demasiado tarde. Pendergast los aventajaba en rapidez y agilidad. Además los todoterrenos eran demasiado grandes para acelerar bien a campo traviesa. Pendergast se acercó en ángulo recto, hacia el espacio entre los dos vehículos, y se introdujo en ese hueco, frenando a fondo para igualar su velocidad con la de ellos. La maniobra le permitió identificar a los ocupantes de los dos todoterrenos, y le llevó solo un instante reconocer la cara asustada de Helen en la ventanilla trasera del segundo. Un hombre se asomó por el primero y le disparó con una pistola, sin acertar. Sacando provecho de la gran potencia de la Ducati, Pendergast se apartó, se colocó a la altura del primer vehículo y al adelantarlo le lanzó varias ráfagas de su M4. El coche se desvió, derrapó y dio varias vueltas de campana antes de explotar.

Un rápido frenazo había dejado muy atrás al segundo vehículo. Aplicando una brusca presión al freno trasero de la Streetfighter, Pendergast provocó un derrape que levantó una gran cortina de polvo y lo situó con el Escalade de frente y Cananea detrás. Quedó a la espera de lo que hiciera el vehículo.

En vez de detenerse y plantar cara, el coche se alejó y empezó a dar tumbos por la accidentada llanura, abriéndose camino por el chaparral. Iba hacia la carretera asfaltada del borde de la población, irradiando un sonido constante e inútil de disparos que alternaban con parpadeos de luz.

Pendergast puso la Ducati en marcha, dio un giro de noventa grados y aceleró para seguir al coche.

En poco tiempo le dio alcance, haciendo una maniobra envolvente hacia el sur que obligó al todoterreno a ir hacia el este y alejarse de las fábricas y de la población. Lo que, por el contrario, se encontraba a poca distancia era la carretera de la fábrica más próxima, bordeada por farolas de sodio.

Se oyeron más disparos procedentes del vehículo, cuyas balas hicieron saltar polvo junto a Pendergast. En la ventana trasera, un hombre lo apuntaba con una pistola, pero el Escalade daba tantos vaivenes que difícilmente acertaría. Pendergast aceleró y dibujó una nueva trayectoria por detrás y en paralelo al Escalade. Volvió a preparar el fusil. Un hombre asomado por la ventanilla disparó unas cuantas balas perdidas.

Pendergast pasó a una trayectoria convergente, y mediante un acelerón final de la motocicleta se puso a la altura del coche y disparó una ráfaga baja y frontal que alcanzó uno de los neumáticos delanteros. Al mismo tiempo, la Ducati recibió una descarga procedente del coche que rompió la transmisión y la hizo derrapar. Pendergast manipuló con rapidez los frenos delantero y trasero, para no ser víctima de un giro incontrolable. Se lanzó a unas matas de gobernadora justo cuando la Ducati perdía toda su velocidad y caía por un estrecho barranco.

Se levantó enseguida y, con el arma en la mano, apuntó y volvió a disparar contra el coche que se alejaba. El Escalade ya hacía eses por culpa del neumático pinchado. El disparo de Pendergast reventó la rueda trasera del mismo lado y lo hizo colear y detenerse, momento en que saltaron cuatro hombres al suelo y abrieron fuego, arrodillados al lado del vehículo.

Pendergast puso cuerpo a tierra y apuntó con cuidado, mientras las balas levantaban polvo a su alrededor. Su arma, mejor que la de sus rivales, abatió a dos hombres en rápida secuencia. Los dos restantes se refugiaron detrás del vehículo sin disparar.

Lástima.

Se puso en pie y echó a correr con todas sus fuerzas, que a lo sumo le permitían renquear. Disparaba todo el rato, siempre al aire. De repente aparecieron las dos figuras a un lado del vehículo. Una arrastraba a Helen mientras encañonaba su cabeza; la otra (el hombre alto, musculoso y con el pelo blanco que había pilotado el avión) se agazapaba tras ellos, usándolos de escudo. No parecía armado, o en todo caso no disparaba.

Pendergast se lanzó de nuevo al suelo y apuntó, pero sin atreverse a disparar.

—¡Aloysius! —gritó una voz aguda.

Volvió a apuntar y esperó.

—¡Suelta el arma o la mato! —exclamó con fuerte acento el hombre que usaba a Helen como escudo humano.

Las tres siluetas habían empezado a retroceder, alejándose del Escalade sin que el hombre del pelo blanco saliera de detrás de los otros.

—¡Te juro que la mato! —gritó el hombre.

Pendergast sabía que no era verdad. Helen era su única protección.

El hombre le disparó dos veces, pero a una distancia de cien metros su pistola no era bastante precisa.

—¡Suéltala! —exclamó Pendergast—. ¡La quiero a ella, no a ti! ¡Si la sueltas podrás marcharte!

—¡No!

El hombre la sujetaba con desesperación.

Pendergast se incorporó despacio y dejó caer a un lado su fusil.

—Solo tienes que soltarla —dijo—. Nada más. No habrá ningún problema. Te doy mi palabra.

El hombre volvió a disparar, pero falló. Pendergast empezó a cojear hacia los tres, con el fusil en el costado.

—Suéltala. Es la única manera de que salgas vivo de aquí. Suéltala.

—¡Tira el arma!

El hombre estaba histérico de miedo. Pendergast depositó lentamente el fusil en el suelo y se levantó con las manos en alto.

—¡Aloysius! —Helen lloraba—. Vete. ¡Vete!

El hombre la arrastró hacia atrás y erró otro disparo. Estaba demasiado lejos y asustado para apuntar bien.

—Confía en mí —dijo Pendergast con voz grave y serena, tendiendo los brazos—. Suéltala.

Todo estuvo en suspenso durante unos segundos angustiosos. De pronto, con un grito inarticulado, el hombre tiró a Helen al suelo, apuntó y disparó contra su cuerpo a bocajarro.

—¡O la ayudas a ella o me persigues! —exclamó, a la vez que se giraba y se iba corriendo.

El grito de Helen perforó el aire… y se cortó de golpe. Pendergast, tomado por la mayor de las sorpresas, se lanzó hacia ella con un grito salvaje. Al segundo siguiente estaba de rodillas a su lado. Vio enseguida que el disparo era mortal. La sangre manaba rítmicamente a través de un agujero en el pecho: una bala en el corazón.

—¡Helen! —exclamó con la voz quebrada.

Helen se aferraba a él como si se ahogase.

—Aloysius... Tienes que escucharme...

Su voz era un susurro entrecortado. Pendergast se agachó para poder oírla.

Las manos de Helen lo cogieron con más fuerza.

—Va a venir... Compasión... Ten compasión...

La interrumpió un chorro de sangre. Pendergast puso dos dedos en su cuello, en la carótida, y sintió el pálpito del último latido; luego nada.

Después de un momento, Pendergast se levantó y volvió a trompicones adonde había dejado el M4. El hombre del pelo blanco debía de estar tan sorprendido como él por el desenlace, porque había tardado un poco en salir corriendo detrás del tirador.

Pendergast se arrodilló, alzó el arma y apuntó al asesino de su esposa, cuya silueta ya estaba a quinientos metros. Se acordó con un extraño desapego de la última vez que había salido de caza. Centró la figura en la mira, compensó la resistencia aerodinámica y la caída y presionó el gatillo. El fusil dio un culatazo. El hombre cayó.

El del pelo blanco era buen corredor: ya había dado alcance al asesino, y seguía alejándose. Pendergast apuntó, disparó y falló.

Respiró hondo, vació los pulmones, centró la mira, compensó y disparó por segunda vez. Otro fallo.

Al tercer intento se oyó el clic del cargador vacío, justo cuando el hombre desaparecía en la inmensidad del desierto.

Después de mucho tiempo, Pendergast volvió a dejar el arma en el suelo y regresó junto al cuerpo de Helen, rodeado por un charco de sangre que se ensanchaba lentamente. Lo contempló un buen rato. Luego se puso a trabajar.

Noventa y una horas más tarde

El sol brillaba en lo más alto de un cielo emblanquecido de calor. Un remolino de polvo giraba por la tierra yerma. Lejos, en el horizonte, se recortaban montañas azules. Un buitre cabecirrojo que había olido la muerta aprovechaba una corriente térmica para estrechar su perezosa maniobra en espiral.

Tras depositar la última paletada de tierra en la tumba, la aplastó con la parte lisa de la pala oxidada y aplanó la arena. Había tardado mucho en hacer el agujero, cavando a gran profundidad en la arcilla reseca. No quería que ningún ser humano o animal removiera la tumba.

Se apoyó en la pala para descansar, respirando superficialmente. El esfuerzo había reabierto la herida de su pierna, y el último vendaje estaba empapado de sangre. Por su rostro inexpresivo se deslizaban gotas de sudor mezcladas con el barro. Tenía la camisa rota, suelta y marrón por el polvo; su americana estaba hecha jirones y los pantalones, desgarrados. Contempló la parte excavada. Después, con la lentitud de movimientos de un anciano, se agachó y recogió la tosca señal que había confeccionado a partir de una plancha tomada en el mismo rancho abandonado donde encontró la pala. No quería que se notase demasiado que era una tumba. Sacó la navaja de su bolsillo y grabó con pulso débil:

H. E. P.
Aeternum vale

Cojeó hasta la cabecera de la tumba y hundió en la tierra la base afilada del letrero. Después dio un paso hacia atrás, levantó la pala y, tras apuntar con mucho cuidado, la estampó contra la parte superior con un impacto que hizo temblar todo su cuerpo.

¡Pam!

...Estaba sentado delante de un pequeño fuego, en medio de los bosques que poblaban las laderas de Cannon Mountain. Al otro lado del fuego estaba Helen, con un vestido de franela a cuadros escoceses y botas de montaña. Era el final del tercer día de una semana de marcha por las White Mountains. El sol, una roja bola de fuego, se ponía detrás de un lago glaciar, resaltando las cumbres de Franconia Range. Desde mucho más abajo llegaban las voces y cantos del refugio de Lonesome Lake. Un cazo de café puesto al fuego mezclaba su aroma con los del humo de leña, los pinos y la resina. Helen, que removía el café, miró a Pendergast y de repente sonrió: esa sonrisa tan especial, entre la timidez y la seguridad... Después puso dos tacitas de porcelana sobre el pedernal, una al lado de la otra, con la precisión y pulcritud que la caracterizaban...

Pendergast se tambaleó. El esfuerzo del golpe con la pala lo había dejado sin respiración. Levantó un brazo tembloroso para secar su frente. Los jirones de la manga del traje estaban embadurnados de barro y sudor. Esperó bajo un sol de justicia, tratando de recuperar el aliento y hacer acopio de las pocas fuerzas que todavía conservaba. Después volvió a alzar la pala, resoplando. Su peso le hizo perder el equilibrio. Se balanceó hacia atrás e intentó mantenerse en pie. Se le empezaban a doblar las rodillas, y antes de volver a flaquear, descargó la pala en el letrero con toda la energía que pudo.

¡Pam!

...Londres, principios del otoño. Las hojas de los árboles que daban sombra a las aceras de Devonshire Street estaban salpicadas de amarillo. Acababan de salir de Christie's e iban hacia Regent's Park. Él, en respuesta a un desafío de Helen, acababa de comprar en pública subasta dos obras de arte que lo habían seducido a simple vista: un paisaje marino de John Marin y un cuadro de la abadía de Whitby

que el catálogo de Christie's atribuía a un «pintor romántico menor», pero que a él le parecía que podía ser del primer Constable. Helen, que se había llevado disimuladamente a la subasta una petaca de plata llena de coñac, empezó a recitar el poema «La playa de Dover» mientras cruzaban Park Crescent y entraban en el parque con tal fuerza que la oían todos: «El mar está calmo esta noche, la marea está alta, la luna se ve hermosa...».

Sin darse cuenta había dejado caer la pala, que estaba inclinada sobre sus zapatos, con la punta enterrada en la tierra suelta. Al agacharse para recogerla, se cayó de rodillas. Quiso interponer una mano, pero esta resbaló y se dio de bruces en el polvo.

Quedarse así, tendido encima del cadáver de Helen, habría sido fácil, sorprendentemente fácil; pero al oír el lento goteo de la sangre en la arena comprendió que no podía abandonarse hasta haber puesto el punto final a su labor, así que se incorporó y se quedó sentado. Al cabo de unos minutos se sintió bastante fuerte para levantarse. Se puso en pie con un esfuerzo ímprobo, usando la pala a modo de muleta: primero la pierna izquierda y después la derecha. Ya no le dolía la herida de la pantorrilla. No sentía nada en absoluto. Pese a la cruda intensidad del sol, la oscuridad invadía su visión periférica. Solo le quedaba una oportunidad para clavar de modo permanente la señal en el suelo antes de perder la conciencia. Respiró hondo y, sujetando como pudo el mango de la pala, la alzó con manos temblorosas y la descargó contra la tabla con la última pizca de energía que logró reunir.

¡Pam...!

...Una cálida noche de verano, con el chirrido de los grillos. Estaba sentado con Helen en el porche trasero de la plantación Penumbra. Los dos, con vasos altos en la mano, veían subir de las marismas una niebla iluminada por la luna: bancos de niebla que se deslizaron por los aledaños pantanosos de la finca, se encaramaron a la parte ajardinada y cubrieron el césped que bordeaba la mansión. La bruma formaba remolinos en la hierba y lamía los peldaños como una marea a cámara lenta, que el orbe de la luna emblanquecía de modo fantasmal.

Cerca, en una camarera, había una jarra de limonada con hielo

71

medio llena, y los restos de una fuente de rémoulade *de camarones. Desde la cocina llegaba un olor a pescado a la plancha: Maurice estaba preparando* Pompano Pontchartrain *para cenar.*

Helen miró a Pendergast.

—¿No podría quedarse todo siempre así, Aloysius? —preguntó.

Él bebió un poco de limonada.

—¿Por qué? Tenemos toda la vida por delante. Podemos usarla para lo que queramos.

Ella sonrió mirando el cielo.

—Usarla para lo que queramos… ¿Me lo prometes por la luna?

Él fingió solemnidad al levantar la vista hacia la luna anaranjada y ponerse una mano en el pecho.

—Te doy mi palabra.

Estaba en medio de un desierto enorme, vacío, brutal, indiferente. La oscuridad seguía invadiendo su visión, como si delante de él hubiera un túnel oscuro cuyo extremo quedara cada vez más lejos. De sus dedos insensibles resbaló la pala, que hizo un ruido sordo al caer sobre la dura tierra. Con un último suspiro casi inaudible, se desplomó de rodillas y, tras oscilar unos momentos, quedó tendido encima de la tumba de su esposa.

SEGUNDA PARTE

1

Cuando Alban Lorimer entró en el vestíbulo del Grand Hotel Marlborough de Nueva York, sus ojos claros no perdieron detalle. Lo absorbían todo, ávidos: las grandes superficies de mármol rojo italiano, la discreta iluminación, la pared de agua que se derramaba murmurando en un estanque de lotos en flor y los grupos que iban y venían por un espacio que era todo amplitud y sosiego.

Se paró en el centro del vestíbulo, estimulado por el ajetreo matinal, y prestó atención a varias personas elegidas al azar, cuyas trayectorias siguió de punta a punta. Muchos iban hacia la fila del puesto de Starbucks, del que emanaba un aroma embriagador a infusiones y café en grano.

«Nueva York…», se dijo.

Su tersa mano acarició la solapa de su traje de lana de raya diplomática, regodeándose en el tacto y la textura del tejido de lujo con sus dedos finos pero llenos de fuerza. Era la primera vez que se ponía un traje así. También sus zapatos eran de primera calidad. Se había acicalado para sacar el máximo partido a su apariencia, como si fuera a presentarse a la entrevista de su vida; y en cierto modo sí era una entrevista: un día importante, una fecha especial, organizada no sin cierta prisa, claro estaba, pero aun así esencial. Respiró hondo. Qué maravilla… Qué sensación tan placentera de seguridad ir bien vestido, tener dinero en el bolsillo y hallarse en un vestíbulo de hotel de la principal ciudad del mundo… La única mácula en su aspecto era la pequeña venda blanca que tapaba su lóbulo izquierdo, pero eso no tenía remedio.

¿Un café? Más tarde, quizá.

Tras alisarse por última vez la pechera, recorrió el suelo de mármol hacia los ascensores, entró en uno y pulsó el botón del piso catorce. Echó un vistazo al reloj Breitling que le habían dado para que lo estrenase, y que tanto le gustaba: las siete y media de la mañana.

En el ascensor había más gente, la mayoría con enormes vasos de café en la mano. Alban se sorprendió del tamaño de los vasos. Por lo visto en Nueva York se bebía café a espuertas. Él, personalmente, lo prefería al estilo que llamaban italiano: fuerte, corto y negro. Otro motivo de sorpresa, e incluso de cierta indignación, fue la cantidad de turistas que no vestían con decoro. Hasta en aquel hotel tan bonito y tan caro, al lado mismo de la Quinta Avenida, iban como si fueran a buscar a sus hijos al parque, o a hacer jogging: ropa de deporte, zapatillas, camisetas, tejanos… En realidad, visto su estado físico, pocos podrían aspirar al jogging; a muchos hombres les colgaba la tripa, y las mujeres eran lánguidas, informes, con kilos de maquillaje encima. Nunca había visto a tanta gente que no estuviera en forma; pero, claro, se le olvidaba que eran del rebaño.

Al llegar al piso catorce, giró a la izquierda y recorrió el pasillo con paso firme y rápido hasta llegar al fondo, donde había una puerta de emergencia que daba a una escalera. Se volvió y miró hacia atrás. A la derecha había ocho puertas, y también a la izquierda. Aproximadamente la mitad tenían enfrente un periódico doblado. Algunos huéspedes leían el *Times*, otros el *Journal*, y los menos el *USA Today*.

Juntó las manos por delante y esperó, con todos los sentidos en alerta máxima. Su inmovilidad era total. Sabía que desde su entrada en el hotel hasta aquel momento su imagen había sido grabada por cámaras ocultas de seguridad, una idea que no le desagradaba, sino todo lo contrario. Más tarde, al mirar las imágenes, la gente diría cosas como «¡Qué hombre más superior!», y «¡Qué buen gusto para vestirse!». Despertaría un enorme interés. Hasta era posible que la prensa publicara su foto.

En ese instante, sin embargo, en el lugar concreto que ocupaba, la cámara enfocada en aquel tramo del pasillo estaba justo sobre su cabeza y no captaba su imagen.

Siguió esperando. En el momento preciso, ni un segundo antes, recorrió de nuevo el pasillo con paso decidido. Justo al llegar a la altura de la habitación 1422, se abrió la puerta y una mujer con albornoz se agachó a recoger el *The Wall Street Journal*. Sin cambiar el paso ni hacer ningún movimiento brusco, Alban se giró y la empujó a la habitación, al mismo tiempo que pasaba el brazo derecho por su cuello y apretaba de tal forma que no pudiera emitir sonido alguno. Después cerró suavemente la puerta con la mano izquierda y echó el pestillo.

La mujer se resistió con todas sus fuerzas mientras Alban la arrastraba al centro de la habitación por la moqueta. Le encantó cómo flexionaba los músculos al forcejear, cómo hinchaba el diafragma al intentar gritar y cómo retorcía un torso atlético al tratar de liberarse. Era una luchadora, una mujer atlética, no una de esas gordas viejas del ascensor. En ese aspecto era una suerte. Tendría unos treinta años, el pelo rubio y lustroso, y no llevaba anillo de casada. Con el forcejeo se le abrió el albornoz, y Alban pudo verla como Dios la había traído al mundo. Siguió apretando y asfixiándola cada vez más, hasta que ella comprendió y dejó de ofrecer resistencia.

Entonces Alban la soltó un poco, lo justo para que pudiera respirar pero no chillar. Dejó que se llenara dos veces la boca de aire antes de apretar de nuevo.

Siguieron así, enlazados, con el pecho de él contra la espalda de ella, que temblaba de los pies a la cabeza. Al final la mujer empezó a derrumbarse, y se le doblaron las rodillas de puro pánico.

—Ponte derecha —le ordenó él.

Ella, que era buena chica, obedeció.

—Tardaré muy poco —dijo él.

Necesitaba hacerlo, y lo quería hacer, pero algo en él también quería prolongar aquel momento delicioso de poder sobre otro ser humano, aquel regodearse en la emoción vicaria de su miedo. Tenía que ser la sensación más maravillosa del mundo. En todo caso era su preferida, eso seguro.

Pero era hora de ponerse a trabajar.

Con cieto pesar, sacó de su bolsillo una navaja pequeña y especialmente afilada. Movió el brazo hacia un lado y, mediante un gesto rápido, casi ritual, insertó hábilmente la cuchilla en el cuello de la mujer. La dejó clavada un buen rato, con deleite, mientras escuchaba el borboteo de la tráquea perforada. Después ejecutó un veloz movimiento lateral que seccionó la tráquea y la arteria carótida, exactamente igual que como se sacrifican los cerdos. Cuando el cuerpo empezó a convulsionar, Alban se apresuró a soltarlo y apartarse, mientras la víctima caía hacia delante, y la sangre manaba en la dirección prevista. No habría estado nada pero nada bien mancharse el traje de sangre. A ellos no les habría gustado.

La mujer cayó de cara en la moqueta. No fue una caída muy fuerte, sino un golpe sordo que los del piso de abajo podían atribuir al vuelco de algún mueble. Mientras esperaba, Alban observó con gran interés los estertores finales y el desangramiento.

Volvió a mirar su reloj de pulsera: las ocho menos veinte. *Schön.*

Arrodillado, como si rezara, extrajo de su bolsillo un paquetito envuelto en piel, lo abrió sobre la moqueta y sacó sus herramientas básicas. Después puso manos a la obra.

A las ocho estaría en el vestíbulo, disfrutando de un buen café doble de Starbucks.

2

...Se vuelve a abrir la niebla, y el hombre sonríe. Quita el seguro de su pistola y apunta.

—Auf Wiedersehen —*dice.*

Su sonrisa asimétrica se ensancha al paladear el momento.

La joven, que aún tiene la mano en el bolso, encuentra lo que necesita y lo coge.

—*Un momento. Los... los papeles. Los tengo aquí.*

Un titubeo.

—*Los papeles de... de Laufer.*

Recuerda un nombre visto por azar en uno de los documentos, elegido aleatoriamente por su memoria.

—¡*Imposible! Laufer está muerto.*

El hombre, el nazi, parece sorprendido; la confianza cruel de su rostro se ha convertido en alarma e incertidumbre.

Los dedos de ella arrugan un poco los papeles. Los saca del bolso lo justo para que se vea la esvástica negra del membrete.

El hombre da un paso impaciente y tiende la mano para coger-los, pero dentro del papel arrugado se esconde el bote de espray que ella ha cogido al juntar los papeles. En el momento en que él mira hacia abajo y aproxima la mano, ella le echa un chorro directamen-te a la cara.

El hombre cae de espaldas con un grito inarticulado y se lleva las manos a la cara, dejando que caigan al suelo la pistola y los papeles. Ella los recoge, da una patada al arma y corre hacia la puerta. Tras cruzar la sala que parece un oratorio, llega a la escalera y baja al se-gundo piso saltando de tres en tres los escalones. La mochila le pesa en los hombros como una rueda de molino. Es cuando empieza todo: una sensación de mareo, de pesadez en las piernas, de semiparálisis. Oye palabrotas en el piso de arriba, groserías en alemán, guturales, y pasos pesados.

Cruza la sala de falsificación y los dormitorios, sin dejar ni un momento de oír los pasos de él. Corre a la planta baja, jadeando por el esfuerzo, y aunque persiste la extraña sensación de verse frenada como por melazas y por el miedo, logra llegar a la puerta de la calle y coger el pomo.

Cerrada con llave. Y todas las ventanas del primer piso tienen barrotes.

Justo cuando se gira, se dispara tras ella una pistola, y la bala arranca un trozo del marco de la puerta. Se lanza hacia la sala de estar y se esconde detrás de una gran vitrina que está apartada de la pared, como si fueran a llevársela. Con la espalda contra el muro, se coge con las manos a la boiserie y levanta las piernas, flexionando las rodillas. Un segundo más tarde entra el hombre. Ella estira con fuerza las dos piernas y le arroja encima la vitrina. Él se echa a un lado, mientras llueven piezas de vajilla y de cubertería, y libros y cristal, otra vez a cámara lenta. El hombre solo se libra parcialmente de ser aplastado. El borde superior de la vitrina lo alcanza en la rodilla y lo hace caer al suelo con un alarido de rabia.

Ella salta por encima del mueble y sale corriendo del comedor. Suena otro disparo. De repente nota un tirón en un lado del cuerpo, y un calor tan brusco y tan intenso que el dolor está a punto de hacerla caer de rodillas.

Dando tumbos, baja al sótano por la estrecha escalera, deja atrás la pila de libros, sube encima de la silla que había dejado previamente y se escurre por el agujero de la ventana. Oye pasos arriba: el hombre se ha puesto nuevamente en marcha, pero su andar es más lento y pesado, y da preferencia a una pierna sobre la otra.

Abriéndose paso entre los ailantos, llega a la precaria mesa apoyada en la pared de ladrillo de algo más de dos metros de altura. Se sube a la mesa, la vuelca con el pie al saltar al otro lado y aterriza en el jardín trasero de su amiga Maggie.

Hace una pausa. No se oye nada. De todos modos no puede pararse. Entra en el patio, y después en la cocina de Maggie, cerrando la puerta sin hacer ruido y dejando las luces apagadas.

La una de la madrugada. Maggie aún no habrá vuelto del trabajo. Se examina el costado y la alivia descubrir que la bala no ha hecho más que rozarle la piel.

Se mueve deprisa por el apartamento, oscuro y silencioso. Al llegar a la puerta la entreabre con cuidado y se asoma. En East End Avenue reina la calma. Bajo la suave luz de las farolas pasa algún que otro coche. Sale disparada, cierra la puerta y se escabulle hacia el norte, buscando un taxi en la avenida. Le duele el costado, y también el hombro, por el peso de la mochila. No hay taxis a la vista.

Es cuando ocurre, exactamente como las otras veces: un chirrido de frenos, un portazo y un ruido de pasos.

—Halt! —le espeta una voz—. Hände hoch!

Otro hombre corre hacia ella con una pistola en la mano.

Con un grito ahogado de contrariedad y desesperación, se mete en el primer portal abierto: un sitio de comida rápida que no cierra en toda la noche. Aunque sea tan tarde sigue habiendo mucha gente que espera turno en el mostrador y se sirve en el bufet de ensaladas. Ella pasa como una exhalación, tirando columnas de alimentos enlatados y volcando el bufet de ensaladas, cuyo viscoso contenido se derrama por el suelo. Todo vale con tal de frenar al hombre. El local se llena de gritos de protesta. Entra corriendo en la cocina del fondo, se lanza por una puerta abierta de la pared derecha, cruza un pasillo corto y sale a otra cocina más grande y más oscura. Por lo visto, el edificio contiguo alberga otro restaurante más formal. Irrumpe en la sala silenciosa (con manteles blancos en las mesas, puestas para el día siguiente) y al abrir el pestillo de la puerta de la calle se encuentra otra vez en East End Avenue, a quince o veinte metros del lugar donde estaba poco antes.

Mira a su alrededor desesperadamente. Sigue sin haber taxis. En breve reaparecerá el nazi. Al echar un vistazo general se fija en algo al otro lado de la calle, entre la vegetación del parque Carl Schurz: un muro de ladrillo con una cancela cerrada. Más allá, la mole amarilla de un gran edificio de estilo gubernamental.

Gracie Mansion.

Cruza corriendo la avenida, trepa por los travesaños de la verja y llega a lo alto del muro de ladrillo. Sabe que el actual alcalde no vive allí; prefiere su piso de superlujo a la residencia oficial, pero aun así habrá mucha vigilancia.

Al mirar por encima del hombro, ve salir del sitio de comida rápida al segundo nazi, que la ve y echa a correr.

Reprochándose su lentitud, se desliza por el otro lado del muro y se dirige a la mansión. Dentro está oscura, pero el exterior recibe la luz de varios focos. Corre hacia un policía de uniforme, apostado en una esquina de la casa.

—Oiga —dice, intentando acompasar su respiración a la vez que cambia de sitio la mochila para ocultar la mancha de sangre de debajo del brazo—, ¿podría decirme cómo se va a Times Square?

El hombre se la queda mirando como si estuviera loca.

Ella se coloca entre la mansión y el policía.

—Es que me he perdido y estoy intentando volver a mi hotel. ¿Puede ayudarme?

Ve al segundo nazi por detrás del policía. Se ha asomado al muro y los está mirando.

El policía frunce el ceño al mirarla.

—¿Tiene usted alguna idea de dónde está, señorita?

—Mmm... ¿En Central Park?

Ahora ya parece convencido de que está drogada.

—Aquí está prohibido entrar. Lo siento, pero va a tener que acompañarme.

—De acuerdo, agente.

Caminan juntos hacia la fachada de la casa. Al mirar hacia atrás, ella ve que el nazi ha desaparecido, aunque ahora de quien habrá que escaparse será del policía. No se puede arriesgar a que la fichen. Espera a que estén cerca de la fachada este de la mansión. El hombre abre con llave la cancela y la acompaña hacia el coche patrulla. Ella se rezaga y sale corriendo bruscamente hacia la hilera de árboles que bordea el parque.

—¡Eh! —grita el policía—. ¡Vuelva!

Pero ella no vuelve. Corre y corre entre los árboles, las calles desiertas y las oscuras avenidas. Corre hasta que le parece que su corazón va a reventar...

Corrie se despertó con un grito ahogado. Por un momento se sintió confundida y desorientada, sin saber dónde estaba. Después se fijó en las paredes llenas de arañazos, vio la puerta cerrada frente a ella, olió a caca vieja y se acordó de todo. Se había quedado dormida en el lavabo de señoras de Penn Station. Había vuelto a soñar… El mismo sueño largo, horrible, repugnante, aquel sueño que no era tal, pues había sucedido exactamente así hacía dos semanas.

Sacudió la cabeza para ahuyentar el miedo que la embotaba. Habían transcurrido dos semanas y seguía sin pasar nada. Seguro que ya no corría peligro.

Se levantó. El movimiento arrancó una protesta a sus rodillas. Después de seis horas sentada en una taza de váter, se le habían dormido las nalgas. Al menos ya tenía curada la rozadura de la bala, y ya no le dolían las costillas. Al salir se lavó la cara, las manos y los dientes y se peinó con los artículos de cosmética que se había comprado en Duane Reade. Se miró en el espejo. No cabía duda: dos semanas en la calle, y algo de arte, la habían convertido en una drogadicta sucia y sin techo.

Eran las seis de la tarde, y tal como esperaba, Penn Station era un hormiguero. Hacía dos semanas que no se movía sin formar parte de una multitud. Miró por todos lados, buscando a alguien que pudiera seguirla, y en particular un rostro cruel con gafas de sol. Se había vuelto una indigente que se escondía en el metro y las iglesias, dormía en los bancos de los parques y los pasos inferiores de las carreteras, y se comía los Big Mac que encontraba en el contenedor de detrás del McDonald's después de que cerraran. Estaba bastante claro que había topado con algún grupo o trama nazi poderoso y bien organizado. Era la única manera de explicar la casa franca, la parafernalia y los papeles, así como el empeño que habían puesto en seguirla. Sabían que había robado documentos.

Tal vez se estuviera pasando de paranoica, pero parecía probable que hicieran todo lo posible por encontrarla y matarla.

Podría haber acudido a la policía, pero entonces habría tenido que explicar el allanamiento de morada, delito grave que habría puesto fin a su trayectoria en las fuerzas del orden antes de empezar. Además, quizá no la habrían creído, o quizá los nazis habrían puesto tierra de por medio. ¿Quién se iba a creer que una casa de Manhattan, en pleno siglo XXI, fuera un nido de nazis?

Había intentado ponerse varias veces en contacto con Pendergast, pero no había tenido suerte. La mansión de Riverside Drive estaba cerrada a cal y canto. Al ponerse en el hombro la mochila, a cuyo peso ya se había acostumbrado, recordó lo importante que era localizar al agente. Tenía la clara sensación de que los papeles revestían importancia, aunque al no saber alemán no podía asegurarlo.

También había vigilado más de una vez su bloque de pisos con discreción, sin ver indicios de nada sospechoso. Confiaba en que no hubieran descubierto su identidad.

De todos modos aún no había terminado. Tenía que poner los papeles en manos de Pendergast y explicarle a toda costa lo de la casa. Su siguiente parada sería el Dakota.

Se encaminó a la boca de metro de la Octava Avenida. La estación estaba atestada y ya entraba el tren. Se quedó al final del andén, esperando a que descargara pasajeros y engullera a nuevas hordas. Todavía esperó un poco más, hasta que se hubiera alejado el convoy y se hubieran marchado todos los pasajeros que salían a la calle o iban a coger el tren para Long Island y New Jersey. La estación quedó un momento vacía. Después de un último vistazo a su alrededor, Corrie se sentó al borde del andén, bajó con cuidado a las vías y salió en pos del convoy, que se iba haciendo cada vez más pequeño, hasta desaparecer en la oscuridad del túnel.

3

Ya hacía mucho tiempo que el teniente Vincent D'Agosta había aprendido a llegar tarde a cualquier cita en la sede de los servicios forenses, situada en la calle Veintiséis Este. Había descubierto de la peor manera posible que llegar temprano tenía claras desventajas, relacionadas en su mayoría con aparecer en plena autopsia y verse obligado a presenciar las últimas fases, inevitablemente las peores. Le habían dicho que se acabaría acostumbrando.

Pero no.

Era consciente de que lo esperaba un hueso especialmente duro de roer: una joven consultora informática de Boston a la que en el transcurso de un viaje de trabajo habían asesinado y descuartizado en un hotel de lujo de Nueva York. Las cámaras de seguridad mostraban a un asesino con aires de modelo, y a una víctima no menos atractiva. Las características del crimen (que llevaba el sello de los asesinatos hechos al azar, por placer, y que tal vez tuviera un componente libidinoso) aseguraban el máximo interés por parte de la opinión pública. Hasta el *Times* se había hecho eco de la noticia.

Aunque no le gustase nada admitirlo para sus adentros, no le desagradaba del todo la visita. El capitán le había asignado el caso, nombrándolo jefe de brigada. Era su crimen, la niña de sus ojos.

Cruzó la puerta, con su célebre inscripción: TACEAT COLLOQUIA. EFFUGIAT RISUS. HIC LOCUS EST UBI MORS GAUDET SUCCURRERE VITAE; «Que cese la conversación. Que huya la risa. Este es el sitio donde la muerte goza ayudando a los vivos». Aquello le hizo pensar, con cierta satisfacción, en lo bien que marchaba todo en su vida. Su lesión cardíaca estaba curada casi al cien por cien, su relación con Hayward seguía por el buen camino, su ex mujer estaba desaparecida, mantenía un contacto regular con su hijo, y sus vaivenes laborales y expedientes disciplinarios quedaban claramente atrás. El único tema por zanjar era Pendergast, en busca de su esposa secuestrada; pero si había alguien capaz de cuidar de sí mismo era el agente del FBI.

Se concentró de nuevo en el caso. Era más que una oportunidad: marcaba un hito en su carrera, un nuevo principio. Hasta podía ser el primer paso para llegar a capitán.

En eso pensaba al entrar en el pasillo principal del edificio, mostrar su placa a guisa de saludo a una enfermera y dirigirse a la sala de autopsias 113. Se puso la bata, y al entrar descubrió que llegaba justo a tiempo.

El cuerpo descuartizado estaba en una camilla. Al lado había otra en la que se alineaban con precisión militar las partes, grandes y pequeñas, que habían sido seccionadas del cadáver, así como los recipientes que contenían los órganos extraídos por el patólogo.

El patólogo forense tenía en la mano el último órgano en ser retirado de la cavidad corporal, el hígado, y lo estaba trasladando a su correspondiente recipiente.

Rodeaban al cadáver dos miembros del recién formado equipo de D'Agosta: Barber, el investigador asignado por el distrito, y el tío del departamento de identificación, ese del apellido tan raro que siempre se le olvidaba. Barber, hecho unas pascuas, con su buen humor de siempre, no perdía detalle con sus ojos marrones. El tipo alto especialista en huellas latentes (¿cómo narices se llamaba?) ponía cara de tener que explicar grandes cosas. A D'Agosta lo irritó que a ninguno de los dos se le apreciaran indicios de náuseas. ¿Cómo lo conseguían?

Intentó no fijarse en los detalles, desplazando la vista sin detenerla en nada concreto. Dadas las circunstancias, la verdad es que no se encontraba demasiado mal; por la mañana, para disgusto de su novia, Laura, había prescindido de su desayuno favorito (tostadas de pan challah), de zumo de naranja y hasta de café, y se había conformado con un vaso alto de agua mineral italiana.

Hubo un murmullo de saludos y gestos con la cabeza. No reconoció al patólogo forense, que iba con ropa de hospital y aún dictaba datos por un micro. Aunque no se le viera casi nada, reparó en que era una mujer joven y francamente guapa, con un pelo negro y lustroso recogido hacia atrás; también se la veía muy tensa, crispada.

—¿Doctora? Soy el teniente D'Agosta, el jefe de la brigada —le dijo a modo de saludo.

—Doctora Pizzetti —contestó ella—. Soy la nueva residente de patología forense.

Ah, qué bien, italiana. Buen presagio. Lo de «nueva» explicaba su nerviosismo.

—¿Podrá ponerme al día cuando tenga un momento, doctora Pizzetti? —le pidió D'Agosta.

—Sí, claro.

La patóloga empezó a limpiar el cadáver mientras dictaba sus últimas observaciones. Parecía un puzle humano mal encajado. Colocó en su sitio algunas de las partes que se habían desplazado en el transcurso de la autopsia, devolviendo al cadáver la apariencia de una forma humana. Movió algunos órganos y tapó unos cuantos recipientes que aún estaban abiertos. Después su ayudante le dijo algo en voz baja y le tendió una jeringa larga, de aspecto siniestro.

D'Agosta sintió que se ponía rígido. ¿Una aguja? Él las odiaba.

Pizzetti se inclinó hacia la cabeza. Ya estaba abierto el cráneo, y extraído el cerebro. ¿Aún no había acabado? ¿Qué coño hacía?

Vio que bajaba la mano, abría el ojo del cadáver con el pulgar e insertaba la aguja.

Debería haber apartado la vista más deprisa, pero no lo hizo, y ver entrar la aguja en aquel ojo intensamente azul, de mirada tan fija, le provocó un nudo en el estómago de lo más desagradable. Normalmente las muestras de líquido ocular para las pruebas de toxicología las tomaban al principio de la autopsia, no al final...

Fingió toser por dentro de la máscara, sin levantar la vista.

—Casi hemos acabado, teniente —dijo Pizzetti—. Solo necesitábamos una muestra más de toxicología. La primera vez no hemos sacado bastante.

—Vale, vale, no pasa nada.

Pizzetti desechó la aguja en una bolsa de residuos médicos y le tendió a su ayudante la jeringa, llena de un líquido naranja amarillento. Después se apartó y echó un vistazo a la sala. Se quitó los guantes sucios, los arrojó a la bolsa roja de basura, se bajó la mascarilla y se quitó los auriculares. Su ayudante le dio un portapapeles.

Estaba realmente tensa. A D'Agosta le inspiró ternura: joven y residente primeriza, en lo que debía de ser su primer caso importante. Temerosa de equivocarse. Aunque, a juzgar por los restos que veía D'Agosta, lo había hecho muy bien.

La doctora inició el informe con la letanía de siempre: estatura, peso, edad, causa de la defunción, señas particulares, cicatrices antiguas, estado de salud, morbilidad y patologías. Tenía una voz agradable, aunque tirante. El tipo del departamento de identificación tomaba notas. D'Agosta prefería escuchar y memorizar. Muchas veces las anotaciones le hacían pasar cosas por alto.

—Una sola herida ha contribuido a la muerte: la del cuello —dijo Pizzetti—. No hay tejidos debajo de las uñas. Todas las pruebas toxicológicas preliminares han salido negativas. No hay señales de resistencia.

Pasó a una meticulosa descripción de la profundidad, ángulo y anatomía de la única herida por corte. Un asesino organizado, inteligente, pensó D'Agosta al oír la eficacia de la herida mortal para desangrar el cuerpo, silenciando de inmediato a la víctima y haciendo que perdiera muy deprisa su sangre, todo mediante una sola estocada de un cuchillo sumamente cortante y de doble filo, con una longitud de unos diez centímetros.

—La muerte —concluyó la doctora— se produjo en treinta segundos. Todos los otros cortes fueron efectuados post mórtem.

Una pausa.

—El cuerpo fue descuartizado con una sierra Stryker, que podría parecerse mucho a la que tengo aquí. —Señaló una sierra montada en un soporte al lado del cadáver—. Las Stryker tienen una hoja en forma de cuña que se mueve hacia delante y hacia atrás a gran velocidad por un sistema de aire comprimido. Están especialmente pensadas para cortar hueso pero detenerse en cuanto encuentran un tejido blando. También están diseñadas para que no salten esquirlas de hueso ni haya salpicaduras de fluidos durante el corte. Se aprecia un uso experto por parte del asesino, más experto de lo habitual.

Hizo otra pausa.

D'Agosta carraspeó. Aún no se le había deshecho el bolo del estómago, pero al menos no amagaba con salir.

—¿O sea, que el asesino podría ser forense o cirujano ortopédico? —preguntó.

Un largo silencio.

—No me corresponde a mí formular hipótesis.

—Solo le pido una opinión informal, doctora, no una conclusión científica. No la haré responsable. ¿Qué me dice?

Trató de hablar afablemente, para que no se sintiera amenazada.

Otro titubeo. D'Agosta empezaba a formarse una idea más clara de por qué estaba tan tensa la doctora: quizá se hubiera planteado la posibilidad de que el asesino fuera un colega.

—A mí me parece que quien ha hecho esto tenía formación profesional.

La forense lo dijo de corrido.

—Gracias.

—El asesino, además, usó instrumentos quirúrgicos para seccionar la carne hasta el hueso con notable precisión. Para apartarla utilizó retractores. Hemos documentado las marcas. Y una Stryker para cortar hueso, como ya he comentado. Todos los cortes son de gran precisión, sin errores, como los que podría hacer un cirujano en una amputación, con la diferencia de que no los ató ni los cauterizó, como es lógico.

La forense carraspeó.

—El cadáver fue descuartizado de manera simétrica: un corte a ocho centímetros debajo de la rodilla, otro ocho centímetros por encima, un corte cinco centímetros por encima del codo, otro cinco centímetros por debajo… Después cortaron las orejas, la nariz, los labios, la barbilla y la lengua, todo con precisión quirúrgica.

Señaló las partes corporales distribuidas junto al cadáver en una segunda camilla. Habían lavado orejas, nariz, labios y otros trozos pequeños, dándoles una apariencia de cera, o de atrezo de payaso.

D'Agosta sintió que se le anudaba aún más el estómago, junto con una sensación de ardor. Si hasta en beber un vaso de agua había hecho mal, caray…

—Luego está esto.

Pizzetti se giró y señaló una foto clavada con chinchetas en un tablón de corcho, entre otras instantáneas tomadas en el lugar del crimen. D'Agosta ya lo había visto in situ, pero aun así se preparó para lo peor.

La barriga de la víctima llevaba un mensaje escrito con sangre. Ponía:

¿Orgulloso de mí?

Miró al investigador de huellas latentes. ¿Cómo se llamaba? Había llegado su turno, y por el brillo de sus ojos D'Agosta adivinó que tenía algo que decir.

—A ver, señor... mmm...

—Kugelmeyer —fue la respuesta, rápida y solícita—. Gracias. Tenemos una serie prácticamente completa del cadáver: pulgares derecho e izquierdo, índices derecho e izquierdo, anular derecho, algunos parciales de las palmas... Y las dos joyas que nos da el mensaje, hecho con el índice izquierdo mojado en sangre de la víctima.

—Muy bien —dijo D'Agosta.

Mejor que bien. Qué chocante imprudencia la del asesino al dejarse filmar por media docena de cámaras de seguridad y dejar huellas por doquier en el lugar del crimen... Claro que, por otra parte, la policía científica no había conseguido recabar gran cosa de este último: ni saliva, ni semen, ni sudor, ni sangre, ni ningún otro fluido corporal del asesino. Pelo y fibras tenían muchos, como era lógico al tratarse de una habitación de hotel, pero no había nada que pareciese muy prometedor: marcas de dientes, arañazos en el cadáver... nada que les pudiera dar el ADN del culpable. Aun así, habían tomado muestras de muchas de las huellas latentes con la esperanza de detectar algún resto de ADN, y confiaban en que así pudiera hacerlo el laboratorio.

Pizzetti siguió con sus explicaciones.

—No había indicios de actividad sexual, penetración, violencia sexual o abusos. El hecho de que la víctima acabara de ducharse facilitó la recogida de posibles pruebas.

Justo cuando iba a hacer una pregunta, D'Agosta reconoció una voz a sus espaldas.

—¡Vaya, vaya, pero si es el teniente D'Agosta! ¿Qué tal, Vinnie?

Se giró y vio la imponente figura de la doctora Matilda Ziewicz, jefa de los servicios forenses de Nueva York. Fornida como un defensa de fútbol americano, sonreía cínicamente con sus labios pintados de rojo. Llevaba una gorra enorme sobre el pelo rubio y cardado, y una bata de talla especial a la que no le sobraba ni un centímetro. Era brillante, imponente, físicamente repelente, sarcástica, temida por todos y extremadamente eficaz. Nueva York nunca había tenido a nadie más capacitado al mando de los servicios forenses.

La doctora Pizzetti se puso aún más tensa.

Ziewicz hizo un gesto con la mano.

—Sigan, sigan, como si no estuviera.

Era imposible. Aun así, Pizzetti hizo un esfuerzo y reanudó su enumeración de todos los resultados preliminares, relevantes o no. Ziewicz estaba muy atenta. En un momento dado unió las manos en la espalda y rodeó con tremenda lentitud las dos camillas, la del cadáver y la de las otras partes, que examinó apretando sus labios rojos.

Después de varios minutos emitió dos «mmm» seguidos con voz grave. A continuación movió la cabeza, gruñó y murmuró algo entre dientes.

Pizzetti se quedó callada.

Ziewicz se irguió y se volvió hacia D'Agosta.

—Teniente, ¿recuerda aquellos crímenes de hace muchos años, los del museo?

—¿Cómo se me iban a olvidar?

Era cuando había conocido a la imponente doctora, recién nombrada jefa del departamento forense.

—Creía que nunca volvería a ver nada tan raro. Hasta ahora. —Se giró hacia Pizzetti—. Se le ha pasado algo por alto.

D'Agosta vio que Pizzetti se quedaba muy quieta.

—¿Algo… por alto?

Un gesto de asentimiento.

—Algo crucial, precisamente lo que eleva este caso a… —Ziewicz señaló hacia arriba con una mano regordeta—. La estratosfera.

Se produjo un largo silencio, cargado de pánico. Ziewicz se volvió hacia D'Agosta.

—Me sorprende usted, teniente.

Más que sentirse cuestionado, a D'Agosta le hizo gracia.

—¿Qué pasa, que ha visto una garra dentro o qué?

Ziewicz echó hacia atrás la cabeza y emitió una risa musical.

—Qué gracioso es usted. —Se volvió otra vez hacia Pizzetti, mientras los otros se miraban, extrañados—. Un buen patólogo forense empieza las autopsias sin ideas preconcebidas.

—Sí —dijo Pizzetti.

—En cambio usted ya venía con una idea.

El evidente pánico de Pizzetti se intensificó.

—Yo creo que no. Lo he hecho todo sin prejuicios.

—Lo ha intentado, pero no lo ha conseguido. Mire, doctora: usted ha supuesto que lo que tenía delante era un único cadáver.

—Con todo respeto, doctora Ziewicz, no es verdad. He examinado todas las heridas y he buscado específicamente partes sustituidas, pero todas coinciden con las otras. Todo encaja. No han cambiado nada con ningún otro cadáver.

—Lo parece, pero no ha hecho usted un inventario completo.

—¿Un inventario?

Ziewicz trasladó todo su peso hacia la segunda camilla, donde habían distribuido trozos de la cara después de limpiarlos. Señaló un pedacito de carne.

—¿Esto qué es?

Pizzetti se inclinó para estudiarlo.

—Un trozo de… labio, he supuesto yo.

—Supuesto.

Ziewicz tendió la mano, cogió unas pinzas largas de una bandeja y levantó el trozo de carne con gran delicadeza para depositarlo en la placa de un microscopio. Después de encender la luz, se apartó e invitó a Pizzetti a mirar.

—¿Qué ve? —le preguntó.

Pizzetti miró por el ocular.

—Sigue pareciéndome un trozo de labio.

—¿Ve cartílago?

Una pausa. Pizzetti movió el trozo de carne con las pinzas.

—Sí, un fragmento muy pequeño.

—Se lo vuelvo a preguntar: ¿qué es?

—Pues si no es un labio… un lóbulo. Es un lóbulo.

—Muy bien.

Pizzetti se irguió con la tensión grabada en el rostro, pero al cabo de un momento, en vista de que Ziewicz parecía esperar algo más, se acercó a la camilla y examinó las dos orejas, que sobre el acero inoxidable parecían dos conchas blanquecinas.

—Mmm. Constato que están presentes e intactas las dos orejas. No les faltan los lóbulos. —Hizo una pausa. Luego regresó al microscopio y miró otra vez por los oculares, mientras cambiaba el lóbulo de sitio con la punta de las pinzas—. No estoy seguro de que sea del asesino.

—¿No?

—Este lóbulo —dijo Pizzetti, midiendo sus palabras— no parece arrancado o cortado durante una pelea. Parece más bien que lo hayan extraído quirúrgicamente, con cuidado, usando un escalpelo.

D'Agosta recordó un pequeño detalle de las grabaciones de seguridad a cuyo visionado había dedicado varias horas. El recuerdo lo dejó conmocionado. Carraspeó.

—Hago constar que las grabaciones de seguridad indican que el asesino llevaba un pequeño vendaje en el lóbulo izquierdo.

—Dios mío… —soltó Pizzetti en el silencio atónito que sucedió al anuncio—. ¡No pensará que se cortó su propio lóbulo y lo dejó en el lugar del crimen!

Ziewicz sonrió con ironía.

—Excelente pregunta, doctora.

Dentro de la sala cuajó un largo silencio, hasta que Pizzetti volvió a hablar.

—Encargaré un análisis completo del lóbulo: microscopía, pruebas toxicológicas, ADN… Todo.

La doctora Ziewicz sonrió un poco más al quitarse los guantes y la mascarilla y tirarlos a la basura.

—Muy bien, doctora Pizzetti, se ha redimido usted. Que pasen ustedes un buen día, señoras y señores.

Y se fue.

4

El doctor John Felder subió por la escalinata del gran caserón neo-gótico. Era una mañana luminosa de finales de otoño, con ambiente despejado y ni una sola nube en el cielo azul. Hacía poco que habían limpiado a fondo el exterior de la mansión, cuyos viejos ladrillos brillaban bajo el sol. Hasta habían pulido los barrotes negros de las ventanas, llenas de detalles arquitectónicos. La única cosa que, al parecer, no habían limpiado era una placa de bronce fijada con tornillos a la fachada principal: HOSPITAL MOUNT MERCY PARA DELINCUENTES PSICÓTICOS.

Llamó al timbre y esperó a que abrieran la puerta. Fue el doctor Ostrom en persona quien lo hizo, el director de Mount Mercy. Felder ignoró la ceñuda frialdad que apareció en su rostro. No se alegraba de verle.

Ostrom se apartó para dejarlo entrar en el edificio y, a continuación, le hizo una señal con la cabeza a un vigilante, que cerró enseguida la puerta.

—Doctor Ostrom —dijo Felder—, gracias por autorizar esta visita.

—La verdad es que he intentado ponerme en contacto con Pendergast para obtener su beneplácito —le dijo Ostrom—, pero no he podido encontrarlo, y tampoco se me ha ocurrido ninguna razón de peso para seguir denegando su solicitud, dado su cargo, al menos técnico, de psiquiatra nombrado por los tribunales. —Se llevó a Felder a un lado de la sala de espera y bajó la voz—. De todos modos, deberá acceder usted a seguir una serie de reglas básicas.

—No faltaría más.

—Tendrá que limitar su visita de hoy, y todas las que haga en el futuro, a diez minutos.

Felder asintió.

—No podrá poner más nerviosa de la cuenta a la paciente.

—No, por descontado.

—Y queda prohibido volver a hablar de actividades fuera de...

—Doctor, por favor... —lo interrumpió Felder, como si le doliera el mero hecho de mencionarlo.

Ostrom pareció darse por satisfacho.

—Pues entonces, acompáñeme. Verá que ocupa la misma habitación de antes, aunque hemos elevado el nivel de seguridad.

Felder y Ostrom siguieron a un auxiliar por un largo pasillo con puertas a ambos lados, sin letreros. Felder sintió un escalofrío al caminar. Aún no hacía dos semanas que aquel edificio había sido testigo de la máxima vergüenza y la mayor humillación de toda su carrera. Una paciente había logrado escaparse de Mount Mercy por su culpa. No, escaparse no, recordó: ser secuestrada por alguien que se hacía pasar por colega de Felder en la profesión psiquiátrica. Solo de pensarlo se le encendieron de nuevo las mejillas. Lo habían engañado como a un chino. De no ser por la rápida devolución de la paciente a Mount Mercy, habría estado en jaque su futuro profesional. Al final lo habían obligado a estar un mes de baja. Se había salvado por los pelos. Y aun así volvía a las andadas. ¿Qué tenía aquella paciente, que lo atraía como el fuego a las mariposas nocturnas?

Esperaron a que el auxiliar abriera con llave una pesada puerta de hierro. Después se adentraron en otro pasillo interminable en el que solo se oía el eco de sus pasos, hasta detenerse ante una puerta que era idéntica en todo a las demás salvo en que había un vigilante apostado junto a ella. Ostrom se giró hacia Felder.

—¿Quiere que entre con usted? —preguntó.

—No, gracias, no hace falta.

—De acuerdo. Recuerde, diez minutos.

Ostrom desbloqueó la cerradura con una llave colgada de una gran cadena, y abrió la puerta.

Felder entró y esperó a que se cerrase la puerta con llave a sus espaldas, mientras sus ojos se acostumbraban a la penumbra. La habitación empezó a dibujarse con mayor nitidez: la cama, la mesa y la silla, atornilladas al suelo; la estantería, llena ahora de viejos volúmenes, muchos con encuadernación de piel; la maceta de plástico... Y detrás de la mesa, sentada, Constance Greene. No tenía ningún libro o papel delante de ella. Se la veía erguida y dueña de sí misma. Felder sospechó que había estado meditando. En todo caso, los ojos profundos y fríos que correspondieron a la mirada del psiquiatra no tenían nada de ociosos ni de soñadores. Felder contuvo inconscientemente la respiración.

—Constance —dijo al situarse ante la mesa con las manos juntas, como un colegial.

Al principio ella no respondió. Después asintió levemente, haciendo oscilar su media melena.

—Doctor Felder...

Hacía dos semanas que Felder pensaba en ese momento, pero fue como si el mero hecho de oír aquella voz grave y antigua diera al traste con los pensamientos que con tanto cuidado había preparado.

—Mire, Constance, solo quería decirle... bueno, que lo lamento mucho, que lo siento mucho.

Constance lo miraba con sus ojos turbadores, pero no contestó.

—Soy consciente del dolor y el sufrimiento, además de la mortificación, que he debido de causarle, y necesito que entienda una cosa: que es lo último, realmente lo último, que he querido infligirle jamás a un paciente.

«Y menos a un paciente tan excepcional como tú», pensó.

—Se aceptan sus disculpas —dijo ella.

—Tenía tantas ganas de ayudarla que bajé la guardia y me dejé engañar; como nos dejamos engañar todos, la verdad sea dicha...

Las últimas palabras, con las que Felder pretendía descargarse parte de su responsabilidad, no obtuvieron respuesta.

Adoptó un tono solícito.

—¿Se encuentra bien, Constance?

—Todo lo bien que cabría esperar.

Se estremeció internamente. Por unos instantes, mientras Felder pensaba qué decir, el silencio se apoderó de la sala.

—Cometí un error —dijo al fin—, pero he aprendido de él; o mejor dicho, me ha hecho recordar algo. Es una máxima que memoricé en la facultad de medicina: no hay atajos para un tratamiento eficaz.

Constance cambió ligeramente de postura y movió las manos. Felder reparó por vez primera en que tenía el pulgar derecho vendado.

—No es ningún secreto que siento un interés especial por su caso —prosiguió—. De hecho, me atrevo a decir que no hay nadie mejor dispuesto ni más comprensivo que yo ante su dolencia.

Apareció una sonrisa breve y fría.

—«Dolencia» —repitió Constance.

—Lo que quiero preguntarle es si podemos reanudar el tratamiento donde lo dejamos y empezar de nuevo a trabajar en un ambiente de...

—No —lo interrumpió.

Lo dijo sin levantar la voz, pero su tono era tan férreo que dejó helado a Felder.

El doctor tragó saliva.

—¿Cómo dice?

Constance respondió con sosiego y firmeza, sin quitarle la vista de encima.

—¿Cómo puede pensar siquiera en seguir con eso que usted llama tratamiento? Por culpa de su insensatez me secuestraron y atacaron. Por culpa de su afán incontenible de implicarse profesionalmente con una paciente que le parecía exótica me tuvieron prisionera y estuve a punto de morir. No insulte mi inteligencia haciéndome cómplice de su fracaso. ¿Cómo puede esperar que vuelva a confiar en usted? ¿Y no es la confianza el requisito básico de la terapia? Suponiendo, claro está, que yo la necesite, premisa ofensiva por su parte...

La pasión tardó tan poco en desaparecer como en aparecer. Felder abrió la boca y la cerró. No había respuesta posible.

Durante el silencio llamaron a la puerta.

—¿Doctor Felder? —Se oyó la voz de Ostrom al otro lado—. Se le han acabado los diez minutos.

Felder trató de despedirse, pero constató que ni de eso era capaz. Inclinó un poco la cabeza y se dirigió hacia la puerta.

—Doctor Felder... —dijo la serena voz de Constance.

Se volvió de nuevo.

—Es posible que le haya hablado con excesiva dureza. Si lo desea puede venir a verme de vez en cuando, pero tendrá que ser como simple conocido, no como médico.

El alivio inundó a Felder. También la gratitud.

—Gracias —dijo, extrañado de sus propios sentimientos al salir a la relativa luminosidad del pasillo.

5

D'Agosta había reservado la sala principal de reuniones de la sección de detectives de la comisaría central. Después de la autopsia había cometido el error de tomarse tres cafés dobles y zamparse dos porciones de pastel en el Starbucks del vestíbulo, y ahora en su estómago pasaba algo que no parecía vinculado a la digestión normal.

La una menos cinco del mediodía. Dios… Tenía por delante un día muy largo. El problema era que a pesar de todos los avances el caso le daba mala espina, muy mala espina. Volvió a preguntarse dónde demonios estaría Pendergast. Le habría encantado presentarle las pruebas para que le diera una opinión informal. Era el caso perfecto para él. Proctor, que acababa de salir del hospital y estaba otra vez en la mansión de Riverside Drive, no tenía noticias suyas. Tampoco Constance sabía nada. En el teléfono del apartamento del Dakota no respondía nadie, y por lo visto el móvil seguía desconectado.

Sacudió la cabeza. No tenía sentido preocuparse. Que Pendergast desapareciera sin avisar entraba dentro de lo acostumbrado.

Era hora de irse. Recogió su carpeta y su portátil, se levantó de la mesa y salió del despacho para ir a la sala de reuniones. El caso tenía asignados a más de treinta agentes, cifra que lo situaba en la franja media de importancia. Los casos más destacados podían llegar a contar con más del doble de efectivos. Aun así era un montón de gente, y muchos tendrían algo que decir. Ya podía despedirse de la tarde. De todos modos eran reuniones necesarias. Todo el mundo tenía que saber lo que sabían los demás. Ni todas las marrullerías ni las amenazas del mundo podían hacer sentarse a un policía y leer un informe. Tenía que ser una reunión. Así eran las cosas.

Llegó a la una y cinco, y lo satisfizo ver que no faltaba nadie. Se palpaba inquietud y expectación en el ambiente. Mientras los murmullos se iban apagando, oyó en sus tripas un gruñido de muy mal presagio. Subió al estrado y se puso en el podio, al lado de la pantalla. En cada extremo había una pizarra blanca con ruedas. Al echar un vistazo general, vio al capitán Singleton, el jefe de detectives. Estaba sentado en primera fila, al lado del jefe segundo de Manhattan y de otros peces gordos.

Sintió otro vuelco en el estómago. Después de dejar la carpeta en el podio esperó un momento a que se callaran todos y dijo lo que traía ensayado.

—Como sabrán, soy el teniente D'Agosta, el jefe de la brigada. —Tras un resumen del homicidio, consultó la lista de nombres que había elaborado—. Kugelmeyer, especialista en huellas latentes.

Kugelmeyer se acercó con paso decidido al podio, a la vez que se abrochaba los botones de su horrendo traje marrón de Walmart. D'Agosta puso un dedo en su reloj de pulsera y le propinó unos sutiles golpecitos. Había amenazado con consecuencias graves, hasta mortales, a quien se excediese de los cinco minutos.

—Tenemos una serie excelente de huellas latentes del cadáver y la sala —dijo Kugelmeyer—. Completos y parciales, derechos e izquierdos y palmas. Los hemos pasado por la base de datos, pero nada. Parece que al asesino nunca le han tomado las huellas.

Eso era todo. Se sentó.

D'Agosta volvió a mirar a los presentes.

—¿Qué sabemos sobre pelos y fibras?

Otro parte rápido, al que siguieron diez o doce más (salpicaduras de sangre, calzado, microscopía, victimología…) con una precisión militar que lo llenó de satisfacción. Pese a sus ganas de evaluar la reacción de Singleton, procuró no mirarlo.

Una de las cosas que había aprendido en aquellas reuniones era a crear un poco de suspense dejando lo mejor para el final, a sabiendas de que así estarían todos despiertos y atentos. En aquel caso lo mejor era Warsaw, el cerebrito de investigación forense especializado en analizar grabaciones de seguridad. Aunque fuera oficialmente un detective, Warsaw, con su pelo de acabar de levantarse y su acné, tenía más pinta de adolescente desaliñado. A diferencia de los otros no llevaba traje, ni siquiera barato, sino unos tejanos negros más bien ceñidos y camisetas con logos de heavy metal; era tan bueno que no le llamaban la atención.

Aparte de eso era un poco chulesco. Saltó al podio con un mando a distancia en la mano. Las luces se atenuaron.

—Hola a todos —dijo—. Bienvenidos al tráiler del show del asesino.

Se oyeron unas cuantas risas.

—El Grand Hotel Marlborough está dotado de lo último en seguridad digital, o sea, que disponemos de unas imágenes preciosas, lo digo de verdad. Tenemos al culpable de frente, de espaldas, de lado, desde arriba, desde abajo... y todo en HD. Os paso lo más destacado en un montaje reducido a... mmm... cinco minutos. En vuestras carpetas encontraréis una selección de fotos de las grabaciones. Ahora mismo las están distribuyendo por varios hoteles de lujo, y pronto las tendrán el *Times*, el *Post* y el *Daily News*.

Empezó la película, tan buena como había prometido Warsaw. En los extractos salía el asesino —con la oreja izquierda vendada— en el vestíbulo, en el ascensor, yendo por el pasillo, volviendo por el pasillo e irrumpiendo en la habitación de la víctima. Después aparecían extractos en los que se iba más o menos de la misma manera, con toda la tranquilidad del mundo.

D'Agosta ya había visto los extractos, pero volvieron a darle escalofríos. Sabía que la mayoría de los asesinos podían dividirse en dos grandes grupos, los desorganizados y los organizados, pero aquel hombre era tan frío y metódico que casi se merecía una categoría propia. Era algo que no dejaba de inquietarlo en lo más hondo. No cuadraba. No cuadraba en absoluto.

Al final del vídeo se oyeron algunos aplausos. A D'Agosta le fastidió un poco que Warsaw hiciera una reverencia teatral antes de irse.

Volvió al podio. Eran las dos y media. De momento todo iba como un reloj. Su estómago volvió a rugir. Empezaba a tener la sensación de haberse tragado un frasco de ácido clorhídrico. Lo último, lo del lóbulo, se lo guardaba para él. Prerrogativas del jefe de brigada.

—Aún no tenemos el ADN de la parte corporal suelta encontrada en el lugar del crimen, el lóbulo —empezó a explicar—, pero sí algunos preliminares. Es de un varón. El estado de la piel indica una edad inferior a los cincuenta años. Más no podemos precisar. Es casi seguro que la presencia del lóbulo no se debe a ningún forcejeo en el lugar del crimen. Parece más bien que lo trajeran y lo dejasen deliberadamente. También parece que el lóbulo fue separado de la oreja algunas horas antes del homicidio, y no post mórtem, sino de un cuerpo que aún estaba vivo; lo cual no es sorprendente, puesto que, como se aprecia en el vídeo, el asesino está vivito y coleando.

»Conocemos el aspecto del asesino, y pronto lo sabrá toda Nueva York. Es un hombre que llama la atención, pelirrojo, bien vestido, guapo y con cuerpo de atleta olímpico. Tenemos huellas dactilares, pelos y fibras de ropa, y pronto tendremos su ADN. Hemos identificado la corbata, de Charvet, y nos falta poco para identificar el traje y los zapatos. Parece que estamos a punto de pillarlo.

Hizo una pausa, hasta que se decidió.

—Bueno, entonces, ¿qué es lo que no cuadra?

Era una pregunta retórica. Nadie levantó la mano.

—¿Se puede ser tan tonto? ¿De verdad?

Dejó la pregunta en el aire y al cabo de un momento prosiguió:

—Miren al tipo del vídeo. ¿Puede ser tan rematadamente idiota como parece? Lo digo porque podría haber tomado medidas muy sencillas para disfrazarse o cambiar de aspecto y eludir las cámaras, al menos parcialmente. No tenía por qué quedarse cinco minutos plantado en recepción para que lo viera todo el personal y lo filmasen las cámaras desde las cuatro esquinas. No es un tío que intente confundirse con el resto. Ya han empezado a analizarlo los psicólogos para saber qué le hace tilín y lo motiva, y qué significan el mensaje en el cadáver y el lóbulo dejado en la escena del crimen. Puede que esté loco y quiera que lo cojan, pero a mí me da la impresión de que sabe lo que hace. Y de tonto no tiene ni un pelo. Por lo tanto, aunque tengamos tantas cosas, no demos por hecho que el caso esté casi en el bote.

Silencio. A D'Agosta le preocupaba algo más, pero decidió no comentarlo porque podía sonar un poco raro. Además, no sabía muy bien cómo explicarlo. Era un detalle relativo a la hora de la agresión. La cámara lo había grabado todo. El hombre iba por el pasillo, y justo cuando estaba a punto de pasar al lado de la puerta de la víctima, ella misma la abría para coger el periódico. La sincronización era perfecta.

¿Coincidencia?

6

Kyoko Ishimura recorría lentamente el pasillo, pasando por el suelo de madera pulida una escoba de cáñamo tradicional. De hecho, el pasillo ya estaba impoluto, pero hacía mucho tiempo que la señorita Ishimura tenía por costumbre barrerlo día sí, día no. El apartamento (que en realidad eran tres, reformados por el propietario en uno solo) estaba sumido en un silencio expectante. A cinco pisos de altura, el ruido del tráfico de la calle Setenta y dos Oeste apenas se filtraba por las gruesas paredes de piedra.

Tras dejar la escoba, en el cuarto de la limpieza, cogió un paño de fieltro, dio unos pasos por el corredor y entró en una pequeña habitación con alfombras de Tabriz e Isfahan en el suelo, y un artesonado antiguo en el techo. Estaba llena de manuscritos e incunables muy bien encuadernados, dentro de vitrinas de caoba y cristal emplomado. La señorita Ishimura empezó por limpiar el mobiliario; después limpió el cristal, y por último, con un paño especial, los propios volúmenes, cuyos lomos nervados, cofias y bordes dorados desempolvó con sumo cuidado. También los libros estaban pulcros, pero aun así les sacó el polvo a todos. No era por mera costumbre. Cuando a la señorita Ishimura le preocupaba algo se consolaba limpiando.

Hacía cuatro días que su jefe mostraba una conducta extraña, desde que había regresado sin avisar. Ya era un hombre raro de por sí, pero su nueva actitud resultaba enormemente turbadora para la señorita Ishimura. Se pasaba todo el día en su gran apartamento, con pijama y una de sus batas inglesas (todo ello de seda), sin abrir la boca, absorto durante horas en la cascada de mármol de la recepción, o sentado durante gran parte de la jornada en su jardín zen, inmóvil, como estupefacto. Ya no leía la prensa ni se ponía al teléfono. Había dejado de comunicarse de cualquier manera, incluso con ella.

Para colmo de males no comía nada de nada. La señorita Ishimura había intentado tentarlo con sus platos favoritos (*mozuku, shiokara…*), pero ni los tocaba. Lo más preocupante era que había comenzado a tomar pastillas. La señorita Ishimura había leído disimuladamente los nombres de los frascos (dilaudid y levo-dro-moran), y al buscarlos por internet la había horrorizado descubrir que eran narcóticos muy fuertes, de los que su jefe daba indicios de abusar en cantidades cada vez mayores.

Su impresión inicial fue que estaba sumido en un dolor profundo, casi inconcebible, pero con el paso de los días empezó a manifestar un deterioro físico: tenía la piel gris, las mejillas chupadas y los ojos oscuros y hundidos. A medida que su jefe caía en el silencio y la apatía, la señorita Ishimura tuvo la sensación de que no estaba apenado, sino vacío de cualquier emoción. Era como si alguna experiencia pavorosa las hubiera devorado todas, dejándolo hueco como una cenicienta cáscara.

Junto a la puerta empezó a parpadear un led azul. Para la señorita Ishimura, que era sordomuda, significaba que estaba sonando el teléfono. Se acercó a la mesa del rincón donde descansaba el aparato y examinó la identificación de la llamada. Era el teniente D'Agosta, el policía. Otra vez.

Después de unos cinco segundos sin apartar la vista del teléfono, que seguía sonando, siguió el impulso de contravenir las órdenes expresas de no descolgar y colocó el auricular sobre uno de los aparatos para sordos que empleaba. Tecleó un mensaje: «Espere, por favor. Voy a buscarlo».

Al salir y llegar al fondo del pasillo, giró por un recodo, cruzó otro corredor y se detuvo para dar unos suaves golpes en un *shoji*, un biombo de papel de arroz que servía de puerta, y que al momento siguiente apartó ella misma para entrar.

El biombo daba a una habitación con una gran bañera japonesa *ofuro*, hecha con madera clara de hinoki. En su interior estaba reclinado el agente Pendergast, cuya cabeza y hombros estrechos eran lo único que sobresalía de las altas paredes, en medio del vapor. Detrás de él se alineaban como centinelas varios frascos de píldoras y botellas de agua mineral francesa. Desnudo, su aspecto impresionó más que nunca a la señorita Ishimura: el rostro, macilento hasta el extremo, los ojos claros, casi amoratados... En el ancho reborde descansaban los *Cuatro cuartetos* de T. S. Eliot, junto a una navaja de afeitar pesada y reluciente. La señorita Ishimura había reparado en que a veces su jefe se pasaba horas afilando la navaja con una cinta de barbero hasta darle un brillo cruel. El agua de la bañera estaba ligeramente teñida de rosa. Sería el vendaje de la herida de la pierna, que volvía a supurar. Pendergast la había dejado como estaba, pese a la insistencia de su ama de llaves.

La señorita Ishimura le entregó una nota: «El teniente D'Agosta».

Él se limitó a mirarla fijamente.

Ella le tendió el teléfono y articuló una palabra: «*Dozo*».

Él siguió sin decir nada.

—*Dozo* —articuló ella de nuevo, con énfasis.

Al final su jefe le pidió que conectase el manos libres de la pared. Tras hacerlo, la señorita Ishimura se apartó con deferencia. Aunque no oyese nada, leía los labios con la más absoluta perfección, y no tenía la menor intención de marcharse.

—¿Hola? —dijo por el altavoz una voz débil y metálica—. ¿Hola? ¿Pendergast?

—Vincent —contestó en voz baja Pendergast.

—¡Pendergast! Pero ¿dónde estaba, por Dios? ¡Hace días que lo busco!

Pendergast no dijo nada. Se limitó a reclinarse un poco más en la bañera.

—¿Qué ha pasado? ¿Dónde está Helen?

—A Helen la han matado —contestó Pendergast con una voz terrible, apática, sin expresión.

—¿Qué? ¿Cómo que matado? ¿Cuándo?

—En México. La enterré yo. En el desierto.

D'Agosta emitió un grito ahogado. Volvió a hablar tras un breve silencio.

—Madre de Dios... Madre de Dios... ¿Quién la mató?

—Los nazis. De un tiro al corazón. A bocajarro.

—Dios mío… Lo siento. Lo siento muchísimo. ¿Y usted los… cogió?

—Se escapó uno.

—Vale, pues pillaremos a ese hijo de puta. Lo llevaremos a juicio y…

—¿Por qué?

—¿Por qué? ¿Cómo que por qué?

El agente Pendergast levantó la vista hacia la señorita Ishimura, y mediante un pequeño giro del índice derecho le indicó que colgase el teléfono. El ama de llaves, que había observado atentamente sus labios durante la breve conversación, se acercó después de un corto titubeo, pulsó el botón de off, retrocedió por el suelo de pizarra del cuarto de baño y cerró el *shoji* sin hacer ruido, dejando a Pendergast a solas.

Ahora ya sabía cuál era el problema, pero no le hizo ningún bien, ninguno en absoluto.

7

Haciendo equilibrios para que no se le cayera de la mano la bandejita metálica de las bebidas, Vincent D'Agosta abrió la puerta corredera y salió al microscópico balcón del piso. Cabían justo dos sillas y una mesa. Una de las sillas la ocupaba la capitana Laura Hayward, que cruzando sus bonitas piernas consultaba el informe patológico que D'Agosta se había llevado a casa. Llegaba hasta ellos el ruido del tráfico de la Primera Avenida, y aunque todavía hiciera mucho calor para ser el último día de noviembre estaba claro que el aire ya era otro. Probablemente fuera la última vez que salieran juntos al balcón hasta la primavera.

Dejó la bandeja en la mesa. Hayward levantó la vista de las fotos como si su sordidez no la afectase.

—Mmm... Qué buena pinta. ¿Qué es?

D'Agosta le dio uno de los vasos.

—Pruébalo y verás.

Hayward dio un sorbo, frunció el ceño y repitió, pero menos cantidad que antes.

—¿Qué es esto, Vinnie?

—Un spritz italiano —dijo él, sentándose—. Hielo, Prosecco, un chorrito de agua con gas y Aperol. Adornado con una rodaja de unas naranjas sanguinas que he comprado en Greenwich Produce, en la estación Grand Central, de camino a casa.

Hayward bebió otro sorbo y dejó el vaso.

—Mmm. —Vaciló—. Ojalá pudiera decir que me ha gustado.

—¿No te gusta?

—Sabe a almendras amargas. —Se rió—. Me siento como Sócrates. Perdona. Con lo que te has esforzado...

Cogió su mano y la apretó.

—Pues es una bebida muy popular.

Ella volvió a coger el vaso y lo sostuvo con el brazo extendido para examinar el líquido, de un naranja velado.

—Me recuerda al Campari. ¿Lo conoces?

—¿Bromeas? Lo bebían mis padres cuando vivían en Queens y tenían la esperanza de pasarse a Manhattan.

—De todos modos, gracias, Vinnie, amor mío; aunque si no te importa me tomaré lo de siempre.

—Sí, claro.

Después de un sorbo de su vaso, D'Agosta decidió que él también se tomaría lo de siempre. Cruzó la puerta abierta para entrar en la cocina, vaciar los vasos en el fregadero y servir dos copas más: para él una Michelob muy fría, y para ella una copa del Pouilly-Fumé de sabor silíceo, pero nada caro, que tenían siempre en la nevera. Se las llevó al balcón y volvió a sentarse.

Estuvieron varios minutos sin decirse nada, atentos a la pulsación de Nueva York y disfrutando mutuamente de su compañía. D'Agosta miró con disimulo a Hayward. Hacía unos diez días que tenía planeado hasta el último detalle de la velada: la cena, el postre, las copas… y la pregunta. Ahora que gozaba de buena salud, con el trabajo bien encarrilado, y que su divorcio no era más que un desagradable recuerdo, por fin estaba preparado para pedirle a Laura que se casara con él. Y confiaba bastante en que ella le dijera que sí.

Lo malo era que desde entonces se había complicado todo un poco. Aquel asesinato tan insólito, que absorbería sin remedio hasta el último minuto de su tiempo… Y por encima de todo las alucinantes noticias sobre Pendergast.

Los planes de cena seguían en pie, pero no era el momento de hacer ninguna petición de mano.

Hayward volvió a mirar el informe y lo hojeó.

—¿Qué tal la gran reunión de esta tarde?

—Bien. Me ha parecido que a Singleton le gustaba.

—¿Ya tienes los resultados de ADN?

—Qué va. Es el laboratorio más lento de toda la ciudad.

—Lo interesante es que el asesino no intentara disfrazarse ni evitar las cámaras de seguridad. Casi parece que os desafíe a encontrarlo, ¿no?

D'Agosta dio un trago a su cerveza. Hayward lo observaba.

—¿Qué pasa, Vinnie?

Él suspiró.

—Pendergast. Esta tarde he conseguido hablar con él por teléfono y me ha dicho que su mujer está muerta.

Laura dejó la copa y lo miró, conmocionada.

—¿Muerta? ¿Cómo?

—Los que la secuestraron. Le pegaron un tiro en México, parece que para distraer a Pendergast y poder escapar.

—Dios mío...

Laura suspiró y sacudió la cabeza.

—Es espantoso, una tragedia. Y yo nunca lo había oído así. Sonaba como... —D'Agosta hizo una pausa—. No sé, como si no le importase. Como si estuviera muerto. Y luego me ha colgado.

Hayward asintió, compadecida.

—Me preocupa su estado mental. Habiéndola perdido así... —D'Agosta respiró profundamente y miró su cerveza—. Me estoy preparando para una reacción.

—¿Qué tipo de reacción?

—No lo sé. Por los antecedentes, puede que una explosión de violencia. Es tan imprevisible... Puede ocurrir cualquier cosa. Tengo la sensación de estar viendo un accidente de tren a cámara lenta.

—Quizá estuviera bien que hicieras algo.

—Me ha dejado claro que no quiere compasión ni ayuda. ¿Y sabes qué? Que por una vez cumpliré sus deseos y no interferiré.

Se quedó callado.

Al principio Hayward no contestó. Después carraspeó.

—Vinnie, lo está pasando mal. No creía que fuera a decirlo nunca, pero este sí que podría ser el momento de interferir.

D'Agosta la miró.

—Te voy a explicar cómo lo veo. Hasta ahora Pendergast nunca había fallado, al menos así. Tan y tan enfrascado como estaba en descubrir la verdad sobre lo que le sucedió a su mujer... En esa búsqueda casi te matan a ti, y yo casi sufro una violación colectiva. Y luego, justo cuando empezaba a creerse que sí, que estaba viva... —Hayward hizo una pausa—. La cuestión es que en el fondo dudo que le pasara por la cabeza la idea de fallar. Ya conoces a Pendergast. Ya sabes cómo trabaja. Era lo que más le preocupaba en el mundo, más que cualquiera de sus investigaciones, y ahora se ha acabado. Punto final. Ha fallado. No me puedo imaginar lo que estará sintiendo. —Hizo una nueva pausa—. Tú dices que habrá una explosión de violencia, pero en ese caso ¿por qué no ha salido en tromba a por los asesinos? ¿Por qué no echa abajo nuestra puerta y te pide ayuda?

D'Agosta sacudió la cabeza.

—Buenas preguntas.

—Yo creo que está totalmente desesperado —explicó Hayward—. Estoy segura.

Se quedaron en silencio. D'Agosta bebía cerveza, taciturno.

Al final fue Hayward quien volvió a salir de su inmovilidad.

—Vinnie, te lo digo sabiendo que hago mal, pero quizá lo que necesite Pendergast para salir del pozo sea una investigación de las buenas. ¿Y sabes qué? Que tenemos una en las narices —dijo dando unos golpecitos al informe forense.

D'Agosta suspiró.

—Te agradezco lo que dices, de verdad, pero esta vez… Paso. Es que no me corresponde inmiscuirme así.

Miró a Hayward por encima de la mesa. Después sonrió con cierta pesadumbre y contempló las fachadas del otro lado de la Primera Avenida, que el sol poniente bruñía de rosa y oro.

8

Para Alban Lorimer, la recepción del hotel Vanderbilt fue una agradable sorpresa. No se parecía casi nada a la del Marlborough. Era un recinto más pequeño, más tranquilo e íntimo. El sosegado espacio del vestíbulo, que si a algo recordaba era a una elegante sala de estar, estaba presidido por una enorme urna de flores frescas. Había lujosas alfombras, y sofás y sillones mullidos y cómodos en torno a mesas de ébano con el tablero de cristal. Las paredes estaban revestidas de roble oscuro, y los apliques eran de cristal soplado a mano, victoriano quizá.

Tomó asiento frente a una mesita de la recepción. Un camarero se acercó y le preguntó si le apetecía un té. Alban pensó un momento, echó una ojeada a la carta de tés de la tarde y dijo que sí, que con mucho gusto se tomaría uno, preferiblemente un Assam o alguna otra mezcla suave, preparada a la inglesa, en la tetera, con leche entera y azúcar. Fue muy prolijo al pedir, asegurándose de que captaba la atención del camarero.

Tras retirarse este, Alban se puso cómodo y se impregnó del ambiente. Lo primero que le llamó la atención fue que la clientela parecía distinta. Mientras que el Marlborough era simplemente «Grand», como su nombre indicaba, aquel hotel parecía más bien un club discreto de clase alta, que atendía a los ricos y privilegiados del país, y a sus huéspedes.

Las diferencias lo intrigaron. ¿Tenía cada hotel su personalidad? El Grand Hotel Marlborough era como una rubia joven, vistosa y con estilo, algo ruidosa, por no decir vulgar, pero guapa, sexy y divertida. La imagen mental que se formó del Vanderbilt, en cambio, fue la de un caballero distinguido y canoso, de buen gusto y buena cuna: apuesto, encantador, pero ligeramente aburrido. Pensó en cuál de los dos prefería. Difícil decisión. No tenía bastante experiencia.

Le apetecía visitar otros hoteles neoyorquinos y hacer un estudio. Crearía un personaje completo para cada hotel. Sería divertido.

Mientras esperaba el té, se alisó la parte delantera del traje. Le molestaba la venda del índice derecho. Le escocía. De todos modos ya no podía remediarlo. Al menos se sentía seguro sabiendo que su aspecto se diferenciaba bastante del individuo cuya imagen había aparecido en todos los periódicos con la más absoluta nitidez. Qué curioso que nadie se hubiera dado cuenta de la ironía… Aunque siempre era posible que la policía sí, por descontado. Tenía que ser prudente.

Ahora era el señor Brown. Tenía el pelo marrón, como su nombre. También los ojos. Su piel, sin ser exactamente marrón, era aceitunada. Lo único que no era marrón era su atuendo (no le gustaban los trajes marrones); gris más bien, y de Brooks Brothers, desde los zapatos hasta la corbata. Hasta aquel día Alban nunca había oído hablar de Brooks Brothers. Se trataba de un sastre neoyorquino cuyos trajes eran lo bastante banales para ayudarlo a encajar aún más. A pesar de que la noche hubiera traído cierta bajada de temperaturas, la gorra de cachemir que llevaba, y que tapaba sus orejas, podía parecer un poco rara. Quizá algunos la atribuyeran a un cáncer y a la voluntad de disimular la pérdida de pelo.

Dos grandes trozos de cera de abeja moldeada entre los molares superiores y las mejillas redondeaban sus marcados pómulos, confiriéndole un rostro más ancho y afable, acaso algo más bonachón. Naturalmente, también había modificado sus andares rebajando los tacones de sus nuevos zapatos, a fin de que el exterior del tacón fuera un centímetro más bajo que el interior, detalle que tenía el efecto de cambiar el ritmo de sus pasos. Le habían enseñado que el modo de caminar de una persona era una de las características clave que usaban los especialistas en identificación.

El té era excelente. No esperaba otra cosa. Dejó un par de billetes nuevos y tersos en la mesa, y al levantarse apoyó la mano izquierda en el tablero de cristal, dejando que sus dedos se asieran al borde, donde menos posibilidades había de que limpiase el camarero.

Se acercó tranquilamente al ascensor, subió y pulsó el botón del sexto piso. Al salir se paseó hasta el final del pasillo, donde volvió a encontrar un punto ciego, bajo una discreta cámara de seguridad, y se quedó a la espera. Al no ser un corredor tan largo como el del Marlborough, temió que la espera fuera larga, pero no: a los cinco minutos exactos regresó por el pasillo, esta vez a paso rápido, y cuando la camarera apareció en la esquina con una almohada en las manos, redujo el paso y compuso una sonrisa cálida en su rostro. La interceptó a medio camino y le tendió los brazos con un brillo en la mirada.

—Oiga, ¿es para mí la almohada? ¿Para la 614?

—Sí, señor.

—Gracias.

Cogió la almohada, le dio un billete de cinco dólares a la empleada y se giró para ir a la habitación 614. Mientras caminaba, comprobó la consistencia del cojín. Una espuma firme, que retenía las formas. Al parecer al ocupante de esa habitación no le gustaba la sensación de ahogo provocada por las almohadas blandas y mullidas de plumón. Eso era algo que tenían en común.

Se acercó a la puerta 614 y llamó educadamente con dos golpes. En respuesta a la pregunta estándar, pronunciada por una voz hosca y masculina, dijo:

—Su almohada, señor.

Se abrió la puerta. Alban tendió la almohada, y en el momento en que el hombre de la habitación se disponía a cogerla se lanzó bruscamente hacia delante, lo empujó un poco hacia dentro, para su sorpresa, y lo silenció de inmediato con una llave alrededor del cuello, mientras cerraba la puerta silenciosamente con la mano libre. Aquel no ofreció casi resistencia, a diferencia de la mujer, y cuando lo hizo fue algo débil, penoso. Era mayor, más gordo y fofo, menos resistente. Alban lo empujó hacia el centro de la habitación. El hombre hizo un par de tentativas abúlicas de dar puñetazos por el lado y por detrás, pero paró enseguida al aumentar de golpe la presión en su cuello. Alban notó que empezaban a temblarle las rodillas, bien de miedo, bien por falta de oxígeno. El pelo ralo y graso del hombre (que, peinado por encima de una calva con manchas, apestaba a tónico de lima) quedaba justo bajo la nariz de su agresor, que se irritó por ello. Distaba mucho de ser tan divertido como con la chica. Adolecía de cierta falta de dificultad, y quizá hasta de estilo. Tendría que recordarlo.

Aflojó la presión. El hombre respiró de forma entrecortada, con desesperación.

—¿Qué está…?

Alban volvió a apretar. No quería discutir.

Cuando la víctima volvió a resistirse, Alban le dijo amablemente:

—Chis… Si colabora no pasará nada.

El hombre se quedó quieto. Parecía mentira que se lo creyeran. Aun así Alban dejó el brazo alrededor de su cuello, por si acaso.

Colocó al individuo en posición correcta, se preparó y sacó la navaja por donde no fuera visible. Después extendió mucho el brazo hacia la derecha… y dio una rápida estocada que clavó profundamente la navaja en la garganta, seguida por un giro brusco (practicado cientos de veces, casi siempre en cerdos). A continuación impulsó al hombre hacia delante, mientras él retrocedía al mismo tiempo.

La sangre y el aire brotaron a chorro, como una enorme exhalación, pero a Alban no le tocó una sola gota. Esta vez la caída fue más ruidosa, más pesada, dato que inquietó en cierto modo a Alban y le hizo tener presente la hipotética necesidad de refinar su técnica. Miró su reloj, observó los estertores y sacó sus herramientas para empezar cuanto antes su labor.

Sí, pensó, jadeando un poco a causa del esfuerzo; ya tenía ganas de seguir con su pequeño estudio de los hoteles neoyorquinos, y de los personajes que crearía mentalmente para cada uno.

9

El ala del hotel estaba acordonada y habían reubicado a todos los huéspedes. Al joven director, hecho un manojo de nervios, se lo habían tenido que llevar tras sufrir algún tipo de crisis, fenómeno que le ocurría por primera vez al teniente D'Agosta. La prensa estaba atrincherada delante, en la calle Cincuenta. Pese a encontrarse en el sexto piso, D'Agosta oía el rumor de las voces y veía filtrarse por las finas cortinas las luces de los coches de la policía; o quizá por fin amaneciera, tras una noche larga, larga...

Estaba en la parte del dormitorio, con patucos sobre los zapatos, viendo cómo recogían sus enseres los últimos de la unidad forense. Habían pasado más de ocho horas desde el asesinato. Ya se habían llevado el cadáver de la habitación, así como el dedo extra aparecido junto al cuerpo: la primera falange del índice derecho. En la moqueta había una mancha de sangre de casi un metro de diámetro, y la pared de enfrente estaba salpicada por manchas rojas, como si la hubieran rociado con una manguera. La habitación tenía el olor característico a hierro de las muertes violentas, que no encubría del todo el de los productos químicos usados por la policía científica.

El capitán Singleton había llegado hacía media hora para la parte final. Por un lado, D'Agosta agradecía su respaldo, ya que cuando el jefe intervenía, todos trabajaban más, pero a ello se añadía la inevitable sensación de que su súbita presencia podía ser un voto de desconfianza. Aquel segundo crimen había catapultado la investigación a la primera plana de todos los informativos nocturnos de la ciudad, haciendo olvidar a la gente el tiroteo con cinco víctimas en Central Park. Además, las cosas como eran: entre D'Agosta y Singleton no siempre había reinado la mayor amistad. Pocos años antes, durante un caso desastroso en el que habían participado D'Agosta y Pendergast, el apego de Singleton a la más estricta normativa había hecho que el teniente se enfrentase a un expediente disciplinario. De todos modos, en defensa de Singleton había que decir que siempre había procurado tratarlo con ecuanimidad. Siendo así, y teniendo en cuenta el gran respeto que sentía D'Agosta por el capitán, ¿cómo explicar el cosquilleo de rencor que le había provocado su aparición? Acaso por la negativa de Singleton a brindarle respaldo policial el día en que lo había consultado extraoficialmente sobre el encuentro de Pendergast y Helen en el embarcadero... «¿Nazis, aquí en Nueva York? —le había dicho Singleton—. Eso es una ridiculez hasta para el agente Pendergast. No puedo desplegar toda una brigada por un capricho.» D'Agosta, a quien de todos modos Pendergast había hecho jurar silencio, no había insistido. Y ahora Helen estaba muerta.

—«Cumpleaños feliz» —murmuró Singleton, repitiendo el mensaje que habían encontrado escrito con sangre en el cuerpo de la víctima—. ¿Usted cómo lo interpreta, teniente?

—Tenemos entre manos a un psicópata de tomo y lomo.

A la prensa no le habían dicho nada ni de los mensajes ni de los apéndices corporales suplementarios.

—Eso está claro —dijo Singleton.

Era un hombre alto, delgado, cuidado, que pese a aproximarse a los cincuenta años conservaba su físico de nadador. Su pelo, pulcramente cortado, cada vez era más blanco y menos gris, pero se le apreciaba al capitán cierta inquietud, una agilidad, que le quitaban años. Era uno de los miembros más condecorados de toda la policía de Nueva York, con fama de trabajador y de necesitar pocas horas de sueño. A diferencia de la mayoría de los detectives iba bien vestido, con preferencia por los trajes caros y de buen corte. Su presencia, por alguna razón, siempre inducía a los demás a darlo todo de sí. Era de esos hombres que no imponen disciplina por el miedo, ni levantando la voz; se limitaba a parecer «decepcionado». D'Agosta habría preferido media hora de gritos de otro capitán que sufrir por un minuto el grave y decepcionado semblante de Singleton.

—Le he estado dando vueltas —dijo Singleton en un tono que D'Agosta reconoció como el preludio de algún pronunciamiento polémico—, y los aspectos psicológicos de esta investigación se salen de lo común. Estamos fuera de la curva normal de las patologías corrientes. ¿No le parece, teniente?

—Estoy de acuerdo.

D'Agosta no se definió. Quería ver por dónde iba Singleton.

—Sabemos que el lóbulo lo cortaron varias horas antes del primer asesinato, y ahora el forense nos dice que el dedo también lo cortaron varias horas antes de este crimen. En las primeras grabaciones de seguridad aparece un vendaje en el lóbulo de la oreja, y en las nuevas se ve que lleva una gorra muy curiosa y un dedo vendado. ¿Qué clase de asesino puede lesionarse así? ¿Y qué significan los mensajes? ¿Quién cumple años, y quién tiene que enorgullecerse? Y, por último, ¿por qué un asesino tan organizado e inteligente, como salta a la vista que es, descuida tanto su identidad?

—Yo no estoy seguro de que la descuide —dijo D'Agosta—. Dese cuenta de que esta vez en las grabaciones de seguridad se le ve muy distinto.

—Ya, pero deja huellas dactilares. Le da igual que sepamos que ha sido él, post facto. De hecho, las partes corporales dan a entender que quiere que lo sepamos.

—A mí lo que no me cuadra es cómo interceptó a la camarera —dijo D'Agosta—. Durante la entrevista ella ha insistido en que sabía que habían pedido una almohada y conocía el número de habitación. ¿Cómo podía saberlo?

—Quizá tuviera un contacto dentro del hotel —dijo Singleton—, en recepción o en centralita. Son aspectos que tendrá que investigar.

D'Agosta asintió, sobresaltado. Cómo deseaba que Pendergast estuviera allí... Era el tipo exacto de preguntas al que podía ser capaz de responder.

—¿Sabe qué me hace pensar a mí, teniente?

Algo se avecinaba. D'Agosta se armó de valor.

—¿Qué, señor?

—Nunca me gusta tener que decirlo, pero ahora mismo esto nos supera. Tendremos que llamar a la Unidad de Ciencias Conductuales del FBI.

D'Agosta se llevó una sorpresa. Pero tras un momento no se

sorprendió tanto. Con un asesino en serie como aquel, que presentaba una patología extrema, tal vez única, era un paso lógico.

Vio que Singleton lo miraba muy serio, buscando su aquiescencia. Era otra novedad. ¿Desde cuándo le pedía su opinión el capitán?

—Jefe —dijo D'Agosta—, me parece una idea estupenda.

Singleton puso cara de alivio.

—Supongo que se da usted cuenta de que a nuestros hombres y mujeres no les gustará... Para empezar, en estos crímenes no existe ningún elemento que requiera la intervención del FBI; no hay indicios de terrorismo ni vínculos con otro estado. También sabe lo repelente que puede ser, y lo será, el FBI; pero es que en toda mi carrera no había visto a un asesino así. La UCC tiene acceso a muchas más bases de datos y mucho más material de investigación que nosotros. Aun así, resultará difícil que los nuestros no se reboten.

D'Agosta conocía de sobra lo mal que trabajaban juntos la policía de Nueva York y el FBI.

—Me doy cuenta —dijo—. Se lo comentaré a la brigada. Ya sabe que he colaborado otras veces con el FBI y no tengo problemas personales con ellos.

Los ojos de Singleton brillaron al oírlo. Por unos momentos D'Agosta temió que sacara a relucir a Pendergast, pero no; el capitán tenía demasiado tacto, y se limitó a asentir con la cabeza.

—Como jefe, estableceré el primer contacto con Quantico. Después lo dejaré en manos de usted. Es la mejor manera, sobre todo con el FBI, tan puntilloso en cuestiones de rango.

D'Agosta asintió. Ahora sí que lamentaba no tener a Pendergast al lado.

Observaron en silencio cómo se movía lentamente por el suelo el investigador de fibras, a gatas y con pinzas en la mano, escrutando los recuadros de la cuadrícula dibujada con hilos. Vaya trabajo...

—Ah, casi se me olvida —dijo Singleton—. ¿Qué hemos obtenido en las pruebas de ADN del lóbulo?

—Aún no las hemos recibido.

Singleton se volvió lentamente.

—Ya hace sesenta horas.

D'Agosta sintió que le subía toda la sangre a la cara. Desde que la unidad de ADN ya no pertenecía a los servicios forenses, sino que constituía un departamento por sí mismo, dirigido por el doctor Wayne Heffler, estaban intratables. Hacía unos años D'Agosta y Pendergast habían tenido un encontronazo con Heffler, y desde entonces el teniente sospechaba que este último retrasaba por sistema los resultados del laboratorio el tiempo justo para cabrearlo, pero sin meterse en líos.

—Me ocuparé del tema —dijo con serenidad—. Me ocuparé enseguida.

—Se lo agradecería —dijo Singleton—. Uno de sus deberes como jefe de brigada es patear culos; y en este caso puede que tenga que... esto... emplearse a fondo, no sé si me explico.

Y, con una palmada amistosa en la espalda de D'Agosta, se volvió y se fue.

10

El taxi se acercó a la entrada del Dakota, en la calle Setenta y dos Oeste, y frenó ante la garita del portero. Salió un hombre uniformado, que con la solemnidad de todos los porteros del mundo se aproximó al taxi y abrió la puerta trasera.

Bajo el sol de la mañana se apeó una mujer, alta, elegante y bien vestida. Su sombrero blanco de ala ancha resaltaba un rostro pecoso y muy bronceado, a pesar de la época del año. Tras pagar al taxista, se volvió hacia el portero.

—Perdone, pero tendría que usar su teléfono interno —le dijo con vigor y acento inglés.

—Por aquí, señora.

El portero la guió por un pasillo largo y en penumbra que discurría bajo un rastrillo hasta llegar a una habitación con vistas al patio interior del edificio.

La mujer cogió el teléfono y marcó el número de un apartamento. A los veinte tonos seguía sin obtener respuesta. El portero esperaba, mirándola.

—No contestan, señora.

Viola lo observó. No era alguien a quien se pudiera presionar. Lo obsequió con una dulce sonrisa.

—Ya sabe que el ama de llaves es sorda. Probaré otra vez.

Un gesto reacio de aquiescencia.

Veinte tonos más.

—Yo creo que ya está bien, señora. Permítame que anote su nombre.

Viola volvió a llamar. Vio que el portero, ya con mala cara, se disponía a desplazar la mano hacia el botón de colgar.

—Solo un momento, por favor —le dijo con otra sonrisa luminosa.

Contestaron justo cuando la mano del portero estaba a punto de cortar la llamada.

—¿Hola? —se apresuró a decir ella.

La mano se apartó.

—¿Puedo conocer el motivo de esta deplorable persistencia? —dijo una voz monótona, casi sepulcral.

—¿Aloysius? —preguntó la mujer.

Silencio.

—Soy yo, Viola. Viola Maskelene.

Una larga pausa.

—¿Qué haces aquí?

—Vengo de Roma solo para hablar contigo. Es cuestión de vida o muerte.

No hubo respuesta.

—Aloysius, te lo pido por… por la fuerza de nuestra antigua relación. Por favor.

Una exhalación lenta, casi inaudible.

—Pues entonces supongo que tendrás que subir.

El ascensor susurró al abrir sus puertas a un pequeño rellano con moqueta marrón y madera oscura y bruñida en las paredes. Delante había una sola puerta, abierta. Lady Maskelene la cruzó y se quedó estupefacta. Pendergast, al otro lado, llevaba una bata de seda con estampado discreto de cachemira. Estaba demacrado, con el pelo lacio. Se giró sin decir nada ni molestarse tan siquiera en cerrar, y se acercó a uno de los sofás de piel. Sus movimientos, de costumbre vigorosos y precisos, eran lentos, como si se moviera por debajo del agua.

Lady Maskelene cerró la puerta y lo siguió a la habitación, pintada de rosa y espartanamente decorada con unos pocos, antiguos y nudosos bonsáis. En tres de las paredes había cuadros impresionistas. La cuarta era una lámina de agua vertida en una losa de mármol negro. Pendergast tomó asiento en el sofá. Lady Maskelene lo hizo a su lado.

—Aloysius —dijo, cogiéndole la mano entre las suyas—, se me

parte el corazón. Qué horrible, qué horrible... No sabes cuánto lo siento.

Más que mirarla a ella, los ojos de Pendergast la atravesaron.

—No puedo ni siquiera imaginar cómo debes de sentirte —le dijo ella, apretándole la mano—, pero si algo debes evitar es sentirte culpable. Tú hiciste todo lo que podías. Estoy segura. No estaba en tu mano evitar lo sucedido. —Hizo una pausa—. Me gustaría tanto poder ayudarte...

Pendergast soltó su mano, cerró los ojos y se puso las yemas de los dedos en las sienes. Parecía estar haciendo un esfuerzo desmedido de concentración para no abstraerse del momento. Volvió a abrir los ojos y la miró.

—Has dicho que era cuestión de vida o muerte. ¿Para quién?

—Para ti.

No pareció captarlo a la primera.

—Ah —dijo al cabo de unos instantes.

Otro silencio, hasta que volvió a hablar.

—¿Te importaría explicarme de qué fuente has obtenido la información?

—Laura Hayward se puso en contacto conmigo y me lo explicó, lo de antes y lo de ahora. Yo lo he dejado todo y he cogido el primer vuelo desde Roma.

Lady Maskelene no aguantaba la falta de expresión de esa mirada que la traspasaba. Se parecía tan poco al Pendergast cortés, compuesto y sutil a quien había conocido en su villa de Capraia, al hombre de quien se había prendado, que le resultaba insoportable. Su corazón se llenó de ira contra las personas que le habían hecho aquello.

Después de un titubeo lo tomó entre sus brazos. Él se puso rígido, pero no protestó.

—Ay, Aloysius... —susurró ella—. ¿No dejarás que te ayude? —Y, como seguía sin responder, añadió—: Escúchame. El luto está muy bien, es algo bueno, pero esto... Quedarte aquí encerrado sin querer hablar ni ver a nadie... No es la manera de superarlo. —Lo abrazó con más fuerza—. Y lo tienes que superar. Por Helen y por mí. Ya sé que no es nada inmediato. Por eso he venido, para ayudarte a pasar el luto. Juntos podremos...

—No —murmuró Pendergast.

Ella esperó, sorprendida.

—No habrá nada que superar —dijo él.

—¿Qué quieres decir? —preguntó ella—. Pues claro que sí. Ya sé que ahora mismo parece lo más imposible del mundo, pero deja que pase el tiempo y verás como...

Pendergast suspiró con un gesto impaciente. Había recuperado parte de su compostura.

—Veo que se impondrá una explicación. ¿Me acompañas?

Lady Maskelene lo miró un momento, sintiendo una chispa de esperanza y hasta de alivio. Era un atisbo del Pendergast de siempre, el que tomaba la iniciativa.

Él se levantó del sofá y la llevó a una puerta casi invisible situada en una de las paredes de color rosado. Después de abrirla se internó por un pasillo largo y poco iluminado, hasta llegar a una puerta de cuarterones. Estaba entreabierta. La empujó y entró.

Viola lo siguió con una mirada de curiosidad. No era la primera vez que estaba en el apartamento del Dakota, por supuesto que no, pero en aquella sala no había puesto nunca el pie, y fue una revelación. El suelo era de viejas planchas de madera, muy anchas y con un barniz precioso. Las paredes estaban recubiertas de un papel de pared texturizado histórico, cuyo dibujo poseía una extrema sutileza. El techo, pintado en trampantojo al estilo de Andrea Mantegna, simulaba un cielo. Había una sola vitrina con múltiples objetos, a cuál más singular: un oscuro y torturado pedazo de lava, algún tipo de lirio exótico prensado en una caja hermética de plástico claro, una estalactita con la punta rota, algo que parecía una pieza de una silla de ruedas, varias balas deformadas, un antiguo maletín de instrumentos quirúrgicos y varias cosas más. Era una colección excéntrica, por no decir estrafalaria, cuyo significado tal vez no conociera nadie salvo el propio Pendergast.

Debía de ser su estudio privado.

Sin embargo, lo que más llamó su atención fue el escritorio Luis XV que ocupaba el centro de la sala. Era de palisandro, con los bordes dorados y unas taraceas de insólito rebuscamiento. En toda su superficie no había más que tres objetos: un pequeño recipiente médico de cristal con tapa de goma, una jeringuilla y una bandeja de plata con una pequeña pirámide de un polvo blanco y fino.

Pendergast se sentó detrás del escritorio. Solo había otro asiento en la sala: un sillón recargado, junto a la pared. Viola lo trasladó frente a la mesa y tomó asiento.

Se quedaron en silencio hasta que Pendergast, mediante un gesto de la mano, señaló los objetos de la mesa.

—¿Qué es todo esto, Aloysius? —preguntó Viola, que empezaba a tener miedo.

—Parametilbenceno de fenilcolina —dijo él indicando el polvo blanco—. El primero en sintetizarlo fue mi tatarabuelo, en 1868. Es una de las muchas pócimas extrañas que confeccionó. Tras una serie de… mmm… pruebas iniciales en privado, sigue siendo un secreto de la familia. Dicen que genera en quien lo toma un estado de euforia total y absoluta, brindándole una completa negación de las preocupaciones y el dolor, así como, supuestamente, una revelación intelectual incomparable que dura entre veinte y treinta minutos, hasta que se produce un fallo irreversiblemente mortal y doloroso del sistema renal. Yo siempre había tenido curiosidad por experimentar sus efectos iniciales, pero hasta ahora no lo había hecho, por razones obvias.

Pareció que hablar de los objetos posados en el escritorio despertase cierto grado de energía en Pendergast, cuyos ojos de aspecto amoratado enfocaron el pequeño frasco de medicación.

—De ahí esto. —Lo cogió y se lo enseñó, moviendo un poco el líquido incoloro que contenía—. Una mezcla de tiopental sódico y cloruro potásico. En primer lugar provocará un estado de inconsciencia, y acto seguido detendrá el corazón mucho antes de que se manifiesten los desagradables efectos secundarios del parametilbenceno, sin dejar por ello de concederme el tiempo necesario para experimentar un atisbo de paz, y hasta de distracción quizá, antes del final.

La mirada de Viola pasó de Pendergast a los objetos de la mesa, antes de realizar el recorrido inverso. A medida que quedaban claras las implicaciones de lo que acababa de oír se sintió invadida por una oleada de espanto y aprensión.

—No, Aloysius —susurró—. No puedes decirlo en serio.

—Más serio imposible.

—Pero… —La enmudeció un nudo involuntario en la garganta. No puede ser verdad, se dijo; no puede ser verdad—. Pero tú no eres así. Tienes que resistir. No puedes irte como los… cobardes. No te lo permitiré.

Al oírlo, Pendergast puso las manos en la mesa y se levantó con lentitud para ir hacia la puerta, que abrió para Viola. Después de vacilar un poco, ella se puso en pie y fue tras él por el mismo pasillo de antes, la puerta secreta y el recibidor. Era como una pesadilla. Quería detenerlo, barrer del escritorio aquellas cosas odiosas y que se rompieran en el suelo, pero no podía. Su conmoción era tan grande que se sintió incapaz de actuar. «Es cuestión de vida o muerte.» Sus propias palabras la torturaron con su ironía al resonar de nuevo en su cabeza.

Pendergast no dijo nada hasta llegar a la puerta que comunicaba con el ascensor. En ese momento añadió unas palabras.

—Te agradezco tu preocupación —dijo con una voz de una debilidad y vacuidad extrañas, como si fueran pronunciadas desde una gran distancia—. Y el tiempo y el esfuerzo que has invertido en mí. Ahora, sin embargo, debo pedirte que regreses a Roma.

—Aloysius... —empezó a decir ella.

Él levantó la mano para silenciarla.

—Adiós, Viola. Harías bien en olvidarme.

Viola se dio cuenta de que estaba llorando.

—No puedes hacerlo —dijo con voz trémula—. No puedes. Es demasiado egoísta. ¿No te olvidas nada? Hay gente, mucha, a quien le importas; gente que te quiere. No les hagas esto, por favor. No nos lo hagas. —Titubeó y añadió con más rabia—: No me hagas esto.

Algo pareció brillar en los ojos de Pendergast al oírla, una pequeña chispa como la de una brasa envuelta en hielo, pero se disipó enseguida. Fue algo tan rápido que Viola no estuvo segura de haberlo visto. Tal vez fuera un efecto de las lágrimas que le anegaban a ella los ojos.

Pendergast cogió su mano y la apretó de un modo casi imperceptible. Después abrió la puerta sin decir nada más.

Viola lo miró.

—No dejaré que lo hagas.

Él la contempló un momento, no sin cierta dulzura.

—Seguro que me conoces bastante para comprender que ni tú ni nadie podréis hacerme desistir. Es hora de que te vayas. Sería muy angustioso para ambos que me viese obligado a que te acompañasen a la salida.

Viola siguió mirándolo un minuto más con expresión de súplica, pero los ojos de Pendergast volvían a enfocar un punto muy lejano. Al final Viola se giró con un temblor en todo el cuerpo. Sesenta segundos después volvía a cruzar el patio, sintiéndose las piernas como de goma, y sin tener idea alguna de cuál era su rumbo, mientras las lágrimas surcaban libremente sus mejillas.

Pendergast se quedó un buen rato en el recibidor. Después se encaminó muy lentamente a su estudio privado, se sentó detrás del escritorio y, como había hecho durante un sinfín de horas, empezó a contemplar los tres objetos distribuidos frente a él.

11

Después de hablar con Singleton, D'Agosta bajó directamente al centro. Ese cabrón de Heffler... De escoba lo iba a usar, al muy hijo de puta. Le cortaría los huevos y los colgaría en un árbol de Navidad. Se acordó de cuando había ido a verlo con Pendergast, y de la cara nueva que le había puesto este último. Qué gracia... Decidió hacerle «un Pendergast» a Heffler.

Con tan agradables pensamientos frenó ante la unidad forense de ADN de William Street, un anexo del New York Downtown Hospital, y miró su reloj: las ocho de la mañana. Al consultar al agente de guardia había averiguado que Heffler llevaba desde las tres en su despacho. Era buena señal, aunque D'Agosta no estaba del todo seguro de lo que significaba.

Se apeó de su coche de paisano, dio un portazo y cruzó con paso decidido la puerta acristalada del edificio de William Street. Al pasar junto al recepcionista enseñó su placa.

—Teniente D'Agosta —dijo en voz alta, sin pararse—. Vengo a ver al doctor Heffler.

—Tiene que firmar, teniente...

Aun así fue derecho al ascensor y pulsó el botón del último piso, donde había instalado Heffler sus reales, en un despacho esquinero de lo más confortable con paredes de roble. Al salir del ascensor vio que no había ninguna secretaria en la antesala. Demasiado temprano. Lo cruzó tan campante y abrió de par en par la puerta del despacho.

Allá estaba Heffler.

—Ah, teniente... —empezó a decir el director, levantándose de modo brusco.

D'Agosta vaciló un momento. No era el Heffler al que estaba acostumbrado, el lustroso y altivo gilipollas con traje de mil dólares, sino un Heffler descuidado y cansado, con pinta de haberse llevado una bronca hacía poco tiempo.

Aun así se embarcó en el discurso que traía ensayado.

—Doctor Heffler, hace más de sesenta horas que esperamos...

—¡Sí, sí! —dijo Heffler—. Y tengo los resultados. Me los acaban de entregar. Llevamos trabajando en ellos desde las tres.

Silencio. Las cuidadas uñas de Heffler dieron golpes ansiosos en una carpeta apoyada en la mesa.

—Está todo aquí dentro. Le pido disculpas por el retraso, pero es que andamos mal de personal. Con los últimos recortes... Qué le voy a decir.

La mirada que lanzó a D'Agosta fue entre sarcástica y cohibida.

Sus palabras desinflaron por completo al teniente. Alguien más había hablado ya con Heffler. ¿Singleton? Hizo una pausa, respiró e intentó serenarse.

—¿Tiene los resultados de los dos homicidios?

—Por supuesto. Siéntese, teniente, por favor, y así los miramos juntos.

D'Agosta se sentó a regañadientes en la silla ofrecida.

—Le haré un resumen, pero no dude en interrumpirme si tiene algo que preguntar. —Heffler abrió la carpeta—. La muestra de ADN era magnífica. El equipo lo hizo estupendamente. Tenemos buenos perfiles de ADN del pelo, las huellas latentes... y el lóbulo, claro. Todos encajan con un grado elevadísimo de certidumbre. Podemos confirmar que el lóbulo correspondía al asesino.

El giro de una página.

—En el caso del segundo homicidio también disponemos de buenos perfiles de ADN de pelo y huellas latentes, y de la falange. También en este caso encajan entre sí, y con los perfiles de ADN del primer homicidio. El dedo y el lóbulo pertenecen a la misma persona, el asesino.

—¿Cómo son de seguros los resultados?

—Mucho. Eran perfiles excelentes, con un material abundante e incontaminado. La posibilidad de que se trate de una coincidencia es inferior a una sobre mil millones.

Heffler ya iba recuperando un poco su entereza.

D'Agosta asintió. En realidad no era nada nuevo, pero estaba bien que se lo confirmasen.

—¿Lo han cotejado con las bases de datos de ADN?

—Sí, con todas las que podemos consultar, y no hemos encontrado nada; lo cual, por otro lado, no es ninguna sorpresa, porque la gran mayoría de la gente no tiene su ADN en ninguna base.

Heffler cerró la carpeta.

—Tenga, teniente, esta es su copia. He enviado electrónicamente el documento maestro al jefe de homicidios, a la unidad de análisis de homicidios y a la división de investigación central y recursos. ¿Hay alguien más que tenga que recibirlo?

—No se me ocurre. —D'Agosta se levantó y cogió la carpeta—. Doctor Heffler, ¿le ha comentado por teléfono el capitán Singleton que también queremos el análisis del ADNmt, el mitocondrial?

—Pues no, porque el capitán Singleton no me ha llamado.

D'Agosta lo miró a los ojos. Estaba claro que le habían llamado la atención, al muy hijo de puta. Quiso saber quién.

—Alguien lo habrá llamado…

—El jefe de policía.

—¿El jefe de policía? ¿Se refiere a Tagliabue? ¿Cuándo?

Un titubeo.

—A las dos de esta mañana.

—¿Ah, sí? ¿Y qué ha dicho?

—Me ha informado de que es un caso muy importante, y de que cualquier percance, hasta el más pequeño, podría ser… mmm… motivo de despido.

Una pausa. Heffler sonrió, burlón.

—Pues nada, teniente, buena suerte. Aquí están los resultados que quería. Tiene entre manos a todo un asesino. Esperemos que no sufra usted ningún… percance.

A juzgar por la sonrisa esperaba lo contrario.

12

A simple vista, la biblioteca del Hospital Mount Mercy para Delincuentes Psicóticos parecía la típica sala de lectura de un club masculino: madera oscura y bruñida, apliques barrocos, iluminación discreta... Un examen más atento, sin embargo, sacaba a relucir determinadas diferencias harto singulares. Los sillones de orejas y las mesas de madera no se podían desplazar porque estaban clavados al suelo con tornillos. No se veían objetos punzantes ni artículos pesados y contundentes. A todas las revistas consultadas por los presos les habían quitado las grapas. Y en la única entrada de la sala había un hombre musculoso con uniforme de auxiliar.

El doctor John Felder estaba sentado en un rincón, ante una mesita redonda. El jugueteo inquieto de sus manos delataba un evidente nerviosismo.

Un movimiento en la entrada le hizo levantar la vista con premura. Era Constance Greene, acompañada por un vigilante. Constance miró a su alrededor, y al ver a Felder se acercó. Iba vestida con recato: falda blanca plisada y una blusa de un azul lavanda clarísimo. Llevaba una carta en una mano y en la otra, un sobre para correo aéreo.

—Doctor Felder... —dijo con su distinguida voz, sentándose al otro lado de la mesa.

Metió la carta en el sobre y lo dejó en la mesa, boca abajo, no sin que antes Felder reparase en que la carta no parecía contener más de una palabra. Estaba escrita en caracteres peculiares, sánscritos, maratís o algo parecido.

Levantó la vista de la carta y miró a Constance.

—Gracias por querer hablar conmigo —dijo.

—No esperaba que volviera tan pronto.

—Yo tampoco. Le pido disculpas. Es que...

Felder guardó silencio y miró a su alrededor para comprobar que no los escuchase nadie; y pese a no ver nada inquietante, bajó la voz de todos modos.

—Constance, me está resultando muy difícil seguir adelante a sabiendas de que... de que no se fía usted de mí.

—Me extraña que eso lo turbe. Solo soy una ex paciente, como sin duda tendrá muchos.

—Me gustaría encontrar una manera de reconciliarme con usted. —Felder, poco acostumbrado a hablar sobre sus sentimientos y menos aún con pacientes, sintió que se ruborizaba de embarazo y vergüenza—. No espero volver a tratarla. En ese aspecto acato sus deseos. Lo que ocurre es que quisiera... bueno, poder compensar de alguna manera lo que sucedió... lo que hice. Enmendarlo, para que pueda volver a fiarse de mí.

Las últimas palabras le salieron de golpe. Constance lo miró con serenidad y cálculo en sus ojos violetas.

—¿Por qué lo considera importante, doctor?

—Yo...

Felder se dio cuenta de que en el fondo no sabía por qué, o no había examinando con bastante atención sus sentimientos para descubrirlo.

Durante un buen rato reinó el silencio a un lado y otro de la mesa, hasta que Constance tomó la palabra.

—Hace un tiempo me dijo usted que se creía que nací en Water Street en la década de 1870.

—Sí, es verdad que se lo dije.

—¿Todavía se lo cree?

—Pues... es que parece tan extraño, tan difícil de entender... Aun así no he encontrado nada que lo refute. Es más: he hallado pruebas independientes que apoyan lo que usted afirma. Por otra parte, sé que no es usted una mentirosa; y al examinar los datos clínicos, al prestarles auténtica atención, tengo mis dudas de que sufra usted algún trastorno psicótico. Problemas emocionales sí podría tener, es cierto, y estoy seguro de que sigue obsesionada por algún trauma del pasado, pero no creo que delire. Y tengo cada vez más dudas de que arrojase usted del barco a aquel bebé. Su mensaje a Pendergast parece indicar que sigue vivo. Tengo la impresión de que algo pasa, alguna estratagema o algún plan de mayores dimensiones que aún no ha sido desvelado.

Constance se quedó callada.

Ante su silencio, Felder continuó.

—Todo eso son pruebas circunstanciales, claro, pero muy convincentes. Y no olvidemos esto.

Sacó su cartera, la abrió y extrajo un papelito, que desdobló y entregó a Constance. Era una fotocopia de un grabado de un periódico antiguo que representaba una escena urbana con niños de cara sucia que jugaban a pelota en una callejuela. Al margen había otra niña, flaca y asustada, con una escoba en la mano. Su parecido con una Constance Greene en edad infantil era casi fotográfico.

—Es del *New-York Daily Inquirer* de 1879 —dijo Felder—. Se titula *Pilluelos jugando*.

Constance contempló durante mucho tiempo el grabado. Después pasó suavemente la punta de los dedos por encima, casi con cariño, antes de doblarlo y devolvérselo a Felder.

—¿Lo lleva en su cartera, doctor?

—Sí.

—¿Por qué?

—Es que… de vez en cuando lo consulto. Supongo que para intentar desentrañar el misterio.

Constance siguió observándolo; y tal vez fueran imaginaciones suyas, pero Felder tuvo la impresión de que la frialdad calculadora de sus ojos se dulcificaba un poco. Al cabo de un momento Constance volvió a hablar.

—En la época de este grabado —dijo— las ilustraciones de prensa se hacían del natural. Los artistas iban por ahí realizando dibujos a lápiz y tinta, esbozos a lápiz o carbón… Siempre de cosas que les parecieran pintorescas o dignas de aparecer en las noticias. Después presentaban las obras al periódico y los grabadores profesionales las reproducían para su impresión.

Señaló otra vez con la cabeza la hoja doblada que seguía en manos de Felder.

—Me acuerdo de cuando hicieron este dibujo. El artista estaba ilustrando una serie de artículos sobre los barrios populares de

Nueva York. Despúes del esbozo pidió permiso para hacerme un retrato, supongo que porque mi cara le había llamado la atención. Como mis padres ya estaban muertos, el permiso se lo pidió a mi hermana, que se lo dio. Una vez terminada la obra, entregó a guisa de pago los dibujos preliminares del retrato.

—¿Y dónde están esos estudios? —preguntó Felder, impaciente.

—Se perdieron hace tiempo, pero mi hermana, en señal de gratitud, le dio un mechón de mi pelo. Por aquel entonces era muy habitual regalarse mechones. Me acuerdo de que el artista guardó el trozo de pelo en un pequeño sobre y lo pegó al interior de la portada de su carpeta.

Constance hizo una pausa.

—El dibujante se llamaba Alexander Wintour. Si pudiera usted encontrar la carpeta, es posible que el mechón aún esté dentro. Reconozco que es muy improbable, pero en caso de que lo encontrara, y de que no se hubiese estropeado la carpeta, bastaría una prueba sencilla de ADN para demostrar lo que digo: que tengo casi un siglo y medio de edad.

—Sí —murmuró Felder, sacudiendo la cabeza—. Lo demostraría. —Apuntó el nombre del artista en el dorso del dibujo, lo dobló y se lo guardó en la cartera—. Gracias otra vez por recibirme, Constance.

Se levantó.

—No faltaba más, doctor.

Le dio la mano y salió de la biblioteca. Hacía varios días que no sentía aquel vigor en sus pasos, como si sus extremidades hubieran recuperado fuerzas.

Llegado a la escalinata de Mount Mercy se volvió a parar.

¿Por qué lo hacía Constance? Siempre había mostrado una suprema indiferencia a que la gente la creyera. Algo había cambiado.

Pero ¿qué? Y ¿por qué?

13

Al consultar su móvil, D'Agosta vio que faltaban sesenta segundos para la una. Si era cierto lo que le habían contado del agente especial Conrad Gibbs, llegaría con una puntualidad absoluta.

Estaba nervioso. Casi toda su experiencia anterior con el FBI se reducía a Pendergast. Se dio cuenta de que probablemente fuera peor que carecer de cualquier preparación. Los métodos, la forma de actuar y la mentalidad de Pendergast eran completamente ajenos, por no decir hostiles, a la cultura estándar del FBI.

Miró de reojo el café de Starbucks y la docena de donuts de Krispy Kreme repartidos por la pequeña zona de estar de su despacho y echó una última ojeada al reloj.

—¿El teniente D'Agosta?

Ahí estaba, en la puerta. D'Agosta sonrió al levantarse. La primera impresión fue buena. El agente especial Gibbs estaba cortado por el típico patrón, no se podía negar: convencional, fiel a las normas, de facciones armoniosas y afiladas, con un traje de confección que cubría un físico bien trabajado, el pelo corto y castaño, los labios finos y el rostro alargado, bronceado por su anterior misión en el noroeste de Florida (D'Agosta se había informado concienzudamente). Al mismo tiempo tenía un aire de persona abierta y agradable, y más valía ir de serio que de listillo, o de superior.

Se dieron la mano: un apretón que D'Agosta juzgó firme pero sin excesos, breve, de ir al grano. Rodeando su mesa, condujo al agente a la zona de descanso, donde se sentaron.

Empezaron conversando un poco sobre el tiempo y las diferencias entre Nueva York y Florida. D'Agosta preguntó por el último caso del agente, concluido con gran éxito: un asesino en serie de los del montón, que repartía por las dunas los trozos de sus víctimas. Gibbs hablaba con voz suave, y se notaba que era inteligente. D'Agosta valoraba en grado sumo la primera de ambas cualidades, ya que aparte de facilitar el trabajo en equipo sería de gran utilidad de cara a la brigada (aunque la mayoría de sus miembros hicieran gala de esa fanfarronería tan típica neoyorquina).

El único problema era que Gibbs empezaba a dar muestras de una prolijidad un poco sospechosa al hablar de su caso. Encima no comía nada… mientras que D'Agosta se moría por un Caramel Kreme Crunch.

—Como sabrá usted, teniente —iba diciendo—, en Quantico tenemos una base de datos de asesinos en serie muy completa, integrada en el Centro Nacional de Análisis de Delitos Violentos. Nuestra definición de asesino en serie es la siguiente: alguien que elige a sus víctimas entre desconocidos, que ha matado a tres o más personas por motivos de gratificación psicológica y cuyos crímenes llevan una firma constante o en evolución.

D'Agosta asintió sabiamente.

—En este caso los asesinatos solo han sido dos, es decir, que no se cumple la definición, al menos de momento, aunque creo que estaremos todos de acuerdo en que es probable que se produzca alguno más.

—Totalmente.

Gibbs sacó del maletín una carpeta delgada.

—Ayer por la mañana, al recibir la primera llamada del capitán Singleton, hicimos una consulta rápida a la base de datos.

D'Agosta se inclinó. La cosa se ponía interesante.

—Queríamos saber si había algún otro asesino en serie que dejara partes de su propio cuerpo en el lugar del crimen, coincidiera en su modus operandi, etcétera. —Depositó la carpeta en la mesa de centro—. Son conclusiones preliminares, claro, pero, en fin, que quede entre nosotros. Se lo resumiré si no le importa.

—En absoluto.

—Se trata de un asesino organizado, muy organizado. Es culto, con dinero, y se encuentra a gusto en ambientes lujosos. El modus operandi del descuartizamiento no es tan poco habitual como podría parecer; hay decenas de asesinos en serie que se ajustan al perfil, aunque lo normal es que se lleven partes del cuerpo. Este no. De hecho, lo que hace es dejar partes de su propio cuerpo en el lugar del crimen, algo del todo excepcional.

—Qué interesante... —dijo D'Agosta—. ¿Tiene usted alguna idea al respecto?

—Es una faceta que está analizando el responsable de nuestra unidad de psicología forense. Según él, el asesino se identifica con la víctima, y básicamente se suicida en serie. Es una persona con muy poca autoestima, que casi seguro que en su infancia sufrió abusos sexuales y psicológicos, oyó decir que no valía nada, que mejor estar muerto o no haber nacido... Cosas así.

—Tiene su lógica.

—A simple vista el agresor parece una persona normal. Al carecer de inhibiciones y estar dispuesto a decir cualquier cosa para conseguir sus fines, con mucho poder de convicción, puede resultar simpático, y hasta carismático, pero en el fondo es una persona profundamente enferma, sin el menor asomo de empatía.

—¿Por qué mata?

—Ahí está el quid de la cuestión. Casi seguro que recibe una gratificación libidinosa.

—¿Libidinosa? Pero si no se ha encontrado semen, ni parece que haya ningún componente sexual... Además, la segunda víctima era un hombre maduro.

—Correcto. Le voy a explicar una cosa: nuestra base de datos se centra en lo que llamamos agregados y correlaciones. Lo que le estoy diciendo sobre el asesino se fundamenta en un alto grado de correlación con decenas de otros asesinos cuyo perfil y modus operandi se parecen a los suyos. También se basa en entrevistas con más de dos mil asesinos en serie que contestaron a preguntas sobre el porqué y el cómo de sus actos. No es infalible, pero poco le falta. Todo indica que este asesino experimenta un subidón sexual al hacer lo que hace.

D'Agosta asintió, pese a no estar muy convencido.

—Sigamos. Los crímenes tenían un componente de gratificación sexual debido a la excitación generada por dos cosas: la sensación de control y poder sobre la víctima y la presencia de sangre. El sexo de la víctima tiene menos importancia. La no presencia de semen podría significar que el asesino no llegó al orgasmo, o lo hizo vestido. Esto último es habitual.

D'Agosta cambió de postura en la silla. El donut ya no se veía tan apetitoso.

—También es usual que en este tipo de homicidio en serie exista un alto componente ritual. Al asesino lo gratifica matar siempre de la misma manera, con la misma secuencia y el mismo cuchillo, e infligiendo las mismas mutilaciones al cadáver.

D'Agosta volvió a asentir con la cabeza.

—Trabaja, probablemente con un buen empleo. Este tipo de asesinos solo actúan en entornos que conocen bien, es decir, que es muy posible que descubramos que se trata de un antiguo empleado de los dos hoteles o, con más probabilidad, de un antiguo huésped.

—Ya estamos cotejando las listas de huéspedes y de empleados, y comparándolas con una descripción del asesino.

—Estupendo. —Gibbs respiró hondo. Era locuaz, estaba claro, pero no sería D'Agosta quien lo hiciera callar—. Su gran dominio del cuchillo podría indicar que los usa en su profesión, o simplemente que es aficionado a ellos. Está muy seguro de sí mismo. Es arrogante. Se trata de otra de las principales características de este tipo de asesinos. Le da igual ser grabado por las cámaras de seguridad. Provoca a la policía, y cree poder controlar la investigación; de ahí los mensajes que deja.

—En eso pensaba, en los mensajes; en si tenía usted alguna teoría concreta.

—Como le he dicho, son para provocar.

—¿Alguna idea sobre su destinatario?

En el rostro de Gibbs apareció una sonrisa.

—No van dirigidos a nadie en concreto.

—¿«Cumpleaños feliz»? ¿No le parece dirigido a nadie?

—No. Este tipo de asesino en serie se burla de la policía, pero en principio no elige a investigadores concretos, y menos al principio. Nos ven a todos igual, como un enemigo anónimo. Probablemente el cumpleaños sea genérico o se refiera a cualquier aniversario, incluso el del propio asesino. Eso también podrían investigarlo.

—Buena idea, pero ¿no es posible que los mensajes se dirijan a alguien que no sea policía?

—Muy improbable. —Gibbs dio unas palmadas a la carpeta—. Aquí hay algunas cosas más: quizá el asesino fuera abandonado por su madre; vive solo; se relaciona mal con el sexo opuesto, o en caso de ser homosexual, el propio. Y el último dato es que hace muy poco tiempo ocurrió algo que lo hizo entrar en acción: quedarse sin pareja, sin trabajo... o sin madre, que es lo más posible.

Gibbs se apoyó en el respaldo con cara de satisfacción.

—¿Y eso es el previo? —preguntó D'Agosta.

—Lo refinaremos considerablemente a medida que introduzcamos más información. La base de datos tiene una potencia enorme. —Gibbs miró a D'Agosta a los ojos—. Teniente, tengo que decirle que ha hecho bien en remitirnos el problema, no le quepa duda. En estos temas la UCC es lo mejor del mundo. Le prometo una colaboración estrecha, en la que iremos con pies de plomo, respetaremos a los suyos y se lo haremos saber todo en tiempo real.

D'Agosta asintió. Más no se podía pedir.

Después de que se fuera Gibbs, D'Agosta se quedó sentado mucho tiempo en el sillón, masticando pensativo el Caramel Kreme Crunch mientras pensaba en lo que había dicho Gibbs sobre el asesino y su móvil. Cuadraba. Demasiado, tal vez.

Por Dios, pero qué bien le habría ido tener cerca a Pendergast...

Sacudió la cabeza, se zampó el donut, se chupó los dedos y cerró la caja con un esfuerzo ímprobo de voluntad.

14

Tras una somera exhibición de su placa, el teniente Vincent D'Agosta dejó atrás la garita sin mirar a los ojos del portero, que salió corriendo tras él.

—¡Señor, señor! —decía—. ¿A quién viene a ver?

D'Agosta dio el nombre y el número de piso de Pendergast y se fue hacia el patio interior.

Algo mayor fue la obstinación del ascensorista, cuyo caso requirió una amenaza explícita de obstrucción a la justicia para que cerrase a disgusto las antiguas rejas del ascensor y subiera hasta la suite de Pendergast.

D'Agosta ya había estado muchas veces en el Dakota, cuyo olor, una mezcla de cera de muebles, madera vieja y un leve toque de cuero, solía llamarle poderosamente la atención. Allá era todo refinado y chapado a la antigua, desde el latón bruñido de los tiradores y molduras del ascensor hasta la mullida moqueta, sin olvidar las preciosas paredes de travertino, con sus apliques del siglo xix. En cambio esta vez apenas se fijó. Pendergast lo tenía descompuesto de preocupación. Llevaba días esperando el desenlace, esperando que explotara la olla a presión, pero nada; y probablemente fuera peor eso que cualquier explosión.

El portero, como era de prever, había dado aviso, de modo que cuando D'Agosta accionó el interfono, este cobró vida al instante.

—¿Vincent?

—Tengo que hablar con usted. Por favor.

Un silencio largo, larguísimo.

—¿Sobre qué tema?

138

La voz de Pendergast tenía un extraño matiz que le puso los pelos de punta. Tal vez fuera el crujido electrónico del interfono.

—¿Me deja entrar?

Otra pausa extraña.

—No, gracias.

Lo asimiló. ¿«No, gracias»? Qué mal sonaba... Recordó el consejo de Hayward y decidió probar.

—Oiga, Pendergast, ha habido dos crímenes. Un asesino en serie. Necesito que me aconseje, de verdad.

—No me interesa.

D'Agosta respiró hondo.

—Solo tardaré uno o dos minutos. Me gustaría verlo. Ha pasado mucho tiempo. Tenemos que hablar y ponernos al día. Tengo que enterarme de lo que ha pasado, y de cómo está usted. Ha sufrido un shock tremendo...

—Le ruego que salga del edificio y no vuelva a molestarme.

El tono era aún más frío, estirado y formal que de costumbre. D'Agosta esperó un poco antes de responder amablemente.

—Eso no lo pienso hacer. Me voy a quedar aquí, molestándolo hasta que me deje entrar. Si hace falta incluso me quedaré toda la noche.

Por esa vía lo consiguió. Después de un buen rato empezaron a girar las sucesivas cerraduras. La puerta se abrió lentamente, y D'Agosta entró en el vestíbulo. Pendergast, con bata negra, ya le daba la espalda y no le brindó ningún saludo. D'Agosta lo siguió al recibidor, el de los bonsáis y la pared de agua.

Moviéndose con apatía, Pendergast se volvió, se sentó con las manos cruzadas por delante y levantó la cabeza para mirar a D'Agosta.

El teniente se quedó de piedra. No daba crédito a lo que veía. La cara de Pendergast estaba gris, deshecha; sus ojos, que en su estado normal eran plateados, tenían la pesada grisura del plomo envejecido. Un ligero temblor agitaba sus manos enlazadas.

Hizo de tripas corazón.

—Pendergast, solo quería decirle cuánto siento la muerte de Helen. No sé qué planes tiene, pero lo apoyo al cien por cien en todo lo que quiera hacer para echarles el guante a esos cabrones.

Sus palabras no parecieron despertar ninguna reacción.

—Necesitamos un... esto... certificado de defunción y un atestado de homicidio. Tendremos que exhumar el cadáver y hacer todo el papeleo en México. No sé muy bien en qué consiste, pero le aseguro que nos lo ventilaremos en un pispás. La enterraremos en Estados Unidos como Dios manda, y luego pondremos en marcha una investigación de no te menees, con el FBI, por supuesto, que respaldará a uno de los suyos. También participará la policía de Nueva York. Ya me encargaré yo de que nuestro despliegue de recursos sea de órdago. Le doy mi palabra de que esos pedazos de cerdos no se nos escapan.

Se calló y respiró agitadamente. Pendergast tenía los ojos cerrados, como si se hubiera dormido. D'Agosta lo miró fijamente. Aún era peor de lo que se pensaba. Al observar a su viejo amigo y socio, se dio cuenta de algo horrible cuyo impacto fue como una descarga de alto voltaje.

—Madre mía. Usted consume.

—¿Consumo? —murmuró Pendergast.

—Está drogado.

Un silencio prolongado.

D'Agosta tuvo un ataque de rabia.

—Lo he visto mil veces. Se ha drogado.

Pendergast hizo un pequeño gesto con la mano.

—¿Y?

—¿Y? «¿Y?»

Se levantó de la silla, rojo de ira. Había visto tanta mierda, tanta muerte, asesinato, sufrimiento absurdamente inútil provocado por las drogas… Las detestaba.

Se encaró con Pendergast.

—No me lo puedo creer. Lo consideraba más inteligente. ¿Dónde está?

La única respuesta fue una mueca. Era intolerable.

—¿Dónde está la droga? —preguntó D'Agosta, levantando la voz.

Ante la falta de respuesta lo invadió la rabia y se acercó a la estantería para empezar a sacar libros.

—¿Dónde está la droga? —Tiró con el dorso de la mano uno de los bonsáis de la mesa—. ¿¡Que dónde está la droga!? De aquí no me voy sin encontrarla. Pero ¡qué imbécil, coño!

—Sus improperios de clase obrera han perdido su encanto.

Al menos era un atisbo del Pendergast de siempre. D'Agosta, tembloroso, se dio cuenta de que le convenía contener la rabia.

—Este piso es muy grande, y la mayoría de las puertas están cerradas con llave.

Se puso como loco. Intentó no perder el control.

—Oiga, mire, yo ya sé que lo de Helen es una tragedia horrible…

Pendergast lo interrumpió con frialdad.

—No mencione nunca más a Helen, ni lo que pasó. Jamás.

—Bueno, está bien, no lo mencionaré, pero tampoco se puede… vaya, que…

Sacudió la cabeza, literalmente sin palabras.

—Me ha dicho usted que necesitaba ayuda para investigar un asesinato. Yo le he contestado que no me interesa. ¿Puedo pedirle que se vaya si no se le ofrece nada más?

Lo que hizo D'Agosta fue sentarse con todo su peso y apoyar la cabeza en las dos manos. Tal vez la investigación fuera lo que necesitara Pendergast para salir de aquel estado, aunque lo dudaba. Se frotó la cara y levantó la cabeza.

—Déjeme que se lo explique, ¿vale?

—Si no hay más remedio…

Se pasó las manos por las piernas y respiró un par de veces.

—¿Ha ido leyendo la prensa?

—No.

—Aquí tengo un resumen del caso.

Sacó el informe de tres páginas que había impreso y se lo dio al agente, que lo cogió y lo leyó por encima. Sus ojos seguían apagados, apáticos, pero no lo devolvió enseguida, sino que continuó mirándolo y pasando las páginas. Al cabo de un momento volvió al principio y empezó a releerlo con más detenimiento.

Cuando el agente levantó la cabeza, D'Agosta tuvo la impresión de que sus ojos brillaban, pero no, eran imaginaciones suyas.

—Mmm… Me ha parecido que estaba un poco en la línea de lo que investiga usted. Nos han asignado a un agente especial de la UCC. Gibbs, se llama, Conrad Gibbs. ¿Lo conoce?

Pendergast sacudió despacio la cabeza.

—Tiene muchas teorías, todas bastante simplonas, pero este caso… parece hecho a medida para usted. He traído una carpeta con los análisis preliminares de la policía científica, informes de laboratorio, autopsia, ADN… De todo y más —dijo mientras la sacaba del maletín y la enseñaba con ademán interrogante. Ante la falta de reacción, la dejó encima de una mesa—. ¿Puedo contar con su ayuda? ¿Aunque solo sea una opinión informal?

—Mal que me pese, no tendré tiempo de examinar el material antes de irme.

—¿Irse? ¿Adónde va?

Pendergast se levantó con gran esfuerzo. Enfundado en aquella bata negra, parecía la muerte personificada. Estaba claro que el destello que había imaginado ver D'Agosta era un mero fruto de sus esperanzas. Los ojos del agente brillaban menos que nunca.

Pendergast le tendió la mano, fría como una caballa muerta; pero de pronto la mano se tensó, y el agente adoptó un tono mucho más cálido, aunque forzado.

—Adiós, mi querido Vincent.

Pendergast cerró la puerta de su apartamento y fue hacia la del recibidor, pero no llegó a cruzarla. Se paró y dio media vuelta, vacilante. Su rostro delataba una enorme agitación interna. Pareció que al final se decidiera: se acercó a la mesa, cogió la gruesa carpeta, la abrió y empezó a leer.

Estuvo así dos horas, sin moverse. Después dejó la carpeta y movió los labios para articular una sola palabra.

—Diógenes.

15

Al deslizarse por el norte de Riverside Drive, el Rolls-Royce Silver Wraith de 1959 reflejaba en su pulida superficie la luz de las farolas y de los semáforos. Al cruzar la calle Ciento treinta y siete redujo la velocidad y se metió por una vía de acceso bordeada por una alta verja de hierro forjado cuya puerta estaba abierta. Entre ailantos marchitos y matas de zumaque, acabó por detenerse ante la puerta cochera de una gran mansión de estilo Beaux-Arts cuya fachada de mármol y ladrillo elevaba hacia la oscuridad sus cuatro plantas y el almenado mirador que coronaba su tejado abuhardillado. Surcó el cielo un relámpago fugaz, seguido por un trueno. Del río Hudson soplaba un viento frío. Solo eran las seis de la tarde, pero a principios de diciembre ya había caído la noche sobre Nueva York.

Del coche se apeó el agente Pendergast, cuyo rostro, en la penumbra, se veía pálido y con gotas de sudor, pese a la frialdad del aire. Mientras se encaminaba hacia la puerta de roble enmarcada por columnas, algo se movió entre los arbustos del fondo de la entrada de coches. Al girarse hacia el ruido, Pendergast vio salir a Corrie Swanson de la oscuridad. Presentaba un aspecto de indecible suciedad, con la ropa arrugada y llena de barro, el pelo apelmazado y la cara manchada. Llevaba en un hombro una mochila hecha jirones. Tras mirar hacia ambos lados como un potro asustadizo, corrió hacia él.

—¡Agente Pendergast! —susurró con voz ronca—. ¿Dónde estaba? ¡Hace días que lo espero aquí con el culo congelado! Tengo problemas.

Pendergast abrió la puerta con llave, sin esperar a que Corrie le dijera nada más, y la hizo pasar.

Cerró la puerta de madera maciza y encendió una lámpara, que iluminó una entrada con suelo de mármol pulido y terciopelo oscuro en las paredes. Después se internó por un largo espacio con apliques esculpidos en estilo gótico, al que seguía un gran recibidor con vitrinas en las paredes. Proctor, el chófer, apareció con albornoz, muleta y postura rígida, despertado acaso por el ruido de la entrada del agente y Corrie.

—Proctor, por favor, que la señora Trask le prepare un baño a la señorita Swanson —dijo Pendergast—. Y que le laven y planchen la ropa si es tan amable.

Corrie se giró hacia él.

—Pero si...

—La espero en la biblioteca.

Una hora y media después, Corrie entró en la biblioteca como nueva. No había nada encendido, ni las luces ni la chimenea. Pendergast estaba en un rincón del fondo, en un sillón de orejas, inmóvil, poco menos que invisible. Su presencia tenía algo (una quietud inquieta, si pudiera existir algo así) que a Corrie le causó una sensación extraña.

Tomó asiento frente a él. Pendergast tenía las yemas de los dedos juntas y los ojos entornados. Con un nerviosismo inexplicable, Corrie empezó a narrar su historia. Habló de Betterton, de las acusaciones y teorías de este último acerca de Pendergast, del yate y de la insensatez de meterse en la casa de la East End Avenue a la que había aludido el periodista.

Durante el relato, la actitud de Pendergast había sido distante, como si casi no escuchase, pero la referencia a la casa pareció despertar su atención.

—Incurrió usted en un allanamiento de morada —dijo.

—Ya, ya lo sé. —Corrie se sonrojó—. Es que soy tonta, pero bueno, eso ya lo sabe...

Cuando intentó reír, su risa no obtuvo ningún eco ni reacción en el agente, más raro aún que de costumbre. Respiró hondo y siguió.

—Entré porque me pareció una casa abandonada desde hacía años, y no se va a creer lo que encontré: una especie de piso franco nazi. Pilas de ejemplares de *Mein Kampf* en el sótano, radios antiguas... Hasta una sala de tortura. En el piso de arriba parecía que estuvieran embalándolo todo para irse. Encontré una sala llena de documentos que estaban destruyendo.

Hizo una pausa y esperó. Seguía sin producirse ninguna reacción.

—Pensé que podían ser documentos importantes y les eché un vistazo. Muchos de ellos estaban plagados de esvásticas y fechados durante la guerra. Algunos llevaban el sello STRENG GEHEIM, que más tarde me he enterado de que en alemán quiere decir «Máximo secreto». Y luego vi el apellido Esterhazy.

Al oír aquello Pendergast salió de su letargo.

—¿Esterhazy?

—El apellido de su difunta esposa, ¿no? Lo sé porque lo he buscado en internet.

Una inclinación de la cabeza. Pero qué mal aspecto tenía, por Dios...

—Bueno —prosiguió Corrie—, el caso es que metí todos los documentos que pude en mi mochila, pero entonces... —Hizo una pausa. El recuerdo seguía muy fresco—. Me cogió un nazi e intentó matarme. Yo le rocié pimienta, al muy hijo de puta, y conseguí escapar. Desde entonces estoy cagada de miedo. Vivo como una fugitiva, en albergues de pobres o durmiendo en Bryant Park. No he pasado ni por mi piso ni por la facultad. ¡Lo único que he hecho en todo este tiempo ha sido intentar ponerme en contacto con usted! —De repente se sintió a punto de llorar, pero cortó las lágrimas de raíz—. No se ponía al teléfono, y en la entrada del Dakota no podía quedarme porque los porteros parecen del KGB.

Enfrentada al silencio, introdujo una mano en la mochila, sacó el fajo de papeles y lo dejó sobre una mesa auxiliar.

—Son estos.

Pendergast no los miró. Parecía que volviera a estar muy lejos. Ahora que la ansiedad había remitido, Corrie se fijó más en él. Su delgadez era chocante, al borde de lo cadavérico. En la penumbra pudo ver las bolsas de sus ojos y la palidez de su piel, pero lo más sorprendente de todo era su actitud: normalmente era de movimientos lánguidos, pero esa languidez se percibía como la de un gato, un muelle que en cualquier momento podía saltar. Ahora Corrie no tenía esa sensación. Pendergast se mostraba desconcentrado, desapegado y con poco interés por lo que le contaban. No parecía que le preocupase lo ocurrido ni el peligro que Corrie había corrido por él.

—Pendergast, ¿se encuentra bien? Lo veo… un poco raro. Perdone que se lo diga, pero es la verdad.

Pendergast movió la mano como si ahuyentara una mosca.

—Esos supuestos nazis… ¿averiguaron su nombre?

—No.

—¿Dejó usted algo que pudiera conducirlos hasta su identidad?

—No creo. Lo que llevaba estaba todo aquí dentro.

Empujó un poco la mochila con el pie.

—¿Alguna señal de que la hayan estado siguiendo?

—No creo, aunque he permanecido escondida. Dan un miedo de la hostia.

—¿Y la dirección del piso franco?

—East End Avenue 428.

Pendergast calló un momento, y salió una vez más de su mutismo.

—No saben quién es usted ni pueden encontrarla a menos que sea por casualidad; algo poco probable, por supuesto, pero reduciremos aún más las probabilidades. —La miró—. ¿Puede alojarse en algún sitio? ¿En casa de algún amigo? ¿Fuera de la ciudad?

Corrie se quedó atónita. Había dado por descontado que Pendergast le proporcionaría cobijo y protección, y que la ayudaría a resolver la situación.

—¿Y por qué no aquí?

El silencio se alargó hasta que Pendergast emitió un suspiro profundo y trémulo.

—La cuestión es que ahora mismo, sin entrar en detalles, soy incapaz de velar por su integridad. De hecho, estoy tan distraído que hasta podría poner en jaque su seguridad. Si se pone en mis manos correrá un grave peligro. Además, el único sitio donde tiene alguna posibilidad de entrar en contacto con estas personas, por ínfima que sea, es Nueva York. Dígame, ¿puede ir a algún otro lugar? Lo que le puedo garantizar es un traslado seguro y fondos suficientes; de lo demás tendrá que ocuparse usted sola.

Fue tan inesperado que Corrie se quedó como aturdida. ¿Adónde narices podía ir? Su madre seguía en Kansas, claro, en Medicine Creek, pero Corrie había jurado que ni muerta volvería a pisar aquel asco de pueblo.

—Mi padre vive cerca de Allentown —dijo con poca convicción.

Pendergast, cuya expresión volvía a ser distante, se giró hacia ella.

—Sí, recuerdo que lo comentó. ¿Sabe usted dónde se aloja?

Corrie ya se arrepentía de haber mencionado a su padre.

—Tengo una dirección. No lo he visto desde que abandonó a mi madre, hará... no sé, unos quince años.

Pendergast levantó la mano y pulsó un pequeño botón bajo la mesa auxiliar. Un minuto después Proctor estaba en la puerta de la biblioteca. La fortaleza que mostraba, incluso con muleta, era descomunal.

Pendergast se volvió hacia él.

—Proctor, por favor, llame a nuestro servicio privado de transporte. Deseo que lleven a la señorita Swanson a las inmediaciones de Allentown, Pensilvania, a la dirección que les indicará ella. Suminístrele usted tres mil dólares y un teléfono móvil nuevo.

Proctor asintió con la cabeza.

—Sí, señor.

La mirada de Corrie pasó de Pendergast a Proctor, antes de efectuar el recorrido inverso.

—Aún no me lo creo. ¿Me está pidiendo que huya con la cola entre las piernas?

—No hay más remedio, ya se lo he explicado. Estará más segura con su padre, sobre todo al no haber mantenido contacto con él recientemente. Debe alejarse de aquí como mínimo un mes, o tal vez dos. Páguelo todo en efectivo, sin usar tarjetas de crédito o débito. Destruya su tarjeta SIM y tire el móvil que tenía. Si transfiere los contactos hágalo a mano. Cuando tenga intención de volver, póngase en contacto conmigo; bueno, con Proctor.

—¿Y si no quiero instalarme en casa del fracasado de mi padre? —dijo Corrie, indignada.

—A los dueños del piso franco que invadió usted, y a quienes robó documentos sumamente comprometedores, no hay que subestimarlos. No le conviene en absoluto que la encuentren.

—Pero... —No podía ser. Corrie empezó a enfadarse—. ¿Y la universidad?

—¿De qué puede servirle la universidad a una muerta? —dijo Pendergast sin alterarse.

Corrie se levantó.

—Pero bueno, ¿qué le pasa? —Hizo una pausa y lo observó—. ¿Está enfermo?

—Sí.

Mientras oía la respuesta se dio cuenta de que Pendergast tenía la frente empapada de sudor. Caramba, pues sí que estaba enfermo... Eso explicaba muchas cosas. Hizo un esfuerzo por contener la rabia. Las últimas semanas había estado aterrorizada. Tal vez Pendergast tuviera razón en pretender que se escondiera.

—Perdone. —Se sentó de golpe—. Es que no me gusta la idea de salir corriendo. ¿Quién es esta gente? ¿Qué coño pasa?

—Lo siento, pero esa información la expondría a peligros todavía mayores.

—Deje que me quede y lo ayude con lo que le preocupa. —Corrie logró sonreír—. Una vez formamos un buen equipo.

Pendergast ofreció el primer atisbo de emoción.

—Le agradezco el gesto —dijo en voz baja y serena—, de verdad, pero no preciso ayuda; ahora mismo, en realidad, lo único que preciso es estar solo.

Corrie se quedó sentada. Se le había olvidado lo pelma que podía ser Pendergast.

—Proctor está esperando.

Al principio se limitó a mirarlo, hasta que se levantó sin decir nada, cogió la mochila y salió en cuatro zancadas de la biblioteca.

Después de que se fuera Corrie, Pendergast se quedó inmóvil en la oscuridad de la sala. Diez minutos después oyó el ruido lejano de una puerta. Entonces se levantó y se acercó a una estantería, de la que extrajo un tomo especialmente grande y vetusto. Se oyó un clic sordo, y el conjunto de la estantería basculó al despegarse de la pared. Detrás había una reja metálica plegable que daba a una puerta de arce macizo: el ascensor secreto de servicio al sótano de la mansión. Pendergast entró, pulsó un botón y bajó. Al salir recorrió una serie de largos pasadizos secretos que lo condujeron a una vieja escalera, la cual, cortada en roca viva, bajaba en espiral hasta difuminarse en la negrura. Tras descender por ella al vasto y laberíntico subsótano de la mansión, cruzó una serie de cámaras y galerías poco iluminadas y de olor añejo hasta llegar a una sala llena de mesas largas, cubiertas de instrumentos modernos de laboratorio. Una vez encendidas las luces, se acercó a un aparato que parecía un cruce entre un fax y una caja registradora moderna. Se sentó, lo encendió y apretó un botón lateral. Del panel frontal se desprendió una ancha bandeja que contenía varios tubos de ensayo pequeños y cortos. Sacó uno y lo cogió con el pulgar y el índice. Después se sacó una lanceta del bolsillo, se la clavó en el otro pulgar, extrajo una muestra de sangre, la introdujo en el tubo de ensayo, insertó este último en el aparato, pulsó una serie de botones y se sentó a esperar.

16

Cruzada la calle Setenta y siete, el doctor Felder dobló la esquina de Central Park Oeste, subió unos cuantos escalones anchos y fue acogido por la media luz de la New-York Historical Society. Hacía poco que habían reformado a fondo el austero edificio, de estilo Beaux-Arts. Miró con curiosidad la entrada para el público. A pesar de que las salas y la biblioteca hubieran sido sometidas a un minucioso *lifting* con criterios del siglo XXI, la institución en su conjunto parecía firmemente enraizada (o empantanada) en el pasado, como de sobra indicaba en su nombre el guión entre «New» y «York».

Se aproximó al mostrador de información para investigadores.

—Doctor Felder, para ver a Fenton Goodbody.

La mujer del otro lado consultó la pantalla de su ordenador.

—Un momento, voy a avisarle.

Descolgó un teléfono y marcó un número.

—Señor Goodbody, ha venido a verlo el doctor Felder. —Colgó—. Ahora mismo baja.

—Gracias.

Transcurrieron diez minutos. A Felder le sobró tiempo para examinar el vestíbulo en su integridad antes de que apareciese Goodbody, un hombre alto, con gafas, corpulento y rubicundo, que no aparentaba mucho más de sesenta años. Llevaba un traje peludo de *tweed*, con chaleco a juego.

—Doctor Felder —resopló, secándose las palmas en el chaleco antes del apretón de manos—. Perdone que lo haya hecho esperar.

—No pasa nada.

—Espero que no le importe que nos demos un poco de prisa; es que ya son las ocho y media y hoy cerramos a las nueve.

—Por mí no hay problema, gracias.

—Pues entonces sígame si es tan amable.

Goodbody pasó al lado del mostrador de investigadores y se internó por un ancho pasillo. Después de una puerta, de una estrecha escalera y de otro pasillo mucho más institucional, llegaron a una sala grande con todas las paredes recubiertas por estantes de metal abarrotados de documentación: archivadores grandes, papeles amarillentos atados con cintas llenas de polvo, rollos, tomos cuya encuadernación de piel se deshacía, carpetas de acordeón con etiquetas escritas en caligrafía antigua... Felder sintió un picor en la nariz al observarlo. Había oído contar muchas cosas sobre la sociedad histórica (sus colecciones infinitas y casi incatalogables de documentos y obras de arte, su crónica falta de dinero...), pero era la primera vez que la pisaba.

—Vamos a ver... —Goodbody extrajo un papel del bolsillo, se quitó las gafas, las plegó, se las metió en el bolsillo de la americana y se colocó el papel a dos o tres centímetros de los ojos—. Ah, sí: J-14-2140.

Volvió a guardarse el papel en el bolsillo. Después sacó las gafas, las limpió con la punta de la corbata, se las asentó con firmeza en la nariz y se dirigió a la pared del fondo. Buscó infructuosamente, primero por arriba y después por abajo, mientras Felder esperaba.

—Pero dónde diantre... Si las acabo de mirar... ¡Ah! Ya lo tengo.

Extendió el brazo para coger un fajo de hojas de gran tamaño que transportó a una mesa próxima. A duras penas se aguantaban entre las cubiertas, sueltas y atadas con una cuerda. Goodbody sonrió efusivamente a Felder mientras depositaba con cuidado la colección en la superficie de madera, levantando una nube de polvo.

—Bueno, doctor Felder —dijo, señalando una silla delante de la mesa—, ¿le interesa la obra de Alexander Wintour?

Felder asintió con la cabeza a la vez que se sentaba. Sentía formarse en su nariz una reacción alérgica de alerta máxima, y no quería abrir la boca hasta que el polvo se hubiera asentado.

—Pues probablemente sea el primero. Dudo que esto lo haya examinado alguien aparte de mí desde el momento de su donación.

Después de su solicitud he conseguido recabar algunos datos acerca del autor. —Goodbody hizo una pausa—. ¿Sobre qué era su tesis? ¿Sobre historia del arte?

—Ah… sí, exacto —se apresuró a decir Felder, que no tenía pensada en absoluto su coartada; ni siquiera se había planteado que fuera necesaria; se le había ocurrido la mentira sin pensar, y ahora ya no podía cambiarla.

—Pues si me enseña la acreditación ya estará todo listo.

Felder levantó la vista.

—¿La acreditación?

—Sí, la de investigador.

—Es que… lo siento, pero ahora mismo no la llevo encima.

Goodbody puso cara de sorpresa y pena.

—¿Que no ha traído la acreditación? ¡Vaya! Pues qué lástima. —Se quedó callado—. Bueno, yo aquí solo no le puedo dejar; con las colecciones, me refiero. Son las normas, ya me entiende.

—¿No hay ninguna manera de que pueda… examinarlo?

—Tendré que quedarme con usted. Le recuerdo que no podemos disponer de más de media hora, por mal que me sepa.

—Será suficiente.

Felder no tenía muchas ganas de quedarse más tiempo de lo necesario.

Viéndolo tan dócil, Goodbody pareció recuperar su anterior serenidad.

—¡Bueno, bueno! Pues vamos a ver qué hay.

Desató la cuerda y apartó la tapa. Debajo había una hoja de papel grueso y con textura, cuya superficie cubría casi por completo el polvo.

—¡Apártese! —dijo.

Respiró hondo y sopló hacia la hoja en sentido lateral. Por unos momentos, una nube gris en forma de seta ocultó al archivero.

—Pues lo que le decía: he encontrado algunos datos sobre Wintour —dijo la voz sin cuerpo de Goodbody—. Notas en las fichas de ingreso de cuando se aceptó esta donación. Se ve que era el principal ilustrador del *Bowery Illustrated News*, un semanario que se publicaba en las últimas décadas del siglo XIX. Era como se ganaba la vida, aunque él en realidad quería ser pintor. Parece que lo fascinaban las clases bajas de Manhattan.

La polvareda se había vuelto a despejar. Felder pudo distinguir la imagen del papel. Por su aspecto, parecía un retrato al óleo de un niño sentado en los escalones de una casa. Tenía una pelota en una mano y un palo en la otra, y la expresión con que miraba al espectador era un tanto hostil.

—Ah, sí —murmuró Goodbody al mirar la pintura.

Felder la manipuló con cautela y la depositó a un lado. Detrás había otra imagen, de un gran escaparate sobre el que ponía R & N MORTENSON ARTÍCULOS DE MADERA Y MIMBRE. Por la hilera inferior de ventanas se asomaban cuatro niños que también parecían enfadados.

Pasó a la siguiente: un niño sentado en la parte trasera de un carrito de cerveza. La calle estaba llena de baches, escombros y trozos de gres. En el dorso, alguien (probablemente Wintour) había escrito CALLES WORTH & BAXTER, 1879.

Había varias ilustraciones en la misma línea, sobre todo estudios de muchachos de ambos sexos con trasfondos del Manhattan más humilde. En algunos aparecían hombres trabajando o niños jugando. Otros eran retratos más formales, de busto o cuerpo entero.

—Wintour no consiguió vender ninguna obra —dijo Goodbody—. Después de su muerte, ante la imposibilidad de colocar el material en otro sitio, su familia se lo ofreció a la sociedad. Los esbozos, estudios y álbumes no podíamos aceptarlos por cuestiones de espacio, ya me entiende, pero sí nos quedamos las pinturas. A fin de cuentas era un artista neoyorquino, aunque fuera un segundón.

Felder estaba mirando una imagen de dos niños que jugaban al aro delante de un escaparate en cuyo letrero ponía COLA COPPER. A GRANEL. PRECIOS AJUSTADOS. No le sorprendía que Wintour hubiera tenido tan poco éxito a la hora de vender su obra, porque eran pinturas bastante mediocres. Pensó que más que por los escenarios era por una especie de indiferencia artística, de falta de vitalidad en las caras y posturas.

Cambió de lámina… y quedó hipnotizado.

Quien clavaba en él la vista era Constance Greene; o mejor dicho, Constance Greene con el aspecto que presentaría con seis años de edad. Esta vez Wintour había estado a la altura de su modelo. Se parecía al grabado que había visto Felder en el periódico, *Pilluelos jugando*, pero con un realismo infinitamente mayor: la curva de las cejas resultaba tan inconfundible como el ligero mohín de los labios y la caída del pelo. Lo único distinto eran los ojos. Aquellos eran intrínsecamente infantiles: inocentes, quizá un poco asustados, sin ningún parecido con los que habían mirado los de Felder esa misma mañana, en la sala de lectura de Mount Mercy.

—Vaya, esta sí que es bonita —dijo Goodbody—. Bastante, por cierto. Hasta se podría plantear su exposición.

Felder giró a toda prisa la página, como si saliera de un trance. No quería que Goodbody viera cuánto lo había afectado el retrato, y por alguna misteriosa razón tampoco le gustaba la idea de que fuera expuesto en público.

El resto lo consultó con bastante rapidez, pero no había ninguna otra imagen de Constance, ni apareció ningún mechón de pelo.

—¿Sabe dónde podría encontrar más obras suyas, señor Goodbody? —preguntó—. Me interesan especialmente los álbumes y esbozos que ha mencionado.

—Lo siento, pero no tengo la menor idea. Según nuestros archivos, su familia vivía en Southport, Connecticut. Podría probar por ahí.

—Probaré. —Felder se levantó y tuvo que apoyarse en el soporte de una estantería para no perder el equilibrio. El retrato lo había conmocionado—. Muchas gracias por su tiempo y su ayuda.

Goodbody sonrió de oreja a oreja.

—La sociedad siempre está encantada de ayudar a los historiadores del arte en sus investigaciones. Ah, las nueve en punto. Venga, lo acompaño al piso de arriba.

17

La biblioteca de la mansión de Riverside Drive estaba fría, oscura; en las cenizas apagadas de la chimenea se acumulaba correo sin abrir. Sobre una mesa larga, arrastrada hasta el centro de la sala desde el rincón donde solía estar, se sucedían montones de listas impresas y fotografías, que en algunos casos se habían caído al suelo y habían sido pisoteadas. Al fondo de la biblioteca había un panel de roble abierto, que dejaba a la vista una pantalla plana en la que se repetían sin cesar imágenes de un hombre en un vestíbulo de hotel.

Pendergast se paseaba inquieto por la sala, como una fiera en su jaula. De vez en cuando se detenía a mirar el monitor, o a inclinarse hacia el desorden de papeles de la mesa, que cambiaba de sitio, examinaba y lanzaba de nuevo hacia la pila con gestos de impaciencia. Era una extraña agrupación de documentos, compuesta en su mayor parte por fotos fluorescentes de placas de electroforesis en gel: vagos amasijos de líneas y movedizos culebreos de moléculas de ADN, como instantáneas borrosas de espíritus. Cogió una y después otra. Sus manos temblaron al juntarlas. Acto seguido las dejó caer en el montón.

Se irguió y cruzó la biblioteca en dirección a un pequeño aparador con ruedas, lleno de botellas, en el que se sirvió una copa de amontillado. Se la bebió de un solo trago, la rellenó hasta el borde y la volvió a apurar.

Reanudó su ir y venir por la sala. No llevaba americana. La había dejado en una silla. Tenía aflojada la corbata, y arrugada la camisa. Su pelo rubio estaba húmedo, y su rostro cubierto por una capa de sudor malsana.

El reloj de la repisa de la chimenea anunció la medianoche.

Un giro más lo colocó de nuevo frente a la botella de amontillado. Llenó la copa y la levantó para bebérsela, pero tras un momento de vacilación la devolvió a su sitio, con tal fuerza que se rompió y se derramó el líquido de color ámbar.

Siguió caminando como si tal cosa. Al pasar por delante de la chimenea, se detuvo un momento y removió con el atizador las cenizas apagadas de las cartas recién echadas y los trozos de carbón.

Su siguiente parada fue ante el monitor, que se esforzó por mirar un buen momento. Después cogió el mando a distancia y pulsó varias veces en él con sus dedos finos y alargados, a fin de ver el vídeo con minuciosidad, atento al hombre con traje negro que entraba, se quedaba parado en el vestíbulo y salía. Se acercó a la pantalla y estudió especialmente la cara, la postura y los andares de aquel individuo, cuya estatura y peso calibró. Otra impaciente pulsación hizo aparecer un nuevo vídeo, en el que el mismo hombre (¿o no?) cruzaba con aplomo el vestíbulo de un hotel distinto. Pendergast miró varias veces las dos filmaciones, a cámara lenta, cámara rápida e imagen por imagen, accionando el zoom: un bucle interminable de vestíbulo-pasillo-vestíbulo-pasillo al que puso fin arrojando el mando a distancia a una silla y regresando al mueble bar.

Con mano temblorosa, cogió otro vaso de cristal fino, derramó algo de jerez al llenarlo y se lo bebió de un trago, en un intento de atenuar el síndrome de abstinencia mediante los efectos del alcohol, aun a sabiendas de que no hacía más que prolongar la agonía.

Tras la siguiente vuelta por la sala se paró. En la puerta había aparecido una silueta alta y musculosa, con una bandeja de plata. Su rostro, en la penumbra, era del todo inescrutable.

—¿Qué ocurre, Proctor? —preguntó él con brusquedad.

—El correo, señor.

Se acercó rápidamente, cogió las cartas y las ojeó: unas cuantas felicitaciones, una carta de Viola y correspondencia comercial sin importancia. Proctor esperó sus instrucciones, pero como Pendergast no decía nada desapareció con algo de dificultad en la penumbra. Nada más quedarse solo, Pendergast fue a la chimenea, tiró las cartas sin abrir y reanudó sus rondas por la sala, su obsesivo mirar y remirar las grabaciones y su cotejo reiterado de los documentos de la mesa.

De pronto se detuvo a medio paso y se giró.

—¿Proctor? —dijo sin levantar mucho la voz.

Volvió a materializarse la silueta en la puerta.

—¿Sí?

—Ahora que lo pienso, traiga el coche, por favor.

—¿Puedo preguntar adónde vamos?

—A la comisaría central.

Cuando Vincent D'Agosta estaba absorto en algún caso de especial complejidad, la franja horaria entre las doce y las dos de la noche le resultaba ideal para concentrarse y reordenar sus informes, pero sobre todo para preparar el tablón de corcho que usaba para organizar las pruebas en el espacio y el tiempo, poner orden en sus ideas y conectar los puntos del caso. El tablón ocupaba la mitad de una pared, y aunque después de tantos años pareciera algo gastado seguía siendo útil. Era la una de la madrugada. Frente al corcho, D'Agosta repartía con chinchetas un fajo de tarjetas, fotos y pósits, y ataba cuerdas entre sí.

—Ah, teniente; es la una y todavía trabajando, por lo que veo.

Al girarse vio apoyado en el quicio de la puerta al agente especial Conrad Gibbs, que sonreía. D'Agosta hizo lo posible por sofocar el repentino brote de irritación que le causó aquella interrupción.

—Buenas noches, agente Gibbs.

Habían establecido una relación formal y estrictamente profesional, contra la que D'Agosta no tenía queja alguna.

—¿Puedo?

Gibbs hizo el gesto de invitarse a entrar. A D'Agosta no se le ocurrió ninguna manera de decir que no.

—Sí, claro, pase.

Gibbs entró con las manos en la espalda y señaló el tablón con la nariz.

—¡Qué recuerdos! Hace años, cuando estaba en Quantico, hacíamos cosas así. Ahora nos hemos pasado a los ordenadores. De hecho... —Sonrió—. Desde hace poco hago los esquemas de investigación en mi iPad, que no me falla nunca.

Dio unos golpecitos a su maletín de piel.

—Yo prefiero el método tradicional —dijo D'Agosta.

Gibbs examinó el tablón de corcho.

—Está bien. Lo único que pasa es que no entiendo muy bien su letra.

D'Agosta se dijo que Gibbs solo intentaba ser amable.

—Es una pena, pero las monjas de Holy Cross no consiguieron enseñarme buena letra ni siquiera a golpes.

—Lástima. —No pareció que a Gibbs le hiciera gracia. De repente se animó—. Me alegro de encontrarlo a estas horas de la noche, porque venía a dejar algo.

Depositó su maletín sobre el desorden que reinaba en la mesa de D'Agosta. Abrió los cierres, levantó la tapa y sacó una gruesa carpeta, que tendió a D'Agosta sin decir nada pero con semblante orgulloso.

D'Agosta la cogió. La tapa llevaba grabados los sellos del FBI y de la Unidad de Ciencias de la Conducta, y leyó:

Agencia Federal de Investigación
Unidad de Ciencias de la Conducta
y
Centro Nacional de Análisis de Delitos Violentos
Análisis de la Conducta — Unidad 2

EL ASESINO DE LOS HOTELES
EVALUACIÓN PRELIMINAR
Perfil y modus operandi
Evaluación de riesgos

—¡Qué rapidez! —dijo sopesándola—. ¿Y lo han bautizado «el Asesino de los Hoteles»?

—Bueno, ya nos conoce a los del FBI —dijo Gibbs, riéndose un poco—. Siempre le tenemos que poner un nombre a todo. En los periódicos lo han llamado de varias maneras. Hemos elegido la que más nos convenía.

D'Agosta no estaba muy seguro de que el apodo fuera del gusto del sector hotelero, o del alcalde, pero no dijo nada. Pensaba llevarse bien con el FBI a cualquier precio.

—Estamos dedicando todos nuestros recursos a la investigación —dijo Gibbs—, porque, como verá en la evaluación, estamos convencidos de que el Asesino de los Hoteles no ha hecho más que empezar, y de que lo más probable es que los asesinatos se aceleren. Por si fuera poco nos enfrentamos con un criminal más refinado y organizado de lo normal. El caso ya es gordo, pero si no le paramos los pies se hará enorme.

—¿Esta es mi copia?

—Exactamente. Buena lectura.

Al girarse, Gibbs estuvo a punto de chocar con un personaje demacrado y vestido de negro que había protagonizado una extraña aparición en el umbral.

D'Agosta levantó la vista. Pendergast.

Parecía un muerto viviente. No había otro modo de describirle: la ropa le colgaba como si fuera un sudario, sus ojos grises habían adquirido una tonalidad desvaída, casi transparente, y su rostro se veía hundido, cadavérico.

—Perdón —dijo Gibbs, distraído, intentando pasar; pero en lugar de apartarse Pendergast le cerró el paso y extendió la mano, a la vez que se formaba en sus facciones, dignas de una máscara mortuoria, una sonrisa no por vaga menos espectral.

—¿El agente Gibbs, supervisor de la investigación? Soy el agente especial Pendergast.

Gibbs se detuvo en seco y, recuperándose con rapidez, estrechó la mano de Pendergast.

—Encantado de conocerlo, agente Pendergast. Mmm… ¿O ya nos conocíamos?

—No, por desgracia —dijo Pendergast en un tono de voz que alarmó a D'Agosta por su escaso parecido con el de costumbre.

—Bueno, bueno —dijo Gibbs—. ¿Qué lo trae por aquí?

Pendergast entró en el despacho y señaló en silencio la gruesa carpeta que tenía D'Agosta en las manos.

Gibbs se quedó perplejo.

—¿Está… asignado al caso del Asesino de los Hoteles? Perdone, pero es que me sorprende bastante. No me había informado nadie.

—No lo ha informado nadie, agente Gibbs, porque todavía no me han asignado al caso, pero me asignarán, vaya si me asignarán.

La confusión de Gibbs mostró indicios de ir a más. Pareció esforzarse por no perder una actitud profesional ante una noticia que no era de su agrado.

—Comprendo. Y… ¿cuál es su departamento y su especialidad si no lo molesta la pregunta?

En vez de contestar, Pendergast posó en su hombro una mano que pretendía ser amistosa.

—Ya veo, agente Gibbs, que además de colegas que trabajarán codo con codo vamos a ser buenos amigos.

—Eso espero —dijo Gibbs, incómodo.

Pendergast le dio unas palmadas en el hombro, así como un levísimo empujón (o así se lo pareció a D'Agosta), como si lo impulsara hacia la puerta.

—¿Nos vemos mañana, agente Gibbs?

—Sí —dijo este último, que había recuperado la serenidad pero empezaba a poner mala cara, claramente molesto—. Nos vemos. Estaré encantado de que nos expliquemos mutuamente nuestras credenciales, de oír sobre su trayectoria y de efectuar el debido enlace entre nuestros departamentos.

—Cooperaremos hasta que se canse —dijo Pendergast dando la espalda a Gibbs en señal de despedida.

Gibbs se fue poco después.

—Pero ¿qué coño hace? —preguntó D'Agosta en voz baja—. Acaba de ganarse un enemigo de los gordos… ¿Qué mosca lo ha picado?

—Eso digo yo, qué coño —contestó Pendergast. En su boca, la palabrota sonó poco natural—. Me pidió que me implicase. Pues ya estoy implicado.

Le quitó el informe de las manos, y después de una ojeada de lo más superficial lo tiró como si nada a la papelera que había al lado de la mesa de D'Agosta.

—¿Cómo es esa palabra tan simpática que a usted tanto le gusta emplear? —preguntó—. Cagadas. Sin haberlo leído ya le puedo decir que este informe se compone de cagadas en estado puro, recién salidas del sistema excretor en el que se han formado, y calentitas.

—Mmm… ¿Por qué lo dice?

—Porque yo sé quién es el asesino. Mi hermano, Diógenes.

18

El individuo que llevaba el nombre de Alban Lorimer se puso en cuclillas y pasó por su frente una mano cubierta por un guante de piel. Su respiración era pesada (costaba descoyuntar un cadáver de aquellas dimensiones con los instrumentos relativamente pequeños de los que disponía), pero estaba en forma y disfrutaba con el ejercicio físico.

De momento había sido el mejor. El hotel, Royal Cheshire, era una maravilla, con su vestíbulo elegante y de atractiva discreción, en blanco y negro. La intimidad que desprendía era una dificultad añadida, pero también un reto. La personalidad del hotel resultaba algo más complicada de describir que la de los dos anteriores; nobiliaria, quizá, fruto de muchísimas generaciones de buena crianza y refinamiento, con dinero y clase pero sin la menor necesidad de ostentación vulgar. Aquella suite del piso quince, en concreto, era francamente de buen gusto.

La joven, por su parte (Alban se había asegurado de que fuera eso, una mujer joven), había resultado de lo más satisfactoria. Se había resistido con coraje, incluso después de que él le abriera el cuello con la navaja; y en recompensa a sus esfuerzos, Alban se había esmerado especialmente, distribuyendo las partes del cadáver en una semblanza del *Hombre de Vitruvio* de Leonardo da Vinci, con diversos órganos en el lugar de los puntos cardinales del círculo y el plato fuerte depositado con cuidado en la frente. Respiró profundamente, mojó un dedo enguantado en la sangre recién acumulada debajo del cadáver y escribió el breve mensaje en la región del estómago —¡ay, qué cosquillas!—; después se secó la punta del dedo en una parte limpia de la moqueta.

Se preguntó si él habría adivinado quién cometía los asesinatos. Era tan deliciosa, a fin de cuentas, la ironía...

De repente alzó la vista; y aunque todo estuviera en silencio, comprendió al instante que solo le quedaban uno o dos segundos para actuar. Recogió su instrumental a toda prisa, lo enrolló en la funda de piel, se levantó, abandonó el dormitorio hacia la sala de estar de la suite y se metió en el lavabo para esconderse detrás de la puerta.

Poco después sonó el clic de la cerradura y el crujido de la puerta. Oyó pisadas, silenciadas por la moqueta.

—¿Mandy? —dijo una voz masculina—. Mandy, cariño, ¿dónde estás?

Las pisadas se alejaron al pasar del salón al dormitorio.

Alban abandonó el lavabo de puntillas, haciendo el menor ruido posible. Abrió la puerta de la habitación, salió al pasillo... y al cabo de un momento de vacilación entró de nuevo en el cuarto de baño y se escondió tras la puerta.

—¿Mandy...? ¡Dios mío! —Del dormitorio emergió un grito—. ¡No, no, no!

A un ruido sordo, como el de un cuerpo al caer de rodillas en el suelo, lo siguieron resuellos y sonidos ahogados.

—¡Mandy! ¡Mandy!

Alban esperó mientras el llanto del dormitorio dejaba paso a la histeria, y esta a gritos de socorro.

Volvió a abrirse bruscamente la puerta de la suite.

—¡Seguridad del hotel! —dijo una voz bronca—. ¿Qué pasa?

—¡Mi mujer! ¡La han asesinado!

Nuevos pasos junto al cuarto de baño, seguidos por una exclamación de asombro, una brusca retahíla de palabras por radio y más gritos fastidiosos de espanto e incredulidad por parte del desconsolado esposo.

Alban se deslizó con sigilo fuera del lavabo, se dirigió en silencio hacia la puerta, la abrió, salió, esperó un poco y la cerró con suavidad. Después se fue tranquilamente hacia los ascensores del pasillo y pulsó el botón de bajada, pero cuando la señal de encima del ascensor indicó que este empezaba a subir, dio un paso atrás, retrocedió de nuevo por el pasillo, abrió la puerta de la escalera y bajó dos pisos antes de salir de nuevo.

Sonrió al mirar el corredor vacío y se fue en la dirección contraria, hacia el ascensor de servicio.

Dos minutos después cruzaba la entrada de servicio del hotel con el ala del sombrero cubriéndole los ojos y las manos enguantadas hundidas en los bolsillos de su gabardina. Empezó a pasearse tranquilamente por Central Park Oeste, donde el primer sol de la mañana hacía brillar el pavimento, justo cuando comenzaban a oírse las sirenas lejanas de la policía.

19

Corrie Swanson estaba en el porche de entrada de una casa de dos viviendas a punto de venirse abajo, en la esquina de las calles Cuatro y Birch de West Cuyahoga, Pensilvania, un barrio abandonado y moribundo de la no menos moribunda localidad de Allentown. Llamó varias veces al timbre sin obtener respuesta. Al mirar a ambos lados de la calle (bordeada de camionetas cutres de hacía veinte años, frente a las mismas casas para dos familias) se dio cuenta de que respondía con exactitud a como se imaginaba el domicilio de su padre, y le deprimió muchísimo la idea.

Volvió a pulsar el timbre, que oyó sonar dentro de la casa vacía. Al echar otro vistazo a su alrededor vio moverse unas cortinas en la casa adyacente. Al otro lado de la calle, un vecino que sacaba la basura se había parado y miraba fijamente el Lincoln Continental negro que había traído a Corrie.

¿Por qué narices esperaba el chófer? Cogió el pomo de la puerta y lo sacudió con impaciencia.

Dejó la maleta en el porche y regresó al coche.

—No hace falta que se quede. Ya se puede marchar.

El chófer sonrió.

—Perdone, señorita Swanson, pero tengo que dejarla dentro de la casa, y si no hubiera nadie, llamar para pedir instrucciones.

Había sacado su móvil. Corrie puso los ojos en blanco. Increíble. ¿Cómo podría quitarse de encima a aquel tío?

—No llame todavía. Déjeme probar otra vez. Igual está dormido.

Era perfectamente posible que lo estuviera, el muy inútil; dor-

164

mido o borracho perdido. Claro que aunque fuera sábado también podía estar trabajando si es que aún tenía trabajo.

Volvió y probó otra vez con la puerta. La cerradura era una porquería. Llevaba las herramientas en el bolso. Bloqueando la visión de la puerta con su cuerpo, las sacó, las metió en la cerradura y maniobró con ellas. Tardó menos de lo esperado en percibir que cedía el mecanismo. La puerta se abrió.

Entró, metiendo el equipaje, y cerró. Después apartó la persiana y se puso en la ventana para hacer señas al chófer y enseñarle el pulgar, con una sonrisa falsa. El chófer correspondió con un saludo. El coche negro se apartó de la acera y avanzó por la calle.

Corrie miró a su alrededor. La puerta del porche daba directamente a una sala de estar que la sorprendió por su orden y limpieza, aunque estuviera todo algo destartalado. Depositó la maleta en el suelo, se dejó caer en un sofá raído y suspiró.

La deprimente situación en la que se encontraba la superaba. Había hecho mal en acceder a la propuesta. Llevaba quince años sin ver a su padre, desde que las había abandonado. Podía perdonarle que se hubiera ido (porque su madre era una psicópata), pero no que no hubiera hecho esfuerzo alguno por mantener el contacto con su hija, escribirla o llamarla. Nada: ni regalos de cumpleaños o de Navidad, ni felicitación cuando se graduó en el instituto, ni una triste llamada telefónica en las diversas ocasiones en que Corrie había tenido problemas. Lo misterioso era que lo recordase como un padre cariñoso, divertido y bueno, que se la llevaba a pescar; claro que al irse él Corrie solo tenía seis años, y a una niña a quien no quería nadie, necesitada de afecto, podía parecerle divertido y bueno cualquier vago sin oficio ni beneficio.

Observó con detenimiento. No era una casa con mucha personalidad, pero al menos no había botellas de alcohol vacías, cubos de basura repletos de latas aplastadas de cerveza o cajas de pizza por el suelo. El caso era que parecía que llevara cierto tiempo deshabitada. ¿Dónde estaba su padre? Quizá hubiera hecho mejor en llamar.

Pero qué incomodidad… Casi tenía ganas de llorar.

Se levantó del sofá y entró en el dormitorio. Era pequeño pero pulcro, con una cama individual y un libro muy gastado en la mesita de noche: *Doce pasos y doce tradiciones*. Había dos armarios. Abrió uno sin gran curiosidad, por hacer algo. Tejanos, camisas de trabajo de batista y dos trajes de aspecto barato en perchas de alambre. Cerró la puerta y se acercó al otro armario. Qué raro... Las estanterías estaban llenas de paquetes de papel marrón. Los había a decenas, de todos los tamaños, ordenados con cuidado, amorosamente, casi, junto a fajos de cartas con grandes sobres de colores que solo podían ser felicitaciones, y numerosas postales agrupadas con gomas elásticas. Miró unas cuantas. Eran todas para ella: Corrie Swanson, 29 Wyndham Parke Estates, Medicine Creek, Kansas. Parecían seguir un orden cronológico que se extendía a lo largo de más de doce años. Todos los sellos o franqueos de los paquetes tenían un adhesivo de cancelación, y a todos los habían marcado con un mensaje de aspecto oficial: A DEVOLVER AL REMITENTE.

Estuvo un minuto contemplando el contenido del armario, mientras se rascaba la cabeza. Después salió del baño, cruzó la puerta y llamó a la casa de al lado. Volvió a moverse la misma cortina de antes, y se oyó una voz tensa.

—¿Quién es?

—Corrie Swanson.

—¿Quién?

—Corrie Swanson. Soy la hija de Jack Swanson. He venido... —Tragó saliva—. Para ver a la familia.

Un ruido ahogado, que podía haber sido un gruñido de sorpresa, seguido por el de una cerradura. Cuando se abrió la puerta apareció una mujer rechoncha y de aspecto antipático, con brazos recios cruzados contra el pecho y una cara con textura de estropajo. De la habitación de detrás emanaba un olor a cigarrillo. Repasó a Corrie de arriba abajo, entornando los ojos, y se demoró en su mechón violeta.

—¿La hija de Jack Swanson? Ah, ya... —Otro examen—. No está.

—Ya lo sé —dijo Corrie, haciendo un esfuerzo por que no se le notara su sarcasmo habitual—. Solo quería saber dónde está.

—Se fue.

Reprimió otra réplica brusca.

—¿Sabe dónde está —logró decir—, y cuándo volverá?

Obsequió a la vieja bruja con una sonrisa hipócrita.

Un nuevo examen. A juzgar por sus muecas faciales, la mujer cavilaba si decirle algo importante o no.

—Se metió en un lío y se fue del pueblo —dijo finalmente.

—¿Un lío de qué tipo?

—Robó un coche del concesionario donde trabajaba y lo usó para atracar un banco.

—¿Que hizo qué?

Corrie estaba sinceramente sorprendida. Sabía que su padre era un fracasado, pero la impresión que había acumulado con el paso de los años (filtrada a través de la amargura de las invectivas de su madre) era la de un granuja seductor que no se complicaba la vida y se acostaba con demasiadas mujeres, alguien que siempre tramaba maneras de enriquecerse por la vía rápida pero era incapaz de tener un trabajo de verdad, y que pasaba sus mejores momentos en el bar, contando chistes y anécdotas acogidos con admiración por sus amigos. De delincuente no tenía nada.

Claro que en quince años, desde que se había ido, podían haber cambiado muchas cosas.

Al pensarlo se dijo que en el fondo quizá no fuera tan grave. Podía vivir en casa de su padre sin tener que aguantarlo. Siempre que hubiera pagado el alquiler... De todos modos, aun en caso contrario no podían cobrar mucho por un tugurio así, y Pendergast le había dado tres mil dólares.

—¿Que ha robado un banco? —Sonrió, sin poder evitar poner cara de idiota—. ¡Uau! Si es que este papi es de lo que no hay... Espero que se haya llevado un buen pastón.

—¡Te parecerá gracioso, pero a nosotros no, te lo aseguro!

La mujer apretó los labios y cerró la puerta con firmeza.

Corrie volvió a la casa, echó el pestillo y se dejó caer de nuevo en el sofá, levantando los pies. Para evitar situaciones violentas debería adelantarse a los acontecimientos, informar a la policía sobre su paradero, ponerse en contacto con el dueño de la casa y comprobar que estuvieran pagados el alquiler, la luz y el agua. Volvió a decirse que era mejor que el fracasado de su padre se hubiera fugado. Así no tendría que soportar sus chorradas.

Aun así, en el fondo sentía una especie de frustración, de decepción e incluso de tristeza. Tenía que reconocer que a pesar de todo tenía ganas de verlo, aunque solo fuera para preguntarle sin rodeos por qué la había abandonado, dejándola a merced de su madre a sabiendas de que era una bruja horrible y borracha. Alguna explicación tenía que existir, para eso y para todas las cartas y paquetes guardados en el armario. Al menos era lo que esperaba ella contra todo pronóstico.

Se dio cuenta de que tenía sed y fue a la cocina, abrió el grifo y dejó correr el agua herrumbrosa hasta que saliera fría. Entonces llenó un vaso y se lo bebió de golpe. Conque se había fugado. ¿Adónde habría ido?

En el mismo momento en que se hacía la pregunta supo que conocía la respuesta.

20

Felder nunca había estado en Southport, Connecticut, y le sorprendió su inesperado encanto. Era un puerto atractivo y tranquilo, en un condado caracterizado por su dinamismo como era el de Fairfield. Al salir de Pequot Avenue por Center Street para ir al casco viejo pensó que había cosas bastante peores que vivir en un sitio así.

Se respiraba el típico ambiente de Nueva Inglaterra. Casi todas las casas eran de estilo colonial, y a juzgar por su aspecto databan de principios del siglo xx, con paredes de listones blancos, vallas de madera y jardines muy cuidados, llenos de árboles. También imponía respeto la biblioteca municipal, una amplia construcción neorrománica hecha con sillares y plagada de detalles caprichosos. Parecía que la única mancha en el blasón de la localidad fuera una vieja mansión situada a pocas casas de la biblioteca, una mole ruinosa, de estilo Reina Ana, que con sus postigos abiertos, tejas sueltas y jardín infestado de malas hierbas parecía salida de *La familia Addams*. Solo faltaba, pensó irónicamente al pasar con su coche, ver sonreír al tío Fétido en una de las ventanas del último piso.

Al entrar en lo que era el pueblo en sí volvió a animarse. Encontró una plaza de aparcamiento frente al club náutico, y tras consultar una nota escrita a mano cruzó con paso enérgico la carretera en dirección a un simpático edificio de madera de una sola planta, con vistas al puerto.

El interior del Museo de Historia de Southport desprendía un agradable olor a libros viejos y cera para muebles. Cobijaba una serie de objetos antiguos muy bien conservados, y no se veía a nadie más que a una mujer peinada con esmero, de cierta edad (también ella muy bien conservada), que bordaba en una mecedora.

—Buenas tardes —dijo—. ¿Puedo ayudarlo en algo?

—Pues la verdad es que sí —respondió Felder—. Había pensado que quizá pudiera contestarme unas preguntas.

—Estaré encantada. Siéntese, por favor.

La mujer indicó la mecedora que tenía delante. Felder tomó asiento.

—Estoy llevando a cabo una investigación sobre el pintor e ilustrador Alexander Wintour, y tengo entendido que su familia era de esta zona.

Ella asintió con la cabeza.

—Sí, es verdad.

—Me interesa su obra, concretamente sus cuadernos de dibujo. Quería saber si todavía existen y si usted me podría dar alguna pista para empezar a buscarlos.

La mujer dejó el bordado cuidadosamente sobre su regazo.

—Pues mire, joven, puedo decirle con bastante convicción que casi seguro que existen. Y sé dónde los puede encontrar.

—Me alegro mucho de oírlo —dijo Felder, con un hormigueo de emoción: iba a ser más fácil de lo que esperaba.

—Aquí sabemos bastante sobre la familia Wintour —añadió ella—. Podría decirse que Alexander Wintour no acabó de situarse nunca en la primera fila. Era un buen ilustrador, con muy buen ojo, pero artista, lo que se dice artista de verdad, no; ahora bien, desde una perspectiva histórica su obra no carece de interés. De todos modos, seguro que no le digo nada nuevo. —Sonrió afablemente.

—Al contrario —se apresuró a decir Felder—. Continúe hablando, por favor.

—Por lo que respecta a la familia, el hijo de su hermana, el sobrino de Alexander, encontró un muy buen partido: se casó con la hija de un magnate naviero de la zona. Alexander, que nunca se casó, se fue del bungalow de la familia, en Old South Road, y se instaló cerca, en la residencia de su sobrino, mucho más suntuosa.

Felder asintió con avidez.

—Siga.

—El magnate en cuestión era un coleccionista voraz de objetos literarios: libros, manuscritos, alguna que otra litografía y sobre todo material epistolar. Dicen que consiguió la colección completa de cartas de Albert Bierstadt a partir de su viaje de 1882 por California, con docenas de dibujos. También logró adquirir una serie de cartas de amor escritas por Grover Cleveland a Frances Folsom, antes de que se casaran. ¿Sabe que es el único presidente de la historia que contrajo matrimonio en la Casa Blanca?

—No, no lo sabía —dijo Felder acercándose algo más.

—Pues ya lo ve. También están las cartas que mandó Henry James a su editor en Houghton Mifflin mientras escribía *Retrato de una dama*. La verdad es que es una colección impresionante. —Juntó las manos encima del bordado—. Pero en fin, el caso es que Alexander Wintour murió joven, que no llegó a casarse y que dicen que su hermana heredó gran parte de su colección artística, a excepción de una serie de pinturas que si no me equivoco fueron donadas a la New-York Historical Society. Los álbumes y los cuadernos debieron de pasar a manos del hijo de la hermana, que también tuvo descendencia con su rica esposa: una hija, que todavía vive, aquí en Southport. En el museo no nos cabe duda de que los cuadernos de Wintour siguen en su biblioteca, junto con las colecciones de cartas y manuscritos de su abuelo. Como comprenderá, estaríamos más que encantados de tenerlos, pero…

La mujer sonrió. Felder prácticamente dio una palmada de entusiasmo.

—Es estupendo lo que me ha contado. Dígame dónde vive, por favor, para ir a verla.

La sonrisa de la mujer se borró.

—Oh, vaya… —Titubeó un poco—. Bueno, es un poco problemático. No pretendía alimentar sus esperanzas.

—¿Por qué lo dice?

Ella volvió a titubear.

—Yo le he dicho que sé dónde puede encontrar los cuadernos, pero no he dicho que vaya a poder verlos.

Felder se la quedó mirando.

—¿Por qué no?

—La señorita Wintour… Hablando en plata, siempre ha sido rara, desde pequeña. No sale nunca, no recibe nunca, no ve nunca a nadie… Desde que se murieron sus padres ha vivido enclaustrada. Y ese criado tan horrible que tiene… —La mujer sacudió la cabeza—. La verdad es que es una tragedia. Con lo activos que eran sus padres en la comunidad…

—Pero ¿y la biblioteca…? —empezó a preguntar Felder.

—Bueno, ha intentado consultarla mucha gente, especialistas y gente así… Sobre todo por las cartas de Henry James y Grover Cleveland, que tienen importancia histórica y literaria, pero ella no ha dado permiso a nadie, a nadie en absoluto. Vino una delegación de Harvard expresamente para examinar las cartas de Bierstadt, y se dice que ofrecieron una buena suma, pero ella no dejó ni que cruzasen la puerta. —La mujer se inclinó y acercó el dedo índice a un lado de la cabeza—. Está chalada —susurró confidencialmente.

—¿Y no puedo hacer… nada de nada? Es que es importantísimo.

—Francamente, si lo deja entrar será un milagro. Lamento decirlo, pero me consta que hay bastantes estudiosos, y otra gente… —bajó la voz— que esperan el día en que ya no esté ella para negarles el acceso.

Felder se levantó.

—Siento no poder ayudarlo más.

—Ya que he hecho expresamente el viaje desde la ciudad será mejor que intente verla, ya que estoy aquí —dijo con un suspiro.

El rostro de la mujer dibujó una expresión compasiva.

—¿Puede decirme dónde queda la casa, por favor? —pidió Felder—. No pierdo nada por llamar a la puerta, ¿no?

—No, perder no pierde nada, pero yo de usted no esperaría gran cosa.

—Descuide. Si tuviera la dirección…

Sacó su nota manuscrita, dispuesto a anotarla.

—Uy, no, si no hace falta, no tiene pérdida: es la casona que hay en Center Street, al lado de la biblioteca.

—La… ¿la que se cae a trozos? —preguntó Felder, más desanimado aún.

—La misma. Es una lástima que haya echado a perder la finca familiar. Afea el pueblo. Ya le digo que aquí hay más de uno esperando…

Dejó la frase inacabada, por decoro, y se dispuso a seguir bordando.

21

El doctor John Felder conducía muy, muy lentamente por Center Street, levantando las hojas secas de diciembre. Bajaba la cabeza como si no quisiera ver gran cosa más allá del tablero de mandos de su Volvo. Su desaliento no parecía proporcionado a la decepción que acababa de sufrir. Comprendió que se había dejado convencer a sí mismo de que el viaje a Connecticut podía marcar el final de su búsqueda.

Aún era posible. Podía ocurrir cualquier cosa.

Las casas discurrían una tras otra, con sus fachadas de pintura impoluta y sus cuidadas plantas, protegidas del invierno con mantillo. Y de repente fue como si se oscureciera el panorama, como si pasara una nube por delante del sol; apareció la casona. Felder tuvo un escalofrío. Se fijó en la valla de hierro forjado, terminada en pinchos llenos de agujeros; en los hierbajos que alfombraban el patio, muertos y helados, y en la mansión en sí, lóbrega, de tejado a dos aguas que pendía exageradamente grávido sobre las piedras oscuras y descoloridas de la fachada. Casi creyó ver una grieta gigantesca desde los cimientos al tejado, como en la casa Usher. Bastaría un soplo de viento en la dirección equivocada para que todo se desmenuzase en un alud final.

Aparcó, apagó el motor y salió del coche. Al abrir la verja, que emitió un chirrido ahogado, cayeron en sus manos trozos rojos de herrumbre y escamas de pintura negra. Buscó algo que decir mientras pisaba el cemento agrietado y abombado del camino de entrada.

Era consciente del problema: aun siendo psiquiatra de profesión se le daba muy mal manipular a los demás. Mentía fatal y se engañaba con facilidad, como de sobra demostraba el pasado reciente.

¿Debía seguir con la misma artimaña académica que en la New-York Historical Society? No; si la señorita Wintour había echado a una delegación de Harvard no querría saber nada de un solo especialista que había extraviado su acreditación.

Quizá fuera mejor tocar la tecla del orgullo familiar y decirle a la anciana que quería resucitar la fama artística de su tío abuelo, sacarla del olvido y la soledad. Pero no, eso ya había tenido muchas ocasiones de hacerlo ella misma.

¿Qué demonios diría?

Llegó demasiado aprisa a la escalera, y empezó a subir. Las piedras unidas con mortero cedieron traicioneras al peso de su cuerpo. Frente a él se erguía una enorme puerta negra, llena de arañazos y desconchados. Una gran aldaba de latón en forma de cabeza de grifo miraba al visitante como si estuviese a punto de morderlo. Timbre no había. Respiró profundamente, cogió la aldaba con cuidado y dio un golpe.

Esperó. Nada.

El segundo aldabonazo fue un poco más fuerte. Lo oyó reverberar por las entrañas del caserón.

Nada.

Se humedeció los labios casi con alivio. Un intento más y se iría. Cogió la aldaba con firmeza y asestó un severo impacto.

Dentro se oyó una vaga voz. Esperó. Al cabo de un minuto se oyó el eco de unos pasos sobre mármol, preludio a un ruido de cadenas y cerrojos muy necesitados de aceite. Se abrió un resquicio.

Dentro reinaba una gran oscuridad, en la que Felder no vio nada. Después su vista descendió, y creyó discernir un ojo. Sí, tuvo la seguridad de que lo era: un ojo que lo examinaba de los pies a la cabeza, entornado de recelo, como si Felder pudiera ser un testigo de Jehová o un vendedor a domicilio.

—¿Qué pasa? —inquirió una vocecilla surgida de la oscuridad.

Felder movió la mandíbula.

—He...

—¿Qué, qué pasa?

Carraspeó. Iba a ser aún más difícil de lo previsto.

—¿Viene por lo de la casa del portero? —preguntó la voz.

—¿Perdón?

—Digo que si viene para alquilar la casa del portero.

«¡Aprovecha, tonto!», se dijo.

—¿La casa del portero? Ah, sí, a eso vengo.

Le cerraron la puerta en la cara.

Se quedó todo un minuto en el último escalón, perplejo, hasta que la puerta se abrió, esta vez algo más. Delante de él había una mujer diminuta, con una piel de zorro un poco apolillada y un sombrero de paja de ala ancha como los que se llevan en la playa. De un fino bracito colgaba un bolso de piel negra, con aspecto de ser caro.

Detrás de la mujer, la oscuridad onduló, y pareció que se moviese toda la puerta. Cuando se perfiló una forma en la luz, Felder vio que era un hombre, muy alto (al menos dos metros) y con cuerpo de defensa de fútbol americano. Por sus facciones y su color de piel pensó que podía ser de las islas Fiji o del sur del Pacífico. Vestía una prenda extraña, amorfa, con un dibujo de batik naranja y blanco. Llevaba el pelo muy corto, y la cara y los brazos recubiertos de tatuajes muy enrevesados. Miró incisivamente a Felder, pero no dijo nada. Felder pensó que debía de ser el criado. Tragó saliva, incómodo, intentando no mirar los tatuajes. Solo le faltaba un hueso en la nariz.

—Tiene suerte —dijo la mujer, a la vez que se ponía guantes blancos—. Ya iba a quitar el anuncio. Me había parecido buena idea, porque alquilar un sitio así sería un honor para cualquiera, ¿no?, pero está visto que no entiende una la mente moderna. Dos meses ya en la *Gazette*. Menudo derroche. —Pasó al lado de Felder, bajó por la escalera y se giró—. Venga, venga, acompáñeme.

Felder la siguió entre los hierbajos, zarandeados por el viento invernal. Por la descripción que le había hecho la encargada del museo de Southport se había llevado la impresión de que la señorita Wintour sería una mujer decrépita, llena de arrugas, pero lo cierto era que aparentaba poco más de sesenta años y que su cara le recordó un poco a Bette Davis en su madurez, bien conservada, e incluso atractiva. Su acento iba en la misma línea: de esos que en mejores tiempos se asociaban con la costa norte de Long Island, de donde procedía la familia del propio Felder, pero que casi ya no se oían. Siguió adelante, muy consciente de que los seguía en silencio el fornido criado.

—¿Cómo es? —preguntó ella de improviso.

—Perdone —contestó él—, pero ¿cómo es qué?

—¿Qué va a ser? ¡Su nombre!

—Ah... Perdone. Me llamo... Feldman, John Feldman.

—¿Y su profesión?

—Soy médico.

Al oírlo, la señorita Wintour se paró y se giró a mirarlo.

—¿Puede dar referencias?

—Sí, supongo que sí, si es necesario.

—Hay que cumplir ciertos trámites, joven. Tampoco es que sea una casa cualquiera. La diseñó Stanford White.

—¿Stanford White?

—Es la única vivienda de portero que diseñó. —La mirada volvía a ser recelosa—. Lo ponía en el anuncio. ¿No lo leyó?

—Ah, sí... —dijo rápidamente Felder—. Se me había olvidado. Perdone.

—Pff —dijo ella, como si fuera un dato que debiera grabarse en la memoria de cualquier persona, y siguió caminando entre los hierbajos y la hierba seca.

Al rodear la mansión por detrás apareció la casa del portero. Era de la misma piedra oscura que el edificio principal, y custodiaba una entrada y un acceso de vehículos que no parecía existir ya. Las ventanas estaban agrietadas, empañadas de mugre. Más de una había sido cerrada con tablones. Felder observó que la casa, de dos plantas, era en efecto de líneas elegantes, pero vencidas por el tiempo y el desgaste.

La señorita Wintour fue la primera en llegar a la única entrada del edificio, una puerta cerrada con candado. Tras una interminable búsqueda en su bolso, apareció una llave que fue introducida en la cerradura. La señorita Wintour empujó la puerta y señaló el interior con gesto teatral.

—¡Fíjese! —dijo, orgullosa.

Felder escrutó el interior. El aire estaba lleno de grandes motas de polvo que casi obstruían el paso de la luz del sol, dificultado de por sí por las ventanas. Lo único que vislumbró fueron vagos perfiles.

La señorita Wintour, que parecía molesta por no verlo entrar en éxtasis, traspasó el umbral y encendió un interruptor.

—¡Pase, pase! —dijo, irritada.

Felder entró. Tras ellos, el criado se quedó en el umbral (apenas cabía por la puerta), bloqueando la salida con los brazos cruzados en su fornido pecho.

Una sola bombilla pugnó por encenderse en las alturas. Felder oyó un correteo de ratones asustados por su irrupción. Miró a su alrededor. Colgaban tupidas telarañas de las vigas, y gran parte del espacio lo ocupaba un amasijo de restos de épocas pretéritas: cochecitos, baúles de viaje, un maniquí de sastre... Cada paso levantaba nubecitas de polvo. Las manchas de moho en las paredes, de un gris verdoso, formaban un dibujo como el de los leopardos.

—Stanford White —repitió la señorita Wintour con orgullo—. Nunca verá otra igual.

—Muy bonita —murmuró Felder.

—Ni que lo diga. —La señorita Wintour hizo un amplio gesto con la mano—. Bueno, está claro que en algunos sitios se tendría que pasar una bayeta, pero eso se resuelve en una sola tarde. Cinco mil al mes.

—Cinco mil —repitió Felder.

—Con muebles y todo. ¡Muy buen precio, se lo digo yo! Ahora bien, está prohibido desplazar el mobiliario. Gastos no incluidos, por supuesto. Tendría que pagar usted el carbón de la caldera, aunque es un edificio tan bien hecho que probablemente no le haga falta calefacción.

—Mmm —dijo Felder.

La temperatura no podía subir mucho de los cero grados.

—El dormitorio y el baño están en el piso de arriba y la cocina, aquí al lado. ¿Quiere verlos?

—No, creo que no, pero se lo agradezco.

La mujer echó un vistazo con un orgullo nada desdeñable, ciega al polvo, la mugre y el moho.

—Yo no dejo entrar a cualquiera. En eso soy muy quisquillosa. No admito conductas licenciosas, ni invitados del sexo opuesto. Es un edificio histórico; y claro, también tengo un apellido que proteger. Seguro que me entiende.

Felder asintió con aire ausente.

—De todos modos me parece usted un joven muy amable. Tal vez podamos tomar alguna tarde el té en el salón delantero. Ya veremos.

«El salón delantero.» Felder recordó las palabras de la encargada del museo de Southport: «Vino una delegación de Harvard y ofreció una buena suma, pero ella no dejó ni que cruzasen la puerta».

Se dio cuenta de que la señorita Wintour lo observaba, ceñuda y expectante.

—¿Y bien? No he salido de casa por gusto, ¿eh? Cinco mil al mes más gastos.

Increíblemente, Felder se oyó contestar como si fuera la voz de otra persona.

—Me la quedo.

22

D'Agosta había visto mucha mierda, y mucho morbo: jamás olvidaría los dos cadáveres descuartizados de Waldo Falls, en Maine, pero aquello se llevaba la palma. Era la visión más siniestra de una serie de crímenes de truculencia excepcional. El cuerpo de la joven yacía desnudo boca arriba, formando una especie de esfera de reloj humano con sus extremidades seccionadas. Por debajo de todo irradiaba una corona de sangre como un sol, y en los bordes se distribuían órganos diversos, como en un maldito bodegón. Por no hablar del dedo pequeño del pie, el elemento extra, amorosamente colocado en la frente de la víctima.

Y para rematarlo todo, el mensaje escrito con el dedo en el torso: «¡Tú la llevas!».

Ya habían hecho todos su trabajo: el forense, la policía científica, los de identificación de huellas, el fotógrafo... Todos habían recogido sus pruebas y se habían ido. Habían tardado horas. Ahora les tocaba a él y Gibbs. D'Agosta tenía que reconocer que Gibbs se había tomado bastante bien la espera. No había enseñado la placa ni había irrumpido de cualquier manera, como había visto hacer a otros federales. Con el paso de los años la división de homicidios había procurado establecer una serie de pautas relativas a la intrusión de peces gordos en los lugares del crimen, con la correspondiente interrupción de la labor de los especialistas, y D'Agosta se tomaba muy en serio aquellas normas. Ya no llevaba la cuenta de las veces en que había visto a un mandamás ponerlo todo patas arriba en espera de una sesión de fotos, o para hacer de cicerone a sus amigos políticos, o solo por hacer valer su autoridad.

Hacía calor a causa de los focos y olía mal: un hedor de sangre, de materia fecal y de muerte. Caminó alrededor del cadáver fijándose en todos los detalles para grabárselos en la memoria y deconstruir y reconstruir la escena a la vez que la dejaba discurrir con libertad. Era otro asesinato meticuloso, planeado y ejecutado con la precisión de una campaña militar. Todo exudaba un aire de seguridad y hasta arrogancia por parte del asesino.

De hecho, al observar la escena tuvo una sensación de *déjà vu*. Había algo en aquel lugar del crimen que le recordaba otra cosa. Al dar vueltas a la idea comprendió de qué se trataba: el aspecto, el ambiente, eran los de un diorama de museo. Todo estaba cuidadísimo, todo en su sitio, para crear una impresión, una ilusión, un impacto visual.

Pero ¿de qué? Y ¿por qué?

Miró a Gibbs, que examinaba en cuclillas la inscripción del torso. Los focos multiplicaban su sombra en el lugar del crimen.

—Esta vez —dijo Gibbs— el asesino ha usado un guante.

D'Agosta asintió con la cabeza. Interesante observación. Su opinión sobre Gibbs subió otro punto.

Francamente, tenía sus dudas de que detrás de aquello estuviera el hermano de Pendergast. Él no veía ninguna relación entre el modus operandi de aquel asesino y lo que había hecho Diógenes en el pasado. En cuanto al móvil, esta vez, a diferencia de la anterior carnicería de Diógenes, el asesino carecía de un motivo discernible para matar a aquellas víctimas seleccionadas al azar. El hombre a quien había visto D'Agosta en las grabaciones de seguridad, aun coincidiendo aproximadamente en estatura, peso y constitución, no se movía con la fluidez que recordaba en Diógenes. Los ojos eran diferentes. Diógenes no le parecía el tipo de psicópata que pudiera empezar a descuartizarse a sí mismo y dejar las partes junto a los cadáveres. Por último estaba el pequeño detalle de su supuesta caída en un volcán siciliano. La único testigo de este hecho tenía la absoluta convicción de que Diógenes estaba muerto, y su testimonio era muy bueno, aunque tampoco anduviera muy bien de la cabeza.

Pendergast no había querido explicarle por qué creía que el asesino era su hermano, y en el fondo D'Agosta tenía la impresión de que la extraña idea nacía de la mezcla entre la honda depresión provocada por la muerte de su esposa y una sobredosis de drogas. Ahora se arrepentía de haber intentado meterlo en la investigación, y se sentía realmente aliviado de que el agente especial no se hubiera presentado en el lugar del crimen.

Gibbs se levantó, poniendo fin a su largo examen del cadáver.

—Teniente, empiezo a pensar que podría haber dos asesinos. Puede que sea una especie de equipo a lo Leopold y Loeb.

—¿En serio? Las grabaciones son de una sola persona, y solo tenemos huellas de sangre de unos pies y un único cuchillo.

—Sí, tiene razón, pero piénselo: los tres hoteles se caracterizan por la máxima seguridad y están repletos de empleados, pero en todos los casos el asesino ha entrado y ha salido sin que lo sorprenda, pare, interrumpa o interpele nadie. Una manera de explicarlo sería que tuviera un cómplice, algún centinela.

D'Agosta asintió despacio.

—Del trabajo sucio se encarga el asesino, que es a quien dedicamos todos nuestros análisis, el que saluda a la cámara diciendo: «¡Hola, mamá, estoy aquí!», pero en algún sitio tiene un socio que es todo lo contrario: alguien invisible, que desaparece por no se sabe dónde y lo ve y lo oye todo. Durante la ejecución del crimen el único contacto entre los dos es que están en comunicación de manera secreta y continua.

—Por un auricular, o algún aparato parecido.

—Exacto.

A D'Agosta le gustó enseguida la idea.

—Pues hay que buscarlo; tiene que estar en nuestras grabaciones de seguridad.

—Es probable, pero, claro, disfrazado con muchísimo cuidado.

De pronto cayó sobre el cadáver una sombra alargada que surgió del dormitorio, sobresaltando a D'Agosta. Poco después apareció alguien alto y vestido de negro, que recibía la luz por detrás y cuyo pelo, de un rubio casi blanco, formaba un halo luminoso en torno a su rostro en penumbra, lo cual le daba el aspecto no de un ángel, sino de algún resucitado espeluznante, un espectro nocturno.

—¿Dos asesinos, dice? —pronunció una voz melosa.

—¡Pendergast! —dijo D'Agosta—. Pero ¿qué coño hace aquí? ¿Cómo ha entrado?

—Igual que usted, Vincent. Acabo de examinar el dormitorio.

Su tono no era exactamente amistoso, pero D'Agosta pensó que al menos traslucía una dureza ausente en su última conversación.

Echó un vistazo a Gibbs, que observaba fijamente a Pendergast sin poder disimular una mirada de reproche.

Con otro paso hacia delante, la intensa luz iluminó de lleno la cara de Pendergast y la barrió en sentido lateral, cincelando sus facciones con la perfección del mármol. La cara se giró.

—Se le saluda, agente Gibbs.

—Igualmente —dijo Gibbs.

—Confío en que haya quedado satisfecho con nuestro enlace.

Un silencio.

—Ya que lo comenta, todavía no me han confirmado su participación en el caso.

Pendergast hizo chasquear la lengua.

—Ah, la burocracia del FBI, siempre tan de fiar…

—Pero, claro —dijo Gibbs, disimulando a duras penas su mala voluntad—, siempre es bienvenida la ayuda de un compañero.

—Ayuda —repitió Pendergast.

De repente se puso en acción y se movió en torno al cadáver, inclinándose con rapidez, examinando artículos con una lupa y cogiendo algo con pinzas que quedó guardado en un tubo de ensayo. Tras otros movimientos a una velocidad casi frenética completó el circuito y volvió a quedar frente a frente con Gibbs.

—¿Dos, dice usted?

Gibbs asintió con la cabeza.

—Solo es una hipótesis de trabajo —dijo—. Obviamente, aún no estamos en una fase que nos permita sacar conclusiones.

—Me encantaría saber lo que piensa. Me interesa sobremanera.

A D'Agosta lo inquietó un poco el vocabulario empleado por Pendergast, pero no dijo nada.

—Bueno —dijo Gibbs—, no sé si el teniente le habrá dado a conocer nuestro informe provisional, pero nosotros lo consideramos como obra de un asesino (o asesinos) muy organizado que actúa como si fuera un ritual. Ya le conseguiré el informe si es que no lo tiene.

—Lo tengo, lo tengo, pero es que no hay nada mejor que… ¿Cómo se lo diría? Escucharlo de primera mano. ¿Y el móvil?

—Este tipo de asesinos —prosiguió Gibbs sin alterarse— suele matar por motivos de gratificación libidinosa que solo pueden ser satisfechos mediante el ejercicio de un control y un poder extremos sobre otras personas.

—¿Y las partes corporales suplementarias?

—De eso no conocemos precedentes. La hipótesis que están desarrollando nuestros psicólogos es que el agresor tiene sentimientos de autoodio e inutilidad que lo superan (debidos tal vez a abusos infantiles), y que está interpretando una especie de suicidio a cámara lenta. Es la conjetura de la que parten nuestros expertos.

—Qué suerte tenemos. ¿Y el mensaje «Tú la llevas»?

—Este tipo de asesinos se burla a menudo de las fuerzas del orden.

—Su base de datos tiene respuesta para todo.

No pareció que Gibbs supiera cómo interpretarlo. Tampoco D'Agosta.

—Reconozco que es una muy buena base de datos —concluyó Gibbs—. Seguro que sabe, agente Pendergast, que el sistema de perfil conjunto NCAVC/UCC consta de decenas de miles de entradas. Se basa en estadísticas, agregados y correlaciones. Eso no quiere decir que el asesino se ajuste necesariamente al patrón, pero sí nos da un punto de partida.

—En efecto. Cuando menos les da un rastro que seguir hasta lo más profundo del bosque.

La metáfora, bastante rara, quedó en el aire, mientras D'Agosta trataba de entender qué había querido decir exactamente Pendergast. Cayó sobre ellos un silencio tenso, durante el que Pendergast siguió mirando a Gibbs con la cabeza un poco ladeada, como si examinase un espécimen. Después se giró hacia D'Agosta y lo cogió por la mano.

—Bueno, Vincent —dijo—, ya somos de nuevo compañeros en una investigación. Quiero darle las gracias por… ¿Cómo se lo diría? Por contribuir a salvarme la vida.

Y después de esas palabras se giró y se fue rápidamente por la puerta con un revoloteo de faldones negros.

23

El teniente D'Agosta estaba echado hacia delante en una silla del laboratorio de vídeo C, en la decimonovena planta de la comisaría central. Solo hacía una hora que se había marchado del lugar del crimen y tenía la sensación de haber aguantado quince rounds con un boxeador profesional.

Se giró hacia el operario del equipo de vídeo, un machaca flaco de apellido Hong.

—La grabación de la planta quince. Sesenta segundos para atrás.

Hong pulsó unas cuantas teclas, haciendo cambiar la imagen en blanco y negro del monitor central, que mostró un rebobinado rápido.

Mientras miraba la pantalla, D'Agosta repasó mentalmente la secuencia del crimen. El asesino había entrado a la fuerza en la habitación (según las cintas de seguridad del Royal Cheshire, parecía conocer una vez más el momento exacto en el que se abriría la puerta) y había arrastrado a la pobre mujer al dormitorio de la suite, donde después de matarla había emprendido su horrible labor. En total no había tardado ni diez minutos.

En ese momento había vuelto a la suite el marido de la víctima, y el asesino se había escondido en el lavabo. El marido había descubierto el cadáver de su esposa, y sus gritos de desesperación habían llegado a oídos de un agente de seguridad del hotel, que al entrar en la suite y ver el cadáver había llamado a la policía. Aprovechando la confusión, el asesino se había escapado. Todo ello lo corroboraban las cintas de seguridad, así como las pruebas encontradas en la suite y las declaraciones del marido y del detective.

Parecía bastante claro. El problema, lo raro de verdad, estaba en los detalles. Por ejemplo: ¿cómo había conseguido esconderse el asesino en el lavabo? Si su trabajo en el dormitorio lo había interrumpido el clic de la puerta de la suite, era imposible que hubiera llegado al lavabo a tiempo de no ser visto por el marido. Tenía que haberse escondido antes de que pasara la tarjeta por la cerradura. Tenía que haberlo puesto sobre aviso alguna otra pista.

Estaba bastante claro que el tipo tenía un cómplice, pero ¿dónde?

—Empieza justo aquí —le dijo a Hong.

Debía de ser la décima vez que veía el vídeo del pasillo en el momento en que entraba el marido en la suite. Cinco segundos después se abría la puerta y salía el asesino, con sombrero de fieltro y gabardina, pero luego, en contra de toda lógica, se metía por segunda vez en la habitación. Poco después aparecía el detective del hotel por una esquina.

—Páralo un momento —dijo D'Agosta.

El problema era que en el pasillo no había ningún cómplice que pudiera verlo venir. Estaba vacío.

—Vuelve a ponerlo —dijo.

Observó taciturno cómo desaparecía el detective del hotel dentro de la habitación, alertado por los gritos del marido. El asesino volvía a salir casi enseguida para ir hacia los ascensores. Pulsaba el botón de bajada, esperaba un minuto y, como si hubiera cambiado de idea, recorría el resto del pasillo y cruzaba la puerta de la escalera.

Al cabo de un momento se abría la puerta del ascensor y salían tres hombres uniformados.

—Páralo —dijo D'Agosta—. Vamos a ver la grabación del piso trece. Empieza en la misma indexación.

—Ahora mismo —dijo Hong.

Las cintas del piso catorce ya las habían visto: en aquel momento exacto había varias mujeres de la limpieza que hacían su trabajo y cuyos carros bloqueaban el pasillo. D'Agosta vio salir al asesino al piso trece por la escalera: iba hasta los ascensores, pulsaba por segunda vez el botón de bajada y esperaba. Dejaba pasar un ascensor y volvía a pulsar el botón. Esta vez, cuando se abría la puerta, entraba.

—Páralo —dijo D'Agosta.

Ya había hecho lo mismo mil veces. ¿Dónde estaba el cómplice? En varios momentos no se observaba a nadie cerca, y en otras situaciones en las que podía haber vigilantes D'Agosta no encontraba coincidencias físicas entre ellos. Nadie podía pasar en quince segundos de ser un octogenario encorvado a una mujer de la limpieza dominicana y gorda. A menos que el asesino tuviera decenas de cómplices...

Era raro, raro de verdad.

—Cámara del vestíbulo —murmuró—. La misma indexación.

La imagen del monitor tembló, y al volver a enfocarse mostró un plano superior del discreto y elegante vestíbulo del hotel. En un momento dado se abría la puerta del ascensor y salía el asesino a solas. Empezaba a caminar hacia la entrada principal, pero después, como si se lo repensara, daba media vuelta y se sentaba en un sillón, escondiendo la cara detrás de un periódico. Siete segundos después pasaba corriendo un hombre uniformado, de la seguridad del hotel. Inmediatamente se levantaba el asesino y, en vez de volver a dirigirse a la entrada principal, encaminaba sus pasos hacia una puerta sin ningún letrero que se comunicaba con las zonas de servicio. La puerta se abría justo antes de llegar el asesino, y salía un botones. El asesino la cruzaba antes de que se cerrase, sin haber tenido que alargar siquiera el brazo.

D'Agosta vio desaparecer la silueta al otro lado de la puerta. Otras cámaras mostraban cómo utilizaba una salida de la zona de carga y descarga del hotel. Por mucho que D'Agosta mirase y remirase las grabaciones del vestíbulo, y de otras cámaras, no veía ni rastro de un posible cómplice de los asesinatos.

Hong paró el vídeo por iniciativa propia.

—¿Quiere ver algo más?

—Sí. ¿Tienes alguna reposición de *Los tres chiflados*?

Se levantó sin fuerzas, sintiéndose aún más viejo que al llegar.

Justo al irse, sin embargo, le sobrevino una idea. No hacía falta que el cómplice estuviera en todos esos sitios. Con tener acceso a las señales de vídeo en tiempo real ya habría visto lo mismo que D'Agosta. Y por consiguiente, podía haber advertido al asesino. Por lo tanto, o era alguien del propio departamento de seguridad o había pirateado el circuito cerrado para desviar una señal privada en directo, incluso por internet, si estaban las cámaras en red. En tal caso el cómplice podía no estar ni siquiera en Nueva York.

Reflexionando sobre aquel golpe de genio, empezó enseguida a pensar en el provecho que podía sacarle.

24

La cabaña no era de su padre, ni lo había sido nunca. La verdad era que Jack Swanson no daba el perfil de propietario. Conseguía que le prestasen las cosas a base de labia, y con el paso del tiempo, tras adueñarse de ellas, hacía como si fueran suyas. Aquella cabaña de papel embreado, que se aguantaba de puro milagro, la había encontrado por casualidad hacía años, en el más puro estilo Jack Swanson, en terrenos madereros de la Royal Paper, del lado de New Jersey del Delaware Water Gap. Según la versión que oyó Corrie, Jack se había hecho amigo de un ejecutivo de la compañía tras conocerlo en una excursión de pesca, y por lo visto el de la Royal Paper había accedido a que se alojase siempre que quisiera en la cabaña a cambio de arreglarla, a condición de que no llamara la atención ni molestara a nadie. Corrie estaba segura de que en el trato habían mediado muchas cervezas y anécdotas de pesca, así como una buena dosis del encanto que aparentemente distinguía a su padre. La cabaña no tenía calefacción, agua ni electricidad. Las ventanas estaban rotas, y el tejado lleno de agujeros. A nadie parecía importarle que Jack se alojase en ella, le diera una mano para hacerla más o menos habitable, se instalase como propietario y la usara como base para algún que otro viaje de pesca a Long Pine Pond, que quedaba cerca.

Sin haberla visto nunca, Corrie sabía de su existencia por las amargas quejas de su madre al descubrir, en el momento del divorcio y del reparto de los (inexistentes) bienes de ambos, que la «cabaña de pesca del lago en New Jersey» en realidad no era propiedad de Jack.

Corrie tenía la certeza de que era en la cabaña donde se había refugiado su padre. Al no pertenecerle, las instancias oficiales no lo buscarían en ella. También estaba casi segura de que la noticia del sórdido atraco de banco difícilmente habría viajado muy lejos de Allentown, y menos hasta los villorrios del parque forestal de Worthington, en New Jersey.

¿Cuántos lagos podía haber en la zona con el nombre de Long Pine? Según Google Maps, solo uno, y al apearse del taxi espantosamente caro que había cogido en la parada de autobús de East Stroudsburg, y que la había llevado a una tienda rural llamada Frank's Place, en Old Foundry, New Jersey (el establecimiento comercial más próximo a Long Pine Pond que había encontrado), Corrie tuvo la esperanza de acertar.

Tras contar ciento veinte dólares, pagó al taxista y entró tranquilamente en la tienda, que respondió con exactitud a sus expectativas: uno de esos sitios aprovechados hasta el último centímetro, llenos de cebos de pesca, cañas baratas, neveras, recambios para barcas, leña, combustible... y cerveza, por supuesto: toda una pared de cerveza.

Justo el tipo de tugurio que le gustaba a su padre.

Al acercarse Corrie al mostrador se hizo el silencio entre los barrigones que pasaban el rato cerca de la caja. Seguro que era por su pelo violeta. Corrie estaba cansada, irritada y nada contenta de haberse gastado ciento veinte dólares en un viaje en taxi. Esperó que aquellos muchachotes no le dieran la lata.

—Busco a Jack Swanson.

Silencio.

—¿Ah, sí? —acabó respondiendo el que parecía adjudicarse el papel de payaso del grupo—. ¿Qué pasa, que Jack te ha hecho un bombo o qué?

Soltó una carcajada y buscó el beneplácito de sus compañeros mirando hacia ambos lados.

—Soy su hija, subnormal de mierda —dijo ella en voz tan alta que llegó hasta el último rincón de la tienda y provocó el más absoluto silencio.

Esta vez quienes se rieron fueron los amigos del payaso, que se puso muy rojo, aunque no podía hacer gran cosa.

—Te han pillado, Merv —dijo uno de ellos, algo menos simiesco que los otros, dándole un codazo a su amigote.

Corrie esperó una respuesta con los brazos cruzados.

—Así que eres la cría de la que se pasa el día hablando —dijo el menos simiesco en tono amistoso.

Lo de que su padre siempre hablara de ella sorprendió a Corrie, aunque disimuló. Ni siquiera miró a Merv, que parecía claramente avergonzado.

—¿O sea, que todos conocéis a mi padre?

—Seguro que está en su cabaña —dijo el más simpático.

Bingo, pensó Corrie. Había acertado. La alivió enormemente no haber hecho el viaje en balde.

—¿Y eso dónde está?

El hombre le dio indicaciones. Quedaba más o menos a un kilómetro y medio por la carretera.

—Me encantaría llevarte —dijo.

—No, gracias.

Corrie recogió la mochila y se giró para irse.

—Lo digo en serio. Soy amigo de tu padre.

Tuvo que contenerse para no preguntar cómo era Jack. No era la forma de enfocarlo. Tenía que averiguarlo por sí sola. Vaciló y dio un repaso al hombre. Parecía sincero. Fuera hacía un frío que pelaba, y su mochila pesaba una tonelada.

—Vale, pero a condición de que no venga Perv, o sea, Merv.

Señaló por gestos al barrigón número uno. Los otros se rieron.

—Pues venga, vamos.

Hizo que la dejara donde se desviaba de la carretera principal el atajo para acceder a la cabaña. Era un simple sendero escarpado que cruzaba el pinar a partir de un gran charco de barro que tuvo que esquivar. Calculó que la cabaña quedaba más o menos a medio kilómetro. Mientras caminaba por el sendero (que en algunos puntos atravesaba las curvas de la carretera de Long Pine Pond) sintió que por primera vez en siglos se relajaba de verdad. Era el típico día de principios de diciembre: el sol brillaba a través de las ramas de los robles y los pinos, moteando el suelo alrededor de Corrie, y el aire olía a resina y hojas secas. Si había un sitio perfecto para esconderse de la pasma (o de los nazis, dicho fuera de paso) era aquel.

Sin embargo, al pensar en su padre y en lo que le diría (y él a ella) se le empezó a tensar otra vez el estómago. Casi no tenía ningún recuerdo físico de él. Carecía de una idea real sobre su aspecto, dado que su madre había tirado a la basura el álbum de fotos de los dos. No sabía qué esperar, en absoluto. ¿Y ahora atracaba bancos? Pero si podía ser un alcohólico, o un drogadicto, por Dios... Podía ser uno de esos delincuentes que se compadecen de sí mismos y se justifican echando la culpa de todo a unos malos padres o a la mala suerte. Hasta podía haberse arrejuntado con alguna arpía de tres al cuarto.

¿Y si lo pillaban cuando Corrie estuviera viviendo con él en la cabaña? Ya había consultado la legislación federal en internet: tendrían que demostrar que ella lo había protegido o escondido y había hecho algo para evitar que fuera descubierto o detenido. No bastaba con que vivieran juntos. Aun así ¿cómo afectaría a su futura trayectoria en el campo jurídico? Bien no quedaría, seguro.

Resumiendo, que la idea era una tontería. No se lo había pensado bien. Debería haberse quedado en casa de su padre, donde no corría ningún riesgo, y dejarlo vivir como quisiera. Redujo el paso, se detuvo, se descolgó la mochila de los hombros y se sentó. ¿Cómo se le había ocurrido que fuera buena idea?

Lo más aconsejable era dar media vuelta y regresar a Allentown, o mejor a West Cuyahoga, y olvidarse de chorradas. Se levantó, volvió a colgarse la mochila de los hombros y se giró para volver por donde había venido, pero entonces vaciló.

Había llegado demasiado lejos para huir. Además, quería saber qué eran las cartas del armario. Se moría de ganas de saberlo. El cartero de Medicine Creek era tonto de remate... pero hasta ese punto no creía ella que pudiera serlo.

Dio media vuelta y siguió caminando. El atajo se apartaba definitivamente de la carretera y dibujaba una curva. La cabaña estaba justo enfrente, en un claro iluminado por el sol, lejos de cualquier otra construcción. Se paró y se la quedó mirando.

Encanto no tenía. El papel embreado estaba aplicado con listones, pero sin ninguna regularidad. Las dos ventanas, una a cada lado de la puerta, estaban rotas: una la habían tapado con un trozo de contrachapado y en la otra habían embutido un trapo por el agujero. Corrie vio un retrete al otro lado de los robles. A través del tejado se asomaba el tubo oxidado de una estufa.

En cambio el patio estaba limpio, y la hierba bien cortada. Oyó que alguien se movía dentro de la casa.

«Ay, Dios mío… Vamos allá.» Se acercó a la puerta y llamó. Un repentino silencio. ¿Se iría corriendo por la parte trasera?

—¿Hola? —dijo en voz alta con la esperanza de evitarlo.

Más silencio. Después una voz dentro de la casa.

—¿Quién es?

Respiró hondo.

—Corrie, tu hija Corrie.

Otro largo silencio. De repente se abrió la puerta e irrumpió un hombre a quien reconoció enseguida, un hombre que la cogió en brazos y a punto estuvo de aplastarla.

—¡Corrie! —exclamó con un nudo en la garganta—. ¡Cuántos años he rezado! ¡Ya sabía yo que al final llegaría el día! Dios mío, con lo que he rezado… ¡Y ahora ha llegado! ¡Mi Corrie!

Y prorrumpió en grandes sollozos de alegría que habrían violentado a Corrie de no estar tan absolutamente estupefacta.

25

El interior de la cabaña sorprendía por su ambiente acogedor, su pulcritud y hasta una especie de encanto destartalado y rústico. El padre de Corrie, a quien ella, incapaz de usar la palabra «papá» lo llamaba Jack, se la enseñó henchido de orgullo. Consistía en dos habitaciones: una zona de cocina, sala de estar y comedor y un dormitorio muy pequeño donde a duras penas cabían una cama de matrimonio desvencijada, un escritorio y un lavamanos. No había instalación de fontanería ni de electricidad. La calefacción corría a cargo de una vieja estufa Franklin. Se cocinaba en un hornillo de cámping con patas alimentado por una bombona. Al lado había un fregadero viejo de esteatita apoyado en maderas, que desaguaba directamente bajo las planchas del suelo. El agua potable eran garrafas de plástico alineadas al lado de la puerta. Jack decía que las rellenaba en una fuente, a un kilómetro de la cabaña.

Todo estaba en su sitio, limpio y ordenado. Corrie no vio botellas de alcohol ni latas de cerveza en ningún sitio. Las cortinas rojas estampadas daban un toque alegre, y en la mesa de la cocina, de madera sin desbastar, había un mantel de cuadros. Sin embargo, lo que más la sorprendió (aunque no lo comentase) fue un gran grupo de fotos enmarcadas que dominaba la pared sobre la mesa: todas de ella. Ni siquiera sabía que hubiera tantas fotos de su infancia.

—Tú instálate en el dormitorio —dijo Jack al abrir la puerta—. Yo dormiré en el sofá.

Ella no protestó. Tiró la mochila encima de la cama y fue a la cocina para reunirse con su padre al lado de los fogones.

—¿Te quedarás una temporadita? —preguntó él.

—Si a ti te va bien…

—Más que bien. ¿Café?

—¡Sí, por favor!

—No es de cafetera.

Jack se rió. Después echó café molido en un cazo esmaltado donde ya había agua, lo removió y lo puso a hervir.

De momento, tras el efusivo saludo inicial los dos se habían abstenido de hacer preguntas, a pesar de que Corrie se moría de ganas y era consciente de que él seguro que también. Al parecer ninguno de los dos quería precipitarse.

Jack tarareaba mientras trajinaba. Sacó una caja de donuts y los distribuyó en un plato. De repente, por primera vez en quince años, Corrie se acordó de aquella costumbre de canturrear. Lo observó disimuladamente en su trajín. Estaba más delgado, y parecía muchísimo más bajo, hasta extremos increíbles, aunque debía de ser porque Corrie había crecido. Nadie podía pasar de ser un gigante, como lo recordaba, a medir un mísero metro setenta. No tenía mucho pelo, pero sí un mechón rebelde que sobresalía en la coronilla. Castigada por la edad, su cara, sin embargo, seguía conservando un atractivo simpático y efervescente, a lo irlandés, pese a que solo fuera irlandesa una cuarta parte de su ascendencia, repartida entre suecos, polacos, búlgaros, italianos y húngaros. «No soy perro de raza», recordaba haberle oído decir.

—¿Leche? ¿Azúcar? —preguntó él.

—¿Tienes nata?

—De la espesa.

—Perfecto. Kilos de nata espesa y tres cucharadas de azúcar.

Jack trajo dos tazones muy calientes, los dejó en la mesa y se sentó. Al principio bebieron en silencio. Dándose cuenta de que estaba famélica, Corrie se comió uno de los donuts. Fuera cantaban los pájaros. La luz de la tarde se filtraba entre las hojas movidas por la brisa, y olía a bosque. De repente le pareció todo tan perfecto que se puso a llorar.

Jack tuvo la reacción típicamente masculina de levantarse, presa del pánico.

—¡Corrie! ¿Qué te pasa? ¿Tienes problemas? Yo te ayudaré.

Ella le hizo gestos de que se sentara. Se secó los ojos sonriendo.

—No me pasa nada. Olvídalo. Es que estoy... un poco tensa.

Jack, que aún no se había calmado, se sentó y quiso pasarle un brazo por los hombros, pero ella se apartó.

—Espera un momento... Déjame que me acostumbre.

Jack retiró el brazo a toda prisa.

—Claro, claro.

Tanta solicitud emocionó a Corrie, que se sonó la nariz. Hubo un momento de silencio incómodo. Ninguno de los dos quería hacer la primera pregunta.

—Por mí te puedes quedar todo el tiempo que quieras —dijo finalmente Jack—. Sin preguntas. Absoluta libertad de movimientos. Mmm... ¿Tienes coche? Es que no he visto nada.

Corrie sacudió la cabeza. Después, aunque en el fondo no quisiera, añadió:

—Dicen que has atracado un banco.

Silencio sepulcral.

—Pues no —dijo él.

Corrie sintió enfriarse de inmediato algo en su interior. Ya le estaba mintiendo.

—No, en serio, no lo hice. Fue una trampa.

—Pero... huiste.

Jack se dio una palmada en la cabeza que hizo temblar el mechón.

—Sí, hui. Como un tonto de remate. Ya sé que es una idiotez, pero no fui yo. Créeme, por favor. Tienen montones de pruebas, pero eso es porque me engañaron. Lo que pasó...

—Espera. —Corrie levantó la mano—. Espera.

No quería oír más mentiras si es que lo eran.

Jack se quedó callado.

Corrie se bebió un buen trago de café. Sabía delicioso. Cogió otro donut y le dio un bocado a la masa blanda. «Vive el momento.» Intentó relajarse, pero no dejaba de pensar en la pregunta que de verdad quería hacer y había estado evitando, así que al final tragó lo que tenía en la boca y la hizo.

—¿Cómo es que tienes tantos paquetes y cartas en tu armario?

Jack se la quedó mirando.

—¿Los has visto?

—¿Qué pasó? ¿Por qué te fuiste de la noche a la mañana y... no llamaste nunca? Durante quince años.

Él la miró con una mezcla de sorpresa y de tristeza.

—Duette no dejaba que te llamase. Decía que no querías hablar conmigo, y yo... lo entendía, pero te mandaba algo prácticamente cada semana, Corrie. Regalos, siempre que me los podía permitir. Cuando te hiciste mayor intenté adivinar qué te gustaba. Barbies, libros infantiles... Siempre te mandaba algo para tu cumpleaños. Algo bonito. Y cuando no tenía dinero para mandarte regalos te escribía cartas. Debo de haber escrito mil. Te explicaba lo que hacía y cómo me iba la vida, y te daba consejos sobre la que me imaginaba que tendrías tú. Pero me lo devolvían todo, todo. Supuse que era culpa de Duette, o que se había cambiado de casa sin dejar la dirección.

Corrie tragó saliva.

—¿Y por qué seguías enviándome cosas si sabías que no iba a recibirlas?

Él bajó la cabeza.

—Porque tenía la esperanza de que algún día te lo podría dar yo mismo todo. Se podría decir que son como un diario, un diario de mi vida, y aunque suene raro, de la tuya tal como me la imaginaba. De cómo te hacías mayor. De tus intereses. De si habías empezado a salir con chicos. Y... —Hizo una pausa, avergonzado—. Tener cerca aquellas cartas y paquetes, aunque me los hubieran devuelto... Bueno, al cabo de un tiempo casi me daba la sensación de tenerte a mi lado. En persona. —Otra pausa—. ¿Sabes que siempre he esperado que escribieras?

Al ver el armario lleno de cartas y paquetes Corrie había supuesto (o esperado, mejor dicho) que la explicación fuera esa, pero lo que nunca se le había ocurrido era lo último: que durante todo el tiempo en que ella esperaba noticias de su padre él esperase noticias de ella.

—Según Duette, ella no querías pagarle la pensión, te habías ido a vivir con otra, eras incapaz de conservar un trabajo y te pasabas el tiempo bebiendo en los bares.

—Eso es todo mentira, Corrie; bueno, al menos... —Jack se sonrojó—. Sí es verdad que he pasado demasiado tiempo en bares. Y que ha habido... mujeres. Pero llevo nueve años sin beber. Y te aseguro que siempre que pude intenté pasaros la pensión. A veces no comía para mandarle a ella un cheque.

Corrie sacudió la cabeza. Pues claro que no era verdad lo que le había contado su madre todos esos años. ¿Cómo fue tan tonta como para creérselo? ¿Por qué confió en una mentirosa amargada y alcohólica como su madre? De repente se sintió horriblemente lerda y tonta. Y culpable, culpable de haber pensado mal sobre su padre durante quince años.

La emoción dominante, sin embargo, era el alivio.

—Lo siento —dijo.

—¿El qué?

—No haberme dado cuenta. Haber sido… tan pasiva.

—Tú eras una niña. No lo sabías.

—Ahora tengo veintiún años. Hace tiempo que me lo debería haber imaginado.

Jack le quitó importancia con un gesto de la mano.

—Agua pasada no rueda el molino.

A Corrie se le escapó una sonrisa.

—No mueve molino.

—Nunca se me han dado bien los dichos y refranes, aunque sí que tengo una filosofía de vida, y es de las buenas.

—¿Cuál es?

—Perdonárselo todo a todo el mundo.

Corrie no estaba muy segura de que su filosofía fuera a ser la misma. En absoluto.

Jack se acabó la taza, se levantó y cogió el cazo.

—¿Más café?

—Sí, por favor.

Llenó las dos tazas y se sentó.

—Corrie, lo que sí quiero contarte es lo del supuesto atraco al banco. Fue una trampa de alguien del trabajo, no sé quién. Estoy casi seguro de que tenía algo que ver con que estafaban a los clientes y les cobraban demasiados intereses. Es como ganan dinero, ¿sabes? Con la financiación. El problema es que lo hacen todos. Menos uno, Charlie, la única buena persona que había.

—Pero tú huiste —volvió a decir Corrie.

—Ya lo sé. Siempre he hecho tonterías, cosas impulsivas. Pensé que podía esconderme aquí mientras averiguaba la verdad, pero, claro, aquí no tengo ni teléfono, y el móvil lo tuve que tirar porque lo habrían usado para seguir mi pista. De modo que ahora no tengo ninguna manera de investigarlo, y al huir he dado la impresión de tener toda la culpa. No me puedo mover de aquí.

Corrie lo miró, deseaba creérselo.

—Yo sí que me puedo mover —dijo—. Podría investigar.

—¡Venga ya! —dijo él, riéndose—. ¿Tú? Pero si no tienes ni idea de lo que es ser detective.

—¿Ah, no? Pues para que lo sepas estoy estudiando criminología en el John Jay College of Criminal Justice, saco excelentes y en Medicine Creek le hice de ayudante a uno de los mejores agentes del FBI de todo el país en un caso famoso de asesinatos en serie.

Jack abrió mucho los ojos.

—Oh, no... ¿Mi hija en la pasma?

Apareció tan de improviso en la entrada del cubículo de Madeleine Teal que le hizo dar literalmente un salto. Era un hombre muy raro: vestido de negro, con la cara blanca, los ojos grises y un aura de inquietud lindante con la agitación.

—¡Pero qué susto me ha pegado! —dijo ella, llevándose una mano a su opulenta pechera—. ¿Quería algo?

—Vengo a buscar al doctor Heffler.

Qué manera tan rara de decirlo, y más en alguien con tanto parecido con la propia muerte… Aunque también tenía una voz meliflua y un encantador acento sureño, y a Teal, que era del Medio Oeste, aún le daban dentera los múltiples acentos neoyorquinos.

—¿Estaba citado? —preguntó.

—El doctor Heffler es un viejo amigo.

«Un viejo amigo.» Sin saber muy bien por qué, sonaba mal. Nadie habría usado la palabra «amigo» para describir al doctor Wayne Heffler, que al parecer de Teal era un imbécil pretencioso, condescendiente y con falsas ínfulas de clase alta. Teal llevaba mucho tiempo trabajando, y había conocido a muchos Heffler, pero a ninguno tan malo como Wayne, el tipo de persona cuyo máximo placer consistía en revisar el trabajo de sus subordinados con el único objetivo de encontrar defectos y resaltarlos ante el mayor número posible de personas, mientras él descuidaba su trabajo y dejaba que los demás se afanasen en sacarle las castañas del fuego a sabiendas de que si pasaba algo, o hubiera algún descuido, la culpa se la llevarían ellos.

—¿Cómo se llama?

—Agente especial Pendergast.

—Ah... ¿Como los del FBI?

En la cara del agente especial apareció una sonrisa de lo más inquietante, mientras una de sus manos marmóreas se deslizaba por el interior de su chaqueta y extraía una cartera, que abrió para mostrar una placa y una identificación. La cerró suavemente y la introdujo de nuevo entre la lana negra. A Madeleine Teal no le desagradó la expectación que sentía al pulsar el botón del interfono y coger el auricular.

—Doctor Heffler, pregunta por usted un agente del FBI que se llama Pendergast. No está citado. Dice que lo conoce.

Una breve pausa.

—¿Ha dicho Pendergast?

—Sí, doctor.

—Pues que pase.

Teal colgó.

—Puede pasar.

El agente, sin embargo, no se movió.

—Que salga el doctor Heffler.

Eso ya era otra cosa. Teal volvió a coger el teléfono.

—Quiere que salga usted.

—Pues dile al muy hijo de puta que si quiere verme estoy dentro, en mi despacho. Si no le dices que se vaya.

Teal sintió un ligero estirón. El brazo de Pendergast había ascendido con sigilo hasta apoderarse suavemente del teléfono.

—¿Me permite?

Lo soltó. Nadie la acusaría de oponer resistencia a un agente del FBI.

—¿Doctor Heffler? Soy el agente Pendergast.

Teal no oyó la respuesta, pero los trinos como de grillo que se filtraban por el auricular indicaban cierta exaltación. Heffler estaba discutiendo.

«Esto va a ser bueno», pensó Madeleine Teal.

El agente del FBI escuchó pacientemente antes de contestar.

—Vengo a buscar los resultados de ADNmt del Asesino de los Hoteles.

Más trinos irritados por el auricular.

—Es una lástima. —El agente se giró y sonrió a Teal al devolverle el teléfono. Esta vez su sonrisa parecía sincera—. Gracias.

Bueno, ¿por dónde se va al laboratorio donde hacen las pruebas de ADNmt?

—Por el pasillo, a la derecha, pero… está prohibido ir sin acompañante —dijo ella, bajando la voz.

—No, si iré acompañado: me acompañará el doctor Heffler. Dentro de poco, al menos.

—Pero…

Pendergast, no obstante, había sacado su teléfono móvil. Hizo una llamada al salir por la puerta, girar a la derecha y enfilar el pasillo. En cuanto se perdió de vista empezó a sonar el teléfono de Madeleine Teal, que lo cogió.

—Con el doctor Heffler, por favor —dijo una voz—. Soy el mayor Starke.

—¿El mayor Starke? —Increíble. Era él de verdad. Llamaba personalmente—. Sí, señor, un momentito.

Pasó la llamada, que no duró más de medio minuto. Acto seguido Heffler salió de su despacho con la cara roja.

—¿Adónde ha ido?

—Por el pasillo, hacia el laboratorio. Ya le he dicho que…

Pero Heffler ya había salido disparado en la misma dirección, correteando con muy poca dignidad. Teal nunca lo había visto tan disgustado y asustado, y para ser sincera consigo misma, disfrutó de lo lindo.

El Rolls-Royce frenó ante la puerta cochera de la mansión de Riverside Drive 891. El agente Pendergast se apeó de inmediato con una fina carpeta bajo el brazo. El día tocaba a su fin. El viento frío que soplaba desde el río Hudson se colaba en su traje y alborotaba su pelo rubio claro. Corrían hojas secas por el suelo. Mientras revoloteaban en torno a la mansión, la puerta de roble macizo se abrió y engulló la oscura silueta del agente.

Después de un recorrido rápido por los pasillos en penumbra, llegó a la biblioteca. Seguía desordenada, con montones de papeles en la mesa larga y algunos por el suelo. La parte de la estantería bajo la que se ocultaba el monitor permanecía abierta. Procedió con rapidez hasta el fondo de la biblioteca, donde un raudo giro de muñeca junto a un mecanismo invisible hizo bascular otra porción de estanterías, dejando a la vista un pequeño espacio de trabajo con ordenador y monitor. Empezó a teclear sin molestarse en tomar asiento. La pantalla se encendió. Pendergast sacó un CD de la carpeta, y con las prisas se le cayeron varios papeles. Introdujo el disco en el ordenador y pulsó el teclado con nuevos comandos hasta llegar a una pantalla de registro. Una vez introducida la contraseña, apareció una página de bienvenida en austero blanco y negro:

DOCTOR'S TRIAL GROUP
BASE DE DATOS DE ADNmt

Haplogrupos mitocondriales del Homo sapiens
Polimorfismos y mutaciones

ESTA BASE DE DATOS ES CONFIDENCIAL
QUEDA RIGUROSAMENTE PROHIBIDO SU USO
SIN AUTORIZACIÓN

Más ráfagas en el teclado, hasta que la pantalla alumbró una rueda que giraba. Poco después apareció un resultado, uno solo, y pequeño. Pendergast, que seguía en pie, se lo quedó mirando no menos de cinco segundos… y perdió el equilibrio. Dio un paso atrás, se tambaleó un momento y cayó sin ceremonias de rodillas.

27

El agente especial Pendergast entró en su apartamento del Dakota, se paró indeciso en el recibidor y oyó susurrar el agua en la piedra. Al cabo de un rato se acercó a un pequeño cuadro de Monet y lo movió a ambos lados como si lo pusiera recto, a pesar de que la pintura ya estuviese perfectamente alineada con la pared de color rosa. A continuación se aproximó a un bonsái retorcido, cogió unas pequeñas podaderas de artesanía situadas en la mesa de al lado y cortó con pulcritud algunos brotes nuevos. Al hacerlo su mano tembló un poco.

Seguidamente dio un paseo inquieto por la habitación, deteniéndose para reordenar los pétalos de loto que flotaban en la base de la fuente.

Tenía que hacer algo, pero la idea de hacerlo era casi intolerable.

Finalmente se acercó a la puerta lisa que llevaba al resto del apartamento. La abrió y cruzó el pasillo, dejando varias puertas atrás. Saludó con la cabeza a la señorita Ishimura, que descansaba en la sala de estar leyendo un libro en japonés, y no tardó en llegar al fondo del corredor, que giraba noventa grados hacia la derecha. Pendergast abrió la primera puerta a mano izquierda después del recodo y entró en una habitación.

Las estanterías de caoba que cubrían hasta el techo las paredes de ambos lados contenían libros de los siglos XVIII y XIX encuadernados en piel. La tercera pared, la del fondo, presentaba un profundo receso de caoba pulido, con dos banquetas y cojines de felpa. Entre los dos taburetes había un ventanal con vistas al cruce de Central Park Oeste y la calle Setenta y dos. Más allá se extendía

Central Park, vasto, con árboles desnudos recortados en un sol invernal.

Cerró los ojos, relajó su cuerpo y reguló cuidadosamente su respiración. Poco a poco se empezó a disipar toda existencia externa: primero la sala, luego el apartamento, después el edificio y por último la ciudad y el resto del mundo, en un círculo expansivo de olvido voluntario. El proceso tardó un cuarto de hora en completarse. Al final Pendergast quedó flotando en una negra oscuridad, en espera del vacío y la calma absolutos. Cuando alcanzó este estado abrió los ojos lentamente (no en sentido físico, sino mental), muy despacio.

La habitación se reveló en toda su pequeña y detallada perfección, pero seguía vacía.

Pendergast no se permitió el lujo de la sorpresa. Estaba muy versado en el arte del Chongg Ran, una antigua disciplina mental del Himalaya que había tardado años en dominar. Rara vez dejaba de alcanzar el *stong pa nyid*, el estado del puro vacío. Estaba claro que en algún lugar de su cerebro se ocultaba alguna resistencia.

Tendría que invertir más tiempo, mucho más.

Acompasó de nuevo su respiración y redujo su frecuencia cardíaca a cuarenta latidos por segundo, vaciando su mente para silenciar la voz interna, prescindir de esperanzas y deseos y olvidar incluso el objetivo que lo traía a aquella habitación. Volvió a demorarse largo rato en el vacío, ingrávido. Después, infinitamente más despacio esta vez, empezó a construir en su cerebro un modelo perfecto de la isla de Manhattan, comenzando por su apartamento. Procedió primero por habitaciones, después por edificios y, por último, escrupulosamente, por manzanas. Nadie entre los vivos conocía mejor que él la topografía de Manhattan. Se permitió entretenerse en cada edificación, cruce y punto de ignoto interés arquitectónico, siguiendo un armonioso trenzado mental de memoria y reconstrucción que lo llevaba a ensamblar todos los detalles hasta obtener un conjunto y retenerlo íntegramente en su cabeza. La gran construcción mental se fue creando paso a paso y creció hasta quedar delimitada por el Hudson al oeste, el Harlem al este, Battery Park al sur y Spuyten Duyvil al norte. En el transcurso de un momento extremadamente largo tuvo la isla entera en la cabeza, con la coexistencia simultánea de todos sus pormenores en la reconstrucción mental. Solo entonces, una vez que estuvo seguro de su perfección, la vaporizó en un gesto mental que duró un segundo. Desaparecida. Extinta. Nada quedaba salvo oscuridad.

Volvió a abrir los ojos mentalmente. Habían pasado cinco horas, y en el otro asiento, junto a la ventana, estaba Helen Esterhazy. De entre todas las habitaciones del apartamento del Dakota la favorita de Helen había sido aquella. Helen no sentía un especial cariño por Nueva York, y aquel pequeño estudio, acogedor por sus libros, su olor a madera bruñida y su panorama de todo Central Park, constituía su refugio personal.

La presencia de Helen no era literal, por supuesto, pero sí existía en los demás aspectos: de aquella construcción mental formaba parte todo lo que tuviera algo que ver con ella en el cerebro de Pendergast, incluido el menor de los detalles, hasta el punto de que podía decirse que Helen había adquirido una existencia casi autónoma.

Tal era la belleza y el poder del Chongg Ran.

Helen juntaba las manos en el regazo. Llevaba un vestido del que Pendergast se acordaba muy bien: raso negro con un bordado de color coral claro en el escote, de corte bajo. Era una Helen más joven, aproximadamente de la misma edad que en el momento del accidente de caza.

«Accidente.» Lo irónico era que lo había sido, pero no en el sentido que había creído él durante tantos años.

—Helen —dijo Pendergast.

Ella levantó un momento la vista y lo miró a los ojos. Sonrió y volvió a mirar hacia abajo. La sonrisa hizo que Pendergast se estremeciese de dolor y pena. La escena tembló y estuvo a punto de desvanecerse. Pendergast esperó a que se estabilizase, y a que su corazón volviera a latir más despacio.

—Hay un asesino en serie suelto en la ciudad —dijo. Oyó flaquear su propia voz, cuya formalidad poco tenía que ver con las conversaciones habituales con su esposa—. Ha matado tres veces y siempre deja un mensaje. El segundo era «Cumpleaños feliz».

Silencio.

—Este segundo asesinato se produjo el día de mi cumpleaños. Por eso, y por determinados elementos de los crímenes, empecé a sospechar que el autor era mi hermano Diógenes. Así pareció confirmarlo la comparación que establecí entre mi ADN y el del asesino, y el descubrimiento de que existía un estrecho parentesco, suficiente para corresponder a dos hermanos.

Dejó de hablar y observó el efecto de sus palabras en su esposa. Helen, sin embargo, siguió mirándose las manos, juntas en el regazo.

—Pero ahora también he consultado los resultados de ADNmt y me han revelado algo más. El asesino no está emparentado solo conmigo. También lo está contigo.

Helen levantó la vista. No podía hablar, o no quería.

—¿Te acuerdas de tu viaje a Brasil? Fue más o menos un año antes de que nos casáramos, y estuviste mucho tiempo fuera, casi cinco meses. Entonces me dijiste que era una misión para Médicos con Alas, pero era mentira, ¿verdad? Lo cierto era que... fuiste a Brasil para dar a luz en secreto. A nuestro hijo.

Las palabras quedaron en el aire. Helen sostuvo su mirada con expresión de angustia.

—Hasta creo saber cuándo fue concebido. Fue la primera vez que vimos salir la luna, dos semanas después de conocernos. ¿Verdad que sí? Y ahora... ahora te has ido y has dejado que me enfrente yo solo al hecho de que no solo tengo un hijo a quien no conozco ni he visto nunca, sino que ese hijo es un asesino en serie.

Helen volvió a bajar la vista.

—También he visto documentos que indican que tu familia, incluidos tú misma y tu hermano Judson, participó en experimentos de eugenesia cuya historia se remonta al régimen nazi. Brasil, John James Audubon, Mengele y Wolfgang Faust, Longitude Pharmaceuticals, la Alianza, *Der Bund*... Es una larga y desagradable historia que solo empiezo a reconstruir. Una vez, no mucho antes de morir, Judson me explicó una parte. Dijo: «Me he convertido en aquello para lo que nací. Nací en ello... y eso es algo que escapa a mi control. Si supieras el horror al que Helen y yo nos vimos sometidos, lo comprenderías».

Hizo una pausa y tragó saliva.

—Pero la verdad es que no lo entiendo. ¿Por qué te escondiste tanto tiempo de mí, Helen? Tu embarazo, nuestro hijo, el pasado de tu familia, el horror del que habló Judson... ¿Por qué no dejaste que te ayudara? ¿Por qué me tuviste alejado tantos años de mi hijo? Es posible que al hacerlo permitieras que se convirtiese... en lo que es hoy. Seguro que sabes que estas tendencias son una veta oscura que ha existido en mi familia durante generaciones. La verdad es que no lo mencionaste nunca hasta lo último que me dijiste antes de morir: «Va a venir».

Helen no quiso mirarlo. Abría y cerraba las manos en el regazo.

—Me gustaría pensar que no fuiste cómplice en la muerte de tu hermana, o que a lo sumo lo fuiste de manera tangencial. También me gustaría pensar que Emma Grolier, como la llamaban, ya estaba muerta, víctima de una clemente eutanasia, cuando te enteraste del plan. Te puedo asegurar que así lo espero. Está claro que te habría facilitado aceptar el plan.

»Pero ¿por qué tuvo que morir por ti? Le he estado dando vueltas mucho tiempo y creo entender lo que ocurrió. Una vez que estuviste al corriente de la tragedia de la familia Doane, y de la crueldad con la que fueron utilizados, debiste de amenazar a Charles Slade y Longitude (y por extensión a *Der Bund*) con revelar la existencia del fármaco de Audubon. Entonces se tomó la decisión de matarte para que no hablaras. ¿Correcto?

Ahora a Helen le temblaban las manos.

—Encomendaron la misión a Judson, tu propio hermano, pero fue incapaz, y seguro que el encargo precipitó su ruptura secreta con la Alianza. En vez de matarte ideó una manera, muy alambicada, de conservarte la vida. Sabía que tu hermana gemela minusválida padecía una enfermedad terminal. Hasta hoy mismo no he podido averiguar esa parte de su historial médico en los archivos públicos. En consecuencia organizó el accidente de caza con el León Rojo, pensando sustituir tu cadáver por el de tu hermana gemela. Explicó a sus guardianes que tu escopeta tenía cartuchos de fogueo, y les dijo que tú encabezarías la partida de caza. Con eso *Der Bund* se dio por satisfecho. Encontró un león que te arrastrase sin hacerte daño, pero que también se ensañase con el cadáver de tu hermana cuando se lo ordenaran. Y no te explicó el plan hasta la noche anterior, ¿verdad? Por eso aquella última velada en África estabas tan taciturna. Judson estaba cerca del campamento con los domadores del león y el cadáver de Emma, que acababa de morir. Te llamó y te explicó el ardid. Lo que ocurre es que no salió exactamente como estaba pensado. El león no se ciñó del todo al plan, y tú perdiste una mano al ser arrastrada por él. Menos mal que justo después el cadáver de tu hermana fue devorado en grado suficiente para que Judson pudiera dejar tu propia mano (y el anillo) como prueba adicional de tu muerte. Válgame Dios, qué presencia de ánimo…

Pendergast sacudió amargamente la cabeza.

—Y qué diabólica complicación la de su estratagema… Pero tenía que ser un plan muy complicado, para no despertar mis sospechas. Si lo ocurrido no hubiera parecido fortuito de principio a fin, yo no habría descansado hasta averiguar la verdad. Como no descanso ahora.

Un momento de terrible silencio.

—Pero ¿por qué no acudiste a mí aquella noche en el campamento si era lo más fácil? ¿Por qué no te dejaste ayudar? ¿Por qué me excluiste, por qué?

Pendergast hizo una pausa.

—Hay otra cosa, algo que tengo que saber. ¿Me quieres, Helen? ¿Me has querido alguna vez? Yo, en mi corazón, siempre sentí que sí, pero ahora, al enterarme de todo… ya no puedo estar seguro. Me gustaría creer que solo me conociste para poder consultar los archivos de Audubon, pero que después te enamoraste inesperadamente de mí. Me gustaría creer que tu embarazo fue un error, pero ¿me equivoco al pensarlo? ¿Y si nuestra boda solo fue una artimaña? ¿Fui un títere inconsciente de algún plan cuya extensión todavía no comprendo del todo? Dímelo, Helen, por favor. No saberlo es… una especie de agonía.

Helen siguió guardando un mutismo absoluto. Se le formó una sola lágrima en un ojo y le rodó por la mejilla. Fue una especie de respuesta.

Pendergast esperó durante mucho tiempo, mirándola. Después, con un suspiro casi imperceptible, cerró los ojos. Cuando los abrió de nuevo, el único ocupante de la habitación volvía a ser él.

Y justo entonces, en la parte delantera del apartamento, oyó un grito en sordina.

28

Pendergast se levantó como un resorte, salió de la sala de lectura y corrió por el pasillo hacia el recibidor, siguiendo el grito. Al acercarse oyó más alboroto: varias voces que se sobreponían con potencia a las protestas agudas e ininteligibles de la señorita Ishimura y con el ruido de alguien que gruñía y farfullaba.

Al cruzar la puerta lisa y entrar en el recibidor se encontró con algo insólito: un portero y el jefe de seguridad del Dakota, un tal Franklin, sujetaban a un joven flaco, poco más que un niño, con pantalones vaqueros y una camisa de trabajo rota. Tenía el pelo enredado, todo el cuerpo manchado de hollín y apestaba. Llevaba un vendaje ensangrentado en una oreja, y vendas sucias en una mano y un pie. Saltaba a la vista que estaba fuera de sí. Casi no se tenía en pie, ponía los ojos en blanco y murmuraba incoherencias.

Pendergast se volvió hacia el jefe de seguridad.

—Pero ¿qué está pasando aquí?

—Lo siento, señor Pendergast, pero es que a este chico lo han herido y no está bien.

—Ya lo veo, pero ¿por qué lo traen aquí?

El jefe de seguridad puso cara de perplejidad.

—¿Perdón?

—Señor Franklin, ¿por qué ha traído a este chico justo aquí, a mi apartamento? Adonde tiene que ir es a un hospital.

—Ya lo sé, señor, pero al ser hijo suyo...

—¿Hijo mío?

Pendergast miró con la mayor de las sorpresas al desharrapado muchacho.

El jefe de seguridad se calló. El pánico tiñó sus siguientes palabras.

—Al oír lo que decía he dado por supuesto... —Volvió a titubear—. Espero no haber hecho nada grave trayéndolo aquí...

La mirada de Pendergast seguía tan fija como antes. Interrumpidas todas sus funciones mentales, lo avasallaba una impresión de irrealidad, como si de repente el mundo se hubiera vuelto plano, de dibujos animados. Las facciones del muchacho (pelo de color rubio claro bajo la capa de hollín, ojos de azul plateado, rostro estrecho, aristocrático) no hicieron más que agravar su sensación de estupor paralizante. No podía moverse, hablar ni pensar. Sin embargo, todos esperaban algún acto o palabra de confirmación o de rechazo.

Un gemido del muchacho rompió el silencio y pareció sobresaltar a Franklin.

—¿Señor Pendergast?

El jefe de seguridad seguía sujetando el brazo del muchacho, al igual que el portero.

Fue como si se solidificase otro largo silencio, mientras todos seguían a la espera y el murmullo de la cascada al deslizarse por el mármol adquiría una fuerza inusitada.

Al final fue la menuda señorita Ishimura quien reaccionó. Se acercó a Franklin e hizo varios aspavientos. Eran gestos muy claros: el personal de seguridad debía llevar al muchacho al sofá de piel del centro de la sala. Así lo hicieron. Mientras lo colocaban boca abajo, la señorita Ishimura trajo un cojín y se lo puso bajo la cabeza. El movimiento pareció sacar de su estupor al joven. Desde ahí, tendido, recorrió la sala con la vista... hasta clavarla en Pendergast.

Levantó la cabeza. Sus ojos claros brillaron al mirarlo fijamente.

—Padre... —jadeó en un inglés con mucho acento—. Escóndeme...

Incluso un esfuerzo tan pequeño pareció dejarlo exhausto. Su cabeza se cayó hacia atrás, mientras su vista se desenfocaba y sus labios se movían para murmurar algo ininteligible.

Pendergast parpadeó, y se le aclaró un poco la vista. Sus ojos, ahora muy oscuros, se centraron de nuevo en el muchacho, mientras su poder de observación se abría a una larga serie de pequeños detalles: la ubicación de los vendajes, la estatura, constitución física, porte y rasgos faciales del joven... A medida que se disolvía el bloqueo mental fue calando en su conciencia toda la magnitud de lo que estaba viendo: el parecido con Diógenes, pero sobre todo con él mismo y Helen. También empezaron a repetirse en su cerebro, sin haber sido invocadas, las grabaciones de seguridad que había visionado una y mil veces.

Se le formó una frase en la cabeza: «Es mi hijo, el Asesino de los Hoteles».

—Señor Pendergast —dijo Franklin—, ¿qué hacemos? ¿Avisamos a la policía? Este chaval necesita atención médica.

«Mi hijo, el Asesino de los Hoteles.»

La realidad volvió en un fogonazo deslumbrante. De pronto Pendergast fue todo acción: corrió junto al muchacho, se puso de rodillas, le cogió la mano (que quemaba) y buscó su pulso: rápido y superficial. Tenía mucha fiebre y deliraba. Probablemente se le estuvieran infectando las autoamputaciones.

Acto seguido, Pendergast se levantó y se giró.

—Gracias, señor Franklin —dijo con rapidez—. No hace falta llamar a la policía. Ha hecho usted bien. Ahora mismo aviso a un médico.

—De acuerdo, señor.

Franklin y el portero salieron del apartamento.

Pendergast se volvió hacia su ama de llaves, que observó sus labios con atención.

—Señorita Ishimura, por favor, tráigame vendas, un barreño de agua muy caliente, crema antibiótica, toallas de manos y tijeras, y llévelo todo a la habitación interior.

La señorita Ishimura se marchó. Pendergast deslizó los brazos por debajo del muchacho y lo izó. Su delgadez era impactante. Tras llevárselo a la parte interna del apartamento, lo depositó en la cama de un dormitorio fresco y en desuso que daba al patio interior del Dakota. El muchacho empezó a divagar entre fuertes temblores. Pendergast le quitó (y en caso de necesidad cortó) la ropa sucia y a continuación inspeccionó las heridas, empezando por la de la oreja. Faltaba el lóbulo. La coincidencia con el del pedazo aparecido en el primer cadáver era obvia. La herida presentaba mal aspecto, con infección incipiente. Peor era el estado del dedo cortado: se veía la punta del hueso. El dedo amputado del pie se había abierto y sangraba mucho. El joven daba la impresión de haber caminado una larga distancia con el pie lesionado.

La señorita Ishimura apareció con el barreño y una toalla de manos. Pendergast limpió la cara al joven.

—Padre… —dijo—. Ayuda…

—Estoy aquí —dijo Pendergast—. Tranquilo, ya no corres peligro.

Se le quebró la voz. Aclaró la toalla y le secó la cara. La señorita Ishimura volvió con una bandeja de vendas, antibióticos y otros productos médicos.

—No ha sido culpa mía… *bitte, mein Gott, bitte*, no me dejes solo…

Pendergast lavó con suavidad el dedo afectado, limpió la herida, aplicó ungüento antibiótico y colocó una nueva venda. Después se concentró en el dedo del pie, que era lo que estaba en peores condiciones. No consiguió detener la hemorragia. Aun así lo lavó y lo vendó, envolviéndolo en gasa. Mientras tanto el muchacho gemía y se revolvía inquieto, murmurando sin cesar:

—No ha sido culpa mía…

Al terminar, Pendergast se levantó. Durante un momento todo le dio vueltas. La señorita Ishimura lo sujetó y se lo llevó al pasillo como a un niño, mientras le hacía señas de que ya se encargaba ella de todo, de que no se preocupara más por el muchacho y se fuera a descansar.

Él asintió sin decir nada y fue por el pasillo hacia el estudio. Cerró la puerta y se apoyó un instante en ella para serenarse y tratar de ordenar sus ideas. Al llegar a su sillón preferido, se sentó, cerró los ojos e hizo un esfuerzo supremo de voluntad por controlar sus emociones desatadas.

Poco a poco consiguió recuperar la frecuencia normal de su pulso y su respiración.

Era un problema como cualquier otro, y como tal había que planteárselo: como un problema.

«Mi hijo, el Asesino de los Hoteles.»

Cogió el teléfono y marcó un número.

—¿El doctor Rossiter? Soy Aloysius Pendergast. Necesito una visita a domicilio en mi apartamento del Dakota. Un joven enfermo, con varias heridas abiertas por amputación de dedos. Se precisa cirugía. Le pido, como siempre, que dispense sus servicios con total discreción.

29

La capitana Laura Hayward recorría decidida el pasillo central del colegio público 32 en dirección al auditorio. Aquel otoño se había caracterizado por un rosario de delitos contra indigentes (palizas, robos y hasta un caso en que un grupo de adolescentes alborotadores había prendido fuego a un vagabundo en Riverside Park), y el comisario jefe había encargado a Hayward que concienciase a los escolares sobre la dura situación de los indigentes y lo que significaba de verdad vivir en la calle. «Los sin techo también son personas», era el mensaje que tenía que comunicar. En las últimas semanas había hablado en media docena de colegios, con una acogida gratificante. Tenía la sensación de estar cambiando de verdad las cosas. Disfrutaba haciéndolo, y sabía mucho sobre el tema. Su tesina de máster había versado sobre la estructura social de una comunidad de indigentes que vivía en el subsuelo de Nueva York. Hayward los había observado durante meses, viviendo como ellos, escuchando sus problemas e intentando entender sus historias, motivaciones y retos. Durante los últimos años había estado demasiado ocupada con el trabajo normal de policía para sacar mucho partido a su máster en sociología, pero ahora parecía la preparación perfecta para lo que estaba haciendo.

Al doblar la esquina se llevó la sorpresa de topar con D'Agosta, que iba en sentido contrario.

—¡Vinnie! —dijo. Se abstuvo de darle un beso porque estaban de servicio—. ¿Qué haces aquí?

—Pues la verdad es que buscarte —dijo él—. Estaba por el barrio. Tenemos que hablar de una cosa.

—¿Por qué no podíamos hablar durante el desayuno? —preguntó ella.

D'Agosta parecía preocupado, y con cierto sentimiento de culpa. Algo le rondaba la cabeza. Hacía unos cuantos días que Hayward lo notaba, pero en esas cosas no podía presionarlo; había que esperar a que estuviera dispuesto a sincerarse. Entonces había que aprovechar la ocasión antes de que se arrepintiera.

Echó un vistazo a su reloj.

—La presentación es dentro de diez minutos. Ven, hablaremos en el auditorio.

D'Agosta la siguió por el pasillo y una doble puerta. Al otro lado había un espacio de los años cincuenta, con galería y escenario ancho, que a Laura le recordó el auditorio de su instituto, con sus reuniones de animadoras, sus simulacros de accidente nuclear y sus sesiones de cine para todo el colegio. Ya estaba medio lleno de alumnos, sentados en las últimas filas.

—Bueno, a ver —dijo girándose hacia D'Agosta—, ¿qué ocurre?

Él tardó un poco en hablar.

—Es Pendergast —dijo finalmente.

—¿Por qué será que no me sorprende?

—Me tiene muy preocupado. Sale de una racha que no podría haber sido peor, y ahora actúa de un modo extraño, incluso para él.

—Cuéntame qué pasa —dijo Hayward.

—Después de la muerte de su mujer se recluyó en su apartamento, y estoy casi seguro de que se automedicaba. No sé si me entiendes: cosas duras.

—¿Como cuáles?

—No sé qué se metía exactamente, pero a mí me dio la angustiosa sensación de que era una forma calculada de autodestrucción, los preparativos de un suicidio. Siguiendo tu consejo le entregué el informe del caso del Asesino de los Hoteles para que le diera algunas vueltas, y… y parece que lo haya desquiciado por completo. Ha pasado de estar totalmente apático a obsesionarse con la investigación. Se presentó en el lugar del tercer crimen, consiguió acreditarse y ahora se ha convertido en la cruz del agente Gibbs. Te digo que tarde o temprano habrá un choque de trenes. Yo estoy convencido de que es porque Pendergast está tan destrozado que se dedica a fastidiar a Gibbs. No es la primera vez que lo veo chinchar a alguien, ni acosarlo, pero hasta ahora siempre había un motivo.

—Vaya por Dios... A ver si al final mi idea no habrá sido tan buena...

—Aún no te he dicho lo peor.

—¿Qué es?

—Su teoría del crimen. Estrambótica, por decirlo suavemente.

Hayward suspiró.

—Cuéntamela.

Otro titubeo.

—Según Pendergast, el Asesino de los Hoteles es su hermano Diógenes.

Hayward frunció el entrecejo.

—Yo creía que Diógenes estaba muerto.

—Es lo que pensaba todo el mundo. La cuestión es que Pendergast no quiere explicarme por qué cree que el asesino es su hermano. Parece tan descabellado... Tengo miedo de que la muerte de su mujer le haya hecho perder la chaveta.

—¿En qué pruebas se basa?

—Que yo sepa en ninguna, o en todo caso no me lo ha explicado, aunque yo sinceramente no las veo. El modus operandi es muy distinto. No hay ningún vínculo entre el caso y su hermano. Encima, si echas un vistazo a las bases de datos ves que su hermano sí que desapareció y se le da por muerto. Es una locura.

—¿Y a Singleton qué le parece la teoría?

—Esa es otra. —D'Agosta bajó la voz, aunque estuvieran solos al fondo del auditorio—. Pendergast no quiere que le explique a nadie su teoría. No se la puedo mencionar a Gibbs, ni a Singleton ni a nadie.

Hayward lo miró y abrió la boca para decir «¿por qué no me lo habías dicho antes?», pero se lo pensó mejor. D'Agosta parecía tan angustiado... Además, la cuestión era que se lo había contado, y ahora era evidente que buscaba su consejo. Por si fuera poco, irónicamente la idea de incorporar a Pendergast a la investigación había salido de ella.

—El caso es que me consta que si hubiera datos que indicasen que podría ser Diógenes, por disparatados que parezcan, tanto él como yo tendríamos la obligación de revelarlos. Siempre existe la posibilidad de que contribuyan a la investigación. Lo que ocurre es que… se lo he prometido. —D'Agosta sacudió la cabeza—. Dios, lo cierto es que estoy hecho un lío.

Ella le cogió la mano suavemente.

—Vinnie, tu deber es facilitar todas las pruebas y datos, hasta los más descabellados. Eres el jefe de brigada.

D'Agosta no contestó.

—Ya sé que Pendergast es amigo tuyo y que ha pasado momentos durísimos, pero aquí no se trata de amistad, ni siquiera de lo que te conviene a ti a nivel profesional; se trata de coger a un asesino peligroso que probablemente vuelva a matar. Vinnie, tienes que actuar correctamente. Si es verdad que Pendergast tiene datos concretos se los tienes que sacar, y una vez que los tengas tienes que darlos. Así de simple.

D'Agosta miró el suelo.

—En cuanto a su relación con Gibbs, eso ya es cuestión del FBI. Que lo resuelvan ellos, ¿vale? —Hayward apretó su mano con más fuerza—. Bueno, oye, tengo que dar la charla. Ya seguiremos hablando esta noche.

—Vale.

La capitana reprimió las ganas de darle un beso y se levantó. Al mirarlo por última vez antes de ir hacia el podio quedó consternada al verlo tan indeciso como antes.

30

Era mediodía. El médico había acudido y se había ido. La habitación estaba silenciosa, oscura. El muchacho, bañado y limpio de hollín, dormía con las cortinas echadas. En un rincón de la sala, pequeña y austera, había alguien sentado en la penumbra, alguien que no se movía, y cuyo rostro pálido flotaba en la oscuridad como una aparición fantasmal.

El muchacho se movió y se giró, suspirando. Llevaba dieciocho horas de sueño. Tenía una mano encima de la sábana, con un grillete y una cadena sujeta al bastidor metálico.

Después de otro suspiro, algo brilló en la oscuridad: un ojo abierto. El muchacho se volvió a girar, inquieto, y al final levantó la cabeza. Miró a su alrededor y se fijó en la silueta del rincón.

Se miraron mucho tiempo en la penumbra, hasta que él susurró algo.

—¿Agua?

La otra persona se levantó en silencio, salió de la habitación y regresó con un vaso de agua y una caña. Cuando el muchacho quiso cogerlo, la cadena detuvo el movimiento de su brazo. La miró con sorpresa, pero no dijo nada. Pendergast le sostuvo el vaso. Él bebió.

Al acabar apoyó otra vez la cabeza en la almohada.

—Gracias.

Su voz era débil, pero ya no deliraba. Su cerebro había vuelto a la racionalidad. La fiebre había bajado por efecto de los antibióticos. Al parecer le había sentado bien dormir tanto.

Siguió otro largo silencio, hasta que el chico alzó la muñeca donde llevaba la cadena.

—¿Por qué? —preguntó.

—Ya lo sabes. Lo que quiero saber yo es… por qué has venido.

—Porque… eres Padre.

—Padre —repitió Pendergast, como si desconociera la palabra—. ¿Y tú cómo lo sabes?

—Oí… que hablaban. De ti. Pendergast. Mi padre.

Pendergast no contestó. Al final el muchacho se movió otra vez en la cama.

—¿Saben… que estoy aquí?

Titubeaba al hablar, con un acento extraño, parcialmente alemán pero endulzado por la sonoridad meliflua de una entonación parecida al portugués. Limpia, su cara era tan pálida y tan fina que se le traslucían venas azules. Sus ojeras parecían cardenales, y el pelo se le pegaba a la cabeza a causa del sudor.

—Si te refieres a la policía —dijo Pendergast con una voz glacial—, yo no la he informado. Todavía.

—No, la policía no… —dijo el muchacho—. Ellos.

—¿Ellos?

—Los otros. Mi… mi hermano.

Sus palabras fueron acogidas por un profundo silencio, hasta que Pendergast contestó en un tono peculiar.

—¿Tu hermano?

El muchacho tosió y trató de incorporarse.

—Más agua, por favor.

Tras quitarse la pistola de calibre 45 y dejarla fuera del alcance del muchacho, Pendergast se acercó, lo ayudó a apoyarse en el cabezal con unos cuantos cojines y le dio otro sorbo de agua. Esta vez el chico bebió con avidez, acabándose el vaso.

—Tengo hambre —dijo.

—Se te proporcionará alimento a su debido tiempo —dijo Pendergast, mientras volvía a sentarse y se metía la pistola por dentro del traje—. Bueno, me estabas hablando de… ¿tu hermano?

—Mi hermano.

Pendergast lo miró con impaciencia.

—Exacto. Háblame de ese hermano.

—Es Alban. Somos… gemelos. Más o menos. Es el que mata. Me ha estado cortando. Le parece *lustig*, gracioso. Pero yo me he escapado. ¿Me ha seguido?

Ahora su tono era de miedo.

Cuando Pendergast se levantó, su esbelta silueta fue como una aparición en la penumbra de la sala. Dio unos pasos hacia la cortina y se giró.

—A ver si lo entiendo —dijo en voz baja—. Tienes un hermano gemelo que está matando a gente en hoteles de Nueva York. Te tenía prisionero y te ha estado cortando partes del cuerpo (un lóbulo, un dedo de la mano y otro del pie) para dejarlos en el lugar del crimen.

—Sí.

—¿Y por qué acudes a mí?

—Eres… mi padre, ¿verdad? Lo dijo… Alban. Habla mucho de ti con los demás. Se creen que no escucho. O que no lo entiendo.

Pendergast, muy quieto, estuvo mucho rato sin decir nada. Después volvió a la silla y tomó asiento, casi como si le doliese.

—Quizá sea mejor que empieces por el principio —insistió Pendergast pasando por su frente una mano pálida—. Cuéntame todo lo que sepas: dónde naciste, en qué circunstancias, quién es tu hermano Alban y qué hacéis los dos en Nueva York.

—Lo intentaré. No sé mucho.

—Esfuérzate.

—Nací en… Brasil. El sitio lo llaman Nova Godói.

Pendergast se quedó de piedra.

—¿Tu madre era…?

—No he conocido a Madre. Alban era el gemelo bueno. Yo… el gemelo malo.

—¿Y cómo te llamas?

—No tengo nombre. Solo ponen nombre a los gemelos buenos. Los gemelos buenos van al colegio, hacen deporte y se entrenan. Comen bien. Nosotros… trabajamos en el campo.

Pendergast se levantó despacio de la silla, como una sombra mudamente atónita.

—¿O sea, que Nova Godói está lleno de gemelos?

El joven asintió con la cabeza.

—Y el tuyo, ese tal Alban… ¿es el que asesina?

—Le… encanta.

—¿Por qué mata?

Se encogió de hombros.

—¿Y tú te has escapado? ¿Cómo?

—Se creen que soy más tonto de lo que soy. Los he engañado y me he fugado. —Siguió un breve sollozo, parecido al hipo—. Espero que no me sigan.

—¿Dónde te tenían prisionero?

—Estaba… debajo del suelo. Había un túnel largo, viejo, muy frío. Me tenían en un… horno gigante y frío, grande como una habitación. Con los ladrillos sucios, y el suelo también sucio. Una puerta grande de metal. La última vez… se olvidaron de cerrar con llave.

—¿Y?

—Empecé a correr y no paré.

—¿Cómo me has encontrado?

—Les oí decir que vivías en un sitio muy elegante, Dakota, y pregunté. Alguien me lo dijo, me ayudó y me metió en un coche amarillo. También me dio esto.

Señaló unos cuantos billetes enrollados, que la señorita Ishimura había sacado del bolsillo de sus tejanos.

Guardó silencio. Pendergast metió la mano en el bolsillo, sacó una llave y abrió el grillete de la muñeca del muchacho.

—Lo siento —dijo—. Lo había entendido mal.

El chico sonrió.

—No me importa. Estoy… acostumbrado.

Pendergast pulsó un botón al lado de la puerta. Al cabo de un momento entró la señorita Ishimura. Pendergast se giró hacia ella y fue al grano.

—¿Tendría la amabilidad de prepararle a nuestro invitado un desayuno americano completo? Huevos, salchichas, tostadas y zumo de naranja. Gracias.

Volvió a mirar al chico.

—¿Así que alguien te metió en un taxi? ¿Cuánto duró el trayecto?

—Mucho. Pasamos muchos, muchos coches.

—¿De qué te acuerdas? ¿Cruzaste algún puente? ¿Pasaste por túneles?

—Cruzamos un puente grande sobre un río. —El recuerdo hizo que el joven sacudiera la cabeza—. Cuántos edificios, y qué altos…

Pendergast cogió inmediatamente un teléfono interno.

—¿Charles? El taxi que ha traído al chico. Necesito el número de licencia. Consulta los vídeos de seguridad del edificio y llámame enseguida. Gracias.

Colgó y se giró otra vez hacia el muchacho, tan perdido, confundido y vulnerable.

—A ver si entiendo lo que me has contado —dijo—. Tú y tu hermano sois gemelos, nacidos y criados en Brasil. Al parecer formáis parte de algún tipo de programa que hizo que él se quedara con todas las cualidades deseables, el material genético bueno, mientras que el material no deseado te lo quedaste tú, por decirlo de alguna manera. ¿Es así?

—Dicen que somos un vertedero. Basura.

—Y recibís cada uno un número. Tú eres el Cuarenta y Siete.

—El Cuarenta y Siete.

—O sea, que debéis de ser muchos.

El joven asintió.

—¿Podrías abrir las cortinas, por favor? Es que quiero ver luz.

Pendergast fue a la ventana y descorrió las cortinas, dejando entrar al bies la larga luz amarilla de principios de invierno, que acariciaba los tejados de pizarra, hastiales y torretas del célebre edificio. El muchacho se volvió agradecido hacia la luz, que recayó en su cara pálida.

Pendergast habló con suavidad.

—Lo primero es ponerte un nombre, uno de verdad.

—No sé cómo llamarme.

—Pues te lo pondré yo. ¿Qué te parece… Tristram?

—Me parece perfecto. ¿Y yo a ti te llamaré… padre?

—Sí —dijo Pendergast—. Sí, por favor, llámame… —Le costó pronunciar la palabra—. Padre.

31

Corrie estaba al fondo del aparcamiento del concesionario de coches Chevrolet-Cadillac de Joe Ricco, entre hileras de coches y camionetas nuevos que reflejaban la fría luz del sol. Eran malos tiempos, sobre todo en la zona de Allentown, y acababan de echarla con cajas destempladas al darse cuenta de que no venía a comprar, sino a buscar trabajo.

Estaba realmente cabreada. Había ido a una peluquería de la ciudad donde les había costado un montón quitarle el tinte violeta. Al final habían tenido que teñirle el pelo de negro y dejarle media melena con las puntas un poco hacia arriba. Le daba un toque retro al estilo años cincuenta que en el fondo le gustaba, pero seguía siendo demasiado conservador para su gusto. Con un traje chaqueta gris a medida, un poco de tacón y un toque de maquillaje quedaba completa la transformación de la Corrie gótica en la Corrie *yuppie*. A todo esto, los tres mil dólares de Pendergast no habían salido muy bien parados.

Y para lo que le había servido…

Al pensarlo se dio cuenta de lo poco realista que era la idea de conseguir trabajo como vendedora de coches sin más experiencia que dos años en la universidad. Debería haberse presentado a un puesto de secretaria o de portera, o algo así. Ahora era demasiado tarde. Tendría que idear alguna otra manera de estar cerca del concesionario y averiguar lo que pasaba.

Mientras se preguntaba qué hacer a continuación oyó una voz a sus espaldas.

—Perdone…

Se giró hacia una pareja mayor, bien vestida y amable.

—¿Sí?

—¿Nos puede ayudar?

Miró a su alrededor y estuvo a punto de decir que no trabajaba en el concesionario, pero por algún motivo lo que hizo fue contestar:

—Claro que sí. —Los obsequió con una sonrisa deslumbrante y tendió la mano—. Me llamo Corrie.

—Sue y Chuck Hesse —dijo el hombre al estrechársela.

Corrie no sabía muy bien cómo terminaría el asunto, pero qué más daba…

—Bienvenidos a Joe Ricco Chevy-Cadillac —dijo.

—Acabo de jubilarme de la universidad y estábamos buscando algo cómodo y elegante —dijo el hombre.

Corrie se percató enseguida de que solo hablaría él, pero al ver la expresión callada y atenta de su esposa sospechó que sería ella quien decidiera. Parecía una pareja agradable. Él llevaba incluso pajarita, algo que Corrie siempre había considerado como señal de simpatía. Empezó a tener una idea.

El único problema era que no sabía nada de nada sobre coches.

—Hemos estado mirando turismos —dijo el hombre—. Dudamos entre el CTS Sport y el CTS-V. ¿Usted nos podría ayudar a compararlos?

Uy, uy, uy… Corrie volvió a sonreír y se inclinó.

—Mmm… Tengo que confesarles algo.

El hombre arqueó sus pobladas cejas.

—Son ustedes mis primeros clientes, y… bueno, me parece que tampoco tengo muy claras las diferencias.

—Vaya por Dios —dijo él mirando a su alrededor—. ¿Y hay algún otro vendedor que nos pueda atender?

—Chuck —dijo su mujer en un aparte teatral—, ¿no has oído lo que ha dicho? Somos sus primeros clientes. ¡No le puedes hacer eso!

«Bendita seas», pensó Corrie.

—Es verdad, no se me había ocurrido. No quería ofenderla.

El profesor se puso nervioso de manera entrañable.

—Me esforzaré —dijo Corrie—. La verdad es que necesito experiencia. Y no me vendría nada mal la venta. Llevo tres días de prueba, y… —Dejó la frase en el aire—. No sé cuánto tiempo seguiré.

—Comprendo —dijo el hombre—. Hoy comprar no compraremos nada, claro…

—¿Y si me enseñan dónde quedan los turismos? —pidió Corrie—. Podríamos echarles un vistazo juntos y aprender.

—Es por aquí.

El ex profesor se puso al frente de inmediato y las llevó por el vasto aparcamiento hasta varias hileras de coches relucientes de cuatro puertas, en varios colores. Parecía conocer bastante bien el concesionario. Se paró junto a un modelo rojo y apoyó la mano en él.

—¿Este le gusta? —dijo Corrie.

Se sintió de lo más tonta, pero no se le ocurría nada más que decir.

—No está mal.

—Si no le importa que se lo pregunte, ¿qué es… mmm… lo que le gusta? Son cosas que tendré que aprender si es que quiero vender coches.

El hombre se embarcó en una descripción entusiasta de las características y el manejo de aquel modelo, haciendo referencia a una crítica «elogiosa» que había leído en el *New York Times* o en el *USA Today*. Habló de la transformación de General Motors de dinosario a compañía innovadora que competía en su propio terreno con Toyota y Honda, un verdadero éxito americano. Nadie los superaba en calidad. Mientras Corrie escuchaba atentamente, y lo animaba a seguir con una sonrisa, él le dio varios consejos de venta que enumeró con los dedos. A Corrie los Cadillac siempre le habían parecido coches carcas para viejos, pero al parecer se habían puesto de moda.

—¿Y por qué el V vale casi el doble que el Sport? —preguntó—. Yo es que no veo muchas diferencias.

Uy, pues las había, dijo el hombre, haciendo oscilar la pajarita, y procedió a explicarlas con claridad profesional mientras Corrie no se perdía una sola palabra, como antes. Quedó pasmada por todo lo que había investigado el hombre. «Claro que es profesor», se dijo.

Veinte minutos después Corrie acompañó a la pareja a la sala de ventas principal y buscó al gerente que la había entrevistado, o mejor dicho, que no había querido entrevistarla. Allá estaba, con una

Coca-Cola Light en la mano y su traje marrón, hablando con otros vendedores y riéndose de algo obscenamente. Al ver acercarse a Corrie bajaron la voz. El gerente la miró con suspicacia, pero tuvo la sensatez de no decir nada.

—Le quería decir —tronó el profesor— que su nueva vendedora ha estado genial al vendernos aquel CTS-V de allá fuera. ¡Bueno, venga, que quede claro el precio y a cerrar la venta!

Corrie se quedó donde estaba sin saber qué demonios pasaría, pero el gerente, hombre de sangre fría, hizo señas sin pestañear a uno de los vendedores para que pusiera en marcha el papeleo. Después dio la mano al matrimonio, felicitándolos por su buen gusto y estilo y elogiando a Corrie por su buen trabajo, como si fuese vendedora de verdad.

Acabó dándole una palmada en la espalda.

—Si no te importa —le dijo, en tono amistoso—, ven a mi despacho, que hablaremos.

Corrie entró y esperó con inquietud. Media hora después llegó el gerente, se sentó a su mesa, suspiró, juntó las manos y se inclinó hacia ella.

—¿Qué demonios crees que estás haciendo?

—Acabo de venderles un coche, ¿no?

Se la quedó mirando.

—Pues mira tú qué bien. Yo vendo una docena al día.

Corrie empezó a levantarse.

—Solo quería demostrarle de qué soy capaz. Si no le gusta no pasa nada. Quédese la comisión, que yo me voy y no lo vuelvo a molestar.

Se levantó, enfurruñada.

—Siéntate, siéntate. —El gerente dio la impresión de serenarse—. Vale, reconozco que me has impresionado. El de la pajarita y su mujer ya habían venido unas diez veces, y yo ya me había convencido de que eran unos mirones. Les has vendido un coche de setenta y un mil dólares en media hora. ¿Cómo lo has hecho?

—Es mi secreto.

Se la quedó mirando. No le había gustado nada la respuesta.

—¿Quieres trabajar aquí? Pues aprende a tener un poco de respeto.

Corrie sacudió la cabeza.

—Tengo un sistema. Si sus vendedores quieren aprenderlo, que me sigan mientras trabajo.

Sonrió con arrogancia. Estaba claro que el gerente era un imbécil de primera, pero de los inteligentes y previsibles, que saben con quién estar de buenas. Pensó que tal vez le gustara la gente ambiciosa y sin pelos en la lengua.

—Bueno, bueno, vale —dijo él—, te tendremos una semana a prueba. Necesitamos a una vendedora joven, y ahora mismo no la tenemos. Sin salario, solo comisiones, y sin prestaciones sociales. Trabajarás por tu cuenta y cobrarás en negro. No declares impuestos, pues te aseguro que nosotros no lo hacemos. Ah, y siempre trabajarás acompañada. ¿De acuerdo?

—De acuerdo.

Tendió la mano.

—Joe Ricco, hijo.

—Corrie Swanson.

Se dieron un apretón.

—¿Por casualidad eres pariente de Jack Swanson? —preguntó Ricco como si tal cosa.

—No. ¿Por qué?

—Porque cubres su vacante.

—No me suena de nada. Swanson es un apellido muy corriente. Como el inventor de las bandejas preparadas de comida, ¿sabe?

—¡No serás de esa familia!

Corrie se puso roja.

—Bueno, no se lo diga a nadie. Me gusta que se crean que tengo que ganarme la vida.

Ricco hijo parecía impresionado, y mucho.

32

Sentado a la mesa, el muchacho comía tostadas con mantequilla y jamón. Nunca había probado nada tan delicioso. Y las salchichas que le había servido la mujer oriental... Había visto comer salchichas muchas veces a su hermano, pero él nunca había podido disfrutarlas; se limitaba a salivar con el aroma, imaginando su sabor. Mientras masticaba despacio y paladeaba la increíble dulzura de la mermelada, pensó en su nuevo nombre: Tristram. Le sonaba extraño. Lo repitió mentalmente para acostumbrarse. Tristram. Tristram. Casi parecía un milagro tener su propio nombre. Nunca había pensado que pudiera ser posible, pero ahora lo tenía.

Dio otro mordisco a la tostada y miró a su padre. Le daba miedo. Parecía tan frío, tan distante... En ese aspecto casi era como ellos. Tristram, sin embargo, también intuía que era un hombre importante, y bueno, a cuyo lado se sentía seguro. Era la primera vez que se sentía seguro.

Entró alguien más en la sala. Era un hombre recio, musculoso, que no decía nada. Como los que lo habían castigado tantas veces. Tristram lo miró de soslayo, receloso. Estaba acostumbrado a mirar, observar y escuchar sin que lo pareciera. Si ellos hubieran pensado que escuchaba o miraba le habrían dado un «correctivo». Ya hacía tiempo que Tristram había aprendido a esconder aquellos hábitos y todo lo relativo a su persona. Cuanto menos llamara la atención, mejor. Su objetivo siempre había sido que lo ignorasen. Había otros que no habían tenido tanta cautela como él y en muchos casos habían muerto. La precaución era clave para la supervivencia.

—Ah, Proctor, siéntese —dijo su padre al otro hombre—. ¿Café?

El otro hombre siguió de pie, en postura rígida.

—No, señor, gracias.

—Proctor, le presento a mi hijo, Tristram. Tristram, este es Proctor.

Tristram levantó la cabeza, azorado. No estaba acostumbrado a que lo llamaran por su nombre y lo presentasen de aquella manera a los desconocidos. Normalmente solo era antes de una paliza, o de algo peor.

El hombre lo saludó con un gesto casi imperceptible de la cabeza. No parecía interesado. Para Tristram mejor.

—¿Lo han seguido? —preguntó su padre.

—Así lo esperaba, y así lo he comprobado.

—Tenemos que llevar a Tristram a la mansión de Riverside Drive. Es el lugar más seguro. Use el pasadizo trasero del apartamento. Ya tengo preparado un coche señuelo. Creo que sabrá que hacer.

—Naturalmente, señor.

—No perdamos tiempo. —Entonces su padre se volvió hacia él—. Acábate el desayuno, Tristram —dijo, no sin amabilidad.

Tristram se encajó en la boca el resto de tostada y se acabó todo el café. Nunca había comido nada tan exquisito. Esperó que en el sitio adonde iban estuviese todo igual de bueno.

Siguió a su padre y al otro hombre por varios pasillos y recodos hasta detenerse ante una puerta de madera sin rotular. Empezaba a dolerle el dedo del pie, pero se esforzó mucho por disimular su cojera. Si lo consideraban demasiado lesionado podían desentenderse de él. Ya lo había visto antes, muchas veces.

Accedieron a un espacio cuyo único contenido era un rollo de cuerda y una trampilla con un candado en el suelo. Pendergast abrió el candado, levantó la trampilla y enfocó hacia abajo la linterna. Tristram, que había visto muchos agujeros oscuros como aquel (y había estado en muchos de ellos), tuvo un ataque de miedo, pero solo hasta que la luz le permitió discernir una pequeña habitación con una cómoda, un sofá y una serie de máquinas extrañas alineadas encima de una mesa, con cables que salían de ellas.

Su padre dejó caer un extremo de la escalerilla por la habitación de abajo. Después dio la linterna al tal Proctor.

—No se aparte del chico en el pasadizo trasero. Cuando salga por la calle Veinticuatro Oeste a la altura de la Setenta y dos vigile al máximo, y si puede irse sin ser visto, hágalo. Encontrará un Honda Civic de Rent-A-Wreck, modelo 1984, aparcado en la acera. Nos reuniremos dentro de unas horas en la mansión.

Pendergast se volvió hacia el muchacho.

—Tristram, tú te irás con Proctor.

El chico sintió aumentar de nuevo el miedo.

—¿Tú no vienes?

—Proctor te protegerá de todo. Nos veremos dentro de poco.

Tras un momento de vacilación se giró y siguió a Proctor por la escalera de cuerda con un sentimiento de resignación. Tenía que hacer lo que le habían dicho, seguir las instrucciones al milímetro. Tal vez así conservara la vida, como otras veces.

Dos horas más tarde Proctor y Tristram estaban sentados en la amplia y escasamente iluminada biblioteca de Riverside Drive 891, esperando a que llegase Pendergast. Proctor siempre se había visto como un soldado que cumplía con su deber, y así se planteaba la misión, aunque esta consistiera en hacer de chófer a un chico raro que resultaba ser hijo de Pendergast, nada menos. Físicamente eran idénticos, pero con una actitud y una conducta diametralmente opuestas. Proctor no había recibido explicaciones, ni las necesitaba. Aun así, entre todas las sorpresas que había vivido al servicio de Pendergast (y no eran pocas), aquella era la mayor.

Al principio el muchacho se había mostrado apático, nervioso e inseguro, pero una vez dentro de la mansión, al quedarle claro que podía confiar en Proctor, se había empezado a abrir y en media hora ya exhibía una curiosidad casi avasalladora. En su inglés torpe y con mucho acento preguntaba por todo: los libros, las alfombras, los cuadros, los objetos artísticos… Y de ese modo ponía de manifiesto una ignorancia notable, por no decir pasmosa de las cosas mundanas. Nunca había visto un televisor. No sabía qué era un ordenador. Nunca había oído la radio, ni sabía nada de música a excepción de unas cuantas canciones germánicas como de «Horst Wessel». Proctor acabó por comprender que nunca había comido en un restaurante, nunca había nadado, nunca había jugado a nada, nunca lo habían abrazado, nunca había tenido mascota, nunca había probado el helado, no había conocido a su madre, no había ido nunca en bicicleta… y al parecer no había comido nunca nada caliente hasta aquella mañana. Era como si su personalidad hubiera empezado a formarse justo en ese momento, tras años y años de letargo, como una flor al recibir por primera vez la luz. No habían faltado algunos destellos de rebeldía y coraje, pequeñas ráfagas de bravuconería, pero en general el chico lo que estaba era inquieto, temeroso de que lo capturasen, preocupado por no ofender y con miedo a significarse en cualquier sentido. Parecía sometido, pasivo. Proctor se preguntó de dónde habría salido y en qué extrañas circunstancias lo habrían educado.

Se abrió la doble puerta de la biblioteca, y entró Pendergast sin hacer ruido.

Tristram se levantó enseguida.

—¡Padre! —exclamó.

Pendergast retrocedió, casi a la defensiva.

—Tranquilo, Tristram, puedes quedarte sentado. —Se giró hacia Proctor—. ¿Noticias?

El muchacho volvió a sentarse sin decir nada.

—Esta vez me parece que no nos han seguido —contestó Proctor—. He activado todas las medidas de seguridad.

Pendergast asintió, se giró hacia Tristram y se sentó cerca de él en un sillón.

—Necesito saber más. Sobre dónde has crecido, Nova Godói.

Tristram hizo una mueca.

—Lo intentaré.

—Descríbemelo, por favor.

El chico parecía perplejo.

—¿Describir?

—¿Qué es? ¿Un edificio? ¿Un pueblo? ¿Un cruce de caminos? ¿Qué aspecto tiene? ¿Cómo se llega?

—Entiendo, pero no sé mucho; a los gemelos malos nos tienen vigilados y no vamos a ninguna parte.

De repente puso cara de preocupación, como si temiera decepcionar a su padre con su falta de conocimientos.

—Tú dime lo que sepas y lo que hayas visto.

—Es un pueblo. En la selva, muy muy adentro. Sin carretera. La única manera de llegar es por el río, o... —Imitó el movimiento de las alas de un avión con la mano—. Está al borde de un lago.

—Un lago —repitió Pendergast.

—Sí. En medio del lago está... el sitio malo.

—Dime algo más del sitio malo.

—¡No! —Tristram había vuelto a levantarse, agitado—. No, no. A los gemelos malos como yo se los llevan al sitio malo y no vuelven a salir.

Estaba tan inquieto que Pendergast permaneció varios minutos sin decir nada para que tuviera tiempo de calmarse.

—¿Quién vive en el pueblo, Tristram? —preguntó finalmente.

—Los trabajadores. Los gemelos buenos.

—¿Y tú dónde vives?

—En el agujero —se limitó a decir el muchacho—. Con los otros como yo, los que tienen números.

—¿Qué hacéis durante el día?

—Trabajamos. En el campo. Y a veces se nos llevan. Para... pruebas. —Sacudió violentamente la cabeza—. De las pruebas no hablo.

—Y el pueblo... —dijo Pendergast—. ¿Está vigilado?

El chico asintió.

—Soldados. Muchos soldados.

—¿A quién responden los soldados? ¿Cómo está gobernado el pueblo? ¿Hay un consejo de gobierno, un grupo de personas que manden?

Tristram sacudió la cabeza.

—Un hombre.

—¿Cómo se llama?

—F... Fischer.

Fue un mero susurro, como si pronunciarlo ya fuera peligroso.

—¿Qué aspecto tiene? —preguntó Pendergast.

—Es alto. Mayor que tú. *Stark, kräftig*; fuerte, como él. —Tristram señaló a Proctor—. Tiene todo el pelo blanco.

Proctor quedó sorprendido por el efecto de la descripción en Pendergast, que se estremeció y dio media vuelta.

—Y el pueblo... —dijo con voz rara, de espaldas a ellos dos—. ¿Tiene algún otro aspecto que lo diferencie?

Tristram frunció el entrecejo.

—¿Aspecto? ¿Qué quiere decir «aspecto»?

Pendergast se volvió otra vez.

—¿Hay algo que pueda diferenciarlo de otros pueblos? Una manera de reconocerlo desde lejos, por ejemplo.

—Sí. Tiene…

El muchacho alzó los brazos, dibujó un círculo y juntó las puntas de los dedos.

—No sé si te entiendo —dijo Pendergast.

Tristram repitió el mismo gesto. Después suspiró con fuerza, contrariado por no haber sabido explicarse.

Pendergast se puso en pie de nuevo.

—Gracias, Tristram, me has ayudado mucho. Escúchame: ahora mismo tengo que impedir que tu hermano mate a más personas.

Tristram asintió con la cabeza.

—Y mientras lo haga no podré quedarme aquí contigo.

—¡No!

El chico volvió a levantarse.

—Tienes que quedarte aquí. Te están buscando.

—¡No me dan miedo!

Proctor miró al chico. Valientes palabras, y con buena intención sin duda alguna, pero lo más probable era que el primer golpe en la puerta lo hiciera salir corriendo para esconderse detrás de su padre.

—Sé que lo dices en serio —contestó amablemente Pendergast—, pero ahora mismo tienes que ponerte a cubierto.

—¿Ponerme… a cubierto? —repitió su hijo.

—Esconderte. En esta casa hay sitios para eso, donde se puede uno esconder y estar a salvo de cualquier ataque o amenaza.

Un destello de rabia distorsionó las agraciadas facciones del muchacho.

—¿Esconderme? ¿En un agujero? ¡No lo pienso hacer! ¡He estado demasiado tiempo dentro de un agujero!

—Tristram, te arriesgaste mucho al huir. Viniste a mí y ahora tienes que fiarte. —Pendergast cogió la mano del muchacho—. No estarás en ningún agujero. Proctor te acompañará. Y yo vendré a verte lo más a menudo que pueda.

La cara del joven se había puesto roja. Bajó la cabeza. Se le notaba enfadado, pero se mordió la lengua.

Pendergast se llevó a Proctor a un lado.

—Ya sabe dónde llevarlo.

—Sí, señor.

—Ah, Proctor, y si no es mucho pedir aproveche el tiempo de la… mmm… reclusión forzosa para educar un poco a Tristram.

Proctor miró a Pendergast.

—¿Educarlo?

—Hable con él. Que practique el inglés. Hágale compañía, se le nota una necesidad acuciante de socialización. No sabe nada del mundo exterior. Lea libros con él: novelas, historia... Lo que le interese. Escuche música y vea películas. Responda a sus preguntas. Enséñele a usar el ordenador.

Proctor se puso tenso ante la idea de hacerle de canguro al joven.

—Sí, señor —dijo con voz forzada.

Pendergast se dirigió a Tristram.

—Ahora tengo que irme. Con Proctor estás en buenas manos. Volveré mañana. Tristram, quiero que te acuerdes de todo lo que puedas acerca de tu infancia, de cuando crecías, de cómo vivías donde vivías, de cómo era ese espacio, de quién estaba contigo... Todo. Y que estés preparado para explicármelo mañana, cuando venga. Mantendremos una larga charla.

Al principio el chico siguió con la cabeza gacha, hasta que asintió de mal humor con un suspiro.

—Adiós, Tristram.

Después de una mirada larga y penetrante, Pendergast se giró y salió tan silenciosamente como había entrado.

Proctor miró al joven.

—Ven —dijo—, te enseñaré tu nueva habitación.

Fue hacia una hilera de estanterías. El chico lo siguió un poco a regañadientes, como si hubiera perdido su ávida curiosidad.

Proctor echó un vistazo a las filas de libros, y al encontrar el título que buscaba lo cogió y lo separó de la pared. Toda la estantería basculó con un clic y dejó a la vista un ascensor.

—*Scheiße* —murmuró Tristram.

Entraron en el ascensor y Proctor pulsó el botón del sótano. Al salir se colocó en cabeza para recorrer el laberinto de pasillos de piedra poco iluminados, llenos de verdín y eflorescencias. Caminaba deprisa, sin dejar que el muchacho se parase y mirase alguna sala cuyo contenido pudiera resultarle desasosegador.

—No le gusto a mi padre —dijo Tristram, apesadumbrado.

—Solo hace lo mejor para ti —contestó Proctor, hosco.

Se pararon en una habitación pequeña, abovedada, donde no había nada salvo un escudo labrado en una pared que representaba un ojo sin párpados encima de dos lunas, una creciente y la otra llena, sobre un león acostado: el blasón de la familia Pendergast. Proctor se acercó y lo apretó con las dos manos. La pared de piedra se hundió, revelando una escalera circular que bajaba abruptamente por la oscuridad. Tristram abrió mucho los ojos, pero no dijo nada.

Proctor encendió una luz y descendió al subsótano, seguido por Tristram. Al llegar al final de la escalera se internaron por un corto pasillo que llevaba a un espacio abovedado, cuyo fondo no alcanzaba a divisarse.

—¿Qué es este sitio? —preguntó Tristram, confuso, mirando a su alrededor.

—Antes este edificio era una abadía —dijo Proctor—. Creo que los monjes usaban el subsótano como necrópolis.

—¿Necrópolis?

—Cementerio. Donde enterraban a sus muertos.

—¿Entierran a los muertos?

Proctor contuvo las ganas de preguntar qué hacían con los muertos en el lugar de procedencia de Tristram.

Lo llevó por varios laboratorios antiguos, salas llenas de frascos de cristal alineados en baldas, y otras pobladas de tapices y obras de arte antiguo. Proctor, a quien nunca le habían gustado aquellos espacios subterráneos llenos de moho, caminaba deprisa. El chico lo seguía mirando hacia ambos lados con los ojos muy abiertos. Finalmente Proctor lo guió por un pasadizo lateral que desembocaba en un dormitorio pequeño pero bien amueblado, con un baño adjunto. Había una cama, una mesa, sillas, una hilera de libros y una cómoda con un espejo encima. Era un espacio todo lo limpio y agradable que podía permitir la atmósfera subterránea, con su vago olor a amoníaco y antigua descomposición. Contaba con una recia puerta de madera y una sólida cerradura.

—Este es tu cuarto —le dijo a Tristram.

El muchacho asintió con la cabeza, mirando a todas partes. Parecía contento.

—¿Sabes... leer? —preguntó Proctor mientras miraba los libros.

—En principio solo pueden leer los gemelos buenos, pero yo aprendí solo. Un poquito. Aunque solo en alemán.

—Ya. Bueno, si me perdonas voy a buscarte algunas cosas. Volveré dentro de media hora.

—¿Cómo ha dicho que se llama?

—Proctor.

El chico lo miró y sonrió con cierta timidez.

—Gracias, herr Proctor.

33

Al volante del Rolls-Royce, Aloysius Pendergast frenó en la esquina de Bushwick Avenue y Meserole Street, en Brooklyn. Según el fichero de la compañía de taxis, era donde habían recogido al muchacho fugado. Se trataba de un barrio industrial casi abandonado que acababa de asistir a la invasión de los primeros creadores, pero que aun así conservaba su dureza de grafitis, basura, edificios tapiados y carcasas de coches quemados. El panorama callejero era una mezcla de colgados, modernos y jóvenes de aspecto sospechoso.

Con su traje negro, Pendergast llamaba la atención al descender del Silver Wraith y cerrar la puerta con llave. Se paseó por Meserole Street con las manos en los bolsillos. Era media tarde, y en el pavimento se reflejaba un sol brillante pero sin calor. Enfrente se erguía un viejo complejo cervecero del siglo XIX que casi ocupaba media hectárea. Estaba rematado por una gigantesca chimenea cuadrada, para el horno de lúpulo, donde aún podía leerse el nombre Van Dam y la fecha de su fundación: 1858.

Una fábrica de cerveza. Era lo que había descrito Tristram sin saberlo: el largo túnel donde se almacenaban los barriles, el horno de ladrillo donde se secaba el lúpulo... Era sin duda donde había estado preso, y lo que Alban y seguro que sus amos nazis habían usado como base de operaciones para lo que tuvieran planeado.

Examinó escrupulosamente el edificio. Incluso en aquella esquina ignota de Brooklyn era terreno de primera; de ahí que lo hubieran tapiado con placas galvanizadas y contrachapado. Dos antiguas puertas industriales de metal vedaban el acceso por la antigua entrada principal. Las habían cerrado con pernos, y la entrada de peatones practicada en una de las hojas, amén de llevar una cadena y un candado, estaba tapada con dos varillas soldadas.

Mientras seguía caminando, Pendergast examinó algunas de las entradas secundarias abiertas a lo largo de la calle en la fachada de ladrillo, que se caía a trozos. Eran casi inexpugnables. Justo cuando observaba la cerradura bloqueada de una puerta oyó una voz detrás de él.

—Amigo, ¿tienes algo de dinero?

Al girarse vio a un joven flaco como un palo que lo miraba fijamente con ojos vacíos y ávidos; un heroinómano, sin duda.

—Pues la verdad es que sí.

Hurgó y sacó un billete de veinte dólares. En los ojos muertos del joven se encendió una chispa. Tendió los dedos temblorosos.

—Quiero entrar en este edificio —dijo Pendergast sin dejarle coger el billete—. ¿Cómo lo hago?

El otro se lo quedó mirando con la boca abierta.

—¿Eres ladrón?

—Perito de seguros.

El joven trató de pensar, titubeante.

—Que yo sepa no se puede entrar.

—Ya, pero suponte que lo intento. ¿Cómo lo haría?

Otro esfuerzo desesperado por pensar.

—Yo daría la vuelta hasta donde están las vías y escalaría la valla.

Pendergast volvió a acercar el billete al mendigo, que se lo arrancó de las manos y se fue rápidamente por la calle, tambaleándose.

—Que no te pillen —dijo por encima del hombro.

Pendergast llegó hasta el final de la manzana y siguió por la esquina del complejo, que acababa en un descampado de vías en desuso, con montones de contenedores y maquinaria vieja en proceso de putrefacción, todo ello rodeado por una valla metálica.

Mediante un solo movimiento como de murciélago, se asió a la valla, saltó y cayó al otro lado. Se detuvo un momento para alisarse el traje. Acto seguido, entre contenedores y hierbajos que llegaban hasta el pecho, siguió unas vías de tren que llevaban a la parte trasera de la fábrica y desaparecían dentro del complejo, al otro lado de varias puertas industriales de metal. Al acercarse reparó en que había algunos hierbajos aplastados, partidos o afectados de alguna manera por el paso reciente de personas y objetos. En la tierra blanda de al lado de las vías se adivinaban huellas de pisadas.

Rastreando las vagas señales por el descampado de vías, se apartó de los raíles para dirigirse a la gran fachada de ladrillo, donde había una puertecilla. Al llegar frente a ella descubrió que era tan vieja y maciza como las demás, pero que no estaba soldada y tenía las bisagras recién engrasadas, así como un candado nuevo de latón de un modelo que no reconoció.

La cerradura le puso problemas. Tuvo que usar todo su instrumental y ejercitar sus habilidades. Por desgracia hizo un poco de ruido, ya que fue necesario arrancar a la fuerza algunas clavijas.

Al final la cerradura cedió, pero Pendergast no abrió la puerta enseguida. Esperó casi diez minutos con la pistola de calibre 45 en la mano. Después se apoyó en la pared, junto a la puerta, y la empujó con el pie. Al principio basculó en silencio, hasta que se detuvo con un fuerte chirrido de metal.

Silencio.

Pasaron cinco minutos más. Pendergast entró, se echó al suelo, rodó y se puso a cubierto detrás de una pared de ladrillo.

Más silencio. Nadie había dado la voz de alarma ni abierto fuego.

Esperó mientras los ojos se acostumbraban a la oscuridad. Se encontraba en un espacio grande, iluminado por los orificios y grietas del techo, que dejaban pasar finos y brillantes haces de sol. Flotaban motas de polvo en lentas cadencias. El aire tenía un olor un poco dulce, a tierra.

Era evidente que se trataba de la zona de almacenamiento y carga de la fábrica de cerveza, ya que los raíles cruzaban todo el espacio, entre plataformas y grúas oxidadas. Al final de la vía había un viejo vagón descarrilado, con el techo herrumbroso y medio hundido.

Entre Pendergast y el vagón había unos diez metros de espacio descubierto.

Tras recorrerlos a gran velocidad, se resguardó tras el vagón. Desde aquel nuevo observatorio veía la puerta por donde acababa de entrar, así como un gran arco al fondo del espacio descubierto. El suelo de cemento estaba sembrado de cascotes y de polvo: un polvo en el que se veían huellas recientes.

Rodeó el vagón sin despegarse de él y se agachó para cruzar otra extensión desprotegida. Arrimándose primero a una columna y luego a otra, no tardó mucho tiempo en alcanzar el arco, cuya puerta estaba cerrada pero no con llave.

Pendergast se llevó la mano al bolsillo y encendió una pequeña linterna led. La sostuvo junto a su 45, iluminó con ella a su alrededor y, alzando el arma, cruzó la puerta y recorrió el espacio al otro lado.

No era una sala, sino el largo y frío túnel que antiguamente había servido para guardar la cerveza. Así lo atestiguaban varios montones de barriles podridos y un sinfín de viejas botellas de cerveza recubiertas de moho.

El desconcierto de Pendergast creció. Deberían haber estado ahí, esperándolo. Seguro que habían adivinado su llegada. Sin embargo, no se veía a nadie.

En pocos minutos llegó al final del túnel, y a un segundo arco. Detrás había otro gran espacio abierto, moteado de sol, con el gran horno de lúpulo presidiendo un rincón.

Su linterna iluminó pisadas por todo el suelo, pero sobre todo alrededor de la gran puerta con remaches del horno, que estaba entreabierta. Más arriba había una pasarela de metal que recorría las paredes justo debajo de la bóveda.

Apoyado contra la pared, Pendergast avanzó hasta llegar a un punto en el que la pasarela le quedaba más o menos a su altura. Sus ojos se habían adaptado ya a la penumbra y pudo ver sin dificultad que el puente estaba vacío.

Con mucha cautela se aproximó a la gran puerta del horno. Con la pistola en la mano pasó de largo y la abrió. Por un instante la usó de escudo por si le disparaban.

Nada, solo un fuerte chirrido de metal oxidado. Al iluminar con la linterna el interior del horno de lúpulo vio que no había nadie.

Las paredes estaban negras de hollín, y el suelo lleno de restos de comida. Había un cubo en un rincón, grilletes fijados a la pared, y algunas manchas pequeñas de sangre en el suelo de ladrillos requemados. En otro rincón habían tirado vendas viejas y ensangrentadas. Saltaba a la vista que era la cárcel provisional de Tristram.

Pendergast rebuscó meticulosamente en la basura. De vez en cuando guardaba algo en un tubo de ensayo o una bolsa hermética, pero no halló nada interesante.

Volvió a la sala grande, que empezó a examinar en profundidad. Encontró en un receso lo que debía de haber sido la vivienda de Alban: un catre, un baúl de viaje vacío y un cubo limpio. Buscó por todas partes, pero la limpieza había sido exhaustiva.

Sabiendo que venía Pendergast, había abandonado su escondite.

En otro receso había una mesa muy simple de contrachapado con un hornillo, una cafetera de diez dólares y una taza. Moviendo por el suelo la luz de la linterna, inspeccionó la trama de pisadas que iban y venían por el polvo y la tierra. Trató de seguir su dirección en busca de otras zonas que pudieran haber sido utilizadas. Al no encontrar ninguna pista, subió por los precarios peldaños de metal que llevaban hasta la pasarela y la recorrió, atento a posibles espacios ocultos. Nada.

Volvió a registrar el cuartucho de Alban. Lo siguiente que inspeccionó fue la mesa. El tablero, sin barnizar, estaba lleno de manchas y cercos de café. Sujetando la linterna en el borde de la mesa, empezó a barrer la superficie con el haz, variando el ángulo. Al cuarto intento iluminó vagas marcas de escritura en el tablero de contrachapado blando. A una de ellas le habían aplicado más presión y la habían subrayado dos veces. Dejó la linterna encima de la mesa, sacó un papel y un lápiz de su traje y puso el primero encima de las marcas para frotarlo muy suavemente con la punta del lápiz. Poco a poco aparecieron letras dispersas. Las anotó en otro papel y dejó en blanco las que no se podían identificar. Intentó frotar en varias direcciones, cambiando un poco la manera de abordar las letras. Al final tenía seis de diez.

PRU___ _ETA

Examinó con lupa el calco y la mesa hasta que pudo añadir otra letra.

PRU_B_ _ETA

Miró un buen rato el papel. Después completó la palabra con un trazo rápido:

PRUEBA BETA

34

Sentado en el salón de la casa del portero de los Wintour, el doctor John Felder se encontraba un poco alicaído. Tras muchas horas invertidas en adecentarla un poco (lavar con lejía las paredes y el suelo, quitar las telarañas, limpiar de polvo todas las superficies y guardar los trastos en un pequeño altillo) ya podía dormir por las noches sin imaginarse que le correteaban cosas por la cara y las manos. Se había traído pocos enseres: un colchón inflable, un saco de dormir, cuatro muebles, un portátil, un calefactor eléctrico, libros, comida y un hornillo (porque con la cocina ya ni se atrevía), y no es que se sintiera muy en casa.

Durante sus esfuerzos se había preguntado una y mil veces: «¿Por qué lo hago?», pero en realidad ya lo sabía.

Se levantó de la silla, la única que había, y se acercó a la ventana. Limpia de mugre ofrecía una buena perspectiva de la mansión Wintour al caer la tarde: bajo el manto de la oscuridad, los muros de ladrillo pugnaban por no ceder al peso de un tejado excesivo, y las innumerables ventanas negras eran como agujeros en una dentadura. El día antes, al ser invitado a tomar el té, había descubierto que la casa era tan escalofriante por dentro como por fuera. Parecía que se hubiera detenido todo en la década de 1890: sillas incómodas, con el respaldo recto y antimacasares de encaje, mesitas de madera con tapetes, figurillas de cristal, antiguas bagatelas... La moqueta era oscura, al igual que el papel de pared; también era oscura la madera de las paredes, y parecía imposible que aquellos espacios resonantes los alegrase alguna vez la luz. Olía todo un poco a naftalina. No es que hubiera polvo, pero Felder había sentido ganas constantes de rascarse la nariz. La vieja y maléfica mansión parecía observarlos y escucharlos, mientras la señorita Wintour, sentada con Felder en el lúgubre salón delantero, alternaba sus invectivas contra los próceres del pueblo con lamentos sobre cuánto mejor había sido el mundo de su infancia.

Eran más de las ocho, y la oscuridad ya permitía dar un paseo por la finca sin ser visto. Se abrigó con su chaqueta, abrió la puerta, salió y la cerró sin hacer ruido. Fue como si al caminar por la maraña de hierbajos helados e invernales la casa lo observara con mirada hostil.

Había llegado a la conclusión de que la vieja no sufría ninguna demencia más allá de la excentricidad. Por otro lado, era dueña de un carácter espinoso como un cardo: la única vez que Felder, con todo el tacto y la naturalidad posibles, había sacado a relucir el tema de su biblioteca ella casi se le había echado encima, inquiriendo el motivo de su interés. A Felder le había costado lo suyo encarrilar por otros derroteros la conversación y atenuar las sospechas de la anciana, aunque ahora ya sabía dónde estaban los libros: al otro lado de unas puertas correderas que siempre se cerraban con llave. Lo sabía gracias a la visión diurna de la biblioteca por las ventanas de la mansión, que le habían permitido ver múltiples estanterías repletas de tesoros, tanto conocidos como por descubrir.

Fue ese el rumbo que tomaron sus pasos sigilosos por las hierbas altas. Pese a la luz de la luna, las ventanas de la biblioteca eran rectángulos completamente negros. La casa no tenía ningún sistema de seguridad. Se había dado cuenta enseguida. Claro que tampoco lo necesitaba.

Tenía a Dukchuk.

Dukchuk era el gigante que sin decir nada abría la puerta de la casa, traía un té tibio y aguado y permanecía siempre tras la silla de la señorita Wintour, observando inescrutable a Felder mientras ella hablaba. A Felder sus tatuajes le provocaban pesadillas.

Volvió a fijarse en las ventanas de la biblioteca. Cabía la posibilidad de que no estuvieran cerradas con llave, como había observado en las del salón delantero. Nada más propio de la señorita Wintour que tener cuatro cerraduras en la puerta de la casa pero ninguna en las ventanas. Aun así estaba Dukchuk, que parecía tener su propio sistema, al margen de la ley, de librarse de los invasores. Felder sabía que tendría que extremar al máximo las precauciones si…

¿Si qué? ¿Podía estar pensando lo que pensaba?

Pues lo pensaba, sí. Cayó en la cuenta de que la señorita Wintour jamás le mostraría la biblioteca por su voluntad. Para entrar, y encontrar la carpeta, tendría que buscar otra manera.

Se humedeció los labios. El día siguiente estaba prevista una noche nublada y sin luna. Entonces. Lo haría entonces.

35

Pendergast estaba en la sala de trabajo de su vasto apartamento del Dakota. No había ningún tipo de decoración ni nada que pudiera alterar u obstaculizar el máximo grado de concentración. Hasta el color de las paredes y la tintura del suelo de madera eran de un gris frío, lo más neutro posible. Las ventanas a la calle Setenta y dos estaban cerradas, y no dejaban entrar ni un resquicio de luz por los postigos. En un rincón había un montón de papeles amarillentos: los que le había traído Corrie de la casa franca nazi. El único mueble de la habitación era una mesa larga de roble que la ocupaba en toda su longitud. No había sillas. La mesa estaba cubierta de informes policiales, datos de la policía científica, fotos, perfiles del FBI, análisis forenses y otros documentos sobre un solo tema: los crímenes del Asesino de los Hoteles. Cometidos por su hijo Alban.

Su hijo. Aquel dato estaba resultando ser una influencia de lo más turbadora en los procesos deductivos de Pendergast.

Caminaba velozmente de una punta a otra de la mesa, fijándose en varios documentos. De pronto, con un gesto de exasperación, se aproximó a un reproductor de audio empotrado en la pared y pulsó el botón de PLAY. De unos altavoces ocultos surgieron inmediatamente los graves y sonoros acordes del Ricercar a 6 de la *Ofrenda musical* de Bach.

Era la única música que había sonado en aquella habitación. Pendergast no la ponía por su belleza, sino porque la composición, compleja e intensamente matemática, serenaba y aguzaba sus facultades mentales.

A medida que sonaba la música, los pasos de Pendergast se hicieron más serenos, y más ordenado y matizado su estudio de los documentos repartidos por la mesa.

Aquellos crímenes los había cometido su hijo Alban. Según Tristram, a Alban le encantaba matar. Pero ¿qué sentido tenía viajar de Brasil a Nueva York para cometerlos? ¿Por qué dejaba partes del cuerpo de su propio hermano en el lugar del crimen? ¿Por qué escribía mensajes con sangre en los cadáveres, cuyo destinatario solo podía ser el propio Pendergast?

Prueba beta. Estaba claro que detrás de los crímenes había un método, algún objetivo rector, y que era el propio Pendergast quien debía descubrirlo. O al menos intentarlo. Era lo único que tenía sentido.

Mientras el contrapunto de Bach, de una complejidad extraordinaria, se trenzaba y destrenzaba con delicadeza, Pendergast volvió a mirar los datos y a formar también él un contrapunto lógico a partir de la comparación mental entre horas, fechas, direcciones, números de habitación, temperaturas externas, edades de las víctimas y todo lo que pudiera poner de manifiesto algún método, secuencia o pauta. Fueron pasando los minutos: diez, veinte... De pronto se tensó.

Se inclinó hacia la mesa, redistribuyó una serie de papeles y volvió a examinarlos. Después, con un bolígrafo, anotó una serie de números al pie de una de las hojas y los cotejó con la documentación.

No había error posible.

Echó un vistazo a su reloj. Acto seguido, a la velocidad del rayo, recorrió el pasillo hasta su estudio, cogió del escritorio una tableta e introdujo una orden de búsqueda. Examinó la respuesta y, musitando imprecaciones en latín (no por dichas en voz baja menos elocuentes), cogió un teléfono y marcó un número.

—¿Diga? —contestó D'Agosta.

—¿Vincent? ¿Dónde está?

—¿Pendergast?

—Repito: ¿dónde está?

—Yendo hacia Broadway. Acabo de cruzar la Cincuenta y siete. Iba a...

—Dé media vuelta y venga lo más deprisa que pueda al Dakota.

Lo estaré esperando en la esquina. Dese prisa, no hay tiempo que perder.

—¿Qué ocurre? —preguntó D'Agosta.

—Ya hablaremos en el coche. Espero que no sea demasiado tarde.

36

D'Agosta iba como loco por Park Avenue, sorteando el tráfico de la tarde con las luces de emergencia encendidas. De vez en cuando ponía la sirena a los hijos de puta que no se apartaban. La llamada repentina de Pendergast, y la urgencia casi histérica del tono del agente, lo habían puesto nervioso. No sabía muy bien si Pendergast se estaba desquiciando o seguía una pista de verdad, pero había pasado bastante tiempo cerca de él para saber que era arriesgado hacer oídos sordos a sus peticiones.

Mientras iban lanzados hacia el sur, en dirección al hotel Murray Hill, miró de reojo a Pendergast. La transformación experimentada por el agente especial desde la muerte de su esposa cubría todo el espectro posible: de la apatía a un estupor inducido por las drogas, y ahora un brillo frío, de diamante, en sus ojos, al tiempo que todo su cuerpo, tenso como un muelle, hervía de fanática energía.

—¿Dice que está a punto de cometerse otro crimen? —preguntó—. ¿Puede ponerme en antecedentes? ¿Cómo sabe que...?

—Vincent, tenemos muy poco tiempo y le parecerá muy raro lo que voy a decirle, si es que no lo considera una locura.

—Pruebe, a ver qué tal.

Una pausa brevísima.

—Tengo un hijo cuya existencia siempre había ignorado. Se llama Alban, y es el asesino; no Diógenes, como había sospechado anteriormente. Sobre este aspecto no cabe la menor duda.

—¡Uf! Un momento, un momento. Madre mía...

Un gesto escueto de Pendergast enmudeció a D'Agosta.

—Los asesinatos van dirigidos específicamente a mí. El motivo exacto todavía no está claro.

—Me cuesta…

—No hay tiempo para explicaciones detalladas. Baste decir que las direcciones de los hoteles, y las horas de los asesinatos, siguen una pauta, una secuencia. El próximo elemento de la secuencia es el veintiuno. Y en Manhattan solo hay un hotel que tenga el veintiuno en su dirección: el Murray Hill, en Park Avenue 21. Ya lo he comprobado.

—Esto es…

—¿Y se ha fijado usted en las horas de los asesinatos? Se trata de otra pauta, más sencilla esta vez. El primero fue a las siete y media de la mañana. El segundo a las nueve de la noche. El tercero volvió a ser a las siete y media de la mañana. El asesino alterna las horas. Y ahora casi son las nueve.

Cruzaron a toda pastilla el túnel del edificio Helmsley e hicieron chirriar los neumáticos al doblar por el viaducto.

—No me lo trago —dijo D'Agosta, en pleno esfuerzo por enderezar el rumbo—. Un hijo desconocido, la pauta que ha descrito… Es un delirio.

Pendergast hizo un visible esfuerzo por autocontrolarse.

—Me doy cuenta de lo extraño que debe de parecer, pero insisto en que aparque usted completamente su incredulidad, al menos de momento.

—¿Incredulidad? Eso es poco decir. Un disparate es lo que es.

—Pronto lo sabrá. Ya hemos llegado.

D'Agosta acercó el coche de paisano al hotel y dio un frenazo. A diferencia de los tres hoteles de lujo anteriores, aquel era viejo y algo sórdido, con manchas de hollín en la fachada de ladrillo marrón. Dejaron el coche en la zona de carga y descarga. D'Agosta salió, pero Pendergast ya se le había adelantado y se metió corriendo en el vestíbulo con la placa del FBI en la mano.

—¡La sala de seguridad! —exclamó.

Apareció el recepcionista, presa del pánico, y en respuesta a las instrucciones que le dio Pendergast a grito pelado los condujo a un pequeño despacho con toda una pared de monitores de circuito cerrado. La irrupción hizo levantarse de un salto al vigilante de servicio.

—FBI —dijo Pendergast agitando la placa—. ¿Cuántas grabaciones del vestíbulo tienen on line?

—Mmm… Una —dijo el vigilante, completamente atónito.

—Póngala hace media hora. Ya.

—Sí… mmm… sí, señor, claro.

El pobre vigilante hizo lo que pudo. D'Agosta vio que por suerte era un sistema reciente y moderadamente avanzado, y el vigilante
parecía competente. La grabación tardó un minuto en empezar a
reproducirse a cámara rápida. El escepticismo de D'Agosta creció
a medida que observaba el monitor. Era absurdo. El Asesino de los
Hoteles nunca habría elegido trabajar en un tugurio así. No cuadraba con su modus operandi. Miró a Pendergast de reojo: la muerte
de su esposa lo había afectado más de lo que parecía, estaba claro.

—Acelere —pidió Pendergast.

El vigilante hizo lo que le pedía. Vieron llenarse la pantalla de
figuras que la atravesaban velozmente.

—¡Pare! Es él.

La cinta de seguridad se detuvo y siguió reproduciéndose a velocidad normal. Vieron entrar tranquilamente en el vestíbulo a un
hombre de lo más anodino que se detenía para arreglarse la corbata
y luego se dirigía hacia los ascensores. D'Agosta sintió una con-
tracción en el estómago. Por cómo se movía, y por su aspecto… sí,
era él.

—Joder —murmuró.

—Pase a la cámara del ascensor —dijo Pendergast.

Siguieron el recorrido del hombre hasta la cuarta planta, donde
salió, caminó por el pasillo y esperó. Justo cuando aparecía por la
esquina una mujer, el hombre fue tras ella hasta que desaparecieron
del campo de la cámara. Según la hora sobreimpresa, solo habían
pasado tres minutos desde aquel momento.

—Madre de Dios —dijo D'Agosta—. Madre de Dios. Ya se ha
cargado a otra.

—Retroceda cinco segundos. —Pendergast señaló la imagen de
la mujer y se giró hacia el recepcionista—. ¿La reconoce? ¿Cuál es
su número de habitación? ¡Deprisa, hombre!

—Ha llegado hoy. —El recepcionista volvió al mostrador y tecleó el ordenador de registro—. Habitación 516.

Pendergast se volvió hacia D'Agosta.

—Quédese aquí —murmuró—. Vigile las grabaciones, y en el instante en que reaparezca siga todos sus movimientos. Voy a buscarlo. Y acuérdese de no hablar a nadie de mi hijo.

—¡Eh, un momento! —dijo D'Agosta—. ¿A nadie? Pendergast, me sabe mal decirlo pero creo que se está pasando mucho de la raya.

—A nadie —repitió Pendergast con firmeza; y al momento siguiente ya no estaba.

Pendergast subió con rapidez los cinco pisos y corrió por el pasillo hacia la habitación 516. La puerta estaba cerrada, pero un solo disparo de su 45 reventó la cerradura. Abrió de una patada.

Llegaba tarde. La mujer del vídeo yacía en el suelo de la pequeña habitación; estaba muerta, pero aún no había sido descuartizada. Pendergast solo vaciló un momento, absorbiendo todos los detalles con sus ojos plateados. Después saltó por encima del cuerpo inerte y abrió de par en par la puerta del lavabo. La ventana del fondo, que daba a una salida de incendios, estaba rota. Trepó por ella, y al aterrizar en la salida de incendios y mirar hacia abajo tuvo tiempo de ver a un joven (¡Alban!) que bajaba por el último tramo de escaleras, cruzaba la trampilla y se dejaba caer al suelo.

Pendergast bajó de tres en tres los escalones sin perder de vista a Alban, que corrió por Park Avenue y desapareció por la esquina de la calle Treinta y cinco, hacia el este y el río.

Corrió tras él. Al doblar la esquina de la calle Treinta y cinco lo vio a casi dos manzanas más al este, recortado en la luz de las farolas, yendo a una velocidad tremenda. Era un corredor fenomenal. Pendergast siguió adelante, pero al llegar a Lexington Avenue la silueta de Alban, muy pequeña ya, había cruzado la Segunda Avenida y bordeaba corriendo el parque de St. Vartan. Pese a darse cuenta de que no lo alcanzaría, Pendergast siguió adelante. Tenía la esperanza de ver adónde iba su hijo. El fugitivo, visible a duras penas, dejó atrás la Primera Avenida y corrió hacia FDR Drive, donde saltó una valla metálica, trepó por una barrera de cemento, aterrizó en la carretera y se perdió en la oscuridad.

Pendergast pasó corriendo junto al parque de St. Vartan y cruzó la Primera Avenida con el semáforo en rojo. Cuando llegó ante la valla metálica, la escaló, salvó la barrera de cemento y corrió por

FDR Drive, esquivando coches entre un súbito coro de bocinas y frenazos. Llegó al otro lado y se paró a mirar hacia ambas direcciones, pero no vio nada. Alban se había esfumado en la noche. Delante fluía el East River, con la terminal de ferry de Hunter's Point a la derecha y el puente de Queensboro a la izquierda, como un rosario de luces. Justo enfrente había dos embarcaderos en desuso, medio en ruinas, que se adentraban en el río desde un muelle devorado por una maraña de hierbajos, aneas viejas, juncos secos y zarzas, todo marchito y marrón bajo la luz invernal de la luna.

Había muchos sitios en los que desaparecer, muchísimos, y la pista de Alban se había perdido. Obviamente conocía bien el terreno y tenía preparada la huida de antemano. Era inútil.

Pendergast dio media vuelta y caminó por el arcén de FDR Drive hacia una pasarela de peatones situada a cinco manzanas hacia el sur. Pensaba volver a cruzar la autopista, pero de pronto vio una silueta con el rabillo del ojo: un hombre, un hombre joven, sobre el primer embarcadero en ruinas, iluminado por detrás por la vaga luz del puente.

Era Alban. Su hijo lo miraba. Cuando Pendergast se quedó quieto y lo observó, Alban alzó una mano y lo saludó.

Pendergast saltó inmediatamente sobre el parapeto de la carretera y aterrizó en el talud, donde se abrió camino entre la maleza. Al salir al muelle de cemento roto descubrió que Alban había vuelto a desaparecer.

Corrió hacia el norte con la intuición de que había subido por el talud. Poco después vio que se movía algo delante: era Alban, que corría por el segundo embarcadero. A medio camino el joven se detuvo, se dio media vuelta y se quedó esperando con los brazos cruzados.

Pendergast sacó su 45 sin dejar de correr. Para llegar al segundo embarcadero no tuvo más remedio que rodear una hilera de bolardos en ruinas y cruzar otro tramo de maleza, momento en que volvió a perder de vista a Alban. Justo al llegar al principio del embarcadero y emerger de la vegetación, sintió un golpe muy fuerte en la pierna y fue arrojado hacia delante. Durante la caída sintió otro golpe en la mano que hizo salir disparada la pistola. Rodó por el suelo e intentó levantarse, pero Alban se adelantó a la maniobra y, con la rodilla, empujó contra el piso la cabeza de Pendergast hasta inmovilizar al agente por completo.

Y de pronto, con la misma rapidez con que lo habían sujetado, Pendergast se encontró libre. Saltó sobre sus pies, dispuesto a pelear.

Alban, con todo, no le siguió el juego. Se limitó a retroceder, cruzando los brazos otra vez.

Pendergast permaneció muy quieto. Se miraron fijamente como dos animales, esperando a que el otro se moviera primero.

De pronto Alban se relajó.

—*Endlich* —dijo—. Por fin. Ahora podremos hablar de tú a tú… de padre a hijo… como hace mucho tiempo que esperaba.

Y su sonrisa fue bastante agradable.

37

Se miraron sin moverse, en la penumbra. Mientras Pendergast recuperaba el aliento, comprendió que hasta entonces nunca nadie lo había reducido de forma tan completa ni tan rápida. Con su manera de pararse como si esperase a ser alcanzado, y la emboscada que le había tendido en cuestión de segundos (y que había llevado con notable éxito hasta su conclusión), Alban lo había tomado por la más absoluta de las sorpresas.

Se limpió el polvo sin apartar la vista de su hijo, en espera de que hablase y le diera su oportunidad. Todavía llevaba una pistola de refuerzo y varias armas más encima. Alban ya no se le escaparía.

—Increíble, ¿eh? —dijo Alban—. Aquí estamos, cara a cara. —Tenía una voz meliflua y sosegada. A diferencia de su hermano no se le notaba acento, aunque sí hablaba con cierto exceso de precisión, propio de quien tiene el inglés como segunda lengua—. Mi destino era conocerte. Como el de todos los hijos es conocer a sus padres.

—¿Y sus madres? —preguntó Pendergast.

Alban no manifestó sorpresa por la pregunta. Siguió hablando.

—La prueba ha llegado a una fase crucial. Por cierto, déjame felicitarte por haber resuelto mi pequeño acertijo. Y pensar que dudé de que lo consiguieras... Me disculpo.

—Te gusta hablar —dijo Pendergast, mientras veía brillar con el rabillo del ojo la pistola de calibre 45 entre la hierba, a unos tres metros a su izquierda.

Alban se rió.

—Sí, sí que me gusta.

Dio dos pasos hacia la derecha, bloqueando la aproximación de Pendergast a la pistola. Solo tenía quince años, pero aparentaba muchos más. Alto, en excelente forma física y veloz como un galgo, Pendergast se preguntó si lo habían formado en las artes marciales. En tal caso se consideró incapaz de derrotarlo en un enfrentamiento físico.

—¿Por qué estás…?

—¿Matando? Ya te digo, es una prueba.

—Explícame…

—¿La prueba? Es muy sencilla, y en parte sirve para ver quién es mejor, tú o yo. —Tendió las manos hacia Pendergast y mostró las palmas—. Voy desarmado, como tú. Estamos igualados. No es del todo justo, porque tú eres viejo y yo joven, así que te concederé una oportunidad.

Pendergast atisbaba su momento, una ventana en la que actuar. Se preparó mentalmente, coreografiando en su cabeza sus acciones, pero cuando faltaban pocos segundos para tomar la iniciativa, una de las manos tendidas de Alban se introdujo en la chaqueta de Pendergast y, con un movimiento de pasmosa rapidez, le quitó la pistola de refuerzo. Ocurrió a tal velocidad que para cuando Pendergast reaccionó, el arma ya obraba en posesión de Alban.

—¡Uy! —Alban la examinó (era una Walther PPK 32) y resopló—. Vaya, esta faceta de tu personalidad no la habría adivinado. Eres un romántico, ¿eh, padre?

Pendergast dio un paso hacia atrás, pero en el mismo instante Alban dio uno hacia delante, manteniendo la distancia entre los dos en un metro y medio. Seguía con la Walther en la mano y el pulgar en el seguro.

—¿Cuál es la razón de la prueba? —preguntó Pendergast.

—¡Ah! Eso sí que es el quid de la cuestión, ¿verdad? ¿Por qué me enfrentan a ti? ¡Qué raro! Pero es que de eso dependen tantas cosas…

De repente Alban se paró y retrocedió, no tan seguro de sí mismo.

—¿Por eso…?

—¿Lo llamamos prueba beta? Sí.

Al cabo de un momento Alban se relajó y volvió a sonreír. Después sacó el cargador de la Walther y extrajo las balas con el pulgar, dejando una sola. Tras volver a poner el cargador en su sitio, metió la última bala en la recámara y quitó el seguro. Por último devolvió la pistola a Pendergast, con la culata por delante.

—Toma, tu oportunidad. Una bala en la recámara. Ahora la ventaja es tuya. A ver si me puedes pillar. Con una sola bala.

Pendergast apuntó a Alban con la pistola. No iba a matarlo, ni podía hacerlo. De momento no. Su necesidad de conocer el móvil de su hijo y su relación con *Der Bund* era muy grande. Sin embargo, era un chico tan fuerte y veloz que incluso en aquella situación le bastaría con echar a correr para escaparse.

Sería necesaria una bala en la rodilla.

Bajó el cañón mediante un giro casi imperceptible de muñeca y disparó, pero Alban se movió tan deprisa (casi antes incluso de que Pendergast empezara a moverse) que la bala no hizo más que rozarle la ropa.

Se rió y bajó la mano para introducir un dedo por el agujero de los pantalones y agitarlo.

—¡Por poco! Uau… Pero no ha sido bastante. ¿Cómo se dice? Esta vez te he superado.

Retrocedió con rapidez, metió la mano entre las malas hierbas y recogió el 45 de Pendergast.

—¿Conoces el poema de Goethe «Der Erlkönig»?

—Sí, traducido.

—*Schön!* ¿De memoria?

—Sí.

—Estupendo. Voy a explicarte lo que pasará. Darás media vuelta, cerrarás los ojos y lo recitarás. Debería bastar con las primeras tres estrofas. No; teniendo en cuenta que estamos relativamente a oscuras, seré aún más deportivo y lo dejaré en las dos primeras estrofas. Después podrás venir a buscarme.

—¿Y si hago trampa?

—Te pego un tiro. —Los ojos claros de Alban destellaron—. Claro que podría dispararte ahora mismo, lo cual también sería trampa, y los Pendergast no hacemos trampas. —Otra sonrisa afable—. ¿Quieres jugar?

—Tengo que…

—Me parece que ya he respondido a bastantes preguntas. ¿Qué, juegas o no?

—¿Por qué no?

—Si abres los ojos antes de tiempo querrá decir que eres un tramposo. Entonces disparo y te mueres.

—Te limitarás a huir y listo. Esto de desafío no tiene nada.

—Es verdad que podría huir, pero no lo haré. Mientras tú recitas, cosa que no debería durar más de diez segundos, yo me esconderé y tendrás que encontrarme como puedas: con la inteligencia, el sigilo, la búsqueda de huellas, la deducción... Es cosa tuya. ¡Bueno! Date la vuelta y empecemos.

Pendergast oyó el suave clic del seguro de la Les Baer al ser puesto de nuevo en su sitio. Se giró de inmediato y empezó a recitar con voz clara y fuerte:

¿Quién tan tarde cabalga en la ventosa noche?
Un padre con su hijo, a lomos de un corcel...

Al final de la segunda estrofa se volvió con rapidez y escrutó los embarcaderos desiertos.

Alban había desaparecido. La Les Baer estaba a pocos metros, entre las malas hierbas.

Tres horas después renunció a seguir buscando.

38

—¡Maldita sea! —musitó el teniente Vincent D'Agosta en el pasillo del hotel Murray Hill.

Incluso allá llegaban de la calle los gritos y pitidos electrónicos de la prensa, mezclados con un coro de sirenas, bocinas y diversos ruidos neoyorquinos. Habían pasado varias horas desde el asesinato, pero la presencia de los medios de comunicación no hacía más que aumentar. En Park Avenue había un embotellamiento que iba desde el hotel hasta el edificio MetLife, debido sin duda al efecto mirón. El rugido de las palas de los helicópteros hacía temblar todo el hotel, mientras sus focos barrían sin descanso el edificio. Y Pendergast había desaparecido.

¿Qué les pasaba a los neoyorquinos con los crímenes? Les encantaban. Se pirraban por ellos. El *News* y el *Post* llevaban varios días publicando estridentes titulares sobre el Asesino de los Hoteles. Y ahora aquello. Dios no quisiera que la tasa de delitos se redujese a cero, no fueran a arruinarse la mayoría de los periódicos de la ciudad...

De la habitación 516 se filtraba una intensa luz blanca, y de vez en cuando se veían las sombras de los que seguían trabajando en ella. También Gibbs estaba dentro. Era una completa estupidez que hubieran permitido su presencia durante la fase de recogida de pruebas. En principio los jefazos estaban obligados a quedarse fuera. Esta vez, sin embargo, Gibbs había insistido contra todos los reparos de D'Agosta. Dios, pero si desde el descubrimiento inicial no había entrado ni siquiera él, el jefe de brigada...

—Eh, tú, ¿qué coño haces con una Coca-Cola? —gritó a un especialista en huellas latentes que iba por el pasillo—. ¡Sabes perfectamente que no se puede comer ni beber en el lugar del crimen!

El hombre, acobardado, bajó la cabeza con abyecta sumisión. Después se giró y se fue por donde había venido, con la lata en la mano pero sin atreverse a beber de ella.

D'Agosta pudo ver como algunos de los otros detectives que deambulaban por el pasillo intercambiaban una mirada. Vale, estaba cabreado, y se le notaba, pero le importaba un comino. Lo de Pendergast, con su manera de desaparecer, lo había puesto de los nervios. No se veía al agente por ninguna parte. Tampoco al asesino. En cuanto a la descabellada teoría de que fuera hijo suyo... Por otro lado, Pendergast había acertado en todo: fecha, hora y lugar.

D'Agosta había hecho muchos viajes raros con Pendergast, pero ninguno tan raro como aquel. Estaba lo que se decía consternado. Por si fuera poco, la herida del pecho (que tampoco era tan antigua) se lo hacía pasar fatal. Se palpó el bolsillo en busca de un antiinflamatorio y se tomó unos cuantos Advil.

—Eh, tú, ¿quién te ha dado permiso para entrar aquí como si fuera tu casa? —le gritó a un especialista forense con bata blanca que acababa de pasar debajo de la cinta—. ¡Pero ficha, tío, ficha!

—No, teniente, si ya he fichado; solo he ido al lavabo...

Otro grito de D'Agosta cortó en seco el intento de sonrisa.

—¡Pues vuelve a fichar!

—Sí, señor.

De repente, al girarse, vio a Pendergast, cuya descarnada silueta había aparecido al fondo del pasillo. Cuando el agente se acercó con paso rígido, D'Agosta sintió un nudo de aprensión en el estómago. Tenía que hablar con él y averiguar algo más sobre eso tan estrambótico del supuesto hijo.

Lo impactó su expresión, consumida por el fuego de una dura, deslumbrante intensidad. Casi parecía loco. En sus ojos, no obstante, reinaba una claridad absoluta.

—¿Dónde estaba? —preguntó D'Agosta.

—He seguido al asesino hasta el río. Se ha escapado en los embarcaderos.

—¿Que lo ha... seguido?

—Cuando he llegado acababa de irse de la habitación por la salida de incendios. No había tiempo. Me he lanzado en su persecución.

—¿Y está seguro de que es... hijo suyo?

Pendergast lo miró fijamente.

—Como le he dicho antes, esa información debe quedar estrictamente entre nosotros.

D'Agosta tragó saliva. Lo ponía nervioso la intensidad de la mirada del agente.

—Bueno, es que si tiene información deberíamos hacérsela saber a los demás... —empezó a decir.

La expresión de Pendergast se tiñó de una clara hostilidad.

—Vincent, el único que puede capturar a este asesino soy yo. No puede hacerlo nadie más. De hecho, cualquier tentativa en ese sentido solo serviría para empeorar las cosas. La información, en consecuencia, tenemos que guardárnosla, al menos de momento. ¿Me comprende?

D'Agosta fue incapaz de contestar. Lo comprendía, sí, pero ¿guardarse información, y encima sobre la posible identidad del asesino? Eso no estaba permitido. Por otro lado, la idea de que el homicida fuera hijo de Pendergast, y hasta de que Pendergast tuviera hijos, parecía un enorme despropósito. Estaba perdiendo la chaveta. Quizá fuera mejor callárselo, en efecto.

No tenía ni idea de qué hacer.

—Vaya, vaya... Pero si es el agente Pendergast.

Era Gibbs, que salía de la habitación. Se acercó con la mano tendida y la sonrisa más falsa que cupiera imaginar. Pendergast le estrechó la mano.

—Parece salido de una pelea —dijo Gibbs con una risita, mirando el traje embarrado de Pendergast.

—No me diga.

—Tengo curiosidad —dijo Gibbs— por saber cómo han logrado llegar usted y el teniente al lugar del crimen minutos después que el asesino. Según el teniente, ha sido idea suya. Algo sobre una secuencia numérica.

—Fibonacci —dijo Pendergast.

Gibbs frunció el entrecejo.

—¿Fibonacci? ¿Quién es Fibonacci?

—Leonardo Fibonacci —dijo Pendergast—, un matemático de la Edad Media. Italiano, por supuesto.

—Italiano. Ya.

—He examinado las pruebas numéricas de los asesinatos y he descubierto que la dirección de los hoteles obedece a una pauta: calle Cuarenta y cinco Este 5, calle Cincuenta Oeste 8 y Central Park Oeste 13: cinco, ocho y trece. Forman parte de la serie de Fibonacci, en la que cada número es la suma de los dos anteriores. El próximo elemento de la serie sería el veintiuno. He descubierto que en Manhattan solo había un hotel con el veintiuno en la dirección: el Murray Hill, en Park Avenue 21.

Gibbs escuchaba con la cabeza inclinada y los brazos cruzados, aún con el ceño fruncido.

—Las horas de los asesinatos siguen una secuencia más simple que alterna entre las siete y media de la mañana y las nueve de la noche. Es una señal de arrogancia, como enseñar la cara a las cámaras de seguridad; como si nos tuviera en tan poca consideración que ni siquiera hiciese el esfuerzo de ocultar sus actos.

Al final de la explicación Gibbs puso los ojos en blanco.

—Lo de las horas de los asesinatos no se lo puedo discutir, pero eso de Fib... de Fib... debe de ser una de las ideas más descabelladas que he oído en mi vida.

—Bueno, vale —dijo D'Agosta—, pero parece que ha funcionado.

Gibbs sacó su libreta.

—Vamos a ver, agente Pendergast, ¿qué ha pasado después de que llegara usted? El teniente me ha dicho que ha desaparecido.

—Como le estaba explicando al teniente D'Agosta, he subido directamente a la habitación y me he encontrado abierta la ventana del baño. El asesino estaba bajando por la salida de incendios. Lo he perseguido hasta el río y le he perdido la pista en la zona de los antiguos embarcaderos.

Gibbs hizo unas anotaciones.

—¿Lo ha podido ver bien?

—No mejor que las cámaras de seguridad.

—¿No puede decirme nada más?

—No, lo siento; bueno, sí, que corre muy deprisa.

D'Agosta no salía de su asombro. Pendergast se estaba guardando información. Una cosa era decirlo y otra ponerlo en práctica. Para colmo lo hacía en una investigación cuyo principal responsable era él, D'Agosta. Cada vez le resultaba más difícil no tomarse como algo personal la actitud displicente de Pendergast para con el funcionamiento de la ley.

Gibbs cerró la libreta.

—Es interesante que haya elegido un antro así. Indica que su modus operandi está en evolución, característica habitual en este tipo de asesino en serie. Primero mata en entornos donde se siente seguro, y después varía y se vuelve más atrevido. Fuerza los límites.

—No me diga —contestó Pendergast.

—Pues se lo digo. De hecho me parece significativo. Los primeros asesinatos los hizo en el Grand Marlborough, el Vanderbilt y el Royal Cheshire, todos de cinco estrellas. A mí me hace pensar que es de familia rica y privilegiada. Empieza por donde está a gusto y después, al ganar seguridad, se hace más atrevido y juega a pobres, por decirlo de alguna manera.

—Este hotel —dijo Pendergast sin alterarse— lo ha elegido por una sola razón: porque es el único de Manhattan con el número veintiuno en la dirección. No tiene nada que ver con su familia, ni con que «juegue a pobres».

Gibbs suspiró.

—Agente especial Pendergast, ¿y si se ciñera a su especialidad y dejara el perfil a los expertos?

—¿A qué expertos se refiere?

Gibbs se lo quedó mirando.

Pendergast echó un vistazo a la puerta abierta de la habitación 516 y a las sombras de los que trabajaban dentro, dibujadas todavía en la pared de enfrente por la intensa luz de los focos.

—¿Conoce usted la alegoría de la caverna de Platón? —preguntó.

—No.

—Pues en esta situación quizá le pareciera ilustrativa. Agente Gibbs, he examinado a fondo su perfil forense del llamado Asesino de los Hoteles. Se basa, como bien dice usted, en probabilidades y agregados: la premisa de que este asesino es como los otros de su tipo. Lo cierto, sin embargo, es que este asesino se sale por completo de la curva de distribución normal. No encaja en ninguna de sus premisas, ni se ajusta a ninguno de esos datos tan fantásticos. Lo que hacen ustedes, aparte de constituir una pérdida de tiempo colosal, es un estorbo. Sus pueriles análisis están desviando gravemente la investigación, lo cual bien podría ser la intención del asesino.

D'Agosta se puso tenso.

Gibbs clavó su mirada en Pendergast. A continuación habló con mesura.

—Me he preguntado desde el primer día qué demonios hace usted en este caso y a qué juega. En la UCC hemos consultado su expediente y no es que nos haya dado muy buena impresión. Me he encontrado cosas de lo más inhabituales: bajas misteriosas, comisiones de investigación, censuras... Lo que me sorprende es que no lo hayan apartado del servicio. Un estorbo, dice usted. Yo el único estorbo que veo es su presencia y sus intromisiones. Agente Pendergast, le advierto de que ya no seguiré aguantando sus juegos.

Pendergast inclinó la cabeza en señal muda de aquiescencia. Después de un silencio volvió a hablar.

—¿Agente Gibbs?

—¿Ahora qué pasa?

—He visto que tiene sangre en el zapato izquierdo. Solo una manchita.

Gibbs se miró los pies.

—¿Qué? ¿Dónde?

Pendergast se agachó, pasó el dedo por el borde de la suela y se lo enseñó: estaba rojo.

—Es una pena, pero tendrán que llevarse el zapato como prueba. Me temo que será necesario informar de su desliz en el lugar del crimen. Por desgracia es obligatorio, como le confirmará el teniente. —Pendergast llamó con un gesto de la mano a un auxiliar de la policía científica que transportaba bolsas de pruebas—. El agente especial Gibbs va a darle su zapato; lástima, porque me he fijado en que es un Testoni hecho a mano. Teniendo en cuenta su modesto salario será una dolorosa pérdida para el señor Gibbs.

Poco después D'Agosta vio alejarse a Gibbs por el pasillo, hecho una furia y descalzo, con un pie en el que solo llevaba el calcetín. Qué curioso... Él no había visto que hubiera sangre en el zapato.

—Hoy en día hay que tener mucho cuidado en el lugar del crimen —murmuró a su lado Pendergast.

D'Agosta no dijo nada. Algo iba a pasar, y no sería agradable.

39

Era una mañana fría y gris, de llovizna. Los coches alineados en el aparcamiento parecían bloques de madera, tan carentes de brillo como la propia luz del día, con regueros de agua resbalando por sus flancos. Aunque solo fueran poco más de las once ya se anunciaba un día pésimo para las ventas, cosa que a Corrie le iba como anillo al dedo. Se había retirado con los otros vendedores a la zona de descanso, donde bebían todos café malo y pegaban la hebra en espera de que apareciese algún cliente. Había cuatro vendedores con ella, todos hombres. No estaban ni Joe Ricco ni su hijo Joe, y el ambiente era relajado.

Corrie llevaba dos días familiarizándose con ellos. Eran todos unos gilipollas de primera. La única excepción era Charlie Foote, el hombre a quien había mencionado su padre: el más joven del grupo, un poco tímido, y poco amigo de participar en el humor asnal de colegiales que practicaban sus colegas. A diferencia de casi todos los demás había terminado la secundaria, y era el mejor vendedor del grupo. Su voz suave y su actitud, discreta y modesta, parecían obrar milagros.

En esos momentos el protagonismo lo tenía uno de los vendedores de mayor edad, que acabó de contar un chiste verde del que Corrie se rió a carcajadas. Bebió un poco de café y echó otro recipiente de falsa nata para intentar que no se notara tanto el gusto a quemado.

—¿A que es curioso —dijo— que haya sustituido a un vendedor con el mismo apellido?

Dirigió su comentario al que había contado el chiste. Se llamaba

Miller y era todo un humorista. Corrie había hecho esfuerzos por reírse siempre de sus chistes malos. Hasta le había pasado a un buen cliente, fingiéndose necesitada de consejos, y le había dejado quedarse con la venta. Miller, a cambio, se había erigido en una especie de figura protectora. Seguro que esperaba tener suerte, porque ya empezaba a hacer comentarios sobre que a la salida del trabajo iba a un bar donde hacían unas margaritas brutales, y Corrie no lo había desengañado de la patética idea de poder acostarse con ella. Para eso esperaría a haber obtenido su rédito.

—Sí —dijo Miller mientras encendía un cigarrillo.

En principio solo se podía fumar fuera, pero como Joe Ricco era fumador no había protestas. Corpulento, pelirrojo y con el pelo muy corto, Miller tenía triple papada, barrigón cervecero, grandes labios y nariz chata. Su traje caro mitigaba un poco aquel aspecto. Todos iban bien vestidos. Corrie pensó que la época del comercial dicharachero y con traje de poliéster a cuadros pertenecía al pasado.

—¿Cómo era? —preguntó—. Jack Swanson, digo.

Miller expulsó el humo.

—Un imbécil.

—¿Ah, sí? ¿Y por eso lo echaron?

Miller se rió.

—No, qué va. Robó un banco.

—¿Qué?

Corrie fingió sorprenderse.

—Ojo, Miller, que tenemos prohibido hablar de eso en el trabajo —dijo otro de los vendedores, un tal Rivera.

—Que se jodan —replicó Miller—. Total, no hay clientes, y en algún momento se tiene que enterar.

—¡Que robó un banco! —intervino Corrie, deseosa de que no se desviara la conversación—. ¿Cómo?

Por lo visto a Miller también le hacía gracia.

—Era idiota, el tío. Como vendía que daba pena y no conseguía comisiones, un día se llevó un STS de aquí, fue a la sucursal del Delaware Trust, entró y la atracó.

Más risas.

—¿Cómo saben que fue él? —preguntó Corrie.

—Para empezar el coche era nuestro, ya te digo, con matrícula del concesionario. Segundo: llevaba el traje de mierda de siempre, que reconocíamos todos. Y el propio Ricco vio que se iba en coche.

Gestos generalizados de asentimiento.

—Tercero: encontraron un pelo suyo en el reposacabezas.

—Clarísimo —dijo Corrie.

Se apesadumbró. Iba a ser la hostia de difícil, suponiendo, claro estaba, que su padre fuera inocente de verdad.

—Y encima encontraron huellas dactilares suyas en el papel que le entregó al cajero.

Todo empezaba a sonar un poco demasiado fácil.

—¿Y ahora está en la cárcel?

—No, qué va; desapareció y todavía lo buscan.

Corrie esperó un momento.

—¿Y por qué dices que era un imbécil?

Miller dio otra calada y expulsó el humo por la nariz sin dejar de mirarla.

—Te interesa, ¿eh?

—Sí. Bueno, es que al tener el mismo apellido…

Un gesto de aquiescencia.

—Ya te digo que vender no vendía una mierda. Y… tampoco seguía la corriente.

—¿Qué corriente?

—Es que aquí los negocios los hacemos de una determinada manera.

—¿Y yo tendría que saberla, esa manera?

Miller apagó el cigarrillo y se levantó mirando la zona de exposición, en la que había entrado una pareja que estaba cerrando los paraguas. El hombre llevaba una carpeta.

—Ahora mismo lo verás. En días así, tan asquerosos, el que entra es porque compra. Ven.

Le guiñó un ojo a Corrie, mirándole las tetas.

Se acercaron a la pareja. Después de un saludo campechano, Miller, que hablaba sin levantar la voz, presentó a Corrie como una aprendiz de vendedora y les pidió permiso para que participase. Era una buena técnica, a la que se prestaron.

—Igual se saca su primera comisión —dijo Miller—. Para ella podría ser un día de los que hacen historia, ¿verdad, Corrie?

—¡Y tanto! —dijo ella alegremente.

Miró a la pareja. Él casi seguro que era médico: un hombre con muy poco tiempo y acostumbrado a las decisiones rápidas. Su mujer, delgada, nerviosa y con chándal, quería un Escalade negro. El marido se embarcó sin preliminares en un discurso ensayado al milímetro. Se había pasado horas mirando en internet. De hecho, ya tenía identificado el coche que le interesaba entre todos los del aparcamiento. El modelo tenía una larga lista de accesorios opcionales, que él se había impreso. Sabía el precio de fábrica y estaba dispuesto a pagar doscientos dólares más. Si no conseguían cerrar el trato a la primera, con las condiciones que enumeró, iría a otro concesionario, el del pueblo de al lado, donde había un coche casi idéntico en exposición. Ah, y otra cosa: no quería fundas para la tapicería, ni protección contra la herrumbre, ni ningún otro timo de esos; solo el coche.

Jadeó un poco al terminar de hablar. Para él debía de ser tan estresante como tener que atender una urgencia, pensó Corrie, curiosa por saber cómo lo enfocaría Miller.

Se sorprendió al ver que no se molestaba. No entró en negociaciones ni intentó polemizar, sino todo lo contrario: felicitó al médico por sus indagaciones y expuso el parecer de que él también agradecía poder llevar a cabo una operación rápida y eficaz, aunque no reportase muchos beneficios. Una venta era una venta. Por supuesto, no tenía la seguridad de que se pudiera vender el coche a un precio tan bajo, pero se lo consultaría al dueño del concesionario. ¿Cómo pensaba pagar el médico, en efectivo o con financiación?

Financiación, quería el médico: diez mil de entrada y el resto a plazos.

Miller se anotó el número de la seguridad social del buen doctor y otros detalles financieros. Después los acompañó a la lujosa sala de espera, con cafés para ambos, y él regresó a su cubículo, seguido por Corrie, que al mirar por encima del hombro de su compañero vio que verificaba la solvencia del médico en el ordenador y empezaba a redactar una oferta.

—¿No se lo tienes que preguntar al señor Ricco? —dijo.

—Y una mierda le voy a preguntar —dijo Miller.

—¿En serio que vas a venderles el coche al precio que te ha pedido?

Miller sonrió.

—Pues claro.

—¿Y cómo sacas beneficios? Lo digo porque por doscientos billetes no parece que valga demasiado la pena…

Miller siguió escribiendo y firmó al final, con rúbrica.

—Hay muchas maneras de matar pulgas —dijo.

—¿Por ejemplo?

—Tú mira y aprende.

Corrie lo siguió otra vez a la sala de espera. Miller enseñó los papeles.

—Ya está todo listo —dijo a la pareja—. El señor Ricco, que es el jefe, ha dado el visto bueno, aunque he tenido que insistir bastante. Muy contento no estaba, con franqueza se lo digo, aunque repito que una venta es una venta, y con el tiempo de perros que hace hoy suerte tenemos si vendemos algo. Lo único que le quería comentar es que con su solvencia no se ha podido conseguir el interés más competitivo del mercado. De todos modos le he conseguido un interés fantástico, prácticamente igual de bueno; el mejor posible, dadas las circunstancias…

El médico frunció el entrecejo.

—¿Cómo? ¿Que no tengo solvencia?

Miller le sonrió tranquilamente.

—¡No, no, en absoluto! Tiene usted bastante solvencia; no la máxima, pero tranquilo. Puede que se haya atrasado alguna vez con la hipoteca, o que haya pasado la deuda de la tarjeta de crédito de un mes a otro sin pagar el mínimo. Pequeñeces. Le aseguro que le he conseguido el mejor interés posible.

El médico se puso rojo. Miró a su mujer, que parecía disgustada.

—¿Nos hemos atrasado alguna vez con la hipoteca?

Esta vez fue ella quien se ruborizó.

—Bueno, hace unos meses me atrasé una semana… ¿Te acuerdas de cuando estábamos de vacaciones?

El médico, ceñudo, miró a Miller.

—¿Y qué interés nos ha puesto? No pienso pagar nada exorbitante.

—Solo tres cuartos de punto más que el mejor. También he conseguido alargarlo hasta setenta y dos meses, para que no aumente la mensualidad.

Miller expuso la cuota mensual, que a Corrie le pareció la mar de razonable, sobre todo por un Escalade de ochenta mil dólares con todos los accesorios. Empezó a preguntarse cómo podían ganar dinero vendiendo coches de ese modo.

Veinte minutos después el bueno del médico y su esposa se fueron del concesionario a bordo de su coche nuevo. En cuanto se marcharon Miller se puso a reír como un loco. Se retiró a la zona de descanso, llenó otra vez la taza de café y acomodó sus carnes en un asiento.

—Le acabo de vender un Escalade a un tarugo —anunció a los reunidos—. Doscientos dólares por encima del precio de fábrica. El tarugo estaba resuelto a conseguir un trato de cojones y es lo que le he dado, un trato de cojones.

—Me lo imagino —dijo uno de los demás—. Problemas de crédito, ¿no?

—Eso mismo. Le he dicho que no tenía la máxima solvencia… ¡y él ha financiado al siete y medio por ciento en setenta y dos meses!

Risas y gestos con la cabeza.

—No lo pillo —dijo Corrie.

Miller contestó sin dejar de reírse.

—Con esas condiciones de financiación el beneficio será de unos… ocho mil dólares. Es como ganamos dinero, con la financiación. Es lo primero que hay que aprender al vender coches.

—¿Ocho mil de beneficio? —preguntó Corrie.

—De puro beneficio, sí señora.

—¿Y eso cómo funciona?

Miller encendió un cigarrillo, llenó de humo sus pulmones y siguió hablando mientras lo expulsaba poco a poco.

—Está claro que antes de venir el tarugo se ha estado informando mucho tiempo en internet, pero se le ha olvidado consultar lo más importante de todo: su solvencia. Solo por subir tres cuartos de punto el interés durante setenta y dos meses ya te salen más de tres mil. Y eso se lo tienes que sumar a que el interés de partida ya era alto. Coño, si antes de venir hubiera pasado por el banco le podrían haber hecho un préstamo por la misma cantidad al cinco y medio, o hasta puede que menos.

—¿O sea, que no era verdad lo de que no tuviera solvencia?

Miller negó con la cabeza.

—¿Por qué, no te parece bien?

—Sí, sí —se apresuró a decir Corrie. Vio con el rabillo del ojo que Charlie ponía los ojos en blanco con cara de fastidio—. Me parece perfecto.

—Me alegro, porque tu predecesor, Jack, no acabó de pillarlo. Hasta cuando vendía algún coche, que era casi nunca, les daba de verdad el mejor interés, y luego, si se lo reprochábamos, nos amenazaba con acudir al fiscal, el muy hijo de puta. Decía que denunciaría al concesionario.

—Suena grave. ¿Qué habría pasado?

—¡Pero si lo hacen todos los concesionarios, joder! De todos modos no llegó la sangre al río, porque al muy subnormal se le ocurrió atracar el banco. ¡Problema resuelto! —Miller se volvió para mirar a Charlie—. ¿A que sí, Charlie?

—Ya sabes que a mí no me gusta esa manera de hacer negocios —dijo Charlie en voz baja—. Tarde o temprano saldrá el tiro por la culata.

—Ahora no te pongas tú en plan Jack —dijo Miller, cuyo tono de repente ya no era tan afable.

Charlie no dijo nada.

Entró otra pareja en el concesionario.

—Son míos —dijo otro vendedor con una palmada. Se frotó las manos—. ¡Prepárate, siete y medio por ciento!

Corrie miró a su alrededor. Ya lo tenía todo de una claridad meridiana. Uno de ellos había tendido una trampa a su padre para impedir que pusiera una denuncia.

Pero ¿cuál? A menos que lo hubieran hecho todos...

40

Desde que D'Agosta había recibido el mensaje de que Glen Single-ton quería verlo tenía todas las alarmas encendidas, y al entrar en el antedespacho del capitán sonaron aún con más fuerza. Midge Raw-ley, la secretaria de Singleton, tan chismosa como de costumbre, apenas levantó la cabeza del ordenador cuando lo tuvo cerca.

—Pase directamente, teniente —dijo sin mirarlo a los ojos.

D'Agosta pasó de largo y entró en el despacho privado de Sin-gleton, momento en que se le confirmaron sus temores. Detrás del escritorio estaba Singleton, en efecto, tan bien vestido como siem-pre, pero lo que hizo que a D'Agosta se le cayera el alma a los pies fue la expresión del capitán. Posiblemente D'Agosta no hubiera co-nocido nunca a nadie tan franco, tan honrado, como Singleton. No tenía malicia ni doblez: tal como lo veías, tal era. Y lo que vio fue a un hombre que lidiaba con un problema sumamente espinoso.

—¿Quería verme, capitán? —preguntó.

—Sí. —Singleton bajó la vista hacia un documento de su mesa. Lo examinó y pasó de página—. Teniente, estamos en un brete; o mejor dicho, lo está usted.

D'Agosta arqueó las cejas.

—Como jefe de la brigada que investiga los crímenes del Asesi-no de los Hoteles, parece que se ha visto inmerso en una lucha in-testina. Entre dos agentes del FBI. —Volvió a echar un vistazo a los papeles de su mesa—. Ha llegado a mis manos una queja oficial re-cién formulada por el agente Gibbs contra el agente Pendergast, donde lo acusa de falta de colaboración, de actuar por su cuenta y de no haber hecho el enlace entre los departamentos, entre otros agravios. —Hizo una pausa—. En esta queja aparece el nombre de usted. Más de una vez, para ser exactos.

D'Agosta no contestó.

—Lo he convocado de manera privada por dos razones. En primer lugar para aconsejarle que se aparte del fuego cruzado. Son cosas del FBI, y le aseguro que no nos interesa implicarnos en ellas.

D'Agosta sintió que se ponía rígido, como si le estuvieran pasando revista.

Singleton volvió a bajar la vista hacia el documento y pasó otra página.

—La segunda razón de que lo haya llamado es para saber si puede decirme algo especial sobre el caso. Necesito que me facilite toda la información relevante. Digo bien, toda. Mire, teniente, como esto se nos vaya de las manos y se acabe convirtiendo en la Tercera Guerra Mundial no quiero ser yo a quien cojan desprevenido.

—Está todo en el informe, señor —dijo con cautela D'Agosta.

—¿Sí? No es momento de tomar partido, teniente.

Se hizo un silencio incómodo en el despacho. Finalmente, Singleton suspiró.

—Vincent, usted y yo no siempre hemos sido uña y carne, pero en todo momento lo he considerado un buen policía.

—Gracias, capitán.

—Ahora bien, no es la primera vez que su asociación con Pendergast se convierte en un problema. Ni que pone en jaque mi buena opinión.

—¿Señor?

—Le seré franco. Según su informe, parece que el agente Gibbs cree que Pendergast se está guardando información, que no comunica todo lo que sabe. —Singleton hizo una pausa—. El caso es que Gibbs desconfía mucho de los actos de Pendergast en lo relativo al último de los asesinatos, y no se lo puedo reprochar: por lo que he visto en este documento no se ve ni por asomo que se estén siguiendo los protocolos estándar de actuación de las fuerzas del orden. Y se observan muchas... cómo le diría... actividades sin explicar.

D'Agosta fue incapaz de sostener la mirada de decepción de Singleton. Bajó la vista hacia sus zapatos.

—Ya sé que lo suyo con Pendergast tiene su historia, y que son amigos, pero estamos hablando de unos asesinatos en serie como hacía años que no se producían. El jefe de la brigada es usted. Tiene las de perder, así que piense un poco antes de contestar. ¿Tiene algo que explicarme?

D'Agosta se quedó callado.

—Mire, teniente, ya se ha estrellado usted una vez gracias a Pendergast. Estuvo a punto de destrozar su carrera, y no quiero que se repita. Es evidente que Gibbs piensa crucificar a Pendergast a toda costa y le da igual si hay daños colaterales.

D'Agosta siguió sin decir nada. Acudían a su memoria todas las veces en que él y Pendergast habían luchado codo con codo: contra el horrible ser del Museo de Historia Natural, contra los Rugosos, en lo más profundo del subsuelo de Manhattan, contra el conde Fosco y aquel cerdo de Bullard, en Italia, y más recientemente contra Judson Esterhazy y el misterioso *Bund*. Al mismo tiempo, sin embargo, no podía negar que él también albergaba dudas sobre la conducta y los motivos de Pendergast en los últimos tiempos. Ni siquiera podía negar que temiese por su cordura. Sin poder evitarlo, recordó las palabras de Laura Hayward: «Tu deber es facilitar todas las pruebas y los datos, hasta los más descabellados. No se trata de amistad; ni siquiera de lo que te conviene a ti a nivel profesional. Se trata de coger a un asesino peligroso que probablemente vuelva a matar. Vinnie, tienes que actuar correctamente».

Respiró hondo y levantó la vista. Después se oyó hablar como de lejos.

—Pendergast cree que el asesino es hijo suyo.

Singleton abrió mucho los ojos.

—¿Cómo dice?

—Ya sé que parece una locura, pero Pendergast me ha dicho que cree que el culpable de estos crímenes es su propio hijo.

—¿Y usted... se lo cree?

—No sé qué pensar. Hace poco murió en circunstancias horribles la mujer de Pendergast, y nunca he visto a nadie que estuviera más cerca de volverse loco.

Singleton sacudió la cabeza.

—Teniente, al pedirle información sobre el caso me refería a información como Dios manda. —Se apoyó en el respaldo—. Quiero decir, que esto me parece absurdo. No sabía ni que el agente Pendergast tuviera un hijo.

—Yo tampoco, señor.

—¿No quiere explicarme nada más?

—Es que no puedo decirle nada más. Ya le he dicho que el resto está todo en mi informe.

Singleton lo miró.

—O sea, que Pendergast se ha guardado información. ¿Y usted desde cuándo lo sabe?

D'Agosta se estremeció por dentro.

—Desde hace bastante.

Singleton se apoyó en el respaldo. Estuvieron un rato en silencio.

—Muy bien, teniente —dijo finalmente el capitán—. Tendré que pensar en cómo lo resuelvo.

D'Agosta, abatido, asintió en señal de que lo comprendía.

—Antes de que se vaya voy a darle un último consejo. Hace un minuto le he dicho que no se implique, que no tome partido. Es un buen consejo. Sin embargo, es posible que llegue el momento (tal vez antes de lo que me esperaba, a juzgar por lo que acaba de decirme) de que nos veamos todos obligados a decantarnos. En ese caso usted adoptará una actitud favorable hacia Gibbs y la UCC, no con Pendergast. Francamente, ni me cae bien ni me gustan sus métodos, y esto de su hijo me hace pensar que al final ha perdido la cabeza. ¿Le ha quedado claro, teniente?

—Clarísimo, señor.

—Me alegro.

Singleton bajó la vista y puso el informe boca abajo, señal de que se había terminado la entrevista.

41

Proctor caminaba en silencio por la biblioteca, mirando los libros. Al no ser una persona leída le resultaban desconocidos la mayoría de los títulos, que en muchos casos, además, estaban escritos en otro idioma. Él no tenía la menor idea de cómo «educar» a alguien, y menos a un chico raro y débil como Tristram, pero un encargo era un encargo, y él conocía su deber. Tenía que reconocer que era un muchacho fácil de cuidar, modesto en sus necesidades y agradecido con cualquier atención y comida, por sencillas que fuesen. Al principio, basándose en su escaso dominio del idioma y la extrañez de sus costumbres, había supuesto que tenía alguna minusvalía mental, pero era evidente que se había equivocado. Aprendía muy deprisa.

Su vista se detuvo al reconocer un título: *Animal acorralado*, de Geoffrey Household. Buen libro, muy buen libro.

Cogió el ejemplar por el lomo y se detuvo a escuchar. El ama de llaves ya se había ido a casa. La mansión estaba en silencio.

¿O no?

Con movimientos reposados, se puso el libro bajo el brazo y se volvió para mirar la biblioteca. Hacía frío (en ausencia de Pendergast no se molestaba en encender la chimenea), y la mayoría de las luces estaban apagadas. Eran las nueve de la noche. Se había levantado un viento invernal, el que soplaba desde el río Hudson.

Se mantuvo a la escucha. Sus oídos captaban los ruidos de la casa, el gemido sofocado y gutural del viento y los vagos crujidos de la vieja mansión. El olor era el de siempre: a cera de muebles, cuero y madera. A pesar de todo le pareció oír algo, algo casi inaudible en el piso de arriba.

Sin perder el sosiego de sus movimientos fue al fondo de la biblioteca y abrió un panel de roble tras el que había un tablero de seguridad informático y un monitor LCD. Toda la hilera estaba verde, las alarmas encendidas, las puertas y ventanas cerradas a cal y canto y los sensores de movimiento en reposo.

Apretando un botón desactivó temporalmente los sensores. Después pasó tranquilamente de la biblioteca al recibidor por un arco de mármol y entró en lo que llamaban «gabinete»: varias salas reformadas por Pendergast para albergar un pequeño museo cuyas piezas procedían de las colecciones, aparentemente infinitas, de su tío bisabuelo, Enoch Leng. El centro de la primera sala lo ocupaba un dinosaurio fosilizado, pequeño pero de maligno aspecto, todo dientes y garras, rodeado por un sinfín de vitrinas con especímenes insólitos y extraños, desde cráneos hasta diamantes, meteoritos o pájaros disecados.

Los movimientos de Proctor respiraban una paz que distaba mucho de sentir en su interior. Tenía un radar interno aguzado por sus años en las fuerzas especiales, y ese radar acababa de ponerse en marcha. El porqué no lo sabía. No conseguía identificar nada en concreto. Todo parecía seguro. Era su intuición.

Y Proctor siempre le hacía caso a su instinto.

Subió a la primera planta y, tras dejar atrás el chimpancé disecado y sin labios, lleno de agujeros hechos por las polillas, examinó todas las puertas que daban al pasillo. Cerradas. Detuvo un momento la vista en un cuadro de un ciervo devorado por los lobos. Después reanudó su camino.

Todo estaba en su sitio.

Volvió a la planta baja, y a la biblioteca, donde reactivó los sensores de movimiento, cogió *Animal acorralado* y se sentó en un sillón estratégicamente orientado a un espejo que le permitía ver todo el recibidor.

Abrió el libro y simuló leer.

Sus sentidos, mientras tanto, seguían en alerta máxima, sobre todo el olfato. El olfato de Proctor era de una finura sobrenatural, digna casi del de un ciervo. No era algo que entrase dentro de las previsiones de la mayoría de los seres humanos. Más de una vez le había salvado la vida.

Transcurrió media hora sin que nada despertase sus sospechas.

Comprendió que debía de haber sido una falsa alarma. Aun así, como nunca daba nada por sentado, cerró el libro, bostezó y se acercó a la parte de las estanterías que daba acceso secreto al ascensor del sótano. Bajó y recorrió el estrecho pasadizo subterráneo de piedra sin labrar, con manchas de nitrio, humedad y cal en las paredes.

A la vuelta de una esquina se arrimó sin hacer ruido a una hornacina y esperó.

Nada.

Aspiró despacio, indagando con su olfato en las corrientes de aire, pero no eran portadoras de ningún olor humano, remolino extraño o calor inesperado. Todo era frío y humedad.

Empezaba a tener la sensación de hacer el tonto. Su aislamiento, y un papel tan desacostumbrado como el de protector y tutor, lo habían puesto de los nervios. No era posible que lo siguiera nadie. La entrada de la estantería se había cerrado tras él, y obviamente no había vuelto a abrirse. El ascensor seguía en el sótano. Nadie lo había hecho subir de nuevo hasta la planta baja; y aunque en esta última hubiera alguien, era imposible que lo hubiera seguido al sótano.

Con estos pensamientos se empezó a disipar la sensación de alarma. No había peligro en bajar al subsótano.

Cruzó el pasillo, y al llegar a la cámara de piedra presionó el blasón de los Pendergast. Se abrió la puerta secreta. La atravesó y esperó a que hubiera vuelto a su sitio para descender por la larga escalera de caracol y recorrer las múltiples y extrañas salas que componían el subsótano, llenas de frascos de cristal, tapices medio descompuestos, insectos resecos, medicamentos y otras extrañas colecciones de Enoch Leng. No eran de su gusto. Se apresuró a llegar a la pesada puerta con bandas de hierro por la que se accedía a la vivienda de Tristram.

El chico lo esperaba con paciencia. Era una de sus grandes virtudes: sabía quedarse varias horas sentado, sin moverse ni ocuparse en nada. Proctor admiraba aquella cualidad.

—Te he traído un libro —dijo.

—¡Gracias! —El joven se levantó y lo cogió con avidez para mirarlo y darle vueltas—. ¿Sobre qué va?

De repente Proctor tuvo sus dudas. ¿Era el libro más indicado para el hermano de un asesino en serie? No se le había ocurrido pensarlo. Carraspeó.

—Va de un hombre que sigue a un dictador para matarlo. Lo cogen y se escapa. —Hizo una pausa. Tal como lo había descrito no parecía muy interesante—. Te leeré el primer capítulo.

—¡Sí, por favor!

Tristram se sentó a esperar en la cama.

—Si hay alguna palabra que no entiendas, me dices. Cuando acabe hablaremos del capítulo. Seguro que tienes preguntas. No dejes de hacérmelas.

Proctor se acomodó en una silla, abrió el libro, se aclaró la garganta y empezó a leer: «No puedo reprocharles nada. A fin de cuentas, nadie necesita un teleobjetivo para disparar contra osos y jabalíes».

Bruscamente sintió algo a sus espaldas: una presencia. Se giró y se levantó como un resorte, cerrando la mano alrededor de su pistola, pero la presencia había desaparecido en la oscuridad del pasadizo sin darle tiempo de tocar el arma. Aun así, Proctor tenía grabada la imagen del rostro que había visto. Era el de Tristram, pero más agudo y afilado.

Alban.

42

El despacho del supervisor Peter S. Joyce era uno de los más abarrotados del gran edificio de Federal Plaza 26. Las estanterías abundaban en libros sobre historia de América, el sistema judicial penal y las tradiciones marineras, y las paredes estaban decoradas con fotos de su viejo balandro de diez metros de eslora, el *Carga de la prueba*. En cambio la mesa de Joyce estaba totalmente vacía, como la cubierta de un barco al prepararse para una tormenta. Por la única ventana del despacho se veía Lower Manhattan de noche; Joyce, trasnochador empedernido, siempre se reservaba el trabajo más importante del día para el final.

Llamaron suavemente a la puerta.

—Adelante —dijo.

Al abrirse entró el agente especial Aloysius Pendergast, que la cerró sin hacer ruido, dio unos pasos y se sentó en la única silla colocada delante de la mesa.

A Joyce lo irritó un poco que se hubiera sentado sin permiso, pero disimuló. Tenía cosas más importantes que decir.

—Agente Pendergast —fueron sus primeras palabras—, en los tres años que han pasado desde su traslado a la delegación de Nueva York he tolerado sus... ¿cómo le diría? Sus rarezas como agente, y a menudo lo he hecho desoyendo los consejos de otras personas. He intercedido más de una vez por usted y he respaldado sus métodos cuando otros querían llamarle la atención. Lo he hecho por varias razones. Yo no soy muy quisquilloso con el protocolo. No es que me encante la afición del FBI por la burocracia. Me interesan más los resultados, y en ese aspecto casi nunca me ha decepcionado usted. Será poco convencional, pero eficaz lo es de narices. Su experiencia militar es de lo más impresionante, al menos por lo que he visto en los informes no clasificados de su expediente. Este último también contiene una valoración sumamente elogiosa a cargo del difunto Michael Decker, uno de los agentes más condecorados y con más honores de los últimos tiempos. En esos elogios he pensado a menudo cuando llegaban a mi mesa quejas sobre su conducta.

Se inclinó y puso las manos en la mesa, unidas por la punta de los dedos.

—Pero ahora, agente Pendergast, ha hecho algo que no puedo ignorar ni tolerar. Se ha pasado usted mucho, pero mucho de la raya.

—¿Se refiere a la queja oficial del agente Gibbs? —preguntó Pendergast.

Joyce no dio ninguna muestra de sorpresa.

—Solo parcialmente. —Titubeó—. Yo no soy amigo ni del agente Gibbs ni de la UCC. Lo que dice Gibbs de que actúa usted por su cuenta, prescinde de enlaces entre departamentos, se aparta de los procedimientos consensuados y no sabe trabajar en equipo no me preocupa demasiado, la verdad. —Restó importancia a lo dicho con un gesto—. Lo que ya es más grave son las otras acusaciones; por ejemplo, que haya intervenido usted en la investigación sin esperar a ser autorizado de manera oficial. Si alguien debería saber que Gibbs solo trabaja en el caso porque la policía de Nueva York pidió ayuda específicamente a la UCC es usted. Ni está usted adscrito a la UCC, ni queda claro en qué lo atañe el caso. Por si fuera poco, sus esfuerzos por que lo asignasen a la investigación han levantado unas cuantas ampollas. De todos modos, hasta eso podría haberlo pasado por alto, pero lo que no puedo ignorar es una infracción mayúscula, la más grave de todas.

—¿Cuál? —preguntó Pendergast.

—Guardarse información decisiva sobre la investigación.

—¿Puedo preguntarle de qué información se trata?

—Que el Asesino de los Hoteles es hijo suyo.

Pendergast se puso tenso.

—Gibbs ya sospechaba que se guardaba usted información, agente Pendergast, y ahora la policía de Nueva York lo ha confirmado. Esta tarde, al enterarse por primera vez de que sospecha usted que el asesino es su hijo, no se lo han tomado en serio. Les ha parecido que no estaba usted… en plena posesión de sus facultades mentales; pero, claro, no tenían más remedio que hacer un seguimiento, y la comparación entre el ADN del Asesino de los Hoteles y el suyo (que tenemos en nuestro fichero, como sabe) lo ha confirmado. —Joyce suspiró—. Esta información, de una importancia absolutamente crucial, no la ha aportado usted a la investigación, lo cual carece de cualquier justificación posible. No es que parezca grave, es que lo es. Va mucho más allá de un simple conflicto de intereses. Raya con un delito penal de encubrimiento.

Pendergast no contestó. Sostuvo la mirada de Joyce con una expresión inescrutable.

—Agente Pendergast, no tengo la menor idea de cómo ni por qué se ha metido su hijo en todo esto, ni qué pensaba hacer usted al respecto. Es evidente que se encuentra en una situación personal intolerable, y en ese sentido merece mi más profunda compasión, pero le seré franco: en el mejor de los casos su intervención en este asunto ha sido contraria a la ética y en el peor, a la ley.

Joyce dejó el comentario un momento en el aire antes de continuar.

—Ya sabe que en lo que a medidas disciplinarias se refiere la burocracia establece pautas fijas. Yo, como supervisor primero, ni siquiera puedo amonestarle. Por lo tanto, he mandado un informe a la oficina del Agente Especial Responsable de la división de Nueva York en el que detallo sus infracciones y aconsejo que se les ponga fin de inmediato.

Otra pausa.

—La oficina del AER me lo ha devuelto. No han querido ni tocarlo, así que esta mañana he vuelto a presentar el informe pero a la Secretaría de Responsabilidad Profesional.

Joyce suspiró y dedicó una larga mirada de soslayo a Pendergast, como si tratase de formarse una idea sobre una caja puzle japonesa.

—Normalmente los de la SRP se le habrían echado encima como lapas. Habría interrogatorios, testimonios, se tomaría una decisión y se optaría por algún castigo; y a usted, durante todo ese proceso, lo machacarían a base de preguntas. En vez de eso ¿qué pasa? Pues que en cuestión de una hora recibo la respuesta: «Treinta días apartado de la calle».

Joyce sacudió la cabeza.

—Nada más. En vez de entre cinco y diez días en Leavenworth, se lo dejan en treinta días apartado de la calle: un mes sin paga. Y dado que el sueldo anual que le proporciona el FBI es de... ¿cuánto, un dólar al año en concepto de honorarios? Dudo que le escueza mucho. —Arqueó una ceja inquisitivamente—. No sé quién es su ángel guardián, agente especial Pendergast, pero le digo una cosa: tiene una suerte de cojones.

La habitación quedó en silencio. Finalmente Joyce movió la silla.

—¿Quiere añadir algo?

Pendergast sacudió casi imperceptiblemente la cabeza.

—Yo diría que ha expuesto usted la situación de manera admirable, agente especial Joyce.

—En ese caso tómese los treinta días. Y manténgase muy pero muy lejos de este caso.

Joyce dio la espalda a Pendergast para sacar de la estantería *Yates al alcance del bolsillo*, abrirlo encima de la mesa y empezar a leer.

43

Proctor se volvió otra vez hacia Tristram, que estaba en la cama, sentado y con la cara blanca.

—Quédate aquí —dijo—. Voy a cerrar con llave. En esta habitación no correrás peligro.

Salió, cerró la puerta a cal y canto y corrió por el pasillo de piedra. Se apoyó contra la pared justo antes de que desembocase en la sala más cercana del subsótano.

Sacó su 45, metió una bala en la recámara y encendió la mira láser. Después dedicó un momento a despejarse la cabeza y aprehender las condiciones tácticas. Apartando de sí cualquier sorpresa, cualquier dolor en sus costillas magulladas y cualquier especulación sobre cómo podía haber entrado el joven, se centró en el problema más inmediato.

El asesino quería hacerlo salir al resto del subsótano. Alban quería que lo siguiese, estaba claro; tanto como que era lo que había que hacer. No había alternativa. Proctor no podía dejar ninguna libertad de acción al joven, que ahora estaba dentro de la seguridad de la casa. Tenía que cogerlo. Alban pretendía tenderle una emboscada, de eso estaba seguro. Por lo tanto, había que ser imprevisible. Había que formarse una estrategia.

Y había que entender la razón de que Alban no lo hubiera matado de buenas a primeras cuando estaba claro que tenía la oportunidad.

Todos aquellos pensamientos se concentraron en unas décimas de segundo.

Miró el suelo en busca de huellas del paso de Alban, pero no logró distinguir el rastro del joven entre el galimatías de pisadas recientes. Respiró hondo, y al cabo de un momento dobló la esquina y cubrió la sala con su arma. La única luz era la de una bombilla desnuda en la punta de un cable que recorría todo el subsótano y proyectaba largas sombras. Las vitrinas de las paredes exhibían una colección variopinta de reptiles disecados.

La sala parecía vacía.

La cruzó con rapidez y se puso a cubierto detrás de una vitrina vieja, que yacía de lado en el suelo y de la que salían alabardas herrumbrosas. Desde aquel observatorio escrutó la sala lo mejor que pudo. No hacía falta darse prisa. Lo que intentaba el asesino no era huir, sino seguirlo; eso estaba tan claro como que Proctor lo seguía a él.

Tras comprobar que la sala estuviera vacía, corrió hasta el otro extremo y se arrimó al arco que daba paso a la siguiente estancia, en dirección a la escalera de subida. Esta vez las estanterías no estaban solo en las paredes, sino en mitad de la sala, con frascos de colores que contenían objetos de lo más estrafalarios: insectos secos, lagartos, semillas, líquidos, polvos… Aquel laberinto de anaqueles ofrecía muchos escondites, y sitios en los que tender una emboscada.

Lástima, pero no había más remedio.

El armamento de Proctor era una Beretta Px4 Storm con cargador de 9 + 1, pero siempre llevaba encima dos cargadores más de veinte balas; en total, cincuenta balas. Tenía fobia a quedarse sin munición. No le había pasado nunca, ni le pasaría.

Extrajo el de diez balas e insertó uno de los de veinte. El peso del arma experimentó un aumento significativo, pero era necesario para lo que estaba a punto de hacer.

Imprevisible…

De repente empezó a disparar varias veces contra las hileras de vitrinas mientras corría de una punta a otra de la sala: primero disparó hacia un lado, y después hacia el otro. El resultado fue un gran estruendo y un caos de cristales, debido a que las balas penetraron por múltiples hileras de anaqueles y en su recorrido se fragmentaron y dejaron hechas trizas las estanterías. El espacio cerrado hizo que el ruido fuera ensordecedor. Como mínimo, quien se escondiera entre las estanterías quedaría cegado por los trozos de cristal, y era muy posible que recibiese alguna bala en fragmentación. Dicha persona no podría devolver el fuego de manera precisa.

Proctor siguió corriendo hasta llegar a la siguiente estancia, sin interrumpir su fulminante tiroteo, que convirtió cientos de frascos de cristal en chubascos de luz.

Las veinte balas lo llevaron hasta una sala más, la tercera: un espacio pequeño lleno de vitrinas con aves disecadas. Como tenía vacío el cargador, se puso a cubierto detrás de una vitrina de roble macizo que sobresalía de una pared. Contuvo la respiración y escuchó con gran intensidad, en cuclillas.

Los sonidos residuales del tiroteo reverberaban por el subsótano: líquidos vertidos, cristales caídos, algo que de vez en cuando se estampaba contra el suelo… Detrás de Proctor el suelo de piedra estaba cubierto por miles de esquirlas de cristal. Nadie podía caminar sobre ellas sin hacer ruido. Si el asesino estaba detrás de él no podría seguirlo sin dar a conocer su presencia.

Aun así esperó. Los últimos ecos de la destrucción solo dejaron un monótono goteo de líquidos y un olor mixto y fétido a alcohol, formol, animales muertos e insectos disecados.

Proctor sabía que la estancia siguiente también estaba repleta de vitrinas que ofrecían copiosos escondites. Recordó que contenían herramientas antiguas e inventos de otras épocas. Personalmente ignoraba por completo el motivo por el que Enoch Leng se había hecho con colecciones tan extrañas, aunque tampoco le importaba. Lo único que sabía era que su adversario también permanecía a la espera, con toda probabilidad en alguna de las antiguas salas de delante.

Esperó mucho tiempo. A menudo el éxito se debía a algo tan simple como esperar más que el adversario. Tarde o temprano se movían, y entonces… ¡pum!

Esta vez, sin embargo, todo era silencio. El adversario no se presentó.

Existía la posibilidad de que el asesino estuviera en alguna de las salas por las que ya había pasado Proctor, muerto o gravemente herido, pero por alguna razón él lo dudaba. Su sexto sentido le decía que Alban estaba en una de las habitaciones que quedaban delante.

Esperando.

Sacó el cargador vacío e insertó el segundo de veinte balas. En ese momento oyó el ruido de un pie sobre cristales.

Dio media vuelta, pasmado por tener detrás al asesino, y se desplazó rápidamente a una posición más defendible, en un receso de la pared de mortero.

Volvió a esperar, todo oídos. El suelo de la estancia anterior estaba íntegramente recubierto de trozos de cristal. No era posible moverse sin hacer ruido. ¿O sí?

Se acercó con gran lentitud al borde del arco de piedra, pero por mucho que escuchase no oyó nada más. ¿Podía haber sido algún objeto caído sobre los cristales?

La incertidumbre empezaba a reconcomerlo. Tenía que verlo, averiguarlo. En un arranque de velocidad volvió a cruzar el arco y corrió por el centro de la sala disparando hacia ambos lados, como antes. Vio moverse algo a su derecha, a lo lejos, detrás de una hilera de frascos rotos a los que disparó repetidamente a través de las estanterías antes de ponerse a cubierto en un receso de la pared del fondo.

Arrimado a la hornacina, prestó oídos por enésima vez. Debía de haber dado al asesino, o como mínimo haberle echado encima esquirlas de cristal. Seguro que estaba herido, tal vez ciego, asustado y desorientado.

¿O lo engañaba su esperanza?

Otro fuerte crujido de cristales. Solo podía ser una pisada.

Proctor salió corriendo del receso en la pared y volvió a disparar hacia el origen del sonido a través de frascos que ya estaban rotos. El resultado fue otro caleidoscopio de esquirlas relucientes, más estantes caídos y más vasos de precipitados derramando lo que contenían. Sin embargo, al barrer la zona de donde provino el sonido se dio cuenta de que no había nadie. Nada. Siguió corriendo hasta llegar al otro extremo de la estancia y refugiarse en una esquina, desde donde lo observó todo con los ojos desorbitados.

De repente voló una piedra por los aires, y al chocar con la bombilla sumió la cámara en la oscuridad. Proctor disparó enseguida hacia el lugar desde donde habían tirado la piedra, aprovechando la poca luz que entraba desde la sala de al lado.

Bajó la pistola, jadeante. ¿Cuántas balas le quedaban? Normalmente llevaba la cuenta, pero aquella vez la había perdido. A las primeras veinte que había disparado había que sumarles quince o más; por lo tanto, podían quedarle cinco en aquel cargador y diez en el último.

Se empezaba a cumplir su pesadilla, quedarse sin munición.

Agazapado en la negrura de la esquina, comprendió que su estrategia había fracasado. Se enfrentaba a un adversario de enorme previsión y habilidad.

Necesitaba una nueva maniobra. Probablemente el asesino esperara que siguiese e insistiera en buscarlo, como hasta entonces, así que en vez de eso daría media vuelta y regresaría por donde había venido. Obligaría al asesino a ir en su busca.

Avanzó hasta la puerta apoyado contra la pared. En la siguiente sala manaba la luz de una bombilla. Este recinto también había estado lleno de frascos, y el suelo se había cubierto de cristales rotos. Ahora Proctor se enfrentaba al mismo problema que le había puesto a su adversario: no poder moverse sin hacer ruido.

O sí… Se puso en cuclillas, se quitó los zapatos y, sin levantarse, cruzó muy lentamente el arco y entró en la sala de al lado, todo ello en calcetines y sin salir de la tupida sombra de detrás de las vitrinas reventadas. Se movía con suma lentitud, en el más absoluto silencio, ignorando los cristales clavados en las plantas de sus pies, y entre paso y paso se paraba a escuchar.

Oyó una pequeña inhalación a su derecha, tras una gran hilera de estanterías rotas. Inconfundible. También el asesino debía de moverse en calcetines.

¿Lo había visto? Imposible saberlo.

Imprevisible. Era la consigna que no había que olvidar.

En una súbita explosión de movimiento, corrió en línea recta hacia la larga y alta fila de anaqueles hasta que la derribó con el impacto. Los estantes cayeron contra la siguiente fila, y esta contra otra, como fichas de dominó. Los marcos, ya rotos y acribillados, se vinieron abajo como un castillo de naipes atraparon a la persona de dentro en una vorágine de cristales rotos, sustancias químicas, especímenes y baldas retorcidas.

Al retroceder, Proctor sintió un golpe repentino en el brazo. La pistola salió disparada. Se giró golpeando a ciegas con el puño, pero la silueta negra ya se había apartado y lo alcanzó en las costillas. Hizo que Proctor cayera sobre los cristales.

Rodó y se puso en pie con un solo movimiento. Enseguida cogió el cuello roto de un vaso de precipitados. El asesino dio un salto hacia atrás y cogió igualmente un cristal roto. Se rondaron con cautela.

Proctor, experto en el manejo del cuchillo, quiso dar una estocada, pero el asesino la esquivó y lo atacó a su vez, provocándole un corte en el antebrazo. Proctor contraatacó y logró desgarrarle la camisa, pero una vez más el asesino, con una rapidez sobrenatural, se volvió y evitó el grueso de la cuchillada.

Proctor nunca había visto moverse a nadie tan deprisa, ni adelantarse tan bien a su adversario. Se acercó al asesino, cortando el aire, pero aunque lo obligó a batirse en retirada no acertó ni una vez. Al topar de espaldas con una mesa, el asesino soltó su esquirla de cristal y cogió una pesada retorta. Aprovechando su ventaja, Proctor siguió avanzando y asestando estocadas, pero de pronto, inopinadamente, el asesino, que simuló retroceder, como si se retirase, ejecutó el giro más insólito posible y estampó la retorta en un lado de la cabeza de Proctor, que cayó aturdido al suelo mientras saltaban gruesos trozos de cristal.

El asesino no tardó nada en echarse encima de él, clavarlo al suelo y apretarle en el cuello el perfil serrado de la retorta, justo a la altura de la carótida y con la presión justa para no cortar más que la piel.

Aturdido, anonadado de sorpresa y de dolor, Proctor no daba crédito a haber sido vencido. Parecía imposible, pero sí, lo habían derrotado, y en lo que más dominaba.

—Venga —dijo con voz ronca—, acaba ya.

El asesino se rió, dejando a la vista unos dientes blancos y brillantes.

—Sabes perfectamente que si quisiera matarte ya estarías muerto. No, no, tienes que entregarle un mensaje a tu amo. Además, tengo un hermano a quien debo… atender.

Mientras hablaba apareció un largo brazo que sacó del bolsillo de Proctor la llave de la habitación de Tristram.

—Y ahora buenas noches.

Un golpe súbito y contundente en un lado de la cabeza de Proctor hizo que todo se volviera negro.

44

El teniente Vincent D'Agosta se paseaba inquieto por el apartamento con vistas a la Primera Avenida. Se echó en el sofá de la sala de estar, encendió la tele, cambió ociosamente de canal y la volvió a apagar. Después se levantó, fue a la puerta corredera y se asomó al balcón, que estaba a oscuras. Acto seguido entró en la cocina, abrió la puerta de la nevera, sacó una cerveza, se lo pensó, la devolvió a su sitio y cerró la puerta.

Miraba cada pocos minutos el teléfono, y después apartaba la vista.

Era consciente de que lo mejor era irse a la cama, donde ya estaba Laura, y dormir un poco, pero también sabía que el sueño lo rehuiría. Una de las secuelas de la reunión con Singleton había sido lo que llamaban una «vista disciplinaria» y su cese como jefe de la brigada que investigaba los asesinatos de los hoteles; como había señalado Singleton, suerte tenía de salir tan bien parado, y no porque se lo tuviera que agradecer a Pendergast. Casi le resultaba insoportable la idea de empezar un nuevo día regresando a su mesa para bregar con media docena de delitos de mierda.

Volvió a mirar el teléfono. Ya puestos, mejor hacerlo de una vez. Mientras no se quitara aquel peso de encima no estaría cómodo.

Suspiró, levantó el auricular y marcó el número del móvil de Pendergast.

Sonó tres veces.

—¿Diga? —oyó pronunciar tranquilamente con acento sureño.

—¿Pendergast? Soy yo, Vinnie.

Se produjo una pausa. Cuando volvió a oír la voz, su temperatura había bajado varias decenas de grados.

—Dígame.

—¿Dónde está?

—En mi coche. Yendo a casa.

—Me alegro. Ya me parecía que estaría despierto. Oiga, solo quería decirle… en fin, lo mucho que siento lo ocurrido.

A falta de respuesta D'Agosta hizo de tripas corazón y siguió hablando.

—No sabía qué hacer. Quiero decir que mi deber como jefe de brigada era informar de todas las pruebas, absolutamente todas. Singleton me echó encima la caballería… Estaba arrinconado…

Seguía sin haber respuesta. D'Agosta se humedeció los labios.

—Mire, ya sé que las últimas semanas han sido muy duras para usted. Yo soy su amigo y quiero ayudarlo en todo lo que pueda, pero esto… es mi trabajo. No tenía elección. Tiene que entenderlo.

Cuando sonó la voz de Pendergast lo hizo con toda la crispación, pero también con toda la dureza, que D'Agosta pudiera conocerle.

—Lo entendería hasta el más duro de mollera: ha traicionado la confianza de otra persona.

D'Agosta respiró profundamente.

—No se lo tome así, aquí no se trata de ningún secreto de confesión. Es ilegal saber la identidad de un asesino en serie y no decirla, aunque haya lazos de sangre. Confíe en mí, es mejor que se haya destapado ahora que más tarde.

Silencio.

—Me han apartado de la investigación, y reconozcámoslo, usted no ha llegado a estar nunca en ella. Olvidémoslo, es agua pasada —puntualizó D'Agosta.

—Mi hijo, como ha tenido usted la bondad de señalar, es un asesino en serie. ¿Me puede indicar exactamente cómo puedo olvidarlo?

—Pues entonces deje que lo ayude. De manera extraoficial. Sigo teniendo acceso a la investigación, y puedo mantenerlo al corriente de las novedades.

Pendergast volvió a guardar silencio.

—¿Qué me dice? —añadió D'Agosta.

—¿Que qué le digo? Le digo lo siguiente: ¿durante cuánto tiempo, exactamente, tendré que soportar justificaciones interesadas y ofrecimientos de ayuda no solicitados?

D'Agosta sintió de golpe todo el peso de lo que había oído y la injusticia de la situación.

—¿Pues sabe qué le digo yo? —gritó—. ¡Que le jodan!

Estampó el teléfono en la base.

45

Nada más entrar en la mansión Pendergast notó algo raro. Reinaba un silencio expectante, un estatismo anómalo, así como cierto olor extraño. Comprobó rápidamente que todas las alarmas estuvieran encendidas y con luz verde, que nadie hubiera tocado las cerraduras y que estuviera todo en su sitio.

Aun así se dio prisa en recorrer los amplios pasillos que llevaban a la biblioteca. Dentro de ella todo era frío, oscuridad y silencio; no estaba encendida la chimenea, ni había señales de Proctor.

Abrió la estantería y usó el ascensor para bajar al sótano, donde corrió por el pasillo subterráneo y abrió la puerta secreta. Esta vez el olor lo golpeó como un muro: una mezcla apestosa de formol, etanol y miles de otros líquidos, polvos y mejunjes irreconocibles. Sacó su 45 al descender a gran velocidad por la curva de la escalera.

Tras cruzar el arco y penetrar en la larga sucesión de estancias subterráneas que componían el subsótano atravesó corriendo la primera media docena y se paró de golpe. Las siguientes salas, que formaban una hilera conectada por arcos de piedra e iluminada por bombillas, ofrecían un panorama de destrucción. Por todas partes brillaban esquirlas de cristales de colores y se veían frascos rotos en medio de charcos que desprendían humo. Todo estaba sembrado de especímenes. Los anaqueles yacían volcados y destrozados en el suelo de piedra, y las vitrinas de las paredes aparecían salpicadas de orificios de bala de gran calibre.

—¡Tristram! —exclamó echando a correr.

Cruzó las cámaras como una exhalación, haciendo crujir una

alfombra de cristales. Hacia la mitad de la serie de salas cambió de dirección, llegó a la habitación de su hijo, introdujo la llave en el cerrojo, la giró y abrió de par en par.

En el suelo había un cuerpo cubierto por una sábana. Corrió hacia él, ahogando un grito, y al apartar la sábana vio a Proctor con la cara ensangrentada y el cuerpo magullado. Le buscó rápidamente el pulso en el cuello. El chófer estaba vivo pero inconsciente. Tras examinar su cuerpo llegó a la conclusión de que solo había recibido una paliza, así como un feo corte en la cabeza que había sangrado en abundancia y era un indicio claro de conmoción.

Fue al baño contiguo para mojar un paño en agua caliente, con el que lavó con suavidad la cara de Proctor y el corte de la cabeza. Sus desvelos empezaron a revivir al herido, que al tratar de incorporarse estuvo a punto de sufrir un desmayo. Pendergast hizo que se tendiera otra vez en el suelo.

—¿Qué ha pasado? —preguntó en voz baja pero con urgencia.

Proctor sacudió la cabeza para aclararse. El dolor le hizo gemir.

—Alban… se ha llevado a Tristram.

—Pero ¿se puede saber cómo ha entrado?

El mismo gesto con la cabeza.

—Ni idea. Me pareció oír… un ruido.

—¿Cuándo ha sido?

—Hacia las diez… menos cuarto.

Eran más de las once. Pendergast se levantó de un salto. No había ninguna señal de que Alban y su víctima hubieran salido de la casa. Las alarmas estaban en verde. Sin embargo, había transcurrido más de una hora desde el ataque.

—Voy a dejarlo aquí mientras los busco —dijo.

El gesto de Proctor pareció decir: «Por mí no se preocupe».

Con la pistola preparada, Pendergast sometió la habitación a un rápido registro. Al hurgar en el desorden de papeles de la mesa de Tristram, fruto de sus tentativas de escribir en inglés, encontró un dibujo muy bonito de una montaña con una nota que indicaba que era un regalo para su padre. El descubrimiento lo hizo estremecerse de dolor. Sin embargo, dejó a un lado sus sentimientos y salió de la habitación con el dibujo, cerrando la puerta con llave.

Examinó con atención las marcas en el suelo del pasadizo lateral, pero a tan poca distancia de la habitación de Tristram había demasiadas huellas para poder establecer algún tipo de patrón. Volvió al pasillo principal y avanzó a la mayor velocidad que pudo sin bajar la guardia ni dejar de examinar los destrozos que tapizaban el piso. Tras cruzar varias estancias más llegó al antiguo laboratorio del profesor Leng. Tan lejos no había llegado el duelo. El laboratorio estaba relativamente en orden, con vasos de precipitados, retortas y aparatos de titración sobre las viejas mesas de esteatita. Miró a su alrededor con gran detenimiento. A continuación, siguiendo las paredes, se acercó sin hacer ruido a la puerta abierta que llevaba a la siguiente sala, la última de todas. Estaba llena de armas, tanto antiguas como relativamente modernas: espadas, mazas, rifles, cachiporras, granadas, mayales, tridentes...

Una vez dentro se detuvo, sacó de su bolsillo una pequeña linterna de ledes y la usó para explorar la sala. No parecía faltar nada. Al llegar a la pared del fondo se paró. Había marcas frescas a escasos metros de una discreta puerta en el muro.

Las alarmas de seguridad estaban todas en verde. No se habían disparado los sensores de movimiento. La mansión estaba sumamente protegida contra los intrusos, salvo el sótano y los subsótanos, a los que solo era posible acceder por el ascensor oculto y la puerta secreta, que por la singularidad de su distribución, y lo casi ilimitado de sus dimensiones, no se podían proteger debidamente. No solo eso, sino que tratar de hacerlo sería poner en peligro toda aquella parte secreta de la mansión. De todos modos eran puras especulaciones, porque ningún intruso sería capaz de encontrar la entrada.

Pendergast contempló la puerta cerrada. A menos que... ¿Sería posible?

La abrió rápidamente. Se comunicaba con un tosco pasadizo labrado en la piedra, y una escalera que descendía aprovechando una grieta natural del lecho esquístico. Llegaba de abajo un fuerte olor a moho y humedad. Los escalones, numerosos y rudimentarios, lo condujeron a un antiguo muelle de piedra junto a un túnel inundado de agua: la guarida del pirata fluvial que había sido dueño de una casa en el mismo solar de la mansión. En el muelle solía haber un viejo bote de remos, pero no estaba. Las salpicaduras y charcos recientes de agua en los bordes de piedra del embarcadero eran testigos de que el bote se había usado hacía poco tiempo.

Pendergast sabía que el túnel del contrabandista llevaba al río Hudson. Estaba tan bien escondido, y el acceso al subsótano tan bien barrado y cerrado, que él siempre había considerado que la entrada trasera por el túnel era imposible de descubrir y de difícil acceso, pero en aquel momento comprendió que había sido un descuido de lo más estúpido. Al disponer de una hora de ventaja, seguro que Alban y su rehén ya se habían marchado, y era imposible seguirles la pista.

Se sentó, o casi dejó caer, sobre las piedras del embarcadero.

46

El doctor John Felder salió de la casa del portero y cerró la puerta sigilosamente. Tal como había prometido el calendario, era una noche sin luna. La mansión de los Wintour carecía de luces exteriores; la señorita Wintour era demasiado rácana para comprar más bombillas de las absolutamente necesarias, así que la vetusta mole era una gran forma oscura que se erguía negra frente a él, contra un trasfondo igual de negro.

Respiró hondo y empezó a abrirse camino por la maleza, que llegaba hasta sus rodillas. La noche era fría, casi gélida, y su aliento se condensaba en el aire. Todo parecía sumido en el silencio: la mansión, la calle y el pueblo entero de Southport. Pese a la oscuridad, se sintió horriblemente vulnerable.

Al llegar al edificio principal se acercó a un costado y escuchó. Todo estaba en silencio. Se desplazó con lentitud por el muro exterior hasta llegar al ventanal de la biblioteca de la mansión. En esta última había tres ventanas de bisagras. Con movimientos aún más lentos que antes se asomó a la que tenía más cerca. Oscuridad total.

Se apartó un poco y miró a su alrededor con la espalda contra la fachada de piedra. No había nada que turbase la quietud, ni siquiera el murmullo del paso de un coche. Aquel lado de la mansión formaba un ángulo recto con la calle, de la que quedaba oculta por una antigua cortina de tuyas plantadas en el lado interno de la verja de hierro forjado. No podían verlo.

Aun así permaneció un buen rato al amparo de las ventanas de la biblioteca. ¿Lo iba a hacer? ¿De verdad? Por la tarde, sentado en la casa del portero, al esperar durante horas que llegaran las doce de la noche, se había dicho que en el fondo no tenía planeado nada ilícito. Lo único que haría sería apoderarse de la carpeta de dibujos de un artista de segunda que no le importaba a nadie, y menos a la señorita Wintour. De hecho ni siquiera se apoderaría de ella. Se limitaría a tomarla prestada. Siempre se la podía enviar por correo a la señorita Wintour, sin remite, y todos contentos…

Pero después había vuelto a la realidad. Lo que estaba planeando era un robo con allanamiento de morada. Aquello era un delito, tal vez uno leve o quizá no tanto, penado con prisión. Después había pensado en Dukchuk y le había parecido preferible la cárcel a que le pusiera las manos encima.

Se le estaban durmiendo los pies por el frío y por no moverse. Cambió de postura. ¿De verdad iba a hacerlo? Sí, dentro de un minuto. O dos.

Metió la mano en el bolsillo de la chaqueta para verificar su contenido. Una linterna, un destornillador, un escalpelo, una lata de tres en uno y unos guantes finos de piel. Volvió a respirar hondo, entrecortadamente. Se humedeció los labios y miró otra vez a su alrededor. Nada. Estaba todo negro. Casi no distinguía las ventanas de la biblioteca, con sus marcos macizos. La mansión estaba inmersa en un silencio sepulcral. Después de otro momento de vacilación se sacó los guantes del bolsillo, se los puso y se acercó a la ventana más próxima.

Sacó la linterna sin separarse del marco, la encendió y, protegiendo la luz con el guante, examinó la estructura central, donde se juntaban las dos secciones verticales de la ventana. Vaya por Dios. Habían ajustado las fallebas, y las palancas abatibles impedían abrir aquella doble ventana. Apagó la linterna y, después de otro vistazo a la redonda, se acercó al siguiente marco y lo examinó. También en aquel caso estaban en posición horizontal los tiradores con los que se abría la ventana. No podía entrar sin romper el cristal, meter la mano y girar él mismo el tirador, algo inconcebible.

Con una sensación que parecía situarse a medio camino entre la decepción y el alivio, se acercó a la siguiente ventana. Encendió de nuevo la linterna, tapó la luz y miró hacia dentro. El tirador de la primera hoja estaba en su sitio, pero el haz de luz reveló que el otro se encontraba ligeramente entreabierto, y que la falleba estaba rota y no la habían arreglado; donde se fijaba al marco de metal no había más que un agujero.

Apagó la linterna y se colocó a la sombra del lado opuesto del ventanal. Volvió a esperar, mirando y escuchando atentamente, pero no vio ni oyó nada.

Se dio cuenta de que su corazón latía como a martillazos. Si no lo hacía en ese mismo instante se acobardaría. Se giró con determinación hacia el último marco, deslizó el destornillador en la ranura que dejaba el borde de la ventana y aplicó una suave presión. La abertura se ensanchó con un chirrido de protesta. Interrumpió la operación, sacó del bolsillo el aceite lubricante, lo aplicó a las bisagras oxidadas y volvió a probar con el destornillador. Esta vez la ventana se movió en silencio. Poco después la ranura era bastante ancha para meter los dedos. Abrió la ventana muy suavemente.

Se guardó otra vez el aceite y el destornillador. Todo seguía en silencio. Haciendo acopio de valor puso las manos a ambos lados del marco y apoyó el pie en el alféizar, preparándose para subir, pero dudó. Se vio por un momento como desde lejos, y se le ocurrió una idea: «Si me vieran ahora mis profesores de la facultad de medicina...». Sin embargo, estaba demasiado nervioso para demorarse mucho tiempo en semejantes reflexiones. Volvió a cogerse al marco, subió y le bastó un pequeño esfuerzo para introducirse en la sala.

Dentro de la biblioteca hacía casi tanto frío como fuera. Protegió la luz de la linterna e hizo un rápido barrido de la sala para formarse una idea de dónde quedaban los muebles. No le convenía tropezar con una silla. La decoración se parecía a la del salón delantero: sillas mojigatas, de respaldo alto, y unas cuantas mesas bajas con tapetes que servían para exponer diversas piezas de porcelana y peltre. Había polvo, como si la habitación llevara mucho tiempo en desuso. Las estanterías ocupaban por completo las paredes de ambos lados, detrás de cristales emplomados.

Volvió a mirarlo todo, memorizando la distribución del mobiliario. Después apagó la linterna y, caminando a la mayor velocidad que osó, sin hacer ruido, se acercó a las puertas correderas, en las que apoyó la oreja, atento a cualquier posible sonido.

Nada.

Se giró otra vez hacia la biblioteca, mientras su corazón latía aún más deprisa. No tenía ni idea de por dónde empezar. Las estanterías contenían miles de libros, cajas de cuero para almacenaje, legajos de antiguos manuscritos atados con cintas en putrefacción y otros materiales. La perspectiva de buscar durante horas temiendo que lo descubrieran en cualquier momento era intolerable.

Se dio fuerzas pensando en Constance. Después se dirigió hacia la izquierda y se aproximó con sigilo a donde parecía que empezase la pared de estanterías, al lado de las puertas correderas. Cogió la linterna, cubierta de nuevo con la mano, y la dejó encendida el tiempo necesario para ver una hilera de libros altos con encuadernación de piel, volúmenes que lo contemplaban con el vago resplandor de la luz reflejada en sus lomos nervados. Eran las obras de Henry Adams en cuatro tomos.

Se movió un poco hacia otro punto de la pared de estanterías e hizo una pausa para encender brevemente la linterna. En el anaquel de enfrente había una media docena de cajas de madera de esmerada labor, magníficamente ensambladas y barnizadas a mano. Cada caja llevaba una etiqueta de papel que empezaba a despegarse de la madera, al secarse la cola con el paso del tiempo; y en cada etiqueta había una anotación escrita a mano con tinta desvaída: «Bierstadt, Vol. 1; Bierstadt, Vol. 2...».

La correspondencia de Bierstadt. El objetivo de la delegación de Harvard cuya peregrinación había sido en balde. Seguro que valía una fortuna.

Apagó la luz y se apartó rápidamente de la estantería. ¿Había oído un ruido?

Se quedó sin moverse, muy atento, pero como no se oía nada más se giró y miró las puertas correderas. Al otro lado no había luz.

Aun así, nervioso, dio unos cuantos pasos hacia la relativa seguridad de la ventana abierta.

Se tomó otros buenos sesenta segundos de pausa para escuchar, antes de centrarse de nuevo en las estanterías. Levantando la linterna (que una vez más tapó parcialmente con la mano), dirigió un momento el haz hacia los anaqueles de delante. En el que quedaba a la altura de sus ojos había un tomo enorme, un infolio rodeado por otras colecciones más pequeñas de lomo a juego. Era el *Fausto* de Goethe; un ejemplar precioso, con grabados e incisiones de fantasía en la encuadernación de piel.

Dio un respingo tan fuerte que casi soltó la linterna. ¿Era su enorme agitación la que le hacía oír cosas? ¿O alguien había pisado la moqueta del pasillo, al otro lado de la biblioteca, con sigilo gatuno?

Miró nerviosamente las puertas correderas. Seguía sin haber ninguna luz al otro lado, negro como la pez. Tragó saliva y se volvió hacia la estantería para echar otro vistazo.

Pero justo entonces algo, que no supo identificar, le hizo dar media vuelta y acercarse en línea recta a la ventana abierta. Saltó con cautela y, una vez con los pies en el suelo, la cerró en silencio, dando gracias a Dios por haber traído el aceite de engrasar.

Se quedó ahí, rodeado por la negra noche y temblando ligeramente. Cuando su corazón volvió a la normalidad empezó a sentir vergüenza. Solo eran imaginaciones suyas. No había ruidos ni tampoco luces. Si se dejaba vencer a la primera de turno por los nervios no encontraría nunca la carpeta de dibujos. Se giró hacia la ventana con la intención de entrar y hacerse una idea más clara de la distribución de los libros.

De repente se abrieron las puertas correderas de la biblioteca. Tan terrible fue la brutalidad de su apertura como el silencio posterior. Felder, asustado, se apartó de la ventana. En el pasillo brillaba una luz muy débil, que proyectaba en el marco de la puerta una silueta gigantesca. Era un hombre, con una prenda extraña e informe. Una de sus manos sujetaba un palo de madera largo y curvo, una vara llena de crueles incisiones, terminada en una esfera del tamaño de una pelota de cróquet.

«Dukchuk» —dijo para sus adentros.

Fuera, en la oscuridad, al pie de la ventana de la biblioteca, Felder miraba fijamente, paralizado a causa del miedo, a través del cristal. El criado recorrió toda la sala sin dejarse ni un centímetro cuadrado. Su cabeza calva se movía con la lentitud y parsimonia de un gran animal. Después, veloz y silencioso, volvió a cerrar la puerta corredera. La casa quedó una vez más en silencio, mientras el corazón de Felder latía enloquecido dentro de su pecho.

Al recuperarse regresó a la casa del portero tan rápido como le permitía la prudencia, pero antes de que se hubiera disipado del todo el atroz hormigueo del miedo sintió algo más: una chispa de esperanza. Acababa de darse cuenta de algo.

Adams. Bierstadt. Goethe. Los libros de la biblioteca Wintour estaban ordenados alfabéticamente.

47

En la seguridad que procuraban las paredes de madera de la habitación 027, situada en el primer sótano del Hospital Mount Mercy para Delincuentes Psicóticos, estaba sentada, casi sin moverse, Constance Greene. La habitación 027 había sido en otros tiempos la de Tratamiento de Aguas, terapia curativa instituida por Bradford Tuke, uno de los primeros médicos alienistas de Mount Mercy. Los mosquetones para las esposas se habían retirado hacía mucho tiempo, pero un hundimiento perceptible en el centro de la sala delataba la ubicación del gran desagüe, ahora cubierto de cemento.

En la actualidad, la habitación solía usarse para sesiones psiquiátricas privadas entre los médicos y los reclusos poco peligrosos. Estaba amueblada de manera confortable, pero aunque ni las sillas ni las mesas estuvieran atornilladas al suelo llamaba la atención la falta de objetos cortantes o contundentes; y a pesar de que la puerta no estuviera cerrada con llave, dos hombres la custodiaban justo al otro lado.

Aparte de Constance, el único ocupante de la sala era el agente especial Pendergast, que con paso vacilante, y una gran palidez en el rostro, daba vueltas por la habitación.

Tras observarlo unos momentos Constance desvió la vista hacia los fajos de informes policiales, fotos en blanco y negro y con grano de las cámaras de seguridad, análisis forenses y resultados de ADN que ocupaban la mesa de delante, pulcramente ordenados. Tras leerlo todo con detenimiento, y grabar en su memoria todos los detalles (de una complejidad enorme), había sometido la información a una práctica meditativa que recibía el nombre de Tsan

B'tsan y era la más ardua de las artes del Chongg Ran, antigua disciplina mental butanesa cuyas sutilezas solo conocía media docena de personas en todo el mundo occidental. Dos de esas personas estaban en la habitación.

Durante el estado de Tsan B'tsan, Constance había tenido una revelación inesperada.

Transcurridos varios minutos miró otra vez a Pendergast, que seguía dando vueltas lentamente por la habitación.

—Creo que lo mejor sería que analizásemos los acontecimientos que nos han traído a la presente situación —dijo en voz baja, con serenidad—. Tu mujer, Helen Esterhazy, descendiente de un médico nazi, fue el fruto de un experimento genético con gemelos organizado por un grupo que se hace llamar *Der Bund*, la Alianza. Hace doce años, cuando los amenazó con hacer públicos los experimentos, ellos organizaron su muerte, pero gracias a una elaborada estratagema perpetrada por su propio hermano, Judson, Helen sobrevivió y en su lugar murió su hermana gemela deficiente, Emma. Hace poco, al descubrir que Helen aún estaba viva, *Der Bund* la secuestró justo cuando pretendías custodiarla... y la mató.

Los pasos de Pendergast se volvieron aún más lentos.

—En los primeros tiempos de vuestro matrimonio, sin que lo supieras, tu mujer dio a luz a dos gemelos varones. Estos niños eran fruto de los experimentos de eugenesia y manipulación genética que seguía practicando *Der Bund*. Uno de ellos, Alban, recibió la educación necesaria para convertirse en un asesino de gran inteligencia, agresivo y sin remordimientos, un dechado de perfección teutónica, según la ideología nazi. El otro hijo, a quien has puesto tú el nombre de Tristram, se compone de lo que queda de su material genético conjunto, y es, por lo tanto, lo contrario de Alban: débil, tímido, empático, bondadoso y cándido. A ambos los han traído aquí, a Nueva York, para hacer algún tipo de prueba beta cuya finalidad aún es desconocida más allá de los asesinatos en serie que ha cometido Alban en varias habitaciones de hotel, dejando mensajes cuyo destinatario eras tú. ¿Es correcto lo que he dicho?

Pendergast asintió sin mirarla.

—Tristram huyó y acudió a ti. Anoche Alban lo encontró, lo raptó y se lo llevó, como se llevaron no hace mucho tiempo a Helen Esterhazy.

Fue como si la exposición directa y objetiva de los hechos, sin ninguna emoción, despejase el ambiente cargado de la sala. La expresión de Pendergast se relajó un poco. Ya no se le veía tan angustiado. Dejó de caminar y miró a Constance.

—Yo no me puedo poner en tu lugar, Aloysius —añadió ella—, porque sabes tan bien como yo que si me hubiera pasado, si me hubiera ocurrido esto a mí, mi reacción habría sido de una índole bastante más... dura e impulsiva que la tuya. Ahora bien, el hecho de que hayas recurrido a mí me resulta muy significativo. Sé que lo trágico del desenlace del secuestro de tu esposa debe de atormentarte, e intuyo que el cariz tan cruel que han tomado los acontecimientos (que se hayan llevado de forma similar a tu hijo, cuya existencia desconocías) te ha paralizado. Si te hubieras decidido por un plan no estarías ahora aquí conmigo.

Pendergast siguió mirándola hasta que se sentó al otro lado de la mesa, en una silla.

—Todo lo que dices es correcto —contestó—. Me encuentro inmerso en una paradoja. Si no hago nada no volveré a ver nunca más a Tristram, mientras que si lo busco podría precipitar su muerte, como hice con la de mi mujer.

Durante varios minutos no habló ninguno de los dos. Al final Constance cambió de postura.

—Yo la situación la veo clara. No tienes elección. Es tu hijo. La guerra que libras se ha desarrollado demasiado tiempo de modo tangencial, al margen de tu auténtico adversario. Debes atacar directamente el centro neurálgico, el lugar de origen, el nido de víboras. Tienes que ir a Nova Godói.

La mirada de Pendergast se posó en los papeles de la mesa. Respiró profundamente, de forma entrecortada.

—Acuérdate de mi hijo —añadió Constance—. Al saber del peligro que corría no vacilamos en actuar, aunque fuera a costa de que me acusaran de infanticidio. Ahora eres tú quien tiene que proceder con determinación... y con violencia.

Las cejas de Pendergast se arquearon.

—Sí, violencia; mucha, y firme. A veces es la única solución. Lo sé por experiencia.

La voz de Constance se diluyó en un silencio que solo interrumpía el tictac de un antiguo reloj.

—Perdona —dijo él en voz baja—. Estoy tan angustiado que no me he acordado de preguntarte por tu hijo. A estas alturas ya deberías saber algo.

—Solo hace cinco días que recibí la señal. Ya está en la India, lejos del Tíbet, en lo más profundo de las montañas al norte de Dharamsala. A salvo.

—Buena noticia —murmuró Pendergast.

Volvieron a quedarse en silencio, pero justo cuando Pendergast empezaba a levantarse de la silla Constance tomó de nuevo la palabra.

—Quería decirte otra cosa. —Indicó con un gesto de la mano las fotografías y los documentos—. Detecto algo insólito en el tal Alban, algo único en su manera de percibir la realidad.

—¿De qué se trata?

—No estoy segura. Es como si viera… como si supiera… más que nosotros.

Pendergast frunció el entrecejo.

—No sé si te entiendo.

—Yo tampoco lo entiendo del todo, pero intuyo que tiene algún poder, una especie de sentido adicional, que en los seres humanos normales no ha alcanzado su pleno desarrollo o bien no existe.

—¿Sentido? ¿Como cuando se habla de sexto sentido? ¿De clarividencia, o percepción extrasensorial?

—Tan claro no; algo más sutil, pero tal vez aún más poderoso.

Pendergast reflexionó un momento.

—Han llegado a mi poder documentos antiguos procedentes de una casa franca nazi de Upper East Side. Pertenecen a la familia Esterhazy y en ellos se menciona algo llamado *Kopenhagener Fenster*.

—La Ventana de Copenhague —tradujo Constance.

—Sí. Los documentos se refieren a ello con frecuencia, pero no llegan a explicarlo. Parece que tiene algo que ver con la manipulación genética, o con la mecánica cuántica, o con una mezcla de ambas. En todo caso está claro que los científicos que trabajaban en la Ventana de Copenhague estaban convencidos de que era muy prometedora para el futuro de la raza superior. Puede que esté relacionada con el poder al que te has referido.

Constance no contestó. Pendergast encogió y alargó los dedos en silencio.

—Seguiré tu consejo. —Consultó su reloj de pulsera—. Puedo estar en Brasil a la hora de comer. Acabaré con todo esto sea como sea.

—Extrema la prudencia. Y acuérdate de lo que te he dicho: a veces la única solución es la violencia.

Pendergast hizo una reverencia. Cuando volvió a levantar la cabeza fijó en Constance sus ojos brillantes y plateados.

—Una cosa debes saber: si no logro regresar con Tristram sano y salvo, no regresaré. Te quedarás sola.

La expresión desapegada y casi oracular de antes se borró del rostro de Constance, dejando en su lugar un leve sonrojo. Durante un momento ambos se miraron, cada uno a un lado de la mesa. Al final Constance levantó una mano y acarició la mejilla de Pendergast.

—En ese caso me despido provisionalmente de ti.

Pendergast cogió su mano y la estrechó con suavidad. Después se levantó para marcharse.

—Espera —murmuró ella.

Pendergast dio media vuelta. La cara de Constance estaba aún más sonrojada y bajaba la vista para no mirarlo.

—Queridísimo tutor —dijo en voz baja, tan baja que casi no se oía—. Espero… espero que encuentres la paz.

48

Corrie estaba fuera del concesionario. Eran las tres de una madrugada negra como el pecado, con seis grados bajo cero de temperatura. Las feas lámparas de sodio proyectaban su horrible resplandor amarillento en las hileras de coches aparcados, haciendo brillar el hielo que escarchaba los parabrisas. Aunque no le hubieran dado las llaves del concesionario, había conseguido birlar las de Miller aprovechando uno de los descuidos habituales, que lo enfurecían y lo hacían buscar por todas partes sin parar, entre exabruptos, patadas a los cubos de basura y plena exhibición de su gilipollez.

Corrie había investigado (y meditado) mucho sobre la estafa de la que tanto se enorgullecían los vendedores, y resultaba ser bastante común. Era lo que llamaban «timo del crédito». Tenía razón Miller al decir que era algo generalizado en los concesionarios, y que casi nunca daba lugar a denuncias. Cuanto más lo pensaba más se daba cuenta Corrie de que en el concesionario los únicos perjudicados de verdad por el descubrimiento habrían sido los dueños, no los vendedores; es decir, los Ricco, padre e hijo. Si su padre hubiera cumplido su promesa de levantar la liebre, eran ellos quienes más habrían tenido que perder.

Decidió centrarse en ellos, en el padre y el hijo.

Rodeó el concesionario, apartándose del círculo chillón de luz, y llegó al edificio por detrás, donde estaban las zonas de servicio y de reparaciones. Allá también había algunas luces de área, pero era un punto que no se veía desde la carretera, y detrás del concesionario lo único que había eran grandes maizales, reducidos en invierno a hileras secas de rastrojos.

Cruzando a toda prisa las luces de área llegó a la parte trasera del edificio, donde se puso unos guantes de látex y esperó. No había nadie ni señal de vigilantes nocturnos o seguridad privada.

Al menos a simple vista.

Se acercó con sigilo a la entrada lateral de la sala de exposición. Probó las llaves, y al encontrar la que encajaba entró.

Ahora a impedir que saltase la alarma.

Ya había hecho previamente una inspección general de los paneles de alarma de todas las puertas. Por la tarde se había apoyado «sin querer» en el teclado, pulsando el botón rojo de la alarma, que al dispararse había hecho que Miller acudiera corriendo e introdujese el código de reinicio, mientras ella tomaba buena nota. Cuando la luz de aviso empezó a parpadear en el panel y comenzó la cuenta atrás en la pantalla LCD, introdujo el código y la luz se puso verde.

Por los cristales de la sala de exposición entraba luz abundante del aparcamiento, casi demasiada. Moviéndose entre las sombras se acercó a la pequeña zona de oficinas de los Ricco. Padre e hijo tenían los despachos uno al lado del otro y compartían la misma secretaria, que ocupaba una antesala.

La puerta ni siquiera estaba cerrada con llave.

Entró y fue al despacho de Ricco padre. En la pared del fondo había una fila de archivadores de imitación de madera. Sacó el pie de cabra que había llevado, lo introdujo en el borde del primer cajón y apretó. La gaveta cedió con una sacudida y el ruido de una pieza de metal barato al romperse.

Al abrirse, quedó a la vista una larga hilera de carpetas. Parecían centenares. Y era el primer cajón de veinte. Ahora que lo pensaba no tenía circunscrito el objetivo de su búsqueda. ¿Pruebas del timo del crédito? Eso ya lo tenía. Decidió empezar por el expediente personal de su padre. Aparte de eso se limitaría a mirar todas las carpetas, por si encontraba algo.

El primer cajón solo contenía archivos sobre ventas. Después de hojearlas por encima forzó otros dos cajones. Pero cuánto papeleo, por Dios...

Después de media hora llegó a las carpetas de personal, que ocupaban por sí solas una gaveta sin etiqueta. Encontró casi al momento la de Swanson.

Vaciló, pensativa. Aunque enseguida notarían que había entrado alguien, no podía limitarse a robar los documentos sobre su padre. Sería centrar en él la atención. No, lo que haría sería robar muchas carpetas de personal y unas cuantas más cogidas aleatoriamente; así no podrían saber cuál le interesaba.

Metió en su bolso la carpeta de Swanson. De repente, al empezar a sacar otras al azar, oyó algo: una puerta cerrándose con suavidad. Inconfundible.

Se quedó muy quieta. No podía salir de los despachos por la puerta trasera, porque no había. La única manera de salir era por la sala de exposición acristalada, que recibía luz del aparcamiento. Mientras esperaba oyó cerrarse otra puerta, y pasos por el suelo de granito de la sala de exposición.

Cerró en silencio todos los archivadores con la esperanza de que no se notase demasiado que los había forzado. Después se guardó el pie de cabra en el bolso y fue hacia el fondo de la zona de despachos. ¿Adónde?

Al lavabo.

Abrió un poco la puerta, entró, echó el pestillo y se encerró en el retrete, subiéndose a la taza.

Todo estaba en silencio. La persona que se paseaba por la exposición difícilmente entraría en el despacho de los Ricco; y aunque entrase no iría al lavabo. ¿O sí? Se dio cuenta demasiado tarde de que había hecho mal en cerrar con pestillo la condenada puerta. Parecería sospechoso, sobre todo si intentaban abrirla y se la encontraban cerrada. Debería haberla dejado entreabierta.

Sudó al comprender la estupidez de haber entrado por la fuerza. Era un delito grave, uno más que cometía. ¿Qué le pasaba, acaso tenía alma de delincuente? ¿Por qué corría aquellos riesgos absurdos?

Los pasos se acercaron. Oyó la puerta del antedespacho. Entraban, sí. Las pisadas se atenuaron al cruzar por la moqueta de la secretaría. Corrie aguzó el oído.

La sobresaltó un fuerte chirrido. El desconocido acababa de abrir uno de los archivadores reventados. Lo cerró de un empujón, ruidosamente. Los pasos, más rápidos que antes, empezaron a circular por los despachos.

De pronto sacudieron la puerta del lavabo. Un momento de silencio, y después el ruido sordo de un cuerpo al empujar la puerta.

¿Quién sería? ¿Ricco? Ya estaba. La habían pillado.

Lo siguiente que se oyó fue el impacto del cuerpo al arrojarse contra la puerta, y otro ruido de madera rota. El lavabo se llenó de luz.

Un silencio pasajero. Corrie ni siquiera podía respirar. Su corazón retumbaba en la caja torácica como una piedra lanzada al interior de una lata.

Después de un paso rápido empujaron con tal fuerza la puerta del retrete que saltó el pestillo, muy endeble.

—¡Tú!

Corrie tenía delante a Charlie Foote, pálido y con la cara sudorosa. Casi estaba tan asustado como Corrie.

—Déjame que te lo explique… —empezó a decir, presa del pánico.

Foote suspiró profundamente y levantó la mano.

—Por favor… Baja de la taza, te ves de lo más ridícula.

Corrie bajó. Foote se giró sin decir nada. Corrie lo siguió, y al salir del lavabo vio pasar ante sus ojos el futuro: la llegada de la policía, la detención y el descubrimiento de quién era su padre, el consiguiente arresto de este último… Los dos encarcelados, tal vez por varios años… Era el final de su trayectoria profesional, y de su colaboración con Pendergast… o mejor dicho, el final de su vida, justo cuando el agente del FBI acababa de sacarla de la mierda…

Eran pensamientos tan atroces que le hicieron perder el equilibrio.

Foote le cogió el brazo.

—Cuidado. —Hablaba en voz baja—. Vamos a la zona de descanso, allá no nos verán desde la calle.

Corrie se dejó caer en la primera silla que encontró. Foote se sentó en la de enfrente y se la quedó mirando, con los codos apoyados en las rodillas.

—Por favor… —empezó a decir Corrie, dispuesta a todo lo que fuese necesario con tal de librarse; él, sin embargo, sacudió la cabeza y le apretó la mano para que se callase.

—Mira, Corrie —dijo—, me parece que ya sé lo que pasa.

Ella lo miró fijamente.

—Eres la hija de Jack Swanson, ¿verdad?

No dijo nada. Era peor de lo que se esperaba.

Foote siguió hablando.

—Tranquila, no pasa nada. No me voy a chivar. De hecho ya tenía mis sospechas. Como siempre te fijabas tanto en todo, y preguntabas tanto… Y ahora entras en el despacho de Ricco. Estás intentando ayudar a tu padre, ¿no?

Corrie no dijo nada.

—Aunque no os parezcáis mucho me lo recuerdas por la voz. A mí tu padre me caía bien, Corrie. Éramos amigos. A ninguno de los dos nos gustaba lo que pasa aquí, y a mí sigue sin gustarme. Puede que le hicieran una encerrona. —Hizo una pausa—. ¿Es lo que piensas tú? ¿Es por eso?

Corrie lo miró. Era verdad que Foote siempre se había portado bien con ella, que no hablaba mucho y que pocas veces participaba en los chistes burdos de los otros vendedores. Corrie también sabía que no le gustaba la estratagema del timo del crédito. Aun así no supo qué decir. Le daba miedo confirmar o desmentir.

Foote asintió para sí.

—Sí, es lo que piensas, que le tendieron una trampa. Y has venido, y hasta entrado sin permiso, para demostrarlo.

Su perspicacia dejó atónita a Corrie.

Foote tendió la mano, cogió con suavidad el bolso de Corrie y lo abrió.

—Aquí está: el expediente personal de Jack. Ahora sé que tengo razón. —Sonrió—. ¿Sabes qué? Que no te iría mal un aliado. Podríamos trabajar juntos. Igual puedo ayudarte, y de paso limpiamos este sitio.

—¿No me vas a delatar?

Él rió y sacudió la cabeza.

—¡Qué va! Aunque mejor que nos vayamos antes de que llegue Ricco padre. A veces se presenta a las cinco de la mañana para hacer papeleo, el muy canalla.

Tendió el brazo a Corrie, que casi tuvo ganas de llorar de alivio. Se levantó como pudo y le cogió la mano.

—Conozco un bar que no cierra en toda la noche. Podemos ir a tomarnos un café y desayunar. Así me lo cuentas todo de tu padre, y de por qué crees que lo acusaron falsamente.

Señaló la puerta trasera del concesionario.

49

Corrie pensó que el bar de Cable Street era como un viaje en el tiempo, imbatible por cualquier cadena retro de Hollywood. Todo era perfecto, hasta el jukebox roto en cada mesa, el suelo de linóleo con burbujas, las mesas de formica con triángulos decorativos de color melocotón y turquesa, los menús con manchas de moscas y las camareras rubias de bote que recitaban a grito pelado los pedidos matinales a los cocineros que manejaban las freidoras del fondo.

Al menos el café lo hacían cargado.

Fue al servicio de señoras, metió la mano en el bolsillo y tiró la bola de guantes de látex que se había puesto al entrar en el concesionario. Tuvo curiosidad por saber qué diría el viejo Ricco al encontrarse con que le habían abierto los archivadores. Al menos ella podría tomarse el día libre, para no oír cómo despotricaba. Al salir del lavabo regresó a su mesa, y entre sorbos de café prestó atención a Foote, que estaba indignado, y cuanto más hablaba más se enfurecía.

—Yo es que alucino con que esos tíos no puedan ganarse la vida honradamente —puntualizó—. Yo soy el vendedor número dos, y ¿sabes por qué? Pues porque la gente se da cuenta de que no los timo. A mí para ganar dinero no me hace ninguna falta estafar a nadie por cuatro chavos.

—Yo estoy convencida de que lo de mi padre lo montaron ellos.

—Cuanto más lo pienso más te doy la razón. Jack era buen tío. No es que valiera mucho como vendedor, pero era íntegro. No me lo imagino atracando un banco.

Silencio.

—Y entonces, ¿tú cómo ganas dinero si viene un tío y quiere comprarse un coche por doscientos dólares más que el precio de fábrica?

Foote bebió un poco de café.

—En la venta de coches se pueden obtener muchos beneficios de manera honrada. Digamos que vendes uno por setenta mil. Para empezar te sacas un tres por ciento de retención. Eso no lo deduces del precio de fábrica, y ya son dos mil cien dólares. Después igual obtienes un incentivo, que viene a ser entre mil y dos mil más; y encima una financiación honrada también da un beneficio que no está nada mal, sin que haga falta retocar el interés.

Hizo crujir la tostada al morderla, y se le abultaron los músculos de la mandíbula.

—De todos modos —añadió después de otro buen trago de café— lo del crédito no es la única manera que tienen de estafar. A veces venden un coche y luego, si el cliente es mayor o es un infeliz novato y se va un momento antes de pasar a recoger el coche, retocan los papeles y cambian el que se ha comprado por otro más barato pero que parece igual. Yo he visto dos veces que un vendedor reparaba un coche que se había estropeado en una prueba y lo vendía como si fuera nuevo. Y encima los Ricco lo fomentan; no directamente, que tan tontos no son, pero bueno, con guiños, ya me entiendes...

Foote avisó a la camarera y se pidió otro plato de huevos fritos. Tenía un apetito sorprendente. Miró con atención a Corrie, sentada al otro lado de la mesa.

—¿Estás totalmente segura de que tu padre no atracó el banco?

—¡No lo robó! —dijo Corrie sulfurándose—. ¡Estoy segura, maldita sea!

—Vale, vale, ya te creo.

Otro silencio.

—Podríamos poner una trampa —dijo Corrie.

—Yo estaba pensando algo por el estilo. —Foote se acabó el café, volvió a hacerle señas a la camarera y señaló la taza—. ¿Sabes qué? Que podríamos hacer algo más que limpiar el nombre de tu padre; de paso igual podríamos acabar de una vez con toda esta mierda.

—¿Cómo?

Foote reflexionó un momento.

—Hacemos que venga un falso cliente con un micro y nos aseguramos de que la venta la lleve el propio Ricco. Después llevamos las pruebas a la policía y hacemos que investiguen el concesionario. Entonces los polis serán mucho más receptivos a la idea de que lo de tu padre fuera una trampa.

Corrie se acordó de sus estudios en John Jay.

—¿Un micro? No creo que lo puedan admitir sin orden judicial. A partir de eso no podría ni actuar la poli.

—¿Y la coartada de tu padre? ¿Dónde estaba cuando atracaron el banco?

Corrie se sonrojó.

—No se lo he preguntado nunca. No me parecía… bien.

—Debe de pensar que tiene una mala coartada; si no, no se habría escapado, pero quizá se equivoque. Si tenía el móvil encendido podría ser una manera de localizarlo. Es posible que lo viera alguien, o que vieran su coche. Puede que usara la tarjeta de crédito hacia la hora del atraco, o que estuviera en casa, navegando en internet con el ordenador. Hoy en día hay un millón de maneras de localizar a alguien en un momento dado. Puede que Jack tenga una coartada a prueba de bombas y no lo sepa.

Corrie lo meditó. No era ninguna tontería.

—¿Hay alguna manera de ponerse en contacto con tu padre? —preguntó Foote.

—No. Tengo que ir personalmente a donde está.

—Yo tengo coche. Podríamos ir juntos.

Corrie miró a Foote. Era un joven serio y concienzudo, pero no quería desvelarle a nadie el paradero de su padre, ni siquiera a él.

—Gracias, pero no lo veo claro. Mañana pediré el día libre e iré a verlo. Después te llamo.

—Vale. Yo, mientras tanto, tengo un amigo que seguro que estará dispuesto a ponerse un micro y dejar en evidencia a estos cabrones. Es actor profesional y le encantan estas cosas. Ya lo montaré. Puede que tengas razón, y que a partir de eso no pueda actuar la policía, pero seguro que llama su atención. Si conseguimos que se entere el fiscal del distrito podrá emitir la orden judicial.

—Gracias.

—Oye, oye, que a mí Jack me cae bien y me gustaría ayudarlo, pero tampoco soy un caballero andante; también lo hago por mí. Si me quito de encima a esta porquería de comerciales podré aumentar mi clientela, e incluso llegue a tener mi propio concesionario. —Sonrió—. Pero primero tendrás que enterarte de dónde estaba tu padre a la hora del atraco, y llamarme. Me apuesto lo que quieras a que hay una manera de demostrar que no estaba en el banco.

50

Penelope Waxman se apoyaba con algo de remilgo en el incómodo respaldo recto de una silla de la sala de espera de la comisaría de la Policía Militar de Alsdorf, Brasil. Era una sala grande, pintada de amarillo, con las ventanas abiertas a una brisa agradable. Había una foto del presidente en una pared y en otra, un crucifijo, como en la mayoría de los espacios públicos que había visto en Brasil. Una baranda baja de madera con una puerta dividía la sala en dos partes, separando la sala de espera de los empleados de la comisaría, ocupados en cumplimentar formularios o teclear en terminales de ordenador. De vez en cuando cruzaba la baranda algún miembro de la policía con camisa azul y gorra roja y se iba por una puerta.

La señora Waxman suspiró y cambió de postura, impaciente. Llevaba dos años viviendo en el país, en un bonito piso de dos dormitorios de Brasilia (su marido era exportador textil), pero aún no se había acostumbrado al ritmo glacial de los asuntos oficiales. Después de una espera de más de media hora ni siquiera había tenido la oportunidad de presentar una denuncia. Por lo visto, la única manera de acelerar las cosas en aquel país era enseñar un fajo de billetes, pero ella tenía su orgullo y a eso no pensaba recurrir. Miró su reloj: casi las tres de la tarde. Pero ¿por qué tardaban tanto? En la sala de espera solo había una persona más, el gritón.

En realidad era culpa de su marido. Había oído hablar de Blumenau, una ciudad del sur, en el estado de Santa Catarina, que era una copia casi perfecta de un antiguo pueblo bávaro, y había decidido ir con su esposa durante un fin de semana largo. La señora Waxman tenía que reconocer que Blumenau valía la pena. Sí que era idéntica a una ciudad alemana, sí, en un entorno tan improbable como las selvas tropicales y las montañas de Brasil: había cervecerías, tiendas pintadas de vivos colores, casas con entramado de madera oscura y enlucido blanco, y edificios góticos que parecían antiguos, y cuyos grandes tejados de pizarra (con dos y hasta tres pisos de buhardillas) eran tan grandes como la fachada. Por si fuera poco, la mayoría de sus habitantes eran rubios, con los ojos azules y las mejillas sonrosadas. Por la calle se hablaba más en alemán que en portugués. El señor Waxman, muy orgulloso de su ascendencia alemana, no cabía en sí de gozo.

Luego, por desgracia, habían venido los problemas. Su marido no había sido bastante previsor como para reservar un hotel, y al llegar se habían encontrado con una especie de enorme festividad cultural alemana. Como estaban llenos todos los hoteles, los Waxman no habían tenido más remedio que alojarse cerca, en la localidad de Alsdorf, una versión mucho menor y más barata de Blumenau que intentaba aprovecharse de los encantos de su vecina pero no parecía conseguirlo del todo. En general, sus residentes eran más pobres, de aspecto menos europeo y mucho más cercanos a la población indígena, y a diferencia de Blumenau parecía que en Alsdorf hubiera bastante delincuencia. A ella le habían robado los cheques de viaje esa misma mañana, en el hotel. ¡Robar cheques de viaje! ¡Habríase visto! Total, que ahora su marido estaba en Blumenau, intentando que se los repusieran, y ella en la comisaría de Alsdorf, esperando para presentar una denuncia por el robo.

Vio interrumpidas (otra vez) sus reflexiones por el otro ocupante de la sala de espera, que había vuelto a embarcarse en una larga letanía de quejas dirigidas a la pobre mujer del mostrador de al lado. La señora Waxman lo miró de reojo, irritada. Llevaba una camisa tropical horrenda, de colores chillones, y un sombrero de paja de ala ancha que le habría sentado mejor a un tahúr del Mississippi. Sus pantalones, de lino blanco, eran amorfos y estaban llenos de arrugas. Por el tono pálido y casi enfermizo de su piel solo podía ser un turista: el típico paleto americano, en resumidas cuentas, que hablaba en inglés, cuanto más fuerte mejor, y daba por supuesto que todos tenían que apresurarse a cumplir sus órdenes. Se estaba cebando en la mujer que mejor hablaba inglés en la oficina.

—¡Cuánto tardan! —dijo en un tono quejoso y autoritario—. ¿Por qué tardan tanto?

—En cuanto pueda recibirlo el encargado de tramitar los formularios lo recibirá —contestó la mujer—. Si llevara usted su pasaporte encima sería más rápido...

—Ya se lo expliqué. Me han robado el pasaporte, con la cartera, el dinero, las tarjetas de crédito y todo lo que llevaba en el bolsillo. —El hombre se sumió en una especie de perorata letárgica, pero en voz alta—. Por Dios... Parece una novela de Kafka. Lo más seguro es que me quede aquí toda la vida. Me atrofiaré y me moriré aquí mismo, en la comisaría, víctima de la burocracia terminal.

—Lo siento mucho —dijo la mujer, con una paciencia casi de santa—. Es que está ocupado todo el personal. Está siendo un día de mucho trabajo.

—Claro, claro, ya me lo imagino —dijo él—. Me apuesto lo que sea a que los hurtos son lo que más trabajo da en Alsdorf. Debería haberme quedado en Río.

Un miembro de la Policía Militar salió de una puerta del fondo de la comisaría y cruzó la oficina hacia la sala de espera.

El turista saltó de su silla.

—¡Eh, usted! ¡Usted!

El policía se fue por la puerta principal sin hacerle el menor caso.

El turista se giró otra vez hacia la secretaria.

—¿Qué le pasa, acaso está sordo?

—Está ocupado con un caso —dijo ella.

—Claro; otro robo, seguro. Del mismo carterista que me habrá robado a mí y que les estará quitando la cartera a otros americanos.

Ella sacudió la cabeza.

—No, no es por ningún carterista.

—¿Pues entonces? ¿Qué es tan importante como para que no me puedan recibir? ¡Ya me gustaría saberlo!

Esta vez la mujer del mostrador no contestó. «Bien hecho», pensó la señora Waxman, tentada de decirle cuatro frescas a aquel pelma.

El turista se había vuelto a asomar a la puerta principal y miraba hacia donde se había ido el policía.

—A lo mejor aún tengo tiempo de alcanzarlo —dijo como si hablara solo—. Lo pararé y le explicaré mi problema. Entonces me tendrá que ayudar.

La secretaria sacudió la cabeza.

—Tiene demasiado trabajo.

—¿Demasiado trabajo? ¡Sí, claro, bebiendo café y comiendo donuts!

Esta vez fue demasiado para la empleada, que dijo, más bien seca:

—Está investigando unos asesinatos.

La señora Waxman se irguió en su silla.

—¿Asesinatos? —repitió el turista repelente—. ¿Qué asesinatos?

Era evidente, sin embargo, que la secretaria había hablado más de lo que quería, porque se limitó a sacudir la cabeza.

El turista se apoyó en el respaldo con los ojos en blanco.

—Alguna pelea en algún bar, seguro; y mientras tanto yo aquí sentado, sin identidad, en un país extranjero. ¡Por Diosss! —Una pausa—. Asesinatos, dice. ¿Más de uno?

La secretaria se limitó a asentir.

—¿Qué pasa, que hay un asesino en serie suelto o qué?

La única reacción de la mujer fue apretar los labios. De repente a la señora Waxman ya no le pareció tan importante el problema de los cheques de viaje. ¿Asesinatos? Quizá fuera mejor olvidarse de la denuncia, ir a buscar a su marido y regresar cuanto antes a Brasilia.

De pronto, mientras lo pensaba, pareció que el turista repelente tuviera una idea. Se incorporó, hurgó en el bolsillo de sus pantalones amorfos de lino y sacó un fajo de reales brasileños. A continuación se inclinó en la baranda, en dirección a la secretaria.

—Tenga —dijo, en un aparte que la señora Waxman oyó perfectamente—. Esto no se lo ha llevado el carterista. Dele veinte reales al responsable de… de procesamiento de formularios, o como se llame; así a lo mejor se engrasan los engranajes del progreso.

Al oírlo, los otros empleados de la oficina se volvieron.

—No puedo —dijo rápidamente la mujer, ceñuda.

—No es bastante, ¿eh? Vale, pues vamos a jugar. —El hombre desprendió unos cuantos billetes más del fajo arrugado—. Tenga, cincuenta reales. Déselos.

Ella negó con la cabeza, con más énfasis todavía.

—No se aceptan sobornos.

—¿Que no se aceptan sobornos? ¿Me está tomando el pelo? Estamos en Brasil, ¿no? Señora, que no he nacido ayer.

—En Alsdorf no se soborna a la policía —le dijo con voz pública y firme, no carente de orgullo—. No lo permite el coronel.

—¿Coronel? —preguntó el turista con el mayor de los escepticismos—. ¿Qué coronel?

—El coronel Souza.

—No me lo creo —respondió el turista—. ¿Qué pasa, que aún quiere más reales? Piensa repartírselos con el encargado, ¿eh? —Se rió—. Eso sí que es saber cuidarse.

—Oiga, guárdese el dinero. —Parecía que a la secretaria se le hubiera agotado, ahora sí, la paciencia—. Mire, voy a dejar que espere en el antedespacho. Si se lo permito, ¿aceptará esperar en silencio hasta que lo llamen?

El turista la miró con recelo.

—¿Me recibirán más deprisa?

—Puede ser.

Se encogió de hombros.

—Vale, pues usted primero.

Se puso en pie. La secretaria lo acompañó al otro lado de la baranda, más allá de las mesas, hasta una puerta del fondo que estaba abierta. Se hizo un silencio más que bienvenido. Finalmente la señora Waxman se levantó y se fue por la puerta sin tomarse la molestia de decírselo a nadie, en busca de un taxi con el que su marido y ella pudieran salir lo antes posible de la localidad de Alsdorf.

El turista de la camisa de flores y los pantalones amorfos de lino esperó hasta que le indicaron una silla. Cuando se alejaron los pasos de la secretaria, se acercó a la puerta sin hacer ruido, cogió el pomo y la empujó hasta que estuvo casi cerrada. Acto seguido examinó el antedespacho. Solo había una mesa, con cuatro sillas a su alrededor. En tres de las paredes había archivadores. Esbozó una ligera sonrisa al recorrerlos con la vista.

Una serie de muertes en el pueblo. Un policía a quien no se podía sobornar. Estaba resultando de lo más prometedor.

—Estupendo —dijo con un dulce acento sureño muy distinto al que había empleado en la sala de espera—. Francamente estupendo.

51

En la Vila Germânica de Blumenau, el pueblo alemán de vivos colores que constituía el centro de la ciudad, los turistas podían encontrar una gran profusión de cervecerías, *biergarten* y tabernas. Muchos eran establecimientos de ambiente jovial, con clientes de jarana y mozas germánicas que con sus vestidos pintorescos sorteaban las mesas sin que se les cayeran las múltiples jarras de litro que llevaban en las manos. Uno o dos de los locales, sin embargo, eran más tranquilos, más enfocados a la clientela autóctona; sin dejar de ser auténticamente bávaros en su arquitectura y su decoración, dentro eran más oscuros y carecían de la frenética cordialidad de sus vecinos.

Uno de ellos era el Hofgarten. Su interior era de techo bajo, con recias vigas cortadas a mano que casi rozaban las cabezas de la clientela vespertina. Las paredes estaban decoradas con grabados enmarcados de castillos alemanes, y había pizarras con el menú del día escrito a tiza. Con todos los platos se servía gratis un bretzel bávaro. Dos lados de la isla central estaban ocupados por una larga barra, pero muchos de los clientes parecían preferir los reservados de madera que se sucedían en las paredes.

En uno de ellos había un hombre que leía un periódico local. Era bajo, de pecho fornido, brazos musculosos y una cabeza que parecía ligeramente pequeña para su cuerpo. Lucía un afeitado reciente, y el pelo peinado hacia atrás con brillantina; y si bien sus facciones no eran alemanas, sino brasileñas, no por ello dejaban de ser finas, con los pómulos marcados y la nariz aguileña. Bebía una jarra de cerveza y fumaba un puro corto y fino.

Al levantar la vista vio que había alguien en el banco de enfrente. Había sido un movimiento tan veloz y silencioso que ya se lo encontró cómodamente sentado.

—*Boa tarde* —dijo el desconocido.

El fumador de puros no contestó. Se limitó a mirarlo con un atisbo de curiosidad.

—¿Le importa si hablamos en inglés? —añadió el desconocido—. Mi portugués es casi inservible, por desgracia.

El otro se encogió de hombros y dejó caer la ceniza del puro como si aún no hubiera decidido si se produciría algún tipo de conversación.

—Me llamo Pendergast —puntualizó el desconocido—, y tengo una propuesta que hacerle.

El otro carraspeó.

—Si supiera quién soy —dijo— no se atrevería a venirme con propuestas.

—No, si ya lo sé; es usted el coronel Souza, jefe de la Policía Militar de Alsdorf.

El coronel se limitó a dar otra calada al puro.

—No solo sé quién es sino que sé mucho acerca de usted. En otros tiempos fue uno de los dirigentes del Batalhão de Operações Policiais Especiais, la unidad de respuesta rápida de élite y más prestigiosa de la policía militar brasileña. El BOPE es respetado y temido allá donde va. Usted, sin embargo, salió de él (voluntariamente, ¿verdad?) para ponerse al frente de la Policía Militar de Alsdorf. Eso sí que me parece curioso. Compréndame, no es que pretenda desmerecer en nada a Alsdorf, que es un pueblo con su encanto, pero teniendo en cuenta la velocidad a la que progresaba su carrera, llama la atención. Podría haber elegido entre varios puestos en la Policía Civil, o incluso en la Policía Federal, pero en vez de eso...

Pendergast hizo un gesto de la mano en referencia al interior del Hofgarten.

—Ha investigado usted mi trayectoria —respondió el coronel Souza—. Hágame caso si le digo, *o senhor*, que no es una actividad que pueda beneficiarlo.

—Querido coronel, me limito a sentar los preliminares de la propuesta a la que acabo de aludir; y no tema, no es tanto de negocios como... profesional.

La respuesta fue un silencio que Pendergast dejó extenderse un minuto antes de continuar.

—También tiene usted una virtud que en esta parte del mundo parece casi única: es inmune a la corrupción. No solo se niega a aceptar sobornos sino que disuade enérgicamente a sus colaboradores de que los reciban, lo cual podría ser otro de los motivos de que haya acabado en Alsdorf... ¿O no?

El coronel Souza se sacó el puro de la boca y lo aplastó en el cenicero.

—Se le ha acabado el tiempo, amigo. Le aconsejo que se vaya antes de que les pida a mis hombres que lo acompañen fuera de la ciudad.

La respuesta de Pendergast fue meter una mano en el bolsillo de su chaqueta, sacar su placa del FBI y abrirla sobre la mesa. El coronel la inspeccionó con atención durante un momento antes de mirar de nuevo a su interlocutor.

—Está fuera de su jurisdicción —dijo.

—Sí, y mucho, me temo.

—¿Qué quiere?

—Su colaboración en una tarea que en caso de saldarse con éxito será muy beneficiosa para ambos.

El coronel se apoyó en el respaldo y encendió otro puro.

—Soy todo oídos.

—Usted tiene un problema y yo también. Empecemos por hablar del suyo. —Pendergast se inclinó un poco—. En los últimos meses la paz de Alsdorf se ha visto alterada por una serie de asesinatos no resueltos, y a juzgar por la información que le ha ocultado usted a la opinión pública se trata de unos crímenes muy desagradables.

Para disimular su evidente sorpresa, el coronel Souza cogió el puro, lo examinó y se lo puso otra vez en la boca.

—Bueno, es que me he permitido consultar sus informes —dijo Pendergast—. Ya le he dicho que mi portugués deja bastante que desear, pero fue suficiente para formarme una idea bastante exacta de la situación. El caso, coronel, es que en el último medio año se han cometido al menos ocho asesinatos violentos en Alsdorf y sus alrededores, y sin embargo la prensa local no ha recogido apenas la noticia.

El coronel se humedeció los labios.

—Nosotros vivimos del turismo, y esas noticias serían… malas para la economía.

—Sobre todo si se filtrase el modus operandi. Algunos de los asesinatos destacaban por un sadismo fuera de lo común, mientras que otros, por lo visto, se cometieron con la mayor rapidez posible, en la mayoría de los casos por aplicación de un cuchillo a la vena yugular. He visto las fotos.

El coronel frunció el ceño pero no dijo nada.

—La parte que más me cuesta entender es la siguiente: que aunque últimamente se hayan producido todos estos crímenes, la Polícia Civil, que a mí me conste, no ha hecho gran cosa para detenerlos.

El ceño del coronel se pronunció.

—A ellos les da igual. Alsdorf es una localidad pobre, que no les interesa. Todos los muertos han sido *camponês*, campesinos; jornaleros de las montañas y gente sin oficio ni beneficio.

Pendergast asintió con la cabeza.

—O sea, que se queda usted solo, con sus fuerzas de la Policía Militar, para intentar resolver los asesinatos con pocas pruebas de las que partir y el esfuerzo constante de que no se enteren los turistas ni la población local. Un problema, ya le digo.

Se acercó una camarera que sustituyó la jarra del coronel por una nueva y preguntó a Pendergast qué deseaba.

—Lo mismo que toma el coronel —dijo él en portugués. Después volvió a hablar en inglés—. Le voy a hacer una pregunta: de noche, en la cama, cuando piensa en el caso y en quiénes pueden ser los asesinos, ¿por dónde van sus ideas?

El coronel tomó un trago de cerveza, pero no contestó.

—Creo saberlo. Sus ideas viajan río arriba, hacia el bosque profundo; hacia un lugar llamado Nova Godói.

Fue la primera vez que el coronel lo miró con una expresión sincera de estupefacción.

Pendergast asintió.

—Es un lugar sobre el que se rumorean muchas cosas, ¿verdad? Tiene mala fama desde hace más de medio siglo. Hipótesis sobre qué pasa, quién vive allá, qué hacen… Digamos que gran parte de los cuchicheos se producen entre los habitantes de Blumenau y Alsdorf: rumores sobre personas curiosas que viajaron río arriba a Nova Godói… y no han vuelto a ser vistas.

Le trajeron su jarra. Pendergast miró la cerveza pero no la tocó.

—Sé algo más de usted, coronel. Es verdad que se preocupa por Alsdorf, y profundamente. Seguro que lo saca de quicio que la Policía Civil se desinterese de los asesinatos. Lo cierto, sin embargo, es que ha estado en el ejército. Tiene medallas de su paso por el BOPE, e intuyo que es un hombre que en caso de ver claro su deber no permitiría que se interpusieran en su camino ni la burocracia ni la cadena de mando. Si supiera qué ocurre en Nova Godói, si conociera a los culpables de los crímenes, y de los que aún quedan por cometer, creo que no vacilaría en actuar.

El coronel Souza miró a Pendergast. Fue una mirada larga, penetrante, reflexiva, seguida por un gesto casi imperceptible de aquiescencia.

—¿Qué sabe usted sobre Nova Godói? —preguntó Pendergast.

El coronel apoyó el puro en el cenicero. Después bebió un largo trago de su jarra.

—Dicen que empezó siendo una misión, fundada hace siglos por los franciscanos en lo alto de las montañas.

—¿Y?

Souza siguió con reticencia.

—Desde que los indígenas de la zona masacraron a los buenos de los monjes, la misión acogió a una guarnición de soldados portugueses que al final destruyeron a esos indígenas. Más tarde se convirtió en plantación, abandonada en los años treinta. Después de la guerra se instalaron algunos refugiados alemanes, como en tantas otras zonas de Brasil.

—¿Cuál es su situación física?

—Destaca por su aislamiento: resulta casi imposible llegar, y la única vía de acceso es el río. El asentamiento alemán queda a la orilla de un lago volcánico. En el centro del lago hay una isla que es donde construyeron la misión y el antiguo fuerte. —Se encogió de hombros—. Los pobladores viven completamente a su aire. Usan Alsdorf como puerta al resto del mundo, para recibir noticias, provisiones y cosas así, y para sus idas y venidas, pero no se relacionan con nadie, ni siquiera con sus compatriotas alemanes. —Hizo una pausa—. Desentonan lo mínimo que pueden, y procuran no llamar la atención. Más no le puedo decir.

Pendergast asintió lentamente.

—Sería una misión difícil, a modo de operación militar. Como es lógico, no se le comunicaría nada a la Policía Civil. Todo correría a cargo de sus hombres, los de la Policía Militar, y tendría que ser una acción no documentada. Es obvio que el objetivo estará bien protegido y defendido. Será necesaria una fuerza de ataque de cien hombres, como mínimo, y preferiblemente más. Ahora bien, recibiría usted un informe previo muy completo y un reconocimiento del que me encargaré yo. Como ya le he dado a entender, si tenemos éxito la cruz que sufre Alsdorf desaparecerá para siempre.

—¿Me está diciendo que los culpables de los asesinatos son los habitantes de Nova Godói? —preguntó el coronel.

—Ni más ni menos.

—¿En qué pruebas se basa?

Pendergast sacó del interior de su americana varias fotos de los crímenes de Nueva York. Las fue colocando frente al coronel, que las examinó en silencio.

—Sí, son iguales que los asesinatos de aquí —dijo.

—Estos se han producido en Nueva York. Yo he seguido la pista del asesino hasta Nova Godói.

—Pero ¿por qué en Nueva York?

—Es una larga historia, que estaré encantado de contarle en otro momento. Entonces, ¿necesita más pruebas de lo que digo o le basta con estas?

—Me basta —dijo el coronel apartando la vista de las fotos, asqueado.

—Hay unas cuantas condiciones. Dentro del recinto de Nova Godói se esconden dos jóvenes, gemelos. No se les podrá hacer daño. Me encargaré personalmente de ellos. Ya le facilitaré dibujos.

El coronel miró a Pendergast sin decir nada.

—Y todavía hay algo más. En Nova Godói encontrarán a un hombre alto, sumamente robusto, con el pelo muy blanco y muy corto. Se llama Fischer. No podrá tocarlo nadie. Es mío. De él también me encargaré personalmente.

Se hizo el silencio en la mesa.

—Son mis únicas condiciones —dijo Pendergast—. Bueno, ¿le interesa oír qué planes tengo?

Al principio el coronel no dijo nada. Después apareció una sonrisa en su rostro, lentamente.

—Siento un gran interés, agente Pendergast —contestó.

52

Por la ventana de la cabaña Corrie veía brillar la escarcha matutina en el suelo y en las ramas de los abedules. El sol trataba débilmente de filtrarse por las cortinas de cuadros, y se agradecía el calor que irradiaba la estufa de leña —debidamente atizada— frente a la que Jack se afanaba en untar una plancha con aceite. Al lado había una sartén en la que crepitaba beicon.

Jack miró a Corrie.

—Marchando una de crepes de arándanos, especialidad de la casa.

—Deja que te ayude —dijo ella haciendo el ademán de levantarse.

—¡No, no! —Jack se volvió. Ya tenía manchas en el delantal, y Corrie tenía que reconocer que no era un gran cocinero, pero bueno, ella tampoco—. Aquí mando yo. Tú quédate sentada.

Cogió la cafetera y rellenó la taza de Corrie sin preguntárselo.

—No me gusta no hacer nada.

Sonrió.

—Pues vete acostumbrando.

Corrie bebió un poco de café. Había llegado el día antes, con el autobús de la tarde, y después de comprobar que no la seguían había hecho a pie el trayecto entre Frank's Place y la cabaña. La alegría de su padre al verla había sido ridícula. Corrie le había contado en detalle su investigación, y él se había entusiasmado.

—¿Y de verdad que Charlie no tima a los clientes? —preguntó Corrie.

En otros aspectos le había parecido un hombre la mar de convincente, pero aún le costaba dar crédito a que existiese un vendedor de coches escrupulosamente honrado.

—Yo nunca se lo he visto hacer —dijo Jack—. Una vez Ricco, el padre, lo hizo pasar al despacho, dejó la puerta abierta y le echó un rapapolvo por no hacer como todo el mundo. Dijo que «minaba la moral». —Jack se rió—. Increíble, ¿no? La honradez minando la moral.

—¿Y por qué no lo echan si no sigue la corriente?

—Porque vendiendo es un hacha.

Jack vertió la mezcla en la plancha, que la recibió con un coro de silbidos amistosos.

Corrie empezaba a darse cuenta de una cosa: de que el problema de su padre no era la falta de honradez, sino todo lo contrario, una especie de honradez inflexible, exagerada, que lindaba con las pretensiones de superioridad moral. Jack le había contado que lo habían echado de un trabajo previo como vendedor de equipos de música por negarse a ciertas tácticas dudosas. También aquella vez había amenazado con acudir a la Oficina del Consumidor. Otro campo en el que no había prosperado era la venta de seguros, por motivos similares de escrupulosidad.

Al verlo trajinar en los fogones se hizo la pregunta inevitable de qué habría hecho ella en la misma situación. ¿Prestarse al timo de los intereses? Probablemente no, pero lo que estaba claro es que no era de las que iban a la policía por una nimiedad como subir un punto o dos el tipo de interés. Eso lo hacían los propios bancos un millón de veces al día, con sus tarjetas de crédito, sus cuentas y sus hipotecas. Lo más probable era que Corrie se hubiera ido del trabajo y punto.

Una vez más dudó de si tenía madera para trabajar en las fuerzas del orden. Le faltaba la típica psicología de los que disfrutan castigando a los malhechores. ¿Cómo se las arreglaba Pendergast?

Jack volteó las crepes con teatralidad.

—Fíjate.

La verdad es que el tostado era perfecto, y que los diminutos arándanos silvestres dejaban escapar manchas moradas de aspecto delicioso. No, si al final aún le saldrían bien...

—Y para acompañar, jarabe de arce de verdad —dijo Jack mostrando la botella—. O sea, que Charlie tiene un amigo que es actor y que irá con un micro. Me encanta. Se me debería haber ocurrido a mí.

—No lo aceptarán como prueba.

—Puede que no, pero solo con que empiecen a investigar y hacer preguntas ya se destapará toda la porquería. Es buena idea, buena de verdad.

Sonó el móvil de Corrie, que lo cogió.

—Es Charlie.

Contestó, activando el altavoz.

—Corrie —dijo Charlie sin aliento—, no te lo vas a crees. Es alucinante. Los hemos pillado. Al final no necesitaremos a mi amigo. Tengo la prueba irrefutable de que a tu padre lo acusaron en falso.

—¿Qué? ¿Cómo puede ser?

—Ayer, después de que te fueras, Ricco y los chicos tuvieron una reunión de ventas. A mí no me invitaron. Después de la reunión se fueron todos al Blue Goose Salon, supongo que a hablar del robo en el despacho, y me dejaron al frente del concesionario para la última hora del día.

—¿Y?

—Ricco, el padre, había sacado algo de su caja fuerte para la reunión y no la cerró bien. La dejó un poco entreabierta. Total, que entré (no podía desaprovechar la ocasión) y encontré un sobre de dinero, como diez de los grandes, con una nota dirigida a un tal Lenny Otero. Había un informe adjunto sobre el tal Otero, escrito a mano, con detalles sobre sus gastos y honorarios a cambio de un «proyecto» acabado hacía poco.

—¿Qué proyecto?

—Acusar a Jack Swanson de atracar un banco.

—¿Lo ponía?

Corrie no se lo podía creer.

—¡Caray! —dijo Jack saltando de la silla y estampando un puño en la otra palma.

—¿Quién es, tu padre? —dijo Foote.

—Sí, es que he puesto el altavoz.

—Ah, muy bien. Bueno, no es que lo ponga así de claro, ¿eh? El informe está escrito de manera indirecta, sin dar nombres ni nada, pero si te lees toda la nota está más claro que el agua. Al final Otero hasta le pide a Ricco que queme el informe. Es una prueba concluyente, te lo digo yo.

—¡Fabuloso! —dijo Jack—. ¿Y dónde lo tienes?

—He tenido que dejarlo donde estaba, pero le he hecho fotos con la cámara del móvil y las llevo en el bolsillo. Escuchad, os diré lo que debemos hacer. Hay que ir directos a la policía, darles las fotos y que revisen enseguida la caja fuerte. Pero enseguida, ¿eh? El concesionario abre a las diez. Faltan tres horas. Esperemos que Ricco no se presente temprano. Corrie, tenemos que ir tú y yo a llevárselo esta misma mañana a la poli, para que puedan pedir una orden judicial y registrar la caja fuerte. Sabemos que el informe estará dentro al menos hasta las diez, pero si esperamos mucho más, vete a saber; puede que a las once Ricco ya haya hecho el pago y haya quemado la nota, y que la caja fuerte esté vacía.

—Ya te entiendo —dijo Corrie.

Jack, pegado a su hija, estaba tenso.

—Escucha, Corrie, ya vengo yo a buscarte. Tendremos que ir juntos. Mejor que haya dos empleados de Ricco que uno solo.

—Ya, pero…

Corrie pensó deprisa.

—Explícale dónde estamos —dijo Jack—. Es de confianza.

Corrie sacudió la cabeza.

—¿A qué distancia estáis? —preguntó Foote.

—A un poco más de una hora en coche, pero…

—¿Tanto? Mierda. Oye, ya sé que no quieres decir dónde se esconde tu padre, pero no podemos esperar.

—Vale, pues quedamos en alguna parte. En Old Foundry, New Jersey, hay una tienda que se llama Frank's Place. Llegaré dentro de una hora.

—¿Y cómo irás si no tienes coche?

—Por mí no te preocupes, la cabaña no está lejos. Llegaré a tiempo.

Colgó. Jack la cogió y la abrazó.

—¡Es genial! —dijo. Su expresión cambió de golpe, a la vez que un olor acre llenaba la cabaña—. Oh, no. ¡Se me han quemado las crepes!

53

Los muelles de Alsdorf, no muy lucidos, quedaban a orillas del Itajaí-Açu, un río ancho, marrón y oloroso que salía del frondoso interior de las provincias más meridionales de Brasil. Era una zona concurrida, llena de pescadores que descargaban la pesca en grandes carretones de madera, mayoristas que gritaban agitando fajos de billetes, vendedores de hielo que acarreaban los bloques de un lugar a otro, putas, borrachos y vendedores ambulantes que empujaban carros llenos de bretzels, *knockwurst*, *sauerbraten* y, lo más curioso de todo, kebabs de pollo tandoori.

Por esas multitudes se abría paso un extraño personaje, un hombre encorvado y vestido de caqui, con barba canosa en punta y un sombrero Tilley que le recogía el pelo. Su mochila rebosaba de cazamariposas, cebos, botes, trampas, embudos y otros ignotos instrumentos de lepidopterología. Atravesando el gentío, que no le hacía el menor caso, intentaba llegar hasta los muelles entre gritos de protesta en mal portugués y tono quejumbroso. Iba hacia una choza situada al final del dique flotante, en la que un letrero escrito a mano anunciaba ALUGUEL DE BARCOS.

La choza la ocupaba Belmiro Passos, un hombre flaco, con camiseta, pantalones cortos y chanclas, que al ver acercarse al extraño personaje se estaba comiendo un bretzel grande y blando. Tenía detrás las lanchas (casi todas Carolina Skiff con viejos motores Yamaha) que alquilaba a cualquiera para casi cualquier propósito, legal o no. Sus principales clientes eran viajeros que subían o bajaban por el río

329

para visitar aldeas de difícil acceso, o bien pescadores con la barca averiada. De vez en cuando alquilaba una lancha a algún turista aventurero, o naturalista, o aficionado a la pesca, pero no era lo más habitual. Al ver aproximarse a aquel hombre lo etiquetó enseguida como naturalista, concretamente coleccionista de mariposas, ya que no eran pocos los que acudían al estado de Santa Catarina atraídos por su variada y exótica población de tales insectos.

El agitado personaje, libre al fin de las hordas de pescadores, llegó jadeando y fue recibido por Belmiro con una amplia sonrisa.

—*Yo... eu... quero alugar um barco! Alugar um barco!* —exclamó enredándose con las palabras y mezclando español y portugués hasta crear prácticamente un nuevo idioma.

—Hablamos inglés —dijo Belmiro con tranquilidad.

—¡Menos mal! —Se descargó de su mochila y se apoyó en ella, resoplando—. Pero qué calor, Dios mío. Quiero alquilar una barca.

—Muy bien —dijo Belmiro—. ¿Por cuánto tiempo?

—Cuatro días, o seis. También necesito un guía. Soy lepidopterólogo.

—¿Lepidopterólogo?

—Colecciono y estudio mariposas.

—¡Ah, mariposas! ¿Y adónde va?

—A Nova Godói.

Belmiro se quedó callado.

—Eso queda muy lejos, río arriba, por el Itajaí do Sul, en pleno bosque de araucarias. Es un viaje peligroso. Además, Nova Godói es privado. No va nadie. Está prohibido entrar.

—¡Yo no molestaré a nadie! Además, sé tratar con gente así.

El hombre se frotó dos dedos, refiriéndose al dinero.

—Pero ¿por qué Nova Godói? ¿Por qué no va al parque nacional de Serra Geral, donde hay muchas más mariposas raras?

—Porque en el cráter de Nova Godói es donde se vio la última mariposa Reina Beatriz, en 1932. ¡Dicen que se ha extinguido, pero yo digo que no y lo voy a demostrar!

Belmiro lo observó. Sus ojos acuosos tenían un brillo fanático. Si se hacía bien la operación podía salir bastante rentable, aunque cabía la posibilidad de que Belmiro perdiera una lancha, y hasta pudiera verse envuelto en una investigación desagradable.

—Nova Godói. Muy caro.

—¡Tengo dinero! —dijo el hombre, sacando un grueso rollo de billetes—. Pero ya le digo que necesito un guía. Yo no conozco el río.

Un gesto lento de aquiescencia. Un guía para Nova Godói. Otro problema. Pero no imposible. Había gente dispuesta a todo por dinero.

—¿Y usted? —preguntó el hombre—. ¿Usted me llevaría?

Belmiro sacudió la cabeza.

—Tengo un negocio, *doutor*. —No añadió que también tenía mujer e hijos, y ganas de volver a verlos—. Pero ya le encontraré un guía. Y le alquilaré una barca. Voy a llamar.

—Lo espero aquí —dijo el hombre abanicándose con su sombrero.

Belmiro fue al fondo de la choza para hacer una llamada. Tardó unos minutos en convencerlo, pero su contacto era uno de esos individuos cuya avaricia no tiene límites.

Volvió sonriendo de oreja a oreja. Con lo que pensaba cobrar por el alquiler se podría comprar dos buenas lanchas de segunda mano.

—Le he encontrado un guía. Se llama Michael Jackson Mendonça. —Se quedó callado observando la expresión incrédula del hombre—. En Brasil hay muchos Michael Jackson. Es un cantante que aquí gustaba mucho. Es un nombre común.

—Bueno, bueno —dijo el naturalista—, pero antes de contratarlo quiero ver a este tal... mmm... Michael Jackson.

—Pronto viene. Habla bien inglés. Vivió en Nueva York. Mientras tanto nosotros cerramos el trato. El precio de la lancha son doscientos reales al día, *doutor*, y un depósito de dos mil que le devolveré cuando me la traiga. No están incluidos los honorarios del *senhor* Mendonça, claro.

El naturalista fanático empezó a contar billetes sin pestañear.

54

Corrie Swanson salió de la cabaña, tomó el atajo que cruzaba la cresta y bajó por el camino que llevaba hasta la carretera principal. A su padre lo había dejado consumido de ansiedad, dando vueltas y soltando una ristra innecesaria de consejos, advertencias y predicciones de todo tipo. Todo el futuro de Jack dependía de que Corrie y Foote consiguieran su objetivo. Eso lo sabían ambos.

El bosque estaba frío, yermo. Se estaba levantando un viento que hacía chocar las ramas desnudas. Faltaba poco para que llegara una tormenta que traería lluvia y tal vez aguanieve. Corrie esperó que le diera tiempo para ir a la policía y pedirles que fueran a registrar el concesionario. Miró su reloj. Las ocho. Dos horas.

El camino confluyó con Old Foundry Road. Divisó, a algo más de medio kilómetro, Frank's Place, con su letrero en ruinas y su anuncio luminoso de cerveza Budweiser que parpadeaba. Empezó a caminar deprisa por el arcén. Cuando ya estaba cerca reconoció por las ventanas a los parroquianos más madrugadores, que bebían café y fumaban cigarrillos. Hizo de tripas corazón y entró tranquilamente, haciendo rechinar la puerta.

—¿En qué puedo servirte? —dijo Frank, irguiéndose y tratando en vano de meter la barriga.

—Un café, por favor.

Corrie se sentó a una de las mesas pequeñas y volvió a mirar su reloj. Las ocho y cuarto. Foote, como muy tarde, llegaría a las ocho y media.

Frank le trajo el café, con leche enriquecida y azúcar. Con tres sobres de azúcar y tres porciones de leche, el café flojísimo quedó más o menos aceptable. Corrie se lo bebió con un par de tragos y empujó la taza para que se la rellenaran.

—Parece que viene una tormenta.

—Sí.

—¿Qué tal arriba, con tu padre?

Abrió de golpe tres sobres más de azúcar y vertió su contenido, seguido por la leche enriquecida.

—Bien.

No apartaba la vista del escaparate, orientado hacia el aparcamiento y los surtidores de gasolina.

—Dentro de unos días empieza la temporada de caza —dijo Frank, que se había puesto en modo simpático, de dar consejos—. Allá arriba, por Long Pine, cazan mucho. Que no te olvides de ponerte algo naranja.

—Vale —dijo Corrie.

Llegó un coche que iba un poco deprisa, y que chirrió ligeramente al frenar. Un Escalade Hybrid con las ventanas tintadas: el de Foote. Corrie se levantó de golpe, tiró unos cuantos billetes a la mesa y salió. Foote le abrió la puerta derecha, manchada de barro. Dentro olía a perfume y a cuero. Foote llevaba su traje habitual, inmaculado, pero se le veía tenso. Arrancó antes de que Corrie hubiera tenido tiempo de cerrar la puerta, y se dirigió hacia Old Foundry Road con un chirrido de neumáticos.

—He llamado a la policía de Allentown —dijo acelerando—. Se lo he explicado todo. Al principio no se lo creían, pero he conseguido convencerlos. Nos esperan. Ya están listos para ponerse en marcha con una orden judicial si es que les gusta lo que les enseño. Y les gustará.

—Qué bien. Gracias.

—No me las des a mí, que lo único que hago es protegerme. Además, creo que lo de tu padre fue una trampa.

Aceleró un poco más, atento al detector de radares del retrovisor. Iban como una flecha por la carretera rural, y los árboles pasaban como rayos a ambos lados del camino. Se metió por una curva y condujo con pericia, mientras las ruedas, al girar, se quejaban con susurros de caucho.

—Mierda —dijo Corrie—. Acabas de pasarte la salida de la carretera 94.

—Anda, es verdad. —Foote redujo la velocidad y se acercó al arcén para dar media vuelta. Lanzó una mirada a Corrie—. Eh, ponte el cinturón.

Corrie se volvió para cogerlo y empezó a buscar la hebilla, que se había metido entre los dos asientos. Justo en ese momento percibió un movimiento brusco, y al girarse a medias notó que un brazo le cogía con mucha fuerza el cuello y una mano le ponía en la cara un trapo que apestaba a cloroformo.

Pero estaba preparada.

Tras asir un cúter que llevaba escondido dentro de la manga, levantó la mano de golpe e hizo un corte profundo en la parte carnosa de la palma de Foote, al mismo tiempo que retorcía la cuchilla. Foote rugió de dolor, y al cogerse la mano herida soltó el trapo. Corrie saltó frente a él y le puso el cúter en el cuello.

—Te pillé —dijo.

Foote no contestó. Se apretaba la mano herida.

—¿Qué te crees, que soy tonta de remate? —dijo ella clavándole un poco más el filo de la cuchilla en el cuello—. Puede que a mi padre lo engañaras con tus cuentos de héroe del proletariado, pero a mí no. Te tengo calado desde el primer día. El único vendedor honrado del concesionario… ¡Y una mierda! Era todo demasiado bonito, simple y conveniente. ¿Y la chorrada esa de la factura con concepto en la caja fuerte, por servicios de falsa acusación? ¡Venga ya!

Rápidamente, antes de que Foote pudiera reaccionar, Corrie le palpó los bolsillos del abrigo y de los pantalones y encontró un revólver de gran calibre. Lo sacó y le apuntó con él.

—A ver, ¿qué coño pasa de verdad? —preguntó.

Foote respiraba con dificultad.

—¿Tú qué crees? Un timo, y bastante mejor que conseguir un par de puntos de interés. Os podría dar algo a ti y tu padre.

—Y una mierda. Seguro que mi padre se empezó a oler algo. Por eso le tendiste tú una trampa. —Corrie movió la pistola—. Tengo claro que ya tienes localizada su cabaña. Seguro que has ido hace un rato a reconocer el terreno y me has visto salir a la carretera. —Respiró hondo—. Bueno, te explico lo que va a pasar. Ahora vas a conducir hasta la cabaña. Yo te estaré apuntando todo el rato con esta pistola. Primero se lo cuentas todo a mi padre. Luego llamamos a la policía y se lo cuentas a los agentes. ¿Me he explicado bien?

Al principio Foote no se movió. Después asintió con la cabeza.

—Vale, pues conduce poco a poco; y no hagas nada raro si no quieres que use el arma.

En realidad Corrie no había disparado nunca. Ni siquiera tenía la certeza de que no estuviera puesto el seguro, pero eso Foote no lo sabía.

Bien apartada de él, lo mantuvo en el punto de mira de la pistola mientras abandonaban el arcén, iban por Old Foundry Road y giraban por Long Pine. Durante las curvas no se dijeron nada.

Cuando faltaban treinta metros para el desvío de la cabaña Corrie volvió a hacer gestos con la pistola.

—Párate aquí.

Foote frenó.

—Apaga el motor y sal.

Foote obedeció.

—Ahora ve hacia la cabaña. Yo te sigo. Como intentes algo ya sabes lo que pasará.

Foote la miró. Estaba palidísimo, con gotas de sudor a pesar del frío. Pálido y rabioso. Empezó a caminar hacia la cabaña, partiendo ramas secas con los pies.

Corrie sentía una inyección de adrenalina en todo el cuerpo; su corazón latía a una velocidad incómoda, pero aun así logró mantener un tono tranquilo, sin que le temblara la voz. Se decía y repetía que en peores situaciones había estado, mucho peores. «Tú no pierdas la calma —se decía—; tranquila, acabará todo bien.»

Justo cuando llegaban a la puerta de la cabaña oyó girar el pestillo. Al abrirse de repente, la puerta le dio un golpe en la muñeca. Corrie soltó la pistola con un grito de dolor.

Su padre, en el umbral, los miraba a los dos.

—¿Corrie? —preguntó con la perplejidad pintada en el rostro—. He oído ruidos. ¿Qué hacéis aquí? Creía que os ibais a la ciudad…

Corrie saltó hacia la pistola, pero Foote fue más rápido y la cogió al mismo tiempo que la empujaba a ella sin contemplaciones. Jack Swanson miró con estupor el arma que Foote levantaba hacia él. Justo en el último momento corrió en dirección al bosque de detrás de la cabaña, pero se oyó una detonación, y el desplome del cuerpo de su padre convenció a Corrie de que la bala había dado en el blanco.

—¡Hijo de puta! —chilló corriendo hacia Foote con el cúter en alto, pero él se volvió, le dio en la sien con la culata y el mundo se apagó de golpe.

Tardó poco tiempo en recuperar la conciencia y la lucidez. Le habían atado las manos y los pies apresuradamente, con esposas de plástico, y la habían arrojado sin ceremonias al asiento trasero del coche de Foote, donde yacía de costado.

Esperó con una tensión insoportable, aguzando el oído. Con lo cuidadosamente que lo había planeado, y en quince segundos se iba todo al traste. ¿Y ahora qué? ¿Qué pasaría? Dios… Era todo culpa suya. Debería haber ido a la policía en vez de intentar solucionarlo ella sola, pero tenía miedo de que lo único que hicieran fuera detener a su padre…

De repente oyó más disparos: dos muy seguidos. Después, silencio; un silencio roto finalmente por una ráfaga de viento que empezó a agitar las ramas y a dar golpes, y golpes, y más golpes…

55

A la sombra, descansando sobre su mochila, el naturalista esperaba a Michael Jackson Mendonça, que acabó por hacer acto de presencia a bombo y platillo. Era un joven alto, corpulento y moreno, de sonrisa gigantesca, tirabuzones recogidos con un pañuelo, camisa sin mangas, pantalones cortos y chanclas. Se abrió paso a la fuerza a través del gentío, pidiendo a todos con voz fuerte y simpática que lo dejaran pasar. Veinte metros antes de llegar adonde estaba el naturalista ya tendió la mano. Se acercó en dos zancadas y sacudió con vigor un brazo fofo.

—¡Michael Jackson Mendonça! —dijo—. ¡Para servirlo!

El naturalista retiró lo antes que pudo su maltrecha mano.

—Yo me llamo Percival Fawcett —dijo con cierta tirantez.

Al menos el inglés de Mendonça era perfecto.

—¡Percival! ¿Te puedo llamar Percy?

El permiso se otorgó con un gesto altivo de la cabeza.

—¡Muy bien, muy bien! ¡Yo soy de Nueva York, de Queens! Veinte años en tu gran país, América. Bueno… me han dicho que quieres ir a Nova Godói.

—Sí, aunque parece que será difícil.

—¡No, en absoluto! —exclamó Mendonça—. El viaje es largo, sí, y Nova Godói no es un pueblo de verdad, un pueblo público; está muy internado en la selva, y no dejan entrar a nadie de fuera. No son amistosos. Para nada.

—Yo no necesito amigos —dijo el naturalista—. No voy a molestar a nadie. Si hay algún problema puedo pagar. Es que estoy buscando la pista de la Reina Beatriz. ¿La conoces?

Mendonça frunció el ceño, desconcertado.

—No.

—¿No? Es la mariposa más rara del mundo. Solo se ha recogido un espécimen, que está en el Museo Británico. Es el espécimen número 75935A1901. —Recitó el número con veneración—. Todo el mundo la da por extinguida... pero yo tengo motivos para pensar que no lo está. Mira... —Empezó a explayarse sobre el tema—. Según mis investigaciones, el cráter de Nova Godói es un ecosistema único en el mundo, con unas condiciones especiales que no se encuentran en ninguna otra parte. Es el único sitio donde ha vivido la mariposa. ¡Y desde la Segunda Guerra Mundial no ha pasado por el cráter ni un solo lepidopterólogo! ¿Qué se podía esperar? ¡Pues claro que no se ha vuelto a ver ninguna! ¡Porque no había ningún entomólogo para verla! Pero ahora sí que hay uno: yo.

Buscó en su mochila y sacó una foto plastificada en la que aparecía una pequeña mariposa marrón clavada a una tarjeta blanca, con un texto al pie.

Mendonça miró la imagen con detenimiento.

—¿Eso es la Reina Beatriz?

—¿A que es magnífica?

—*Esplêndido*. Ahora tenemos que hablar de los gastos.

—Es el espécimen del Museo Británico. Te habrás dado cuenta de lo descolorida que está, por desgracia. Dicen que la original tiene un color caoba de lo más intenso.

—Los gastos —continuó Mendonça.

—Sí, sí. ¿Cuánto?

—Tres mil reales —dijo Mendonça intentando no perder la naturalidad—. Por cuatro días. Más lo que cuesten la comida y los víveres.

—¿Aparte del alquiler de la lancha? Mmm. Bueno, si es lo que cuesta, es lo que cuesta.

—Todo al contado —se apresuró a añadir Mendonça.

Una pausa.

—Mitad y mitad.

—Dos mil ahora y mil cuando lleguemos.

—Bueno, vale.

—¿Cuándo salimos? —preguntó Mendonça.

El naturalista puso cara de sorpresa.

—Pues ahora mismo, claro. —Y empezó a contar el dinero.

El naturalista se sentó en la proa, junto a su mochila, y se puso a leer un libro de Vladimir Nabokov mientras Mendonça cargaba una nevera de comida, alimentos no perecederos, una tienda de campaña, sacos de dormir y su modesta bolsa de viaje, que contenía una muda.

Apenas tardaron en zarpar río arriba. Mendonça llevaba el timón de la lancha, cuya estela era como de nata en el agua marrón. Ya faltaba poco para mediodía, y Mendonça iba pensando que al anochecer podrían llegar a la última población antes de la selva. Allá no había alojamiento, pero al menos podrían cenar y, sobre todo, tomar cerveza fría en un *fornecimento* del pueblo. Después podrían acampar al lado del río, en un prado, y ojalá que allá pudieran explicarle cómo se recorría el último tramo del río Itajaí do Sul hasta Nova Godói, lugar donde a decir verdad nunca había estado, aunque sí había oído muchos rumores.

Mientras la lancha surcaba el río, pasando junto a varios pescadores y viajeros, empezó a soplar una agradable brisa sobre el agua, que los refrescó y mantuvo a raya los mosquitos. Dejaron atrás las últimas casas de Alsdorf. Aparecieron campos verdes que en algunos casos estaban cultivados y en otros servían de pasto para el ganado. Todo estaba muy limpio, muy cuidado. El sur de Brasil era así, muy distinto a Río de Janeiro, con su caos y su delincuencia.

El naturalista cerró el libro.

—¿Tú has estado en Nova Godói? —preguntó, afable.

—Bueno, no exactamente —dijo Mendonça—, pero sé llegar, claro.

—¿Qué sabes del sitio?

Mendonça se rió un poco para disimular su nerviosismo. Era lo que se temía, que empezara a hacerle aquel tipo de preguntas. Aunque él no se creyera ni la mitad de los rumores, no quería asustar y disuadir a un cliente.

—He oído cosas.

Sacudió la cabeza mientras gobernaba la lancha para esquivar a un grupo de pescadores que recogían una red.

—¿Cuánta gente hay?

—No lo sé. Ya te he dicho que no es un pueblo de verdad. Es una antigua plantación de tabaco, de propiedad privada, donde está prohibido entrar; una colonia alemana como las que existían antes por toda esta zona, pero mucho más aislada.

—¿Y antes fue una plantación de tabaco?

—Sí. El tabaco es uno de nuestros grandes cultivos —dijo orgulloso Mendonça, y para subrayarlo se sacó un par de puros del bolsillo y le ofreció uno al naturalista.

—No, gracias, no fumo clavos de ataúd.

—Ja, ja —se rió Mendonça encendiendo uno—. Qué gracioso eres. —Dio una calada—. El tabaco. La plantación la abandonaron en los años treinta. Después de la guerra llegaron los alemanes y se formó un pequeño asentamiento. Viven allá y casi nunca vienen a la ciudad. A los alemanes de aquí abajo no les gustan; dicen que son nazis.

Mendonça se rió efusivamente.

—Pero tú no te lo crees.

—Aquí en Brasil la gente ve nazis por todas partes. Es un pasatiempo nacional. Si hay cinco alemanes viejos en un pueblo, todo el mundo dice: «Seguro que son nazis». No. Lo único que hacen los de Nova Godói es vivir a su aire. Son como un... ¿Cómo se dice? Una secta. Los de fuera no están bien vistos, nada bien vistos.

Dos largas caladas seguidas al puro, que dejaron dos nubes de humo detrás de la lancha.

—Parece que hay quien cree que los asesinatos de Alsdorf tienen su origen en Nova Godói —dijo el naturalista como si tal cosa.

—¿Asesinatos? Ah, quieres decir los rumores que corren por la ciudad. Es que aquí son tan provincianos... Pregunta en cualquier ciudad de Brasil y te dirán que los de la ciudad de al lado son mala gente. Yo eso no me lo trago. Por algo he vivido en Queens.

Volvió a reírse, quitando importancia a los rumores. Le sorprendía que el naturalista se hubiera enterado de tantas cosas. No tenía sentido meterle miedo en el cuerpo antes de haber cobrado los últimos mil.

—¿Y el otro rumor? Sabes, ¿no? El de que en Nova Godói son todos gemelos.

Mendonça se quedó de piedra. Conocía el rumor, pero era algo que solo se decía en voz muy baja. ¿Cómo narices se había enterado?

—De eso no sé nada.

—Seguro que sí. Dicen que en el pueblo viven gemelos casi idénticos, una cosa muy rara. Dicen que han hecho experimentos, experimentos genéticos. Unos experimentos genéticos horribles.

—¿Dónde lo has oído?

—En una cervecería.

No parecía muy probable. Mendonça tuvo un pequeño escalofrío. Aquel naturalista empezaba a ponerlo nervioso.

—Pues no, no sé nada. Y no creo que sea verdad. —Intentó cambiar de tema—. Lo que sí que hay son unas ruinas, de un fuerte. ¿Sabes su historia?

—No.

—Lo construyeron los portugueses a finales del siglo XVII. —Uno de los múltiples trabajos de Mendonça era el de conductor de un autobús turístico en Blumenau. Lo sabía casi todo—. Un grupo de misioneros franciscanos erigió un convento en una isla, en medio del lago del cráter de Godói, y convirtió a los indígenas aweikoma. ¡Al menos creían haberlos convertido! —Soltó una carcajada—. Un día los indígenas, que estaban cansados de cuidar los jardines de los frailes, se rebelaron y los mataron a todos. Entonces llegó el ejército portugués, convirtió el convento en fortaleza y mató o echó a los indígenas; y cuando ya no hubo comunidades indígenas se fueron los soldados. Más tarde se convirtió en una plantación.

—¿Por qué en esta región hay tantos alemanes? —preguntó el naturalista.

—En 1850 el gobierno brasileño puso en marcha un programa de colonización por alemanes. ¿Lo sabías? En Alemania había demasiada gente, y nadie tenía tierras. En Brasil había tierras que necesitaban pobladores, así que Brasil ofreció a cualquier alemán dispuesto a hacer el viaje tierras gratis en zonas apartadas del país. Fue como se fundaron Blumenau, Alsdorf y Joinville, y varias poblaciones más de Santa Catarina. Aquí, entre el treinta y el cuarenta por ciento de la gente tiene antepasados alemanes.

—Muy interesante.

—Sí. Las colonias estaban tan aisladas que evolucionaron de una manera totalmente alemana, en el idioma, la arquitectura, la cultura… Todo. Todo eso cambió en 1942, claro.

—¿Qué pasó?

—Fue cuando Brasil declaró la guerra a Alemania.

—No lo sabía.

—Lo sabe poca gente. Durante la Segunda Guerra Mundial nos pusimos del lado de Estados Unidos. Brasil obligó por ley a los colonos alemanes a aprender portugués y nacionalizarse como brasileños, y muchos alemanes se fueron de Brasil para volver a Alemania y luchar del lado de los nazis. Después algunos volvieron corriendo para esconderse de los tribunales de Nuremberg. Al menos es lo que se dice, aunque ha pasado mucho tiempo. Ahora ya no queda ninguno. Como decimos en portugués, *água debaixo da ponte*: agua bajo el puente.

—¿No hay nazis en Nova Godói?

El naturalista casi parecía desilusionado. Mendonça sacudió con vigor la cabeza.

—¡No, no! ¡Todo eso es un mito!

Lo subrayó con otra serie de caladas enérgicas, antes de lanzar el puro mascado por la borda. Los rumores sobre Nova Godói no se acababan nunca; se contaban las cosas más absurdas y supersticiosas, pero Mendonça, con sus veinte años en Queens, conocía el mundo y sabía la diferencia entre los rumores y los hechos.

La lancha seguía a una velocidad constante. Ahora ya no había campos, solo el bosque de araucarias, que al cerrarse sobre el río sumió en la oscuridad sus aguas marrones. Pese a haber vivido en Queens, Mendonça sintió un escalofrío inconfundible de miedo en la columna vertebral.

56

El primer disparo había alcanzado a Jack Swanson en el hombro, justo cuando se refugiaba en los arbustos de detrás de la cabaña. Después pasó otra bala sobre su cabeza.

Se quedó un momento en el suelo, aturdido, mientras oía ruidos cerca: un forcejeo, un gruñido de esfuerzo… Después se cerró la puerta de un coche. Jack se levantó y corrió por el bosque. El cielo estaba oscuro. El viento sacudía las ramas, agitando los densos matorrales de laurel de montaña que poblaban el sotobosque.

Jack conocía aquellos bosques, y el laurel, como arbusto perenne, era ideal para esconderse. Empezó a internarse entre los matorrales para alejarse al máximo de Foote. Cuando le pareció que ya se había adentrado bastante en la vegetación se puso en cuclillas y empezó a moverse en sentido lateral y en zigzag por las partes más densas, cada vez más oculto entre los arbustos. Su alivio creció al tener la sensación de que se había escapado. En aquel sotobosque tan frondoso, plagado de rastros de animales que formaban múltiples vías de escape, Foote nunca lo encontraría. Pero ¿qué había salido mal? ¿Por qué Foote? Si lo que quería era ayudarlos…

Se oyó una voz.

—¡Jack!

Se quedó estupefacto. Era Foote.

—¡Jack! ¡Tenemos que hablar!

Siguió quieto, en cuclillas, respirando con dificultad. La realidad empezó a organizarse en su cerebro. O sea, que era verdad. Tenía que serlo. Foote formaba parte de la estafa. Era falso todo lo que les había dicho. Y ahora tenía a Corrie.

—¿Me oyes, Jack? ¡Tengo a tu hija! Atada de pies y manos en mi coche; así que tenemos mucho de que hablar, ¿no te parece?

Ahora Jack oía sus pasos por el bosque, aplastando matorrales de laurel de montaña.

—¡Venga, Jacky, que tenemos que hablaaar!

Se apartó en sentido lateral de la línea que estaba siguiendo Foote al internarse en el bosque. Dios, tenía que pensar; tenía que ordenar sus ideas...

«Foote tiene a Corrie.»

Ese pensamiento puso en peligro la escasa racionalidad que había logrado reunir. ¿Qué podía hacer? Irse corriendo no. Tenía que vencer a Foote de alguna manera, y salvar a su hija. Lo malo era que el muy cabrón tenía una pistola, mientras que lo único que llevaba él encima era una navaja. Al ponerse en cuclillas le sorprendió un poco darse cuenta de que le habían pegado un tiro. Tenía el hombro empapado de sangre, y no podía usar el brazo. Qué raro que no le doliera, que solo estuviera insensible... Vaya, que para colmo solo podía usar un brazo.

¿Qué podía hacer?

Trató de pensar, pero al mismo tiempo oyó acercarse a Foote, que hacía ruido por entre los matorrales.

Empezó a moverse otra vez hacia un lado, con el menor ruido posible, agachado y esquivando las matas. Las ráfagas de viento encubrían sus movimientos, disimulando tanto el ruido como el zarandeo de arbustos que provocaba a su paso.

—Jack, si no sales ahora mismo vuelvo a mi coche y la mato. ¿Me has oído? O hablas conmigo o la mato.

Lo atenazaron el miedo y la parálisis. Su mano se metió en el bolsillo, sacó la navaja, abrió el cuchillo y lo probó en su pulgar. Poco afilado.

—¡Habla conmigo! —chilló Foote.

Jack intentó mover la boca.

—Vale, hablaré.

Oyó los movimientos de Foote alrededor del punto donde había proyectado su voz. Entonces cambió de posición, pensando como loco. Algo tenía que hacer. Algo. Sintió el frío gélido de una gota de lluvia. Luego otra. El bosque empezó a llenarse de un golpeteo de lluvia, a menos que fuera aguanieve.

—Escucha, Jack, lo arreglaremos. Ni a ti ni a tu hija os pasará nada si colaboráis, ¿vale?

—Vale —dijo Jack.

Al oír que se acercaba cambió una vez más de posición y se metió en unos matorrales más espesos, siguiendo el rastro de un pequeño animal.

—Pues sí, es verdad, participé en una estafa —dijo Foote en un tono tranquilizador—, pero no de las que piensas. No timé a ningún cliente.

—¿Entonces?

—GMAC, el banco de General Motors. Les hacía financiar ventas de coche inexistentes. He estado trabajando con el auditor de GMAC, el que viene cada mes al concesionario para hacer el recuento de los coches y poner los números de serie. Es una estafa genial. Ganamos dinero a montones. Te llevarás un buen trozo del pastel.

Jack siguió moviéndose hacia un lado.

—¿Qué te parecen cincuenta de los grandes? Y encima dejo que se vaya tu hija. Todo perfecto.

Seguía acercándose, despacio.

—O sea, que me tendisteis una trampa.

—Sí, es verdad, hice que te acusaran del atraco del banco. Lo siento mucho, Jack, de verdad. No podía dejar que fueras con el cuento al FBI y pusieras en marcha una investigación. Al final, cualquier investigación, aunque solo fuera sobre esa chorrada del timo del crédito, podía explotarme en la cara. ¿Lo entiendes? No era nada personal.

Silencio.

—¿Jack? No puedo conversar con los matorrales. Tenemos que hablar cara a cara.

Foote estaba a unos cincuenta metros, demasiado lejos para una pistola. Jack se levantó y se dejó caer en cuanto oyó el disparo.

Foote se lanzó hacia él por los arbustos y volvió a disparar. Jack corrió agachado, en diagonal, mientras lo perseguía otro disparo que cortó hojas y ramas.

—¡Ya puedes despedirte de tu hija!

Siguió a toda la velocidad que pudo, metiéndose por los pequeños huecos y tomando direcciones imprevistas, mientras el aguanieve y el viento borraban su rastro. Pero entonces pasó algo. Se rompió algo. Desaparecieron el miedo y la parálisis, dando paso a la rabia; una rabia virulenta, furibunda. Aquel hijo de puta había raptado a su hija, la había atado y ahora intentaba matarlo. Y seguro que los mataría a los dos a la primera oportunidad.

La rabia trajo consigo una súbita claridad mental. Volvía a poder pensar. Y sus ideas eran de lo más terribles.

En su ruidosa persecución, Foote había perdido de vista la ubicación de Jack.

—¡Ja, ja, Jack! No te apuntaba. Venga, vamos a hablar; lo resolvemos y recuperas a tu hija. Que sean cien de los grandes.

Jack recordó haber oído la puerta de un coche después de que le disparasen. Estaba cerca de la casa. Seguro que era donde tenía prisionera a Corrie. Pero ¿dónde exactamente?

Se orientó y empezó a moverse deprisa pero con sigilo por la parte más frondosa del bosque, dando un rodeo en torno a Foote, que seguía anunciando su posición con una alternancia de marrullerías y amenazas. Al final le oyó decir:

—¡Ya está! ¡Despídete de ella!

Y oyó que se movía decidido por el bosque.

Se paró a coger una piedra, que lanzó hacia atrás y a un lado con el brazo bueno. La piedra cayó en unos arbustos. Oyó que Foote se detenía e iba en aquella dirección.

—¡Jack! ¡Sé dónde estás! ¡Uno… dos… tres!

Jack aprovechó sus movimientos y sus gritos para ir deprisa; seguía haciéndolo de lado, pero en una nueva dirección basada en la que parecía estar siguiendo Foote. Este lo llamó un par de veces más, antes de ponerse en movimiento por el bosque a gran velocidad.

Cogió otra piedra y la tiró, pero rebotó en un árbol. No había sido un lanzamiento tan sagaz como el otro.

—¿Qué, tirando piedras, eh? ¡Pues no te va a servir de nada, so memo!

«Tú berrea, berrea», pensó Jack, a la vez que aprovechaba la oportunidad para cruzar un claro a la carrera y meterse en otro matorral.

El aguanieve, que arreciaba, lo estaba calando hasta los huesos. Al moverse se dio cuenta de que estaba bastante rezagado respecto a Foote. Tiró otra piedra, y la respuesta fueron varios disparos dirigidos más o menos hacia él. Confirmado: Foote seguía abriéndose camino hacia la cabaña, sin dejar de repetir sus amenazas ni de entrar en detalles muy gráficos sobre lo que le haría a Corrie.

—Le voy a dar por el culo, Jack. ¿Te lo imaginas? ¡Y luego la estrangularé despacio!

Jack se deslizó entre los laureles, agachado. El fragor de la tormenta casi le permitía correr. Oyó que los gritos de Foote cobraban fuerza. Tenía que darse prisa, mucha prisa.

Vio un hueco en el bosque oscuro y frío: el camino. Foote ya no gritaba. Jack se abrió paso entre los arbustos con el máximo sigilo, siguiendo una ruta paralela a la carretera. De repente vio brillar algo. Allá estaba, aparcado más o menos donde había calculado.

Pero Foote estaba más cerca que él del coche. Demasiado cerca. Se le veía la pistola en una mano ensangrentada. Rió entre dientes al abrir la puerta trasera.

—Prepárate, zorra —dijo.

Jack se cayó al suelo, sin fuerza en los brazos ni en las piernas. Ya estaba. Llegaba demasiado tarde. Todo se había acabado.

En ese momento algo de color oscuro (una de las botas de Corrie, seguida por una pernera de los vaqueros) salió disparado hacia Foote desde el asiento trasero. La bota se clavó directamente en la entrepierna con un impacto salvaje. Foote ahogó un grito de dolor, y al tambalearse hacia atrás soltó la pistola.

Jack no tardó nada en levantarse y saltar sobre Foote. En vez de recoger la pistola de la hierba lo que hizo fue clavarle la navaja en la cara con un movimiento fluido y rápido, introduciendo la cuchilla en un ojo. Cuando la navaja se hundió en el globo ocular hizo salir un chorro de líquido gelatinoso, y la cuchilla rozó el delgado hueso del fondo. Foote emitió un grito inarticulado y se llevó las manos a la cara entre violentas convulsiones. Jack se abalanzó sobre la pistola, la cogió y apuntó con ella a Foote, que rodaba por el suelo de dolor, mientras manaba sangre entre sus manos aferradas a la cara. Jack levantó la pistola y le encañonó la cabeza.

—¡No! —dijo una voz a sus espaldas.

Se volvió. Era Corrie, echada en el asiento de atrás y con las manos atadas en la espalda.

—Necesitamos que esté vivo —dijo—. Necesitamos que hable.

Al principio Jack no dijo nada. Después bajó el arma poco a poco y se fijó en los tobillos de Corrie. Estaban sueltos. En el suelo de la parte trasera había unas esposas de plástico arañadas y partidas.

Corrie siguió la dirección de su mirada.

—En la baranda metálica de detrás del asiento del conductor había una rebaba —dijo.

Jack se acercó, limpió de sangre la navaja y la usó para cortar las esposas de plástico de las manos. Inmediatamente después tuvo en brazos a su hija, y la estrechó en silencio como nunca había abrazado a nadie, mientras corrían lágrimas por el rostro de ambos.

57

Después de una noche de lluvia, que había refrescado el ambiente, salieron del último pueblo situado en la orilla del Itajaí do Sul, el afluente más meridional del Itajaí, entre jirones de niebla que flotaban sobre el río.

Mendonça, que estaba de mal humor y con resaca, navegó río arriba. El naturalista, Fawcett, volvió a sentarse en la proa, pero ahora no leía sino que buscaba mariposas con la vista. De vez en cuando, al ver aletear alguna por la orilla del río, le gritaba a Mendonça que fuera más despacio, y en una ocasión le exigió perseguir un ejemplar con la lancha, mientras él, inclinado en la proa, agitaba la red hasta apresarlo.

El último pueblo del río había sido un sitio horrible, triste y sucio que se llamaba Colonia Marimbondo. Ahí Mendonça se había esmerado en averiguar más cosas sobre Nova Godói: dónde estaba, cómo reconocer el punto de la orilla en el que había que desembarcar... Casi toda la información la había obtenido en la *cervejaria* del pueblo, donde no había tenido más remedio que gastarse el dinero que tanto le costaba ganar en invitar a rondas y más rondas a fin de volver más locuaces a unos lugareños que lo eran muy poco. Lo que había logrado sonsacarles le producía un gran desasosiego. Seguro que era casi todo fruto de la superstición y la ignorancia, pero aun así lo incomodaba enormemente.

Zarparon temprano, con el alba. La pared de araucarias, de la que goteaba el agua de una noche de lluvia, recogía los ecos del motor. Mendonça sentía acumularse en su pelo y su barba la humedad, que se filtraba por su camisa.

Pero qué ganas tenía de acabar con aquello, por todos los santos...

Hacia mediodía cruzaron un meandro grande. En la orilla derecha había una dársena flotante con una rampa que llevaba a un muelle de madera, no muy sólido. Más allá de la vera del río, que era alta, se veía un claro con bastantes hierbajos y varias barracas prefabricadas cubiertas de óxido, así como un destartalado cobertizo de madera. El conjunto respondía con exactitud a la descripción de los aldeanos.

—Hemos llegado —dijo Mendonça, mientras buscaba señales de vida en el muelle.

Lo alivió ver que parecía abandonado. Fue apagando el motor a la vez que orientaba la lancha hacia el embarcadero. Cuando estuvo cerca saltó a tierra y la amarró. Mientras Mendonça esperaba en el muelle, el naturalista, con su torpeza acostumbrada, bajó la mochila, se apeó de la lancha y se tambaleó un poco encima de la plataforma, mirando a su alrededor.

—Hemos llegado —repitió Mendonça con una sonrisa esforzada. Tendió la mano—. El resto del dinero, por favor, o senhor.

Una pausa.

—Un momento, un momento —dijo Fawcett con un temblor de irritación en la barba—. Habíamos quedado en dos mil de adelanto y...

—Y mil al llegar —dijo Mendonça acabando la frase—. Seguro que se acuerda.

—Ah... —El naturalista hizo una mueca—. ¿Era lo pactado?

—Sí.

Más refunfuños.

—Pues tendrás que esperarte a que vuelva. Habíamos quedado en un viaje de ida y vuelta, seis días en total.

—Por mí perfecto —dijo Mendonça—. Te espero, pero págame ahora.

—¿Y cómo sé que no te irás?

Mendonça se irguió.

—Porque soy hombre de palabra.

Su respuesta pareció satisfacer a Fawcett, que rebuscó en la mochilla hasta sacar el fajo de billetes y separar dos de quinientos reales. Mendonça se los arrebató y se los guardó en el bolsillo.

El naturalista levantó la mochila.

—¿Y el pueblo dónde queda?

Mendonça señaló una pista para todoterrenos que cruzaba el claro, pasaba al lado de las barracas y se perdía en la selva. Más allá de aquel punto, el verde manto de vegetación formaba colinas y colinas hasta culminar en una caldera volcánica que desaparecía entre las nubes bajas.

—Por aquel camino. Son unos cinco kilómetros. Solo hay una manera de llegar.

—¿Cinco kilómetros? —Fawcett puso mala cara—. ¿Por qué no me lo habías dicho antes?

—Creía que lo sabías —dijo Mendonça encogiéndose de hombros.

Fawcett se lo quedó mirando, muy serio.

—Espérame. Volveré dentro de tres días, setenta y dos horas, a mediodía.

—Me quedaré en la lancha. Dormiré a bordo. Tengo todo lo que me hace falta.

Mendonça sonrió, enseñando los dientes, y encendió un puro.

—Muy bien.

El naturalista se puso la mochila con dificultad, ajustó las correas y empezó a subir mal que bien por el camino embarrado. Su silueta aparecía y desaparecía entre bancos de niebla. En cuanto desapareció por completo en la selva, Mendonça bajó corriendo hasta la lancha, puso en marcha el motor y se fue lo más deprisa que pudo río abajo, rumbo a Alsdorf.

58

Pendergast oyó el sonido del motor de la lancha al irse por el río; fue un sonido casi inaudible, que tardó poco tiempo en desvenecerse. Siguió adelante, esbozando una sonrisa. La pista de jeeps serpenteaba por el bosque, del que no cesaban ni un momento de caer las gotas que sobrecargaban las extrañas y espinosas ramas de las araucarias. Prosiguió su ardua marcha con alguna que otra pausa para seguir a alguna mariposa, mientras la pista ascendía por el denso bosque en una serie de vueltas y revueltas que acabaron por llegar hasta las nubes bajas.

Media hora después la pista perdió desnivel, al recorrer lo alto de una cresta que constituía el borde de un antiguo cráter volcánico. A partir de ahí el camino bajaba por la niebla. La visibilidad se había reducido a pocos cientos de metros.

Pendergast miró con atención el cráter. Después metió la mano en el bolsillo y sacó un papel doblado: el dibujo que había hecho Tristram de una montaña, ese rasgo característico de Nova Godói que no había sabido describir con palabras. Coincidía plenamente con el cráter que se abría ante sus ojos.

Emprendió el descenso. Donde la pista se volvía a nivelar encontró dos pilares de lava tallada, uno a cada lado del camino, con una tela metálica entre ellos y un muro de piedra que se internaba a ambos lados en el bosque. Al otro lado de la cancela había un puesto de vigilancia. Al ver que se acercaba salieron dos guardias con rifles en la mano y le gritaron algo en alemán, apuntándole.

—¡Solo hablo inglés! —exclamó Pendergast levantando las manos—. ¡Soy naturalista! ¡He venido a buscar mariposas!

Se notaba que era la primera vez que se veían en aquella siuación. Uno de ellos, que parecía el que mandaba, se acercó y pasó al inglés, que hablaba estupendamente.

—¿Quién es? ¿Cómo ha llegado?

—Me llamo Percival Fawcett —dijo Pendergast sacando un pasaporte británico de su mochila—. Miembro de la Royal Society. He venido en lancha, por el río. ¡Y les puedo decir que no ha sido un viaje fácil!

Los guardias dieron muestras de relajarse un poco y bajaron los rifles.

—Esto es propiedad privada —dijo el jefe—. No puede entrar.

—He venido desde la otra punta del mundo —protestó Pendergast en un tono en el que se mezclaba la súplica estridente con cierto mal humor— para encontrar la mariposa Reina Beatriz, y no pienso dar media vuelta. —Sacó un papel—. Llevo cartas de presentación del gobernador de la provincia y de Santa Catarina. —Enseñó los documentos, debidamente sellados, con membrete y fecha de registro—. También traigo una carta de la Royal Society en la que se insta a quien la lea a colaborar con mi importante misión, y otra del departamento de lepidopterología del Museo Británico, avalada por la Sociedade Entomológica do Brasil. —Aparecieron más papeles—. ¡Como ve, mi misión es de la máxima importancia científica!

Su voz aumentó de volumen. El jefe cogió el fajo de papeles y los miró por encima con una expresión ceñuda que desfiguraba sus facciones afiladas y nórdicas.

—No dejamos entrar por ninguna razón —dijo—. Ya le he dicho que es propiedad privada.

—Si me niegan el paso —se exaltó Pendergast— habrá un escándalo. Ya me aseguraré yo de que lo haya. ¡Un escándalo!

Con cierta inquietud en su expresión, el vigilante se alejó y habló con su subordinado. Después entró en el puesto de vigilancia y se le vio hacer una llamada por radio. Después de hablar un rato regresó a la cancela.

—Espere aquí —dijo.

En cuestión de minutos llegó un jeep por la pista, con un hombre de uniforme verde aceituna al volante y otro vestido de gris en el asiento trasero. El jeep se paró. Quien bajó fue el hombre de detrás, que no iba exactamente de uniforme pero tenía porte militar.

—Abrid la cancela —dijo.

Los vigilantes la hicieron rodar hacia un lado. El hombre de gris avanzó con la mano tendida.

—Soy el capitán Scheermann —dijo al estrechar la de Pendergast, con levísimo acento alemán—. ¿Usted es el señor Fawcett?

—El doctor Fawcett.

—Por supuesto. Tengo entendido que es naturalista.

—Exacto —dijo Pendergast levantando la voz con beligerancia—. Como les estaba diciendo a estos hombres, vengo del otro lado del mundo por una misión de gran importancia científica avalada por los gobernadores de dos estados brasileños, así como por el Museo Británico y la Royal Society, en colaboración con la Sociedade Entomológica do Brasil. —Lo pronunció fatal—. ¡Insisto en que se me trate con educación! ¡Como me hagan dar media vuelta, señor, le prometo que habrá una investigación, una investigación a fondo!

—Claro, claro —lo tranquilizó el capitán—. Si me permite…

Pendergast no se dejó amilanar.

—Estoy buscando la mariposa Reina Beatriz, *Lycaena regina*, que hace tiempo que se considera extinguida. La última vez que se observó fue en la caldera de Nova Godói, en 1932. Mis veinte años de investigación…

—Sí, sí —lo interrumpió el capitán con amabilidad no exenta de impaciencia—, ya lo entiendo. No hace falta que se ponga así. Tampoco es necesaria una investigación. Tiene usted permiso para entrar. Aquí tenemos nuestras reglas, pero en su caso haremos una excepción. Una excepción temporal.

Una pausa.

—Ah —dijo Pendergast—, pues muy amable de su parte. ¡Muy amable! Si hay algún gasto, o cuota…

El capitán levantó la mano.

—No, no. Lo único que le pediremos es que acepte ir acompañado.

—¿Acompañado?

Pendergast frunció el entrecejo.

—Aquí estamos acostumbrados a la intimidad, y a algunos podría asustarlos la presencia de un extraño. Necesitará usted a un acompañante, más que nada para su propia comodidad y seguridad. Lo siento, pero eso no está abierto a negociaciones.

Pendergast carraspeó.

—Si no hay más remedio, por mí perfecto, aunque iré por el bosque haga el tiempo que haga. Más vale que el o la acompañante sean capaces de seguir mi ritmo.

—Por supuesto. Bueno, si me permite lo acompañaré al ayuntamiento, donde podremos ocuparnos de los trámites.

—Eso ya me gusta más —dijo Pendergast subiendo al jeep, cuya puerta le abría el capitán—. De hecho es fundamental, fundamental.

59

Entraron en el pueblo, donde Pendergast lo observó todo con patente interés. Ya no lloviznaba tanto. Se estaban abriendo las nubes, y poco a poco se veía el entorno. El pueblo, compuesto por edificios estucados, se distribuía por una trama ortogonal de calles anchas, a orillas de un lago esmeralda. Aunque no pudiera tener más de medio siglo, reproducía magníficamente la arquitectura, el empedrado y la disposición general de un antiguo pueblo bávaro, hasta el último detalle: escaleras empinadas de piedra para subir desde la orilla, letreros pintados a mano, tejados de pizarra y fachadas de entramado en los edificios de mayores dimensiones, los de carácter público.

La orilla del lago se beneficiaba de largos paseos de piedra bien cortada, que llevaban a un cuidado conjunto de muelles, embarcaderos y amarres con barcas de pesca de colores vivos y unas cuantas lanchas. Todo estaba sumido en la bruma y la llovizna; el propio lago desaparecía en la lluvia, y la isla central no era más que una imprecisa silueta gris.

El pueblo terminaba de golpe en una selva de araucarias de estatura gigantesca, mezcladas con pinos y otras especies subtropicales. La oscuridad, la niebla, el mal tiempo y el agreste muro vegetal formaban un extraño contraste con el pueblo, tan pulcro, limpio y europeo.

Llamaba la atención lo vacías que estaban las calles, debido tal vez a la lluvia.

No tardaron mucho en llegar al ayuntamiento, un edificio neomedieval con vigas de madera en la fachada. El capitán fue el primero en ingresar en su espartano interior, dotado de varias hileras de bancos, como si se fuera a celebrar una asamblea. Dejándolas atrás, penetró en una serie de despachos. Pendergast siguió a Scheermann al fondo del edificio, a una oficina grande con la puerta abierta y un gran ventanal con vista al lago. Había una chimenea de ladrillo encendida, y una mesa con un jarrón de espléndidas rosas rojas. Detrás de la mesa se sentaba un hombre gordinflón, vestido a la tirolesa, con los mofletes rojos y una expresión jovial, aunque sus ojos azules carecían por completo de expresión, como si fueran canicas que hacían poco más que reflejar la luz posada en ellos.

—Le presento al Bürgermeister Keller —dijo el capitán—, alcalde de Nova Godói.

El alcalde se levantó y tendió una mano pequeña y regordeta.

—¡Me han dicho que está buscando la mariposa Reina Beatriz! —dijo con cordialidad. También él hablaba perfectamente inglés—. Espero que la encuentre.

Aunque los trámites duraron lo suyo, fueron gestionados con gran eficacia. Pendergast recibió un documento oficial con sello y membrete, que según le dijeron debía llevar encima en todo momento. Cuando ya estaban acabando entró en el despacho un hombre delgado, de unos treinta y cinco años, con la cabeza estrecha, una frente alta que parecía cernerse sobre ojos de un azul deslavazado y un belfo que también se proyectaba más que el labio superior, lo cual daba un aspecto extraño a su cara, como hundido.

—Y aquí está su acompañante —dijo el alcalde—. Se llama Egon.

—Tiene usted libertad de ir adonde quiera excepto por el lago o a la isla. —El capitán hizo una pausa elocuente—. Espero que no tuviera previsto ir a la isla.

—No, no —dijo Pendergast—. La última Reina Beatriz la encontraron en tierra firme, por la orilla del lago. No harán falta viajes acuáticos. ¡Ya he tenido bastante con venir por el río!

El chistecito fue acogido con risas por el alcalde.

—Me alegro. Egon también le enseñará dónde podrá pasar la noche. Egon, por favor, encárgate de que a herr *Doktor* se le trate con toda deferencia.

Egon asintió con la cabeza. Pendergast se inclinó.

—Gracias, muy amables, de verdad, pero no necesitaré pasar la noche en ningún sitio. Es que el mejor momento para cazar a la Reina Beatriz es por la noche.

Volvieron a la calle cuando el sol lograba al fin zafarse de las nubes y bañaba el pueblo con su débil luz. Poco a poco se retiró el velo que tapaba el lago y quedó a la vista la isla central: un cono de toba volcánica sin vegetación, en cuya cúspide se erguía una lúgubre fortaleza de lava negra, con las torres parcialmente en ruinas y las almenas rotas y desmoronadas. Atravesando la penumbra, un solo rayo de luz iluminaba el edificio y ofrecía a Pendergast (en el momento en que la fugitiva luz pasaba por encima del antiguo fuerte) un breve atisbo de algo metálico que brillaba oculto tras los gruesos muros.

La aparición del sol tuvo efectos insólitos en la localidad. De pronto, como a toque de corneta, las calles se llenaron de hombres y mujeres que llamaban la atención por lo determinados que iban a sus quehaceres. Casi parecía un rodaje: muchos iban vestidos con ropa de finales de los años cuarenta, las mujeres peinadas a lo Lana Turner, con chaquetas o vestidos entallados y hombreras, y los hombres con traje ancho oscuro, sombrero y en algunos casos pipa. Otros llevaban atuendos más propios de trabajadores: monos, petos, gorras, sombreros de paja... Todos eran guapos, y en su mayoría presentaban un aspecto típicamente nórdico: altos, rubios, con los ojos azules y los pómulos marcados. Hacían sus encargos en bicicleta o a pie, y algunos llevaban carretillas y carros. Pendergast observó que no había coches. Los únicos vehículos eran jeeps de la época de la Segunda Guerra Mundial conducidos por hombres de uniforme verde aceituna, siempre con algún personaje de apariencia importante y uniforme gris en la parte trasera. Parecían los únicos armados, y muy bien, por cierto, ya que llevaban pistolas de gran calibre y en muchos casos un rifle de asalto con un cargador muy grande.

Muchos de los habitantes del pueblo se pararon a mirarlo fijamente. Algunos se quedaban boquiabiertos de sorpresa, mientras que otros lo observaban con una indudable hostilidad, ya que Pendergast, alias doctor Percival Fawcett, cantaba como una almeja. Lo cual era precisamente su intención.

Pendergast caminó como un poseso en dirección al muelle, explicando en voz alta que la Reina Beatriz tenía preferencia por las zonas litorales y aunque el atardecer no era su momento predilecto del día, sino el amanecer, nunca se sabía. Egon lo seguía como si no lo oyese, con tenaz persistencia, sin cansarse nunca ni quedarse rezagado.

Los barcos estaban en muy buen estado de mantenimiento, y algunos superaban con creces las dimensiones necesarias para pescar en un lago. La flota incluía dos barcazas motorizadas con maquinaria pesada y extraños instrumentos de función desconocida. También en este caso era todo demasiado pesado para una población rural, alejada de todo. Era imposible imaginar cómo se habían transportado unas embarcaciones tan grandes hasta un lago tan remoto. Ya anochecía, y en el muelle reinaba una gran actividad. Los pescadores empezaban a bajar a tierra la pesca del día, que a continuación, metida en hielo, se cargaba en pesadas carretillas. Todo respiraba industriosidad, trabajo duro y una autosuficiencia manifiesta. Parecía una sociedad modelo. Pendergast no observó ningún indicio de bares o cafeterías en toda la localidad.

—Dígame una cosa, Egon: ¿en este pueblo hay ley seca? ¿Está permitido el consumo de alcohol?

La pregunta, primera que hacía Pendergast, no fue respondida por Egon, que tampoco mostró haberla oído.

—Bueno, pues nada, sigamos.

Pendergast caminaba deprisa por los muelles. Al final se había despejado el día, permitiendo contemplar una puesta de sol preciosa, espectacular. El gran disco anaranjado del sol atravesaba capas bermellones de nubes y convertía el agua en fuego, recortando la silueta de la tétrica fortaleza en ruinas, allá en su isla solitaria del centro del lago.

Justo después de donde terminaba el muelle había una formación rocosa singular: tres grandes piedras, o mejor dicho rocas, que destacaban por la gran similitud de su tamaño y forma, y que al erguirse varios metros por encima de la superficie del agua formaban un dibujo más o menos triangular, con unos diez metros de separación. Pendergast se detuvo y dedicó un momento a contemplar el pueblo, que ascendía suavemente por los flancos del antiguo volcán. Era un dechado de orden, limpieza, eficiencia y regulación.

Los edificios estaban bien conservados, con el revoque de un blanco impoluto, y alegres tonos de verde y azul en las contraventanas. Muchos tenían en sus ventanas macetas rebosantes de flores. No se veía basura, ni siquiera un envoltorio de chicle; tampoco pintadas, ni perros sueltos (o perros a secas), ni marginados, ni borrachos, ni vagos; menos todavía discusiones, gritos o ruidos excesivos en las calles.

Aparte de los perros y de la basura se echaba en falta algunas cosas más. Pese a la abundancia de personas maduras y mayores no había nadie incapacitado por la edad, ni gordo, ni con defectos físicos; y lo que interesó sobremanera a Pendergast fue que no había gemelos.

Se trataba, en resumidas cuentas, de una pequeña y perfecta utopía oculta en lo más hondo de la selva brasileña.

Al caer la noche se encendieron luces en la fortaleza de la isla, lámparas de carbón cuyo intenso resplandor pintaba de blanco las murallas de piedra. Desde el muelle, en la calma del crepúsculo, Pendergast empezó a oír cosas al otro lado del agua: un zumbido de generadores, un ruido de maquinaria, un crujido de electricidad y también algo más tenue, que flotaba por encima de la oscuridad del lago; algo que podía ser el chillido de un pájaro, pero también un grito de dolor.

60

Después del muelle la orilla se curvaba y había una playa de guijarros. Unos cuatrocientos metros más allá empezaba la selva, un muro oscuro, erizado y de aspecto impenetrable. Al hundirse el sol en la última capa de nubes, y apagarse en el horizonte con un remolino de luz, el cielo se oscureció.

Pendergast metió la mano en su mochila, sacó una linterna roja y se giró hacia el imperturbable Egon para decirle en voz baja, llena de entusiasmo contenido:

—Ya falta poco para la hora de la Reina Beatriz, amigo mío.

Se fue por la playa, seguido por Egon. Había algunas barcas varadas en las piedras, con las redes tendidas a secar. A partir de un momento la playa dejaba paso a la lava, y al cabo de unos minutos llegaron al borde de la selva. La última luz del día se apagaba contra la fortaleza de la isla, acentuando la intensidad de la iluminación artificial. Llegó flotando sobre el agua otro grito lejano: ¿de pájaro o de ser humano?

—Egon, ¿ve aquellas ruinas de allá al fondo? —preguntó Pendergast señalando el fuerte—. ¿Por qué están tan iluminadas? ¿Allá qué pasa?

Egon se lo quedó mirando un momento, con la luz refleja del fuerte en los ojos. Después habló por primera vez.

—Investigación agrícola. Cría de animales.

—¿Cría de animales? —Pendergast sacudió la cabeza—. Bueno, no es asunto mío. Nosotros a la selva. —Buscó en la mochila y sacó una linterna—. Tenga, una roja. No use una normal, por favor, la Reina Beatriz tiene aversión a la luz. Sígame de cerca y no haga ruido.

Le dio a Egon la linterna y se internó en la selva. Las ramas espinosas de las araucarias les cerraban el paso al mezclarse con el tupido sotobosque. Aún estaba todo húmedo por las últimas lluvias, pero Pendergast, esbelto y ágil como una serpiente, se movía deprisa por la oscura y mojada vegetación, moviendo la linterna de un lado a otro con la red en la mano, listo para el ataque.

—¡No se quede atrás! —susurró por encima del hombro, mientras Egon lo seguía a trancas y barrancas.

El terreno empezaba a subir. En aquella parte de la selva no había caminos; nada, de hecho, que indicara que los seres humanos se aventurasen más allá del pueblo. Su aspecto coincidía en todo con el de una selva virgen, y sin embargo, por alguna razón inexplicable, algo no cuadraba.

—¡Allá hay una! —exclamó Pendergast de sopetón—. ¿La ve? ¡Dios mío! ¡No me lo puedo creer!

Desapareció en un abrir y cerrar de ojos por el sotobosque, agitando la red con frenesí entre los parpadeos de su linterna roja. Egon dio voces y salió tras él, pisoteando las plantas.

Diez minutos después, desde una gruesa rama situada aproximadamente a diez metros del suelo, Pendergast vio dar tumbos por la selva a Egon, que llamaba a Fawcett por su nombre con voz estridente y asustada, enfocando en todas partes una potente linterna.

Esperó media hora, hasta que su acompañante trasladó la búsqueda hacia el sur. Entonces, con el sigilo y la agilidad de un mono, bajó del árbol, puso un filtro especial a su linterna y procedió con rapidez en dirección al norte, cuesta arriba. Tras una hora de ascensión salió a una cresta estrecha: el borde de un cráter adyacente. Apagó la linterna. Como en el borde había menos árboles, pudo ver el ancho fondo del gran cráter, iluminado por la luz de la luna creciente. Era bastante poco profundo, con un diámetro de varios kilómetros, y abarcaba varios miles de hectáreas de campos y pastos muy apretados, que sacaban provecho de la fertilidad de la tierra volcánica. Se trataba del granero de Nova Godói. Estaba claro que la antigua plantación de tabaco había ocupado aquellas tierras, donde el cráter formaba un microclima casi perfecto para la agricultura. Al fondo del cráter había varios conos de toba volcánica extintos, muy juntos, como un grupo de cilindros negros, y a su amparo se veían cobertizos de uso agrícola, invernaderos, establos y silos. Todo era silencio en aquel sitio, y en la aterciopelada oscuridad no se veía ni una sola luz.

Había un caminito que seguía el borde. Pendergast lo recorrió hasta encontrar otro sendero que bajaba al cráter. Al principio era muy empinado, pero no tardaba en allanarse al acercarse a los campos de cultivo. No tardó ni un minuto en alcanzar el límite del primer campo, un maizal grande y silencioso bajo la blanca luz de la luna. Entró en él y continuó deprisa, sin hacer ruido, hacia el fondo del cráter... y el grupo de construcciones agrícolas.

Después del campo de maíz había otros cultivos de una gran variedad: tomates, judías, calabazas, trigo, algodón, alfalfa y heno, así como fértiles pastos para el ganado. Los atravesó a gran velocidad hasta salir al otro lado, donde estaban los edificios.

Eligió el primero, un almacén enorme de metal con el tejado plano. Se encontró la puerta cerrada con candado. Tras un rápido movimiento de su mano fue como si este último se abriera por sí solo. Entreabrió la puerta y penetró en el interior, que olía a aceite de motor, diésel y tierra. Un breve destello rojo de la linterna reveló varias filas de maquinaria agrícola: tractores, cultivadoras, arados, gradas de disco, sembradoras, abonadoras, cosechadoras, empacadoras, excavadoras y cargadoras, todo un poco antiguo pero en excelente estado de mantenimiento.

Cruzó el almacén y salió por la puerta del fondo. A su derecha había un establo en el que oyó un suave mugido de vacas lecheras. A la izquierda había una hilera de silos, y justo delante, una cuadrícula de invernaderos. Como conjunto era considerable, una granja de una riqueza y productividad fuera de lo común, de grandes dimensiones e impecablemente gestionada y mantenida. También, por lo visto, desierta.

Indagó entre los invernaderos, cuyos paneles de cristal reflejaban la luz de la luna. Dentro se veían flores y más flores. Uno de ellos rebosaba de rosas exóticas, de todos los tamaños, colores y formas.

Al final de los invernáculos estaban los conos de toba extintos, altos y empinados, con los flancos cubiertos de ceniza volcánica. Rodeó la base del que tenía más cerca y se detuvo: al pie del cono había una construcción estrecha, una especie de cobertizo sin ventanas y con la parte posterior enterrada en las cenizas.

Se acercó con sigilo a la puerta y pegó la oreja. Al principio no oía nada, pero después de un rato identificó un sonido casi imperceptible: movimiento, suspiros, roces y tal vez una tos.

La puerta, de una solidez inverosímil, era de madera maciza, con tiras y remaches de metal. La cerradura era sofisticada, pero no resistió más de sesenta segundos a los esfuerzos de Pendergast. La puerta giró sobre sus bisagras engrasadas dejó salir un aire mefítico y un olor ofensivo. Todo estaba oscuro.

Avanzó tapando bien la linterna. El cobertizo resultó ser una simple entrada por la que se accedía a algún tipo de edificio construido debajo, o dentro, de los conos de toba volcánica. Delante de Pendergast había una escalera ancha y poco profunda de piedra muy gastada. Se paró en el primer escalón y apagó la linterna antes de empezar a bajar. Vio a lo lejos un resplandor de tonos rojizos. A medida que avanzaba el olor empeoraba. Era un ambiente como de cuerpos sin lavar. Al llegar al pie de la escalera se encontró con un largo túnel. Ahora en la oscuridad oía más claramente los sonidos. Eran ruidos de cambios de postura, ronquidos, murmullos... Ruidos de gente, mucha gente.

Extremando la cautela, se adentró en la oscuridad sin separarse del muro que tenía más cerca. El resplandor rojizo procedía de dos ventanas con barrotes situadas en un par de dobles puertas cerradas con llave al final del túnel. Se aproximó a ellas, encorvado, examinó la cerradura y escuchó. Al otro lado había alguien que circulaba de un lado para el otro: un vigilante. Cronometró mentalmente sus idas y venidas, y en un momento en que no había peligro se irguió y miró a través de los barrotes.

Sus ojos descubrieron una sala grande, iluminada por la tenue luz roja de varias hileras de bombillas. El recinto estaba compuesto por múltiples filas de literas de madera tosca, sin que se alcanzara a ver el final. Eran literas de tres alturas, y en cada cama había una sola manta que envolvía la silueta de un ser humano. Algunos descansaban, con semblante apesadumbrado; otros vagaban como espectros, y algunos iban o volvían de una letrina ubicada a escasos metros. Había también otros que no hacían más que pasear sin rumbo, sin poder dormir, y la luz roja de las bombillas se reflejaba en sus ojos desesperanzados.

Todo lo que no había visto Pendergast en Nova Godói estaba

ahí: los deformados, los tullidos, los feos y rechonchos, los débiles, los viejos… y en particular los que no estaban en su sano juicio. Pero lo que más lo horrorizó fue que reconocía algunas de las caras. Horas antes había visto las mismas en el pueblo, pero en homólogos radiantes, sonrientes: gemelos. La diferencia era que aquellos dobles subterráneos mostraban gritos extraños, turbadores; las expresiones de los enfermos mentales, los de mente ausente, los desesperados, los incurables, cuyos músculos nervudos, piel morena y manos callosas daban fe de toda una vida de trabajo en el campo.

Vio en la periferia de su campo visual que el vigilante se volvía. No era uno de ellos, sino de los otros: alto, guapo… Su presencia parecía innecesaria, ya que aquellos pobres desgraciados no estaban en condiciones de rebelarse, escapar o causar algún problema. La expresión resignada de sus rostros era universal y absoluta.

Dejó de mirar por la ventana y rehízo su camino por el túnel y la escalera. Pocos minutos después respiraba profundamente (de forma incluso un poco entrecortada) el aire fresco y puro de la superficie, mientras se le quedaba grabada para siempre en la conciencia la grotesca imagen de dolor humano que acababa de presenciar.

61

Esta vez Felder llevaba más de una hora a oscuras frente a las ventanas de la biblioteca, tenso y temeroso en una noche gélida. La casa se veía muerta, sin luces ni movimiento, pero sobre todo sin Dukchuk. Finalmente, convencido, abrió la ventana y entró, procurando que no le fallara el valor.

Tras dejarla abierta por si se imponía una huida rápida, permaneció un buen rato sin moverse y a la escucha en la fría sala. Nada. Tal como esperaba.

En esta oportunidad había tomado todas las precauciones posibles. Hacía unas cuantas noches que montaba guardia, vigilando la biblioteca desde la seguridad de las frondosas tuyas, y lo había visto todo en calma. El amago de encuentro a medianoche con Dukchuk debía de haber sido una coincidencia insólita, ya que el criado no parecía tener por costumbre merodear de noche por la casa. La tarde anterior la señorita Wintour había vuelto a invitar a Felder para tomar el té, y ni ella ni su aterrador sirviente habían dado la menor señal de que ocurriera algo. Al parecer no sospechaban nada.

Aun así, Felder sabía que no podía esperar eternamente. Tenía que actuar aquella misma noche. Si pasaba más tiempo se acobardaría sin remedio. De hecho, Constance y Mount Mercy ya empezaban a parecerle muy lejanos.

Se desplazó a ciegas por las estanterías, tanteando las superficies rugosas del cristal emplomado de las puertas. La W tenía que estar cerca del final de la colección. La carpeta de Alexander Wintour, por consiguiente, debía estar próxima a las puertas correderas de acceso al pasillo principal, que para su alivio estaban bien cerradas.

Al llegar a la penúltima estantería se paró a escuchar, pero la casa seguía tan silenciosa como antes. Sacó la linterna del bolsillo y la cubrió con cuidado para enfocarla en los libros que tenía delante. Trapp. Traven. Tremaine.

Apagó la luz y se acercó a la siguiente estantería, que era la última. Vaciló una vez más, atento a cualquier ruido. Después levantó la linterna hacia los estantes de arriba. Voltaire, en siete tomos de bonita encuadernación de piel; y al lado, media docena de legajos que parecían pergaminos doblados, rodeados por cintas rojas medio deshechas.

Dejó encendida la linterna para que barriese los siguientes dos estantes. La movió lateralmente por los títulos: *El retrato de Dorian Gray*, de Oscar Wilde, y *Jeeves, tú eres mi hombre*, de P. G. Wodehouse, en lo que parecían dos primeras ediciones; y entre ambas obras, tres gruesas carpetas de piel negra, sencillas y gastadas, sin títulos ni marcas.

Su corazón empezó a latir bastante rápido.

Sujetando la linterna con los dientes, abrió la vitrina y cogió la primera carpeta. Estaba llena de polvo, y no parecía que la hubieran tocado en cien años. La abrió con cuidado, como si le diera miedo respirar. Dentro había docenas de bocetos y estudios preliminares para proyectos de cuadros. Manchados y descoloridos, su estilo se parecía bastante a los que había visto en la Historical Society.

El corazón de Felder latió aún más deprisa.

Le temblaron los dedos al empezar a mirar los estudios. Los dos primeros no estaban firmados, pero sí el tercero, en la esquina inferior derecha: WINTOUR, 1881.

Saltó al final de la carpeta. Había un sobre pegado en la parte interior mediante una fina línea de cola. Un sobre quebradizo, amarillento. Sacó el escalpelo del bolsillo y desprendió el sobre de la carpeta. Se sentía los dedos insensibles y torpes. No lo abrió hasta el segundo intento.

Dentro había un pequeño mechón de pelo oscuro.

Al principio lo único que hizo fue mirar, con una extraña mezcla de emociones: victoria, alivio y un poco de incredulidad. Así que era verdad. Era todo verdad.

Pero un momento... ¿Era el pelo que buscaba? Había dos carpetas más. ¿Y si Wintour había coleccionado pelo de otras chicas? Parecía improbable, pero había que verificarlo.

Después de guardarse el sobre en el bolsillo, puso la carpeta en su sitio y cogió la siguiente, que consultó con rapidez. Más bocetos y acuarelas. Notó que las ganas de acabar de una vez le hacían respirar más deprisa. Allá no había mechones. Volvió a colocar la carpeta en el estante y sacó la tercera, que hojeó con tal prisa que rompió varias páginas. Tampoco en esa había nada. La cerró y la dejó en su sitio, pero las prisas le hicieron ser menos cauto que antes y la carpeta hizo un ruido sordo al empujarla con demasiada fuerza contra el fondo de la estantería.

Se quedó muy quieto, con el corazón alborotado. En el vasto y frío silencio de la casa aquel pequeño ruido era como un trueno.

Esperó.

En la gélida casa, sin embargo, no se oía ni un susurro. Sintió que se le relajaban poco a poco los músculos y se le acompasaba la respiración. Nadie había oído nada. Era simple paranoia.

Palpó el sobre que tenía en el bolsillo, que emitió un crujido seco. Solo entonces, disipado el miedo, asimiló todas las consecuencias del descubrimiento. Ya no quedaban dudas: Constance tenía ciento cuarenta años, en efecto. No estaba loca. Siempre había dicho la verdad.

Lo curioso fue que entenderlo no lo chocó tanto como creía que lo haría. De alguna manera ya sabía que era cierto: por la calma y naturalidad con las que Constance siempre había sostenido su versión, por haber sabido describir con gran detalle el aspecto de Water Street en la década de 1880 y por la sinceridad intrínseca a su modo de ser. De hecho era lo que Felder deseaba creer, porque…

Las puertas correderas de la biblioteca armaron un gran estrépito al abrirse, revelando la presencia de Dukchuk, que con la misma túnica amorfa de batik y la misma arma cruel que ya había visto Felder lo miraba fijamente con sus malvados ojos negros.

Corrió hacia la ventana con un grito de miedo, pero Dukchuk, más rápido, cruzó la sala en cuatro saltos y cerró la ventana, moviéndose con un silencio casi más terrible que cualquier alarido, a la vez que mostraba los dientes con una mueca de animal feroz. Felder observó por vez primera que estaban afilados. Intentó defenderse, gritando, pero Dukchuk se le echó encima y le pasó por el cuello un brazo con tatuajes, que contrajo a la manera de un garrote, ahogando los chillidos de su víctima.

Mientras Felder forcejeaba como loco sintió una explosión brusca y candente de dolor. Era el impacto de la cachiporra en un lado de su cabeza. Le fallaron las piernas. Dukchuk lo arrojó al suelo y lo golpeó en el pecho, un golpe terrible que lo dejó retorciéndose, sin poder respirar.

Apareció ante sus ojos una bruma roja. Luchó por mantenerse consciente, con las manos aferradas al pecho, y al final logró llenarse los pulmones de una enorme bocanada de aire. Al disiparse la neblina, y aclarársele la vista, vio a Dukchuk erguido frente a él bajo la débil luz del pasillo, con sus descomunales y tatuados antebrazos el uno sobre el otro y unos ojos como trozos de carbón, menores de lo normal. Tenía detrás la diminuta silueta de la señorita Wintour.

—¡Vaya! —dijo esta última—. Tenías razón, Dukchuk. ¡Este señor es un simple y vulgar ladrón que está aquí so pretexto de alquilar la casa! —Fulminó a Felder con la mirada—. Qué cara más dura hay que tener para tomarse el té bajo mi propio techo y disfrutar de mi amable hospitalidad a la vez que se planea robar a una mujer débil e indefensa como yo, de tan escasas posesiones… ¡Es usted un individuo odioso!

—Por favor… —dijo Felder intentando ponerse de rodillas. Le dolía la cabeza. Seguro que tenía las costillas rotas. El sabor de su boca era una mezcla metálica de sangre y miedo—. Por favor, no he cogido nada. Solo tenía curiosidad. Quería echar un vistazo. Al haber oído tantas cosas…

Se calló al ver que Dukchuk lo amenazaba con la cachiporra en alto. Ahora la señorita Wintour llamaría a la policía, que detendría y encarcelaría a Felder. Era el final de su carrera. Pero ¿cómo se le había ocurrido?

El criado miró por encima del hombro a la señorita Wintour con una expresión interrogante, portadora de una inequívoca pregunta: ¿qué hago con él?

A Felder le dolió tragar saliva. Se acabó. Una llamada a la policía y empezaría el rosario de desastres. Más valía aceptarlo. Y empezar a inventarse alguna buena excusa.

La señorita Wintour prolongó un poco más su mirada hostil hasta que se volvió hacia Dukchuk.

—Mátalo —dijo—. Luego puedes enterrar sus restos en la bodega. Con los demás.

Dio media vuelta y salió de la biblioteca sin mirar atrás.

62

Los movimientos del doctor John Felder al pisar la moqueta moho-
sa y descolorida de la vieja mansión eran lentos y casi robóticos.
Tenía la cabeza a punto de explotar, y un corte en la sien del que
bajaba hasta el cuello un hilillo de sangre. Sus costillas rotas se
rozaban entre sí con cada paso. De vez en cuando Dukchuk, que
iba justo detrás, lo empujaba en la base de la espalda con su cachiporra. Los únicos sonidos procedentes del criado eran el susurro
de su túnica y el impacto de sus grandes pies descalzos contra
la moqueta. La anciana había desaparecido ya en las alturas de la
casa.

Felder avanzó por el pasillo sin ver nada, en realidad. No era cierto. No le podía estar pasando. En cualquier momento se despertaría en su incómodo y pequeño camastro de la casa del portero; a
menos... a menos que lo hiciera en su piso, en Nueva York, y que
todo aquel viaje de locos a Southport resultara no ser más que una
descabellada pesadilla...

Pero entonces Dukchuk lo empujó otra vez con el extremo re-
dondeado de la cachiporra, y Felder supo (con toda claridad) que
aunque fuera una pesadilla no era ningún sueño.

Aun así se resistía a creerlo. ¿De verdad que la anciana señorita
Wintour había dado instrucciones de matarlo? ¿Lo decía en serio o
solo para darle miedo? ¿Y lo de enterrarlo en la bodega, junto a los
demás? ¿Qué podía significar?

Se detuvo. La luz eléctrica, débil y sórdida, le permitía distinguir un comedor, seguido aparentemente por una cocina, con una
puerta al fondo que daba a la noche y a la libertad. Dukchuk, sin

embargo, lo empujó una vez más, indicando con su cachiporra que Felder debía doblar a la izquierda por otro pasillo.

Mientras caminaba empezó a fijarse un poco en lo que lo rodeaba. En las paredes había litografías antiguas y con manchas de moscas. También se veían estatuillas de porcelana sobre mesitas repartidas aquí y allá, pero no había nada, nada en absoluto, que fuera concebible utilizar como arma. Se rozó los bolsillos con las manos al andar, palpando lo que contenían: el destornillador, el escalpelo y el sobre del mechón. La linterna estaba en el suelo de la biblioteca, en el primer sitio donde se había caído él. El escalpelo, y su cuchilla de dos o tres centímetros, serían motivo de risa para alguien tan diestro y musculoso como Dukchuk. Mejor decantarse por el destornillador. ¿Y si se lo clavaba en el ojo? Pero no, aquel monstruo era demasiado fuerte, musculoso y rápido para que pudiera salir bien la intentona. Solo serviría para que se enfadase.

No había solución. Peor que eso.

Dukchuk dio unos golpes con la cachiporra en una puerta cerrada e hizo señas a Felder de que la abriera. Al girar el pomo, la mano pegajosa del doctor resbaló en la bola blanca de mármol. Abrió la puerta. Al otro lado todo estaba oscuro. Dukchuk accionó un interruptor antiguo en la pared, que encendió una bombilla colgada de un cable. Delante había una escalera tosca que bajaba al sótano.

Felder se dio cuenta de que el miedo hacía temblar sus piernas, ese miedo que hasta entonces habían encubierto la desorientación, el dolor y la incredulidad. Lo que pasaba era verdad.

—No —dijo apartándose de la escalera—. No, por favor, no puede hacerme esto.

Dukchuk le clavó la cachiporra en la espalda.

—Le daré dinero —farfulló él—. En la casa del portero tengo ciento cincuenta o doscientos. Podríamos ir al cajero. Será un secreto entre los dos. No hace falta que se entere ella.

Dukchuk volvió a empujarlo en la espalda, mucho más fuerte esta vez. Felder perdió el equilibrio y tuvo que sujetarse a la baranda. Un poco más y se habría caído rodando por la escalera.

—No se puede matar a alguien así. La gente sabe que he alquilado la casa del portero. Vendrá la policía y registrará toda la mansión.

Mientras lo decía se dio cuenta de que no era verdad. ¿Quién iba a creer que una ancianita como ella fuera capaz de asesinar a sangre fría? La casa la había alquilado con un nombre falso, sin decírselo a nadie. Aunque viniera la policía, se limitaría a llamar a la puerta, hacer unas cuantas preguntas con educación e irse.

Otro fuerte empujón.

Intentó tragar saliva, pero se atragantó de miedo. Encadenó dos pasos, bajando por los escalones con la dificultad de un viejo. Dukchuk iba detrás, a varios peldaños de distancia.

Tuvo la impresión de que el tiempo pasaba más despacio. Cada paso hacia el sótano era como una pequeña agonía. «Mátalo. Luego puedes enterrar sus restos en la bodega.» Por Dios, por Dios… Se iba a morir. Era verdad. A menos que fuera una broma morbosa y macabra, para aterrorizarlo… Pero lo dudaba.

Se paró al llegar al pie de la escalera. Hacía un frío húmedo. La única luz era la de la bombilla de arriba, y unos tenues parpadeos procedentes de una sala a mano izquierda. Delante había un pasillo estrecho con puertas cerradas a ambos lados.

Era el final. Se hizo fuerte, esperando el golpe despiadado en la cabeza, la explosión cegadora de dolor en su cráneo y la luz blanca que sería el preludio de un rápido fundido en negro, pero lo que hizo Dukchuk fue obligarlo a avanzar con su cachiporra.

Pasaron al lado de una puerta abierta a la izquierda. Felder vio con el rabillo del rojo varias velas altas, de luz temblorosa, colgaduras de tela con pinturas extrañas y pequeñas figuras de piedra sobre pedestales, dispuestas en un semicírculo. La guarida de Dukchuk.

Iban derechos al fondo del pasillo, hacia una puerta cerrada. Al mirarla fijamente, Felder empezó a respirar más deprisa y se oyó sollozar.

—Por favor —murmuró—. Por favor, por favor, por favor…

Se detuvieron al final del pasadizo. Dukchuk le hizo señas de que abriese la última puerta. Felder levantó la mano, que temblaba. Sus piernas casi no lo sostenían. Tuvo que hacer tres intentos antes de poder coger el pomo con bastante fuerza para girarlo.

Al otro lado todo estaba oscuro. La luz indirecta de las velas solo reveló unas cuantas formas imprecisas: barriles de manzanas, cajas medio llenas de nabos y zanahorias podridas y estantes de madera con tarros de conserva, muchos de los cuales, al reventarse, habían manchado las baldas con su contenido oscuro y pútrido y habían formado hilos solidificados.

La bodega.

Oyó crecer la intensidad de sus propios sollozos. Casi parecía que llorase otra persona. Dukchuk lo empujó una vez más, pero esta vez Felder no pudo o no quiso moverse. En vez de eso deslizó una mano en el bolsillo y la cerró maquinalmente en torno al pequeño sobre.

—Constance —murmuró.

En aquel momento de máxima crisis, comprendió de golpe (aunque probablemente hubiera debido saberlo mucho antes) que estaba locamente enamorado de ella. Tal vez ya lo supiera. Tal vez solo le faltara reconocerlo de manera consciente. Era la causa de todo. Y ahora llegaba el final. Constance no llegaría a enterarse de que había encontrado su mechón de pelo. No sabría tampoco a qué precio lo había pagado.

Dukchuk lo empujó otra vez, y Felder volvió a quedarse donde estaba, incapaz de moverse, en el umbral de la bodega.

Recibió en su hombro derecho un golpe brutal que lo hizo gritar y tropezar hacia delante. El siguiente impacto de la cachiporra fue por detrás de una rodilla. Al venirse abajo se dio un golpe en la cabeza con el suelo de tierra.

Era el final.

De repente (por algo relacionado con la revelación de lo que sentía por Constance) se dio cuenta de que se disipaba el miedo. El sentimiento que lo reemplazó fue una especie de sorpresa, y de rabia: sorpresa por irse así del mundo y por que lo último que fuera a ver en la tierra fuese aquel suelo desnivelado y polvoriento, y los enormes pies de Dukchuck, que eran como dos tablones de uñas negras y rotas, algo apartadas de él. Rabia por lo enormemente injusto que era todo. Se había pasado la vida haciendo el bien, ayudando a gente enferma e intentando ser lo mejor que pudiera, una persona seria, bondadosa... ¿Y ahora tenía que ser víctima de una loca asesina, sin poder defenderse?

La mano que cogía el sobre sintió la presión de algo más, de un objeto frío y recto. El escalpelo. Soltó el sobre y asió el mango de la cuchilla. De pronto sabía lo que tenía que hacer.

De un solo movimiento extrajo la mano del bolsillo y apoyó el dedo índice en el borde superior del mango del escalpelo, como le habían enseñado en las clases de disección de la facultad de medicina.

De esa manera, lo clavó con todas las fuerzas que pudo reunir en el gran tendón de Aquiles del tobillo más próximo de Dukchuk.

Con un húmedo ruido de succión, el tendón, cortado limpiamente, y habiendo perdido su tensión, se disparó hacia arriba como una gruesa cinta elástica y desapareció en los músculos de la pantorrilla de Dukchuk. El criado cayó inmediatamente de rodillas, abriendo mucho los ojos y formando una O perfecta con la boca. Fue la primera vez que emitió algún sonido: un bramido ensordecedor de puro sufrimiento, como el de un ternero.

Felder se levantó, inestable, sin soltar el escalpelo ensangrentado. Dukchuk aulló otra vez y quiso cogerlo con sus garras, pero el psiquiatra se apartó de un salto a la vez que lanzaba una dura estocada hacia su mano y le abría la palma como un melón maduro.

—¿Quieres más, hijo de puta? —exclamó, sorprendido por su propia rabia.

Dukchuk, sin embargo, abrumado de dolor, se había encogido en el suelo, sujetándose el tobillo mientras le salía sangre de la mano, y desgañitándose como un bebé. No parecía acordarse de Felder.

Con un esfuerzo sobrehumano Felder dio media vuelta, voló escaleras arriba y dio tumbos por el comedor, derribando una silla. Oyó la voz impaciente de la anciana en algún punto del piso de arriba.

—¡Dukchuk, por amor de Dios! ¡Diviértete, pero sin hacer tanto ruido!

Cruzó cojeando lo más deprisa que pudo la cocina a oscuras. Oía los salvajes aullidos de Dukchuk en el piso de abajo, pero con menos fuerza. Al llegar a la puerta del fondo descorrió a tientas los pestillos y la abrió de par en par. Ignorando el dolor de sus costillas rotas y su pierna lesionada, se lanzó por la maleza de detrás de la mansión, llegó a la casa del portero, entró el tiempo justo para recoger el maletín y las llaves, subió a trompicones a su Volvo, arrancó, salió disparado a Center Street y se alejó de la mansión de pesadilla a toda la velocidad que pudo.

63

En la selva brasileña seguía reinando la noche. Entre los tupidos árboles, y las orquídeas de floración nocturna, vagaban jirones de niebla. Pendergast regresó en silencio al punto en que había dejado a Egon, de cuyo torpe paso no tardó en hallar indicios: ramas partidas, hojas rotas y huellas de botas en el musgo. Siguiendo aquel rastro se movió deprisa hasta oír que Egon todavía lo llamaba, vagando por la selva. Entonces dio un gran rodeo y se acercó por el otro lado.

—¡Estoy aquí! —exclamó agitando la linterna—. ¡Aquí!

—¿Dónde estaba? —dijo Egon al aproximarse con una expresión amenazadora y recelosa, enfocándole la cara con su linterna.

—¡Eso querría saber yo, caramba! —exclamó Pendergast con rabia—. ¡Le había dado instrucciones de seguirme y usted me ha desobedecido! Llevo horas extraviado, dando vueltas, y he perdido la ocasión de capturar aquella Reina Beatriz. ¡Me estoy pensando si lo denuncio a las autoridades!

Tal como esperaba, Egon, imbuido de una cultura de autoridad y subordinación, se amedrentó enseguida.

—Perdone —balbuceó—, pero es que iba usted tan deprisa, y luego ha desaparecido...

—¡Basta de excusas! —exclamó Pendergast—. Hemos perdido una noche. Esta vez lo pasaré por alto, pero no vuelva a despistarse. ¡Me podría haber matado un jaguar, o habérseme comido una anaconda! —Estaba que trinaba. Hizo una pausa—. Vamos a volver al pueblo; así me enseña dónde duermo, necesito descansar.

Llegaron al pueblo mojados y embarrados, justo cuando amanecía sobre el cráter del volcán y la luz del alba tocaba las nubes y las sonrosaba con tonos de coral. Cuando los rayos del sol invadieron las calles empedradas de la población, cuya forma era la de una media luna, todo empezó a funcionar como un mecanismo de relojería: puertas que se abrían, chimeneas de las que salía humo, peatones afanándose en sus menesteres... Solo la isla del centro del lago se mantuvo igual: negra, siniestra y maléfica, con sus ecos metálicos de maquinaria.

Mientras iban por las calles, cada vez más pobladas, Pendergast volvió a fijarse —esta vez con un escalofrío de horror— en que algunas de las caras que había visto en el gueto subterráneo tenían su reflejo en las de aquellas personas tan guapas y ocupadas.

Egon lo llevó a una casita de entramado de madera contigua al ayuntamiento. En respuesta a sus golpes en la puerta apareció una mujer con delantal, secándose las manos, y del interior salía un olor de pan horneándose.

—*Herzlich willkommen* —dijo.

Al entrar se encontraron a dos niños rubios que comían pan con mermelada y huevos pasados por agua en la mesa de la cocina, y que se quedaron mirando a Pendergast con la misma sorpresa y la misma curiosidad manifestada por el resto de la población.

—Nadie habla inglés —dijo Egon con su laconismo habitual, pasando de largo como si no existiera la mujer que tan amablemente los había saludado.

Fue a una escalera estrecha y subió dos pisos hasta llegar a una acogedora buhardilla con cortinas de encaje, techo muy inclinado y ventanas con vistas al pueblo.

—Su habitación —dijo—. Se quedará hasta la puesta de sol. Después la mujer le dará de cenar. Yo esperaré abajo. No salga de la habitación.

—¿Que tengo que quedarme aquí encerrado hasta que se ponga el sol? —exclamó Pendergast—. ¡Pero si solo necesito dormir cuatro o cinco horas! Me gustaría dar un paseo por el pueblo y ver los monumentos...

—Se quedará hasta la puesta de sol —repitió Egon de mal humor, antes de cerrar la puerta.

Pendergast oyó girar la llave. Después los pasos de Egon se alejaron por la escalera, y al inspeccionar la cerradura, que era de las antiguas, Pendergast se sonrió. Acto seguido cogió su mochila y los tarros para insectos y empezó a sacar los muchos especímenes que había recogido durante el viaje fluvial, y también aquella noche, en la selva. Colocó las mariposas en sus placas con pinzas de punta plana y las sujetó con cintas. Al acabar se acostó vestido en la cama, que estaba hecha, y se durmió enseguida.

Una hora después se despertó de golpe al oír que llamaban a la puerta.

—¿Sí? —dijo en inglés.

Al otro lado se oyó la voz tensa del ama de casa.

—*Herr Fawcett, hier sind einige Herren, die Sie sprechen möchten.*

Al levantarse de la cama oyó girar la llave en la cerradura. Cuando se abrió la puerta apareció media docena de hombres con uniforme gris, que estaban armados y que lo apuntaban. Entraron con orden y rapidez. En cumplimiento de una operación bien coordinada, a cuyo frente estaba Scheermann, rodearon a Pendergast por ambos lados. Todo se hizo con una eficacia intachable, que no dejaba la menor posibilidad de reacción o escapatoria.

Pendergast entrecerró los ojos y abrió la boca como si quisiera protestar.

—No se mueva —dijo Scheermann, aunque no hiciera falta—. Las manos apartadas del cuerpo.

Mientras Pendergast se quedaba con los brazos extendidos, le quitaron la ropa en silencio y le pusieron un camisón a rayas de algodón y unos pantalones bastos parecidos a los que había visto en el barracón subterráneo. Después los guardias lo hicieron bajar por la escalera y lo empujaron a la calle sin dejar de apuntarle ni un momento. Lo llevaron hasta el muelle. Lo curioso era que los habitantes del pueblo le prestaban mucha menos atención con el nuevo atuendo de presidiario que cuando iba vestido de civil, clara señal de que ya habían visto otras veces lo mismo.

Nadie decía nada. Lo colocaron en la proa de una pequeña barcaza, en medio de un semicírculo formado por los guardias. Después rugieron los motores de vapor, y la barcaza se internó lentamente en el lago, dejando una estela revuelta, rumbo a la siniestra fortaleza.

64

Fue un viaje corto. Desembarcaron en un muelle de piedra. Los soldados hicieron avanzar a Pendergast a punta de cañón. Justo delante de ellos se erguía la fortaleza, cuyo muro exterior lucía unas almenas que parecían dientes negros y rotos. Subieron por un camino empedrado que llevaba a una gran puerta de hierro. Después se abrió una puerta más pequeña, encuadrada en la primera, y la cruzaron. La portezuela se cerró a su paso con un ruido metálico.

Pendergast se vio ante un panorama sorprendente. El muro exterior de la ciudadela escondía una construcción interna adaptada a las ruinas y los antiguos cimientos de piedra, también ellos reconstruidos y reforzados con gran solidez. Se componía de una superestructura de hormigón vertido, con manchas de humedad, al mejor estilo monumental propio del fascismo. La única interrupción en las paredes, lisas y sólidas, era alguna que otra ventanilla en la parte superior. En uno de los lados había un relieve enorme del *Parteiadler* del Tercer Reich, el águila con una esvástica entre sus garras, único adorno visible en los muros y torres de aquel recinto fortificado inscrito en otra fortaleza.

Pendergast se había parado a mirar. Uno de los soldados le clavó el cañón en las costillas.

—*Beweg Dich!* —gritó.

Cruzó un patio exterior y llegó a una puerta que daba acceso a la fortaleza principal. Allá había muchos más soldados, algunos de guardia, otros puliendo sus armas y otros que no hacían nada más que mirarlo a él con desprecio. Pasaron varios mecánicos, atareados en labores que no era posible adivinar.

Una vez dentro de la fortaleza interior iniciaron un ascenso que empezó por una serie de antiguos pasadizos y escaleras de piedra, manchados de humedad y blanqueados por el nitrio. Se cruzaron con algunos técnicos y científicos con bata blanca, que iban en dirección opuesta. Finalmente salieron a la parte alta de la fortificación de hormigón, la más moderna.

Al final de una escalera de caracol había una puerta de roble correspondiente a una sala espaciosa y aireada, con ventanas de cristal que ofrecían vistas espléndidas (aunque pequeñas) de los tejados de la fortaleza, el lago y las selvas y montañas circundantes. Era un despacho muy bien decorado, con paredes de sillares bien cortados, una alfombra persa en el suelo, una gran mesa antigua enmarcada por banderas nazis y toda una serie de piezas de platería y objetos artísticos de gran calidad distribuidos con esmero en las paredes. Detrás de la mesa había un hombre de aspecto muy notable, todo un modelo de perfección teutónica: corpulento, musculoso, con los ojos claros y penetrantes, la piel bronceada y el pelo recio y blanco, bien cortado. Sonrió.

Pendergast lo reconoció de inmediato. Fischer.

—Muy bien, Oberführer Scheermann —dijo.

El capitán se puso tieso e hizo chocar los talones.

—*Danke, mein Oberstgruppenführer.*

Fischer se levantó, sacó un cigarrillo Dunhill de una pitillera de plata repujada, lo encendió con un mechero de oro y dio una profunda calada, todo ello sin apartar la mirada de Pendergast. Al expulsar el humo se acercó y lo examinó. Pendergast se quedó quieto, rodeado por los guardias, que iban armados con subametralladoras. Fischer alzó una mano de gruesas venas y acarició la barba falsa de Pendergast, antes de asirla con fuerza y arrancarla. Después caminó a su alrededor sin prisa alguna, mientras se ensanchaba su sonrisa.

En ese momento tendió la mano. Al principio parecía que quisiera estrechar la de Pendergast, pero no resultó ser esa su intención. Lo que hizo fue levantar su enorme palma y abofetearlo, tan fuerte que le tiró al suelo.

—Sacadle todo eso de la boca —ordenó.

Los soldados siguieron apuntando a Pendergast, mientras uno de ellos metía el cañón de una Luger en la boca del agente del FBI y la mantenía abierta para explorarla con sus dedos. Poco después tendió la mano, mostrando a Fischer lo que había encontrado. Tenía en la palma una serie de minúsculas ganzúas, varios adminículos teatrales de plástico que se metían en los mofletes para cambiar de aspecto... y una pequeña ampolla de cristal que contenía un líquido de color claro.

El soldado levantó a Pendergast sin contemplaciones. Le salía sangre de la nariz, y tenía los ojos del color del papel blanco.

—Ahora ya no hay duda —dijo Fischer escrutándolo—. Es nuestro querido agente Pendergast. ¡Qué detalle haber venido de tan lejos! Me llamo Wulf Konrad Fischer, y soy el hombre que secuestró a su mujer.

Otra sonrisa.

Como Pendergast no decía nada, Fischer continuó.

—Tengo que reconocer que iba muy bien disfrazado. Ya sabía yo que un hombre como usted vendría en mi busca, o mejor dicho en nuestra busca. Daba por supuesto que al ser un hombre de una habilidad excepcional acabaría encontrándome. Lo que no me esperaba era su disfraz. Yo pensaba que entraría sin ser visto y se mezclaría con la población, o que se escondería en la selva. No creía que fuera a presentarse con tal desfachatez. Muy buen disfraz, con toda esa *Scheiße* de la Reina Beatriz... Muy bueno, y más siendo verdad. Lo felicito.

Chupó el cigarrillo, manteniéndolo en posición vertical para impedir que se cayera la ceniza, cada vez más larga.

—Donde cometió un desliz fue en el numerito con Egon. Piense que ha crecido en la selva y la conoce. Para que lo despistase usted... Al enterarme supe que no era ningún naturalista.

Pendergast no se movía.

—Mis colegas y yo... digamos que nos impresionó lo que hizo en el *Vergeltung*. Naturalmente, nos chocó saber que Helen Esterhazy seguía con vida. Pese a todas nuestras ganas de estudiarla en vivo, usted nos obligó a cortar el cabo suelto con bastante rudeza, aunque al menos tuvimos ocasión de efectuar una autopsia de lo más reveladora de sus despojos, que encontramos rápidamente en la tumba improvisada que le cavó usted.

Pudo ser que al oírlo temblase un poco por debajo uno de los ojos de Pendergast.

—Pues sí. Nunca desaprovechamos la ocasión de investigar. Ante todo somos científicos. Su irrupción en nuestro programa, tan espectacular e inesperada, por ejemplo (vuelvo a referirme al *Vergeltung*, y a la persecución de Helen), fue bastante alarmante, pero como científicos que somos nos supimos adaptar. Revisamos nuestros planes con suma rapidez a fin de incorporarlo a usted en la fase final de la magna obra que llevamos a cabo en este sitio. Vimos una oportunidad y la aprovechamos. Así pues, le doy las gracias por su participación.

La ceniza todavía no se había separado del cigarrillo. Fischer lo inclinó, haciéndola caer. Después se demoró en aplastar suavemente la colilla en un cenicero de plata burilada.

Cogió con una larga mano la ampolla de cristal de encima de la mesa, donde se había quedado junto con el resto de lo requisado a Pendergast, y la hizo rodar entre el pulgar y el índice con gesto pensativo.

—Admiro su valor, pero ya se dará usted cuenta de que esto no era necesario. Al contrario: le vamos a ahorrar la molestia.

Se volvió hacia los soldados.

—Lleváoslo a la sala cuatro.

65

La sala cuatro se encontraba en las entrañas de la parte más antigua de la fortaleza. Era una especie de túnel hecho de grandes bloques basálticos, con suelo de tierra volcánica y bóveda de medio punto. Solo había una bombilla colgada de un cable. Después de arrastrar a Pendergast hacia el interior, lo encañonaron para que se arrimase a la pared y le encadenaron las manos y los pies a unas anillas enormes incrustadas en la piedra, separando los brazos y las piernas casi al máximo de su extensión.

Bajo la atenta mirada de Scheermann, los soldados comprobaron que las cadenas estuvieran tensas. Después, tras dejar a Pendergast encadenado a la pared, salieron de la celda, apagaron la luz, y cerraron la gruesa puerta de hierro. En esta última había una mirilla por la que entraba cierto resplandor, pero después de un rato también se apagó.

Todo era oscuridad.

Pendergast se mantuvo a la escucha en la húmeda negrura. Los soldados se habían quedado fuera. Los oía moverse y murmurar. Aparte de eso lo único que discernía era una sorda vibración, un zumbido de generadores grandes, y algo más aún más sordo: tal vez el movimiento natural del magma por debajo del volcán, no tan extinguido como aparentaba. En ese momento percibió que el suelo y la pared temblaban muy ligeramente, como si quisieran darle la razón, en respuesta a un diapasón gigante que vibraba en el subsuelo.

Escuchó a oscuras. Y pensó. Pensó en lo que había dicho Fischer.

Pasó una hora. Pendergast reconoció pisadas. Se oyó el chirrido de un pesado pestillo, y al abrirse la puerta penetró una larga franja luminosa. En el umbral se recortaban dos siluetas, que esperaron un momento antes de entrar cada una por su lado. Se encendió la bombilla del centro de la sala. Frente a Pendergast estaban Fischer y Alban.

Alban. Alban, sin disfraces, maquillaje ni engaños.

Sus facciones reales lo asemejaban a Tristram, pero la personalidad grabada en ellas era muy distinta, por no decir diametralmente opuesta. Alban irradiaba una seguridad sin límites y un carisma innato, en el que un ligero atisbo de arrogancia se mezclaba con cierto aire divertido. Su actitud era de calma y disciplina, de desapego respecto al mundo de la sensualidad, la pasión y la intuición.

En muchos aspectos se parecía más a Pendergast que Tristram. Sin embargo, el agente observó con gran pena y consternación que tenía la boca y los ojos de su madre. Con todo, mientras miraba aquel rostro pálido y anguloso, de frente alta, ojos de un azul violáceo, pelo rubio y labios perfectamente dibujados, cayó en la cuenta de que faltaba algo. En aquella persona había un agujero, un hueco enorme en el lugar del corazón.

Fue en ese momento cuando Pendergast paró mientes en el resto de su hijo: camisa de trabajo limpia y recién planchada, pantalones de tela de corte sencillo, cinturón de piel trenzado y botas recias de cuero, hechas a mano. Curiosamente, su forma de vestir contrastaba en grado sumo con el traje gris, caro y de muy buen corte que llevaba Fischer, así como con sus anillos, su reloj y su mechero de oro.

El primero en hablar fue Fischer.

—Agente Pendergast, tengo el placer de presentarle oficialmente a su hijo Alban.

Alban se quedó donde estaba, mirándolo. Tenía un control tan grande de sí mismo que habría sido imposible decir qué expresaban sus ojos, qué emoción podía experimentar, si es que experimentaba alguna.

—Hola otra vez, padre —dijo con voz grave y agradable, sin aquel acento tan patente en la manera de hablar de Tristram.

Pendergast no dijo nada.

Llamaron con fuerza a la puerta.

—Adelante, Berger —dijo Fischer.

Entró un hombre bajo y muy delgado, con la cara afilada. Llevaba en una mano un maletín de médico a la antigua y en la otra, una mesa plegable. Lo seguía Egon, empujado por la culata de una subametralladora. Tenía el pelo apelmazado, tieso, y la cara blanca, contraída de ansiedad. Su mirada era la de un hombre acorralado.

El vigilante cerró la puerta y se quedó apostado frente a ella con el arma a punto. Fischer esperó a que encadenasen a Egon a la pared de la misma manera que a Pendergast. Después se volvió otra vez hacia este último.

—Se le ve a usted dotado de una gran curiosidad científica —dijo—. En ese aspecto no es usted muy distinto a nosotros. Dígame, pues: ¿tiene alguna observación que hacer? ¿Alguna pregunta? Porque una vez que empecemos ya no tendrá ocasión de hablar.

—¿Dónde está Tristram? —preguntó Pendergast—. ¿Está vivo?

—¿Tristram? Así que le ha puesto un nombre a *der Schwächling*… Qué bonito. Qué hogareño por su parte. Si se refiere, como me imagino, a Cuarenta y Siete, está vivo, sí, naturalmente. Es portador de todas las piezas de repuesto de Alban. Por eso es tan importante. Por nada más. Estese tranquilo, se ha reintegrado sin percance al rebaño. Su momento de libertad lo ha asalvajado un poco, pero ya le han vuelto a domesticar y le va de maravilla. —Fischer hizo una pausa—. De hecho, su secuestro y su regreso han servido para cumplir tres objetivos. Por un lado, nos lo ha devuelto como futuro banco de órganos para Alban. Por otro lado, sabíamos que su secuestro lo atraería a usted como una llama a una mariposa nocturna. Al mismo tiempo, sacar a Cuarenta y Siete de su propia casa, y de su tutela, constituía un final inmejorable para la última fase de nuestro trabajo. ¡Qué admirable economía de acción! ¿Cómo lo dirían en inglés? ¿Matar tres pájaros de un tiro?

—La última fase de su trabajo —dijo Pendergast inexpresivamente—. Ya ha usado antes la expresión. Supongo que se refiere a lo que llaman prueba beta.

Por un momento Fischer pareció sorprendido, pero enseguida sonrió.

—Magnífico, magnífico. Sí, me refería a nuestra prueba beta.

—¿En qué consiste exactamente?

—Seguro que adivina la respuesta. Hace medio siglo que seguimos los pasos de los doctores Mengele y Faust y que damos continuidad a su gran labor sobre los gemelos.

—Una labor que empezó con víctimas indefensas, recluidas en campos de concentración —dijo Pendergast.

—Una tarea que comenzó durante aquella infausta guerra, y que trasladamos más tarde a Brasil; una labor que ya ha finalizado, gracias en parte a usted.

—¿Y en qué principios científicos se basa? —preguntó Pendergast con frialdad.

Fischer se puso un dedo en la barbilla.

—En el aspecto teórico son sencillos, pero en el práctico dificilísimos. Después de la concepción y de la primera mitosis, las dos células hijas se separan y empiezan a desarrollarse de modo independiente, abriendo el camino a la formación de gemelos idénticos. Cuando los dos embriones llegan al estado de mórula es cuando empieza de verdad el trabajo delicado. Iniciamos un proceso de transferencia de material genético entre los embriones. En el embrión bueno aumentamos el material genético con lo mejor del otro embrión, y sustituimos con ello el material inferior, que a su vez es destinado al feto malo.

—Pero si son gemelos idénticos —inquirió Pendergast—, ¿cómo es que hay diferencias entre los dos embriones?

Una sonrisa iluminó las facciones bien dibujadas de Fischer.

—Ah, señor Pendergast, ha identificado usted ni más ni menos que la gran cuestión con la que han lidiado durante años nuestros científicos. La respuesta es la siguiente: el genoma humano contiene tres mil millones de pares base. Hasta en los gemelos idénticos existen errores: copias defectuosas, secuencias invertidas y demás. Nosotros aumentamos esa variación irradiando un poco el óvulo sin fertilizar y el esperma antes de la unión; no tanto como para crear un monstruo, pero sí lo justo para obtener la variación que necesitamos para la sustitución de genes. Así, en vez de mezclar y emparejar genes al azar, como tan rudimentariamente hace la naturaleza, podemos crear a un hombre o una mujer de acuerdo con unas especificaciones muy concretas.

—¿Y el embrión «malo»?

—No se desaprovecha nada. El gemelo malo también se convierte en bebé. Ese... mmm... «Tristram» de usted es un ejemplo perfecto. —Fischer se rió—. Se los cría para las labores no cualificadas del campo, y son miembros útiles y realizados de nuestra sociedad. *Arbeit macht frei.* Naturalmente, el gemelo malo, *der Schwächling*, constituye una magnífica reserva de órganos y sangre en caso de que el gemelo bueno sufra alguna lesión o requiera algún trasplante. Estoy hablando, como comprenderá, de trasplantes por isoinjerto, el tipo más perfecto, en el que no puede producirse ningún rechazo. —Fischer hizo una pausa para encender otro cigarrillo—. Una investigación tan minuciosa, un procedimiento tan refinado, un resultado tan perfecto... Como puede imaginarse han hecho falta años, décadas, de esmerada labor. Se han tenido que hacer muchas, muchísimas iteraciones, cada una de ellas un poco mejor que la anterior.

—Iteraciones —dijo Pendergast—. Gemelos, en suma; pasos intermedios del proceso que aún no cumplían del todo sus exigentes condiciones. Seres humanos a quienes había que liquidar.

—En absoluto. Puede verlos a diario en nuestro pueblo, viviendo vidas útiles y productivas.

—También se puede ver a sus dobles en el campo de concentración subterráneo.

Fischer arqueó una ceja.

—Vaya, vaya... Qué atareado ha estado usted esta noche...

—¿Y Alban? ¿Me equivoco o es el súmmum, el punto culminante de su labor?

A duras penas pudo disimular Fischer su orgullo.

—En efecto.

—Es decir, que la prueba beta es él.

Pendergast había respondido a su propia pregunta.

—Sí. El doctor Faust decidió experimentar voluntariamente con su propia familia. Un científico de los pies a la cabeza. La línea Faust-Esterhazy ha resultado ser de una enorme riqueza, aunque debo decir que la de los Pendergast lo ha sido aún más. La unión entre usted y Helen, pese a ser accidental, dio frutos muy señalados, tanto que superaron todas nuestras expectativas. —Fischer sacudió la cabeza—. Habíamos dejado que los padres de ella se instalasen en América y vivieran a su aire, educando a sus hijos. Fue un experimento temprano, para ver cómo podían funcionar los sujetos de nuestras investigaciones en la sociedad externa. Fue un fracaso catastrófico. Al hacerse mayor Helen se desmarcó de nosotros. Su cuerpo ya estaba preparado para que siempre diera a luz a gemelos. Eso fue fácil. Al quedarse embarazada de forma accidental fue obligada a regresar aquí. De lo contrario, sin un determinado tratamiento necesario para que el embarazo llegara a término, sus fetos habrían muerto. Sin embargo, volvió a Brasil pasada la octava semana de embarazo, demasiado tarde para el tratamiento con blastocisto que habíamos creado aquí en Nova Godói, lo cual nos obligó a probar algo nuevo, una técnica compleja y muy experimental consistente en transferir material genético entre fetos más desarrollados. Se dará usted cuenta de la ironía, herr Pendergast: fue justamente este retraso lo que condujo a nuestro mayor éxito. Siempre habíamos pensado que el trabajo genético tenía que hacerse pronto, en las primeras semanas a lo sumo, pero el retraso con los gemelos de Helen aportó el avance decisivo. —Fischer hizo una pausa—. Helen nunca fue capaz de aceptar que no la dejáramos volver a Estados Unidos con sus hijos. Nos los teníamos que quedar, es natural. Alban era tan prometedor, incluso a tan temprana edad...

Alban había estado atento al toma y daca con una expresión neutral en el rostro.

—Está hablando de tu madre —dijo Pendergast—. ¿No te preocupa en lo más mínimo?

—¿Preocuparme? —dijo Alban—. Al contrario. Lo que siento es orgullo. No hay más que ver con qué facilidad se descubrió vuestra reunión en Central Park (¡y ni más ni menos que por un empleado de la propia policía de Nueva York!), y con qué rapidez pusieron el plan en marcha nuestros hombres.

Sus palabras fueron seguidas por una breve pausa.

—¿Y Longitude Pharmaceuticals? —preguntó Pendergast—. ¿De eso qué me dice?

—Una simple actividad satélite, una de tantas vinculadas de lejos a nuestra labor —contestó Fischer—. Nuestras investigaciones eran sutiles, complejas y de gran alcance. Teníamos que recurrir a muchas fuentes. Normalmente guardamos las distancias, pero cuando se produce algún accidente, como en el caso de Longitude, hay que tomar determinadas medidas, por desgracia.

Sacudió la cabeza.

—Antes ha dicho que soy parcialmente responsable de que su labor haya llegado a buen puerto —dijo Pendergast—; que me incorporaron a la fase final. ¿Qué ha querido decir exactamente?

—Querido agente Pendergast, seguro que a estas alturas ya lo habrá adivinado. De hecho ya lo he mencionado: su ataque al *Vergeltung*, la obstinada persecución a la que nos sometió a Helen y los que la habíamos secuestrado... Para Alban teníamos pensada otra prueba beta final, pero al irrumpir usted en el panorama convertimos lo que podría haber sido un inconveniente en una oportunidad. Cambiamos de cabo a rabo los parámetros del test, con cierta prisa, todo sea dicho, y decidimos dejar suelto a Alban en Nueva York para que demostrase que era capaz de matar impunemente, pese a revelar su identidad a las cámaras de seguridad al tiempo que dejaba pistas que lo convencieran a usted de que el asesino era hijo suyo. Esa conclusión le proporcionaría a usted una... esto... motivación suficiente para atraparlo, ¿no le parece? Si el mejor y más intrépido de los detectives no logró dar caza a su hijo asesino, pese a gozar de todas las oportunidades, ¿no diría usted que nuestra prueba beta fue un éxito? ¿Un éxito total, sin atenuantes?

Pendergast no contestó.

—Después se escapó Cuarenta y Siete, y el muy atolondrado consiguió encontrarlo a usted. También en este caso sacamos partido de la mala suerte. Modificamos la misión final de Alban: en vez de un quinto asesinato secuestraría a Cuarenta y Siete en la propia casa de usted. Misión que ejecutó de manera impecable. —Fischer se volvió hacia Alban—. Muy bien, chaval.

Alban asintió en señal de que aceptaba los elogios.

—De modo que ya han perfeccionado su trabajo sobre los gemelos —dijo Pendergast—. Pueden producirlos siempre que quieran. El uno será una máquina perfecta de matar, fuerte, inteligente, audaz y astuta, pero sobre todo absolutamente libre de cualquier limitación moral o ética.

Fischer asintió.

—Ya sabe que esas «limitaciones», por decirlo como usted, nos hicieron perder la guerra.

—Después está el otro gemelo, tan débil como fuerte es su hermano, y tan carente de habilidad natural como sobrado anda de ella el primero: mano de obra esclava, y en caso de necesidad, banco de órganos a su pesar. Y ahora que han perfeccionado el proceso, la capacidad de fabricar a estos seres humanos de diabólica perfección, ahora que ya han acabado, ¿qué harán?

—¿Que qué haremos? —Fischer se mostró desconcertado por la pregunta—. Me parecía evidente. Lo que hemos prometido, no, jurado hacer desde que sus fuerzas armadas invadieron nuestras ciudades, mataron a nuestro líder y diseminaron a los cuatro vientos nuestro Reich. ¿Qué le hace pensar que nuestra meta se aleja ni que sea un ápice de la de siempre, herr Pendergast? La única diferencia es que ahora, después de setenta años de trabajo incesante, estamos preparados para emprender la conquista de nuestro objetivo. Ya hemos hecho la prueba beta final. Ya podemos empezar… ¿Cómo lo dicen ustedes? El despliegue.

Tiró el cigarrillo al suelo de tierra y lo aplastó con su bota.

—Bueno, esto se está poniendo aburrido.

Se volvió hacia el tal Berger.

—Adelante —dijo.

66

Berger, que no había dejado de fumar en toda la conversación, asintió casi con remilgo. Extendió la mesa plegable, puso el maletín de médico sobre ella, lo abrió y hurgó en su interior. Al cabo de un momento sacó una jeringuilla: un grueso tubo de cristal envuelto en una funda de metal reluciente y conectado a una aguja de aspecto cruel. Después sacó un frasco farmacéutico con tapón de goma que contenía un líquido rojizo, clavó en él la jeringuilla y con cuidado, sin prisa, fue extrayendo el émbolo hasta que la jeringa estuvo a casi tres cuartos de su capacidad. Entonces expulsó unas cuantas gotas del líquido, se volvió y caminó hacia Egon con la jeringuilla levantada.

A lo largo de la conversación Egon había clavado la mirada en el suelo y se había quedado colgando de los grilletes como un animal resignado a su destino, pero al ver que se acercaba Berger reaccionó de golpe.

—Nein! —gritó intentando soltarse—. Nein, nein, nein, nein...!

Fischer hizo un gesto de reproche con la cabeza y miró a Pendergast.

—Egon tenía instrucciones explícitas, no apartarse ni un momento de usted, y no las siguió. Aquí no le vemos el sentido a recompensar el fracaso, herr Pendergast.

Berger hizo una señal con la cabeza al vigilante, que dejó su arma a un lado y se aproximó para coger con una mano el pelo del infortunado Egon, asir con la otra su barbilla y echarle brutalmente la cabeza hacia atrás. Berger se acercó con la jeringuilla en la mano y la usó para explorar con suavidad varios puntos de la carne blanda de debajo de la barbilla de Egon. Después de elegir uno, introdujo la aguja (con lentitud y precisión) en el blando paladar de Egon, hasta el conector. Entonces apretó el émbolo.

La resistencia de Egon se volvió histérica. Chillaba, o mejor dicho, hacía un ruido espantoso, como de gárgaras, entre los dientes apretados, mientras el vigilante sujetaba su cabeza.

Berger y el vigilante se apartaron deprisa. Egon se desplomó hacia delante, entre jadeos y sollozos. Después se le puso todo el cuerpo rígido. Empezaron a dibujarse venas en su cuello, azules y abultadas. La red de venas se extendió con rapidez, como ríos que encontrasen nuevas vías por una tierra fresca. Se propagaron por su cara y antebrazos, palpitando de manera visible. Egon empezó a forzar los grilletes, emitiendo un ruido extraño: grrr, grrr... Sus espasmos se volvieron más violentos y su cara más morada, hasta que con una brusca erupción de sangre a través de la nariz, los oídos y la boca se desplomó y se quedó colgando.

Ninguna ejecución podía haber sido más atroz.

Con movimientos de una extraña meticulosidad, Berger guardó en su maletín la jeringuilla y el frasco. Fischer no se había molestado en observar el proceso. Sí Alban, en cambio, con una chispa de interés en sus ojos azules y violetas.

Fischer volvió a mirar a Pendergast.

—Como le decía, nos impresionó lo que hizo en el *Vergeltung*. Sin embargo, fue a costa de perder a muchos buenos hombres. Ahora que ha concluido la prueba beta ya no es usted necesario. De hecho es un elemento aleatorio que es preciso eliminar. Pero antes de que Berger prosiga su labor, ¿tiene usted alguna observación final que hacer, o alguna pregunta?

Pendergast se quedó inmóvil, sujeto a la pared por las gruesas cadenas.

—Tengo algo que decirle a Alban.

Fischer tendió la mano en un gesto de invitación, como diciendo: «No faltaría más».

Pendergast miró a Alban.

—Soy tu padre. —Fue una afirmación sencilla, pronunciada lentamente, pero llena de sentido—. Y Helen Esterhazy Pendergast era tu madre. —Señaló a Fischer con la cabeza—. La asesinó este hombre.

Se produjo un largo silencio. Después Fischer se volvió hacia Alban y le habló en un tono condescendiente, casi paternal.

—Alban, ¿tienes algo que decir a eso? Sería el momento adecuado.

—Padre —dijo Alban posando la mirada en Pendergast y hablando con fuerza y claridad—, ¿intentas despertar en mí algún tipo de sentimiento parroquial de familia? Lo único que hicisteis tú y Helen Esterhazy fue donar esperma y óvulos. Crearme me crearon otros.

—¿Mientras tu gemelo, tu hermano, trabaja como esclavo en el campo?

—Es un miembro productivo de la sociedad. Yo me alegro por él. Cada cual tiene su sitio.

—O sea, que te consideras mejor que él.

—Pues claro que sí. Aquí se crea a todo el mundo para un lugar determinado, y cada persona lo conoce desde el primer día. Es el orden social definitivo. Ya has visto Nova Godói. No existe la delincuencia. No tenemos depresiones, enfermedades mentales ni adicciones a la droga. No hay ningún tipo de problema social.

—Y todo se sustenta en un campo de trabajadores esclavos.

—No sabes de qué hablas. Ellos cumplen su función. Tienen todo lo que necesitan y desean, salvo que no les dejamos reproducirse, claro. Hay personas mejores que otras y punto.

—Y tú, como el mejor de todos, eres un *Übermensch*. El ideal definitivo de los nazis.

—Acepto con orgullo la etiqueta. El *Übermensch* es el ser humano ideal, creativo y fuerte, más allá de disquisiciones mezquinas sobre el bien y el mal.

—Gracias, Alban —dijo Fischer—. Has estado de lo más elocuente.

—El *Übermensch* —repitió Pendergast—. Dime una cosa: ¿qué es el *Kopenhagener Fenster*, la Ventana de Copenhague?

Alban y Fischer se miraron, claramente sorprendidos y tal vez alarmados por la pregunta, aunque se rehicieron enseguida.

—Se irá usted a la tumba sin saberlo —contestó con brusquedad Fischer—. Y ahora, *auf Wiedersehen*.

La sala quedó en silencio. Pendergast tenía la cara del color del mármol. Su cabeza se inclinó con lentitud. Sus hombros se encorvaron. Era la viva imagen de la desesperanza y la resignación.

Fischer contempló un momento a su cautivo.

—Ha sido un placer conocerlo, herr Pendergast.

Pendergast no levantó la cabeza.

Fischer le hizo una señal a Berger con la suya y empezó a ir hacia la puerta de la celda. Al cabo de un momento también Alban se volvió y fue tras él.

Fischer se paró en la puerta y miró a Alban con algo de sorpresa.

—Yo pensaba que querrías presenciarlo —dijo.

—Me da igual —contestó Alban—. Tengo mejores cosas que hacer.

Fischer vaciló un momento antes de encogerse de hombros y salir de la sala con Alban detrás. La puerta se cerró tras ellos con todo su peso. El vigilante se apostó frente a ella con la subametralladora preparada.

67

Al otro lado se oyó una breve conversación. Después se abrió otra vez la puerta y entraron tres vigilantes, dos de ellos con cadenas y grilletes y el otro con un soplete oxiacetilénico. Berger miró a su alrededor. Ahora en la sala había siete personas: los cuatro soldados, él, el prisionero... y el cuerpo inerte de Egon.

Echó un vistazo al cadáver, cuyo rostro conservaba una ridícula expresión de agonía. Tenía los brazos y las piernas rígidos y angulosos, la lengua fuera de la boca, gorda como un *kielbasa*, y chorros de sangre en sus orejas, nariz y boca. Berger se volvió hacia el soldado de guardia.

—Saca esto de en medio —ordenó.

El soldado se acercó y abrió los grilletes de hierro que sujetaban las muñecas y los tobillos de Egon. Una vez liberado, el cadáver cayó pesadamente al suelo. El soldado se agachó para coger una de sus manos, crispada y levantada, y arrastrar el cuerpo a un rincón de la sala, donde lo arrastró hasta la pared.

Berger señaló con la cabeza al otro prisionero encadenado a la pared, a Pendergast.

—Ablándalo un poco —le dijo al soldado en alemán.

El soldado sonrió lentamente, con crueldad. Después se acercó a Pendergast, que tenía las manos y los pies pegados a la pared de piedra, y durante varios minutos le administró una docena de golpes brutales, metódicos y bien colocados en la cara y especialmente en el abdomen. Pendergast se retorcía, gruñendo de dolor, pero no hizo ningún otro sonido.

Al final Berger dio su beneplácito con un gesto de la cabeza.

—Cubridlo —dijo.

El vigilante, que jadeaba, retrocedió, cogió su subametralladora y retomó su posición junto a la puerta.

Siguiendo las órdenes de Berger, los otros tres soldados se acercaron y abrieron las argollas de Pendergast, que se desplomó en el suelo con todo su peso. Mientras el soldado de la ametralladora vigilaba atentamente, dos de los guardias levantaron a Pendergast y le pusieron grilletes en las muñecas, una faja en el abdomen y otros dos grilletes en los tobillos. Todo lo fijó en su lugar el vigilante del soplete oxiacetilénico. Por último unieron los grilletes de las muñecas con los de los tobillos mediante dos cadenas de casi dos metros. Una vez que estuvo todo en su sitio, bien soldado, miraron a Berger en espera de instrucciones.

—Ya os podéis ir —les dijo él.

Se dirigieron los tres hacia la puerta.

—Un momento —dijo Berger—. El soplete dejadlo, me resultará útil.

El tercer vigilante dejó en el suelo la mochila que contenía el soplete oxiacetilénico y sus dos bombonas. Después se fueron todos. El soldado de la subametralladora cerró la puerta y se apostó ante ella.

Berger sacó de su maletín una fusta corta con la punta de metal. Después observó un momento al prisionero para tomarle las medidas. Era alto, delgado y se veía débil, porque las cadenas le hacían bajar los brazos. Abatido, inclinaba la cabeza; el pelo rubio lucía lacio y sin vida. De su nariz y boca manaban regueros de sangre. Tenía la piel gris y traslúcida. Saltaba a la vista que había perdido todo su temple. Daba lo mismo. Ya lo reviviría Berger antes del final. ¡Vaya si lo reviviría!

—Antes de empezar —dijo—, tengo que informarle de algo. Si me han elegido para esta tarea es porque usted mató a mi hermano a bordo del *Vergeltung*. En nuestra sociedad siempre se da a las víctimas la satisfacción de hacer justicia con el culpable. Es mi derecho y mi deber castigarlo, y acepto el desafío con gratitud. —Señaló con la cabeza el cuerpo de Egon, hecho un ovillo en un rincón, como una enorme araña—. Deseará usted morir tan agradablemente como él.

Fue como si el prisionero no lo oyera, cosa que hizo aumentar la ira de Berger.

—Tráemelo aquí —le dijo al soldado.

Este dejó apoyado su Sturmgewehr 44 contra la pared y se acercó a Pendergast para empujarlo hacia Berger sin contemplaciones. Después volvió a la puerta, cogió el rifle y reanudó su vigilancia.

—Pendergast —dijo Berger dándole al agente unos golpecitos en el pecho con la fusta—, míreme.

El astroso prisionero levantó la cabeza. Sus ojos se enfocaron en Berger.

—Primero cavará su tumba, y después sufrirá. Por último será usted enterrado en ella, tal vez vivo o tal vez no. Todavía no lo he decidido.

Ninguna señal de comprensión.

—Coja aquel pico y aquella pala.

Berger señaló hacia un rincón de la sala. El soldado movió el arma para subrayar la orden.

—*Beweg Dich!* —bramó.

El prisionero se dirigió lentamente hacia el rincón, haciendo sonar los grilletes y arrastrando las cadenas.

—Cava aquí. —Berger clavó el tacón y dibujó un burdo rectángulo en la tierra volcánica—. ¡Deprisa! *Spute Dich!*

Mientras Pendergast empezaba a cavar, Berger se mantuvo a una distancia prudencial, lejos del alcance de las herramientas. Vio que el prisionero levantaba el pico y lo descargaba penosamente en el suelo una y otra vez hasta haber perforado la capa superior. Trabajaba con torpeza, muy limitado por la carga de acero. La escasa longitud de las cadenas restringía, y mucho, el movimiento de sus brazos. Al ver que iba más lento, Berger se acercó y lo azotó un par de veces con la fusta, para motivarlo. Jadeando por el esfuerzo, el prisionero cambió el pico por la pala y removió la tierra suelta. En un momento dado dejó la pala y masculló que tenía que descansar, petición a la que Berger respondió con un puntapié que lo mandó al suelo. Así se despertaba un poco.

—De parar, nada de nada —dijo Berger.

La tumba iba avanzando poco a poco. El prisionero trabajaba con ahínco, haciendo entrechocar las cadenas con los grilletes. En su rostro se evidenciaba apatía mental y agotamiento físico. He aquí un hombre, pensó Berger, consciente de su fracaso, y que lo único que quiere es morirse. Y moriría.

Transcurrió lentamente una hora. Al final a Berger le pudo la impaciencia.

—¡Ya vale! —exclamó—. *Schluss jetzt!*

La tumba solo tenía unos setenta y cinco centímetros de profundidad, pero Berger ya ardía en deseos de pasar a la siguiente fase. El prisionero se había quedado esperando al borde de la sepultura. Berger se volvió hacia el soldado y le dijo en alemán:

—Cúbreme mientras trabajo. No te arriesgues. Si pasa algo le pegas un tiro.

El soldado avanzó unos cuantos pasos, levantando el arma.

—Suelta la pala —ordenó Berger.

El prisionero la soltó y se quedó donde estaba, con los brazos caídos y la cabeza inclinada en espera del final. Berger se acercó, cogió la pala y, después de adoptar la posición correcta, la descargó en el flanco del prisionero, que se desplomó de rodillas con un impacto sordo y una expresión de dolor y sorpresa. Berger le puso la planta del pie en el pecho y lo empujó de tal manera que Pendergast cayó de espaldas en la tumba. Tras asegurarse de que el vigilante tuviera al prisionero en su punto de mira, Berger se acercó a la mochila donde estaba el soplete oxiacetilénico, con sus pesadas bombonas de acetileno. Levantando la boca del soplete como si fuera una vela, lo encendió. Una intensa luz blanca llenó la celda de sombras muy recortadas.

—*Ich werde Dich bei lebendigem Leib verbrennen* —dijo con una mueca sádica, haciendo gestos elocuentes con el soplete.

Regresó de nuevo a la tumba y miró hacia abajo. El prisionero tenía los ojos muy abiertos de miedo. Intentó incorporarse, pero Berger volvió a ponerle el pie en el pecho y lo empujó. Sin aliviar la presión, se inclinó para acercar la llama, fina como una aguja, a la cara del preso. La desagradable luz del soplete convirtió los ojos de Pendergast en puntos brillantes de fuego. La llama no dejaba de acercarse. El prisionero se resistía, intenta mover la cabeza hacia ambos lados, pero Berger lo sujetaba con el pie, apretando sin cesar, mientras el borde de la llama empezaba a quemarle la mejilla. En ese momento pudo ver, esta vez sí, un pavor gratificante en sus ojos, a medida que el borde mismo de la llama achicharraba su piel y…

De pronto se produjo un movimiento rápido y enérgico, pero al mismo tiempo ágil. Fue como si el prisionero se contorsionase de un modo muy extraño, acompañado por un ruido de huesos y tendones dislocados. Berger, que se había echado hacia atrás por la sorpresa, vio elevarse súbitamente la mano del prisionero. Notó que le arrebataban de las manos el soplete, y justo después su campo visual se llenó de una intensa luz blanca. Se apartó gritando, y lo desconcertó sentir el frío del acero en la nuca: era una de las cadenas del prisionero, que al enroscarse alrededor del cuello lo acercaba inexorablemente a la luz blanca. Se le hizo eterno, pero no pudo durar más de uno o dos segundos. La blanca y sibilante llama se clavó como una aguja en una de sus órbitas. A un brusco hervor le siguió un suave y explosivo borboteo, y a este, un dolor incomparable. Después, todo se disolvió en un calor blanco.

Pendergast se dejó caer en la tumba improvisada, arrastrando consigo el cuerpo de Berger, que usó, al igual que el propio hueco, como protección en el momento en que el soldado, una vez recuperado de la sorpresa que le había producido el giro de los acontecimientos, abría fuego, y las balas hacían saltar la tierra por todo el perímetro de la tumba. Pendergast habría preferido que esta última tuviera una mayor profundidad, pero bastó. Protegido por Berger, dirigió la fina llama del soplete a la cadena que unía su muñeca izquierda a la faja de acero del abdomen. No la cortó a la altura de la muñeca, sino de la cadena, de manera que quedaron colgando de su mano casi dos metros de eslabones sueltos. Las balas silbaban a su alrededor hasta clavarse en más de un caso en el cuerpo de Berger, con un ruido que era como el de una mano dando palmadas en un trozo de carne. Bruscamente, con un grito, se levantó de la tumba, apartó el cuerpo de Berger y, mediante un amplio movimiento del brazo, usó a modo de látigo la cadena suelta. El arco que trazó hacia el techo hizo pedazos la bombilla.

Al quedar la sala a oscuras, Pendergast avanzó esquivando los disparos del soldado, presa ya del pánico, a la vez que se agachaba y corría en diagonal con una enorme rapidez. Al mismo tiempo imprimió otro fuerte balanceo a la cadena, que se enroscó en el Sturmgewehr del soldado y se lo arrancó de las manos para depositarlo en las de Pendergast. Bastó una sola ráfaga para abatirlo. Pendergast se lanzó otra vez a la tumba justo cuando se abría la puerta e irrumpía el destacamento que la custodiaba. Mientras barrían la sala con sus armas, esperó a estar seguro de que hubieran entrado todos. Entonces, sin despegar la espalda del fondo de la tumba improvisada, levantó el Sturmgewehr y disparó contra todos con el arma en automático. No tardó ni tres segundos en vaciar su enorme cargador.

De pronto todo era silencio.

Salió de la tumba, soltó el arma y se acercó a la pared más próxima, pasando por encima de los cuerpos, que aún sufrían espasmos. Respiró hondo dos veces seguidas. Después golpeó la pared con el hombro con todas sus fuerzas, a fin de devolver a su lugar la articulación que no había tenido más remedio que dislocar para que la cadena le diera el juego suficiente para estrangular con ella a Berger. Estremecido de dolor, esperó a tener la certeza de que el hombre estuviera bien colocado y pudiera moverse. Entonces cogió el soplete oxiacetilénico, lo encendió y cortó con él las argollas de las piernas, la faja del abdomen y las esposas, con tanta prisa que le prendió fuego a la camisa. Se la quitó mientras aún ardía. A continuación se echó en el hombro ileso la mochila que contenía el soplete y las bombonas, arrebató a los cadáveres una pistola, un cuchillo, un mechero, un reloj de pulsera, una linterna y un par de cargadores; recogió el pico con el que había cavado la tumba, le quitó a uno de los vigilantes muertos la camisa menos manchada de sangre que encontró y se fue corriendo por la puerta y el túnel del otro lado.

En plena carrera, mientras introducía los brazos por la camisa, pudo oír ya un eco de gritos y pisadas de botas de soldados en las pétreas entrañas de la vieja fortaleza.

68

El coronel Souza y su escogido grupo de treinta hombres cruzaban la tupida selva perenne del este de Nova Godói. Vio entre los árboles las grandes cimas que caracterizaban el cráter volcánico donde estaba ubicada la localidad. Al pararse y consultar su GPS, observó satisfecho que estaban a menos de dos kilómetros del punto de reconocimiento establecido previamente en el borde del cráter.

De momento el plan se estaba cumpliendo al milímetro. Nadie los había visto acercarse. Las selvas del este eran las más densas y escarpadas de la zona. La falta de caminos y de señales de caza indicaban, tal como esperaba Souza, que no era un lugar frecuentado por los habitantes del pueblo.

Aunque treinta soldados fueran muchos menos de los que había pedido Pendergast, Souza había sopesado con gran detenimiento los pros y contras de recurrir a efectivos mucho más numerosos pero peor formados respecto a la opción de un solo comando de hombres muy bien adiestrados, los mejores de su antiguo grupo. Al final se había decidido por treinta porque lo consideraba el número perfecto. Para eso se había preparado en su vida anterior, y era lo que sabía hacer: un asalto relámpago, de tipo comando. Además era evidente que se adecuaba muy bien a aquella situación en la que el enemigo era un grupo reducido de fanáticos. Los hombres elegidos por Souza conocían bien sus armas y podían jactarse de una formación técnica y una preparación psicológica fuera de lo común. Su propio hijo, Thiago, joven de físico excepcional, gran lealtad e inteligencia, le hacía de ayuda de campo. La táctica era clave; la sorpresa, esencial; y la manera de actuar, contundente y veloz.

Sonrió al pensar que gracias a internet sabían todo lo necesario, algo que nunca se le había ocurrido hasta que Pendergast le había traído mapas detallados del pueblo y los alrededores, creados todos a partir de Google Earth y superpuestos a mapas topográficos estándar obtenidos del Serviço Geológico do Brasil. ¡Ah, esos americanos y su inventiva tecnológica! La única información esencial que faltaba era la disposición interna de la fortaleza y el número exacto de hombres armados del campo enemigo.

Tenía la seguridad de que Pendergast, con su astuto plan de dejarse capturar, le facilitaría esos datos. Cuanto más tiempo había pasado con aquel gringo tan raro y paliducho, más lo había impresionado. Por supuesto que no era cosa fácil escaparse de los nazis, y menos para un solo hombre, pero por otra parte podía ser la estrategia perfecta. Así parecía creerlo Pendergast, y estaba dispuesto a jugarse la vida para demostrarlo.

Los soldados del coronel se movían por la selva mojada en el más absoluto silencio, como sombras entre los árboles. El terreno empezó a ascender. Estaban subiendo por el borde boscoso del cráter. En un momento dado Souza hizo señas a sus hombres de que se quedaran quietos, mientras él se adelantaba con Thiago. Estaban siendo de lo más puntuales, y esperó que Pendergast también lo fuera, teniendo en cuenta lo desconocido de las variables a las que tendría que hacer frente. Indicó a su pelotón que se acercase. Llegaron con suma cautela a un afloramiento rocoso. Un claro oportuno entre los árboles les permitió ver el pueblo, el lago y la fortaleza de la isla.

Tenían el pueblo a sus pies, aproximadamente a un kilómetro y medio. Era un semicírculo de casas estucadas en blanco y amarillo, con tejados de pizarra, repartidas por la orilla del lago. En un lado había una gran superficie de campos de cultivo. En cuanto a la fortaleza, quedaba a menos de un kilómetro de la orilla, hacia el nordeste. Estaba construida sobre un cono de toba volcánica de escasa altura que sobresalía en el centro del lago. Los bastiones inferiores eran de piedra y la superestructura interna, de hormigón vertido. Al verlo por primera vez, el coronel tuvo un momento de debilidad. Cuántas cosas dependían del gringo…

Enfocando sus prismáticos en la fortaleza, vio una pequeña cala en la parte trasera: el sitio ideal para que desembarcaran sus hombres, separado de la fortaleza por una cresta, protegido y oculto. Lo examinó con minuciosidad, memorizando todos los detalles.

Consultó su reloj. Quince minutos para la hora prevista de la señal. Se agachó a esperar, protegido por las piedras y los arbustos.

—Que tomen un poco de té —le dijo a su hijo.

Poco después él y sus hombres disfrutaban de unos termos muy calientes de té negro con azúcar y leche. El coronel entretenía la espera dando sorbos y observando alguna que otra vez la fortaleza con sus prismáticos. El sol estaba en la posición perfecta (como habían planeado minuciosamente), sin que por suerte lo tapase nube alguna. Se estaban cumpliendo las previsiones meteorológicas.

El té le supo delicioso. Lo disfrutó despacio y aprovechó la ocasión para encender un puro, del que chupó con aire pensativo. Había tenido dudas sobre la misión, pero ya no. Era consciente de tener dos atributos que quizá no siempre fueran deseables en un cargo público: una integridad absoluta, con odio a los sobornos y la corrupción, y una intuición que le permitía encontrar soluciones propias para los problemas, aunque significaran desmarcarse, y mucho, de las normas. Ambas cosas habían sido muy perjudiciales para su carrera, hasta el punto de hacerlo regresar a Alsdorf (como con gran sagacidad había observado Pendergast); pero ahora estaba convencido de que la única manera de frenar los asesinatos en la localidad que había jurado proteger, y de reventar aquella pústula llamada Nova Godói, era con medidas extraordinarias. Intuía que Pendergast también era de los que se encontraban a gusto al actuar al margen de las prácticas aceptadas. Tenían eso en común. Fuera cual fuese el desenlace, ellos ya estaban comprometidos. Ya no había tiempo para arrepentirse, solo para la acción.

Por fin llegó el momento. Empezó a someter la fortaleza a un examen continuo con los prismáticos. Allá estaba: destellos de sol en un espejo. Pendergast había penetrado en el fuerte, de acuerdo con el plan.

El coronel sintió un alivio enorme no porque hubiera dudado de las facultades de Pendergast, sino porque sus días en el BOPE le habían enseñado que por muy bien planificada que estuviera una operación siempre había un sinfín de maneras de que saliera mal.

El mensaje, en código morse era largo, larguísimo. Aplastó el puro en las rocas y lo anotó todo en su cuaderno de campo, palabra por palabra: una descripción de la fortaleza, un esquema básico de sus pasadizos y túneles, sus puntos fuertes y débiles, el tamaño de las fuerzas defensoras, la capacidad de su armamento... Todo.

Buenas noticias, salvo que las fuerzas defensoras, por lo que podía calcular Pendergast a partir de un reconocimiento preliminar, superaban con mucho el número de cien. Era bastante más de lo que había supuesto el coronel. Aun así tendrían la ventaja de la sorpresa. Según la información de Pendergast, además, gozarían de una estrategia clara de ataque, ya que la disposición en línea recta de las dependencias, pasillos y túneles de la fortaleza minimizaría la ventaja numérica de los defensores.

Envió a Thiago, su ayuda de campo, con el grupo. Poco después sus hombres bajaban por el borde del cráter y se desplegaban para rodear el pueblo en preparación de un asalto en tridente, la primera fase del ataque.

69

El lejano destello de un espejo en el verde manto de vegetación in-
formó a Pendergast de que el coronel había recibido su mensaje.
Prescindiendo de la esquirla que había arrancado del espejo de un
lavabo del cuartel, bajó de donde estaba, una tronera en ruinas, hacia la mitad del parapeto de la antigua fortaleza. Aun siendo incom-
pleto por necesidad, su reconocimiento le había permitido ubicar
los principales puntos de entrada, los bastiones defensivos y la disposición general del complejo. Le quedaba por averiguar cuál era la
parte más débil y vulnerable de la antigua muralla. El plan inicial
trazado con el coronel consistía en buscar el almacén de munición
del fuerte, o su armería central, y volarlo para abrir un boquete en
el muro exterior del castillo, pero a Pendergast le había sido imposible. Había demasiados soldados, que iban y venían como las abe-
jas de una colmena en plena actividad.

No importaba. La pequeña mochila que colgaba de su hombro
contenía algo casi tan bueno como un almacén de municiones: un
par de bombonas casi llenas de oxiacetileno.

Se detuvo un momento en la antigua escalera de caracol por la
que estaba bajando y escuchó. Las enormes dimensiones de la fortaleza, y sus vastos pasadizos, habían resultado ser toda una ben-
dición, ya que anunciaban el ruido de las botas. De hecho, a Pendergast lo había sorprendido la torpeza de las tropas encargadas de la
defensa de la fortaleza. Su falta de previsión y de estrategia era el
único detalle que no le acababa de cuadrar.

Pero cuadrase o no, pensaba aprovecharlo en todo lo posible.

Al adentrarse en los niveles más antiguos de la fortaleza encontró un túnel que seguía por dentro el perímetro de la muralla exterior. Mientras lo recorría iluminó un momento los sillares y clavó la punta del cuchillo robado para comprobar el estado de las junturas. El mortero, podrido, parecía tierra húmeda, pero en aquel punto los sillares estaban bien cortados y encajaban demasiado para que fuera posible moverlos. En algunas partes había grietas en la mampostería; sin embargo, eran muy pequeñas para ser de utilidad, y el aparejo demasiado estable para las necesidades de Pendergast.

Al bajar a otro nivel, entre pausas atentas, pasó junto a una serie de puertas de acero inoxidable empotradas en el muro interno. Estaban cerradas con llave, y eran relativamente nuevas. Debían de corresponder a las antiguas mazmorras de la fortaleza, reconvertidas en laboratorios. En algunos casos la puerta estaba abierta y la luz encendida, como si los científicos se hubieran ido a toda prisa, tal vez alertados por los disparos.

Justo después de las puertas encontró lo que buscaba. El muro de contención externo presentaba varias grietas que se desplegaban hacia arriba de manera radial y dislocaban algunos sillares en los bordes. En determinados puntos las grietas llegaban a tener entre veinte y treinta centímetros de anchura. También el suelo de piedra estaba agrietado. Qué interesante… No eran aberturas causadas por el asentamiento normal del suelo, sino todo lo contrario: la disposición radial daba a entender que se estaba produciendo un resurgimiento de la caldera del volcán, con la creación de enormes zonas de inestabilidad que parecían atravesar la base del muro, de cinco o seis metros de grosor.

Con movimientos veloces del cuchillo extrajo la mampostería podrida alrededor de un bloque dislocado, siguiendo el borde de la grieta más grande. Después lo aflojó con la punta del pico. A fuerza de mover el sillar a ambos lados consiguió extraerlo y dejar un hueco en la pared. Introdujo la mano y se alegró de comprobar que el interior de la robusta pared seguía el sistema de construcción español típico del siglo XVIII, con sillares en las partes externa e interna de los muros y con piedras sueltas y tierra para rellenar el ancho hueco central. Alternando el cuchillo y el pico logró vaciar de escombros una cavidad bastante grande para que cupieran las dos bombonas de oxígeno y acetileno. Después de depositarlas con cuidado, echó un vistazo al reloj de pulsera que le había quitado a uno de los vigilantes. En esos instantes, si todo se ajustaba a lo previsto, Souza y sus hombres empezarían a invadir el pueblo, el paso preliminar al asalto con barcas de la fortaleza. Según el horario que habían estipulado, faltaban entre veinte y treinta minutos para que varias embarcaciones tocasen tierra en los muelles de la isla como maniobra de distracción, mientras las que transportaban al grupo principal de militares desembarcaban en la cala trasera.

Por lo tanto, le quedaba un cuarto de hora de espera. Era un buen momento para examinar los laboratorios que había visto.

El primero al que llegó estaba cerrado con un mecanismo primitivo, de la época de la Segunda Guerra Mundial, que solo resistió escasos segundos las atenciones de la punta del cuchillo. Se encontró en un laboratorio que, sin ser muy avanzado para los cánones modernos, podía cumplir perfectamente su función: la disección y autopsia de restos humanos.

Al fijarse mejor y pasear la linterna por la sala percibió una diferencia pequeña pero significativa entre aquel espacio y un laboratorio estándar de patología como los de los sótanos de los hospitales. Ningún laboratorio de patología que hubiera visto él necesitaba correas, esposas y otros instrumentos de retención.

Comprendió que aquel laboratorio no estaba destinado a la disección, sino a la vivisección.

Salió y se fue por el pasillo, enfocando la linterna en las puertas abiertas o en las ventanillas de las puertas cerradas. En la mayoría de los casos se observaban indicios de uso activo y reciente, hasta el punto de que alguno ni siquiera lo habían limpiado y quedaban pelos, sangre y trozos de hueso serrado en las camillas. Estaba viendo el escenario de muchas actividades científicas atroces, y a pesar de la apariencia de abandono repentino tuvo la impresión de que recientemente había llegado a su culminación un proyecto muy largo.

En uno de los laboratorios cerrados con llave había algo que le llamó la atención. Se paró a mirar atentamente por la ventanilla. También esta vez logró vencer a la cerradura en cuestión de segundos. El haz de la linterna reveló una muestra de pelo en una camilla. Otros indicios (entre ellos, larvas muertas de insecto) indicaban que los restos depositados estaban en fase de descomposición.

Se acercó despacio, muy despacio, iluminando los pelos. Se fijó en que eran exactamente del mismo color caoba que el de Helen, un color que siempre le había recordado la miel de flores silvestres. Tendió la mano de forma maquinal para tocarlos, pero consiguió retirarla antes del contacto.

Sobre una mesa de órganos había una caja de plástico. Se acercó y, tras un ligero titubeo, levantó la tapa. Dentro encontró los restos del vestido de Helen, botones y efectos personales. Al introducir la mano con cuidado y mover el contenido, el haz de su linterna hizo brillar algo morado. Apartó un trozo de tela y descubrió un anillo de oro con un zafiro estrella.

Se quedó rígido. Durante diez minutos, si no más, permaneció inmóvil, limitándose a mirar con gran fijeza la caja de efectos personales. Después cogió el anillo y se lo guardó en sus burdos pantalones de presidiario.

Tras salir de la sala con el mismo sigilo que al entrar se detuvo un minuto, escuchando atentamente el repiqueteo lejano de pisadas y el bronco coro de órdenes. Después se apresuró a volver junto a la grieta del muro, y a la bomba improvisada de oxiacetileno que había colocado en su interior. Miró su reloj. Ya debería haber puesto en marcha el proceso de detonación.

70

El coronel Souza y el grueso de sus hombres esperaban escondidos en la selva compacta que lindaba con el pueblo. Poco antes de la una Souza se había reunido con el grupo de reconocimiento y todo se ajustaba con exactitud a lo esperado. La única carretera y los tres senderos que daban acceso al pueblo estaban sometidos a cierta vigilancia, pero no parecía haber patrullas ni en el perímetro ni en ningún otro sitio. Los habitantes no se esperaban un ataque, y menos desde cualquier punto de la enorme selva que envolvía la localidad. Vivían con un falso sentido de seguridad, nacido sin duda de su extremo aislamiento.

Aun así el coronel no pensaba correr ni el más mínimo riesgo. Había organizado una maniobra de distracción en la cancela de la carretera. Faltaban exactamente... Miró su reloj: dos minutos para que se pusiera en marcha. Cabía la posibilidad de que en el pueblo hubiera un nutrido grupo de hombres armados, acuartelados y listos para entrar en acción en cualquier momento. No se podía dar nada por supuesto.

Sus hombres, camuflados de los pies a la cabeza, aguardaban en silencio. Souza los había dividido en tres *batalhões* de diez hombres: el rojo, el azul y el verde, y un integrante de cada uno fue asignado a la maniobra de distracción.

Iban pasando los segundos. De repente lo oyó: fuego automático seguido por otras explosiones más fuertes y potentes, de granadas. Había empezado la distracción.

Levantó el brazo en señal de que se prepararan, a la vez que escuchaba atentamente la maniobra. Se oían disparos de respuesta, pero menos de los esperados, y parecían dispersos, desorganizados. Por lo visto aquellos nazis, con su militarismo y su supuesta brillantez marcial, estaban lisa y llanamente desprevenidos.

Así y todo sopesó la posibilidad de que fueran ellos las víctimas de una falsa ostentación de debilidad y cayeran en una emboscada mortal por confiarse demasiado.

Pasaron los minutos mientras nuevas explosiones y disparos de sus hombres, ocultos en la selva junto a la cancela principal, incrementaban el ruido de la distracción. La respuesta, por su parte, seguía sonando débil.

Ajustó sus radioauriculares y vio transcurrir los segundos en su reloj. De repente bajó el brazo, instante en el que sus hombres se pusieron en marcha e, irrumpiendo en el claro desde la maleza, empezaron a desplegarse en tres pelotones. Las primeras casas del pueblo quedaban a unos cien metros, al otro lado de una carretera embarrada y de unos cuantos huertos: edificios alegres, con postigos de madera pintada, macetas en las ventanas y tejados en punta. Los hombres de Souza cruzaron la carretera y pisotearon un huerto. Dos niñas que cogían tomates soltaron las cestas con un grito y salieron corriendo.

Una vez divididos, los *batalhões* de Souza se propagaron por las calles más cercanas. El coronel mandaba la unidad azul, y Thiago, la roja. La clave era una táctica de guerra relámpago: bajar a la velocidad del rayo por las calles, evitando una acumulación que propiciase una granada catastrófica o un ataque con RPG. Tenían que llegar al puerto antes de que se pudiera formar una resistencia organizada. Lo que menos les convenía, siendo las calles tan estrechas, era un tiroteo.

El coronel hizo avanzar a sus unidades, mientras los pocos peatones con los que se topaban se quedaban petrificados de sorpresa o bien huían aterrorizados. A medida que se internaron en el pueblo, sin embargo, empezaron a encontrar fuego no organizado desde las ventanas, los tejados y las calles laterales.

—¡Fuego a discreción! —bramó el coronel por su micrófono.

Sus hombres comenzaron a devolver los disparos, apuntando a las calles y azoteas. El fuego disperso se apagó.

Cuando ya estaban cerca de la plaza central, y del ayuntamiento, se formó una resistencia más seria. Un grupo de jóvenes armados a toda prisa pero sin uniforme se congregó en la plaza y tomó posiciones detrás de varios carros de caballos. En el momento en que los tres pelotones de Souza irrumpieron en la plaza se encontraron con ráfagas que procedían de la propia glorieta y de las calles que desembocaban en ella.

—Pelotón rojo, mantened el fuego a discreción —ordenó el coronel—. ¡Azul, verde, seguid adelante!

El *batalhão* rojo de Thiago se puso a cubierto y lanzó una descarga salvaje, la de una ametralladora portátil de calibre 50 que barrió la plaza sin piedad con el respaldo de media docena de RPG bien colocados. El efecto fue el deseado: dispersar y aterrorizar a la resistencia. Una vez que la plaza estuvo despejada, la unidad roja la cruzó a la carga y siguió a los otros dos pelotones por las calles estrechas del lado opuesto. En aquel punto empezaba la bajada hacia el lago. Souza vio embarcaciones amarradas en los muelles de piedra y madera.

Ya había elegido dos de ellas durante su inspección con los prismáticos desde el borde del cráter: una barcaza grande a motor, con el casco de acero, y un transporte de pasajeros de perfil elegante. Sin embargo, los disparos se reiniciaron. Ahora no llegaban solo de los tejados, sino también del puerto, desde donde enfilaban las calles que bajaban al lago. De pronto, por una de las callejuelas del muelle, irrumpió disparando otro grupo de hombres.

—¡Contraataque! —gritó el coronel.

No hacía falta. Con su calibre 50, el ametrallador de Thiago ya estaba haciendo una descarga cerrada que abatió como mínimo a media docena de los atacantes e hizo batirse en retirada a los demás. Cerca de ellos explotaron dos granadas que destrozaron la fachada de una casa e hicieron llover cristales y cascotes sobre los hombres de Souza.

—¡No os paréis! —ordenó el coronel a sus hombres, aunque la orden era innecesaria: mientras la vanguardia de los tres pelotones acribillaba las calles de delante con sus armas de mano y RPG, el artillero de la ametralladora del calibre 50 disparaba por detrás.

Salieron al muelle, espacioso, abierto a los cuatro vientos. Hubo otra descarga, que hizo gruñir y tambalearse a uno de los hombres del coronel, pero una vez más el fuego defensivo obtuvo una respuesta abrumadora de los tres pelotones, una serie de andanadas ensordecedoras de los RPG, que arrancaron del suelo a sus objetivos y los hicieron volar por los aires.

—¡Todos a bordo! —ordenó Souza.

Siguiendo lo planeado, los *esquadrões* subieron a las dos embarcaciones y cortaron los cabos que las sujetaban a los norayes. Los dos especialistas náuticos del coronel se apostaron en las cabinas y encendieron los motores, mientras el resto de sus hombres ocupaba posiciones defensivas a lo largo y ancho del puente. Dos minutos después las dos embarcaciones ya estaban lejos del muelle y aceleraban por el lago mientras los pelotones sometían la orilla a un duro fuego a discreción.

—¡Relación de bajas! —vociferó el coronel.

Se la facilitaron enseguida. El médico de la compañía estaba administrando sus cuidados a dos heridos, ambos por armas de pequeño calibre y sin gravedad. Los dos seguían más o menos en servicio.

El coronel sintió un alivio enorme al alejarse de la orilla. La operación no se había apartado ni un milímetro del plan. Si hubiera llegado con cien hombres quizá a esas horas aún siguieran en las calles, con más heridos y rezagados y con el inevitable idiota que se perdía por haber girado donde no debía y forzaba un rescate. Eso habría comportado más embarcaciones, más logística y más posibilidades de fallar.

Los disparos esporádicos desde la orilla se apagaron a medida que los barcos, con la pesada barcaza en cabeza, quedaban fuera de su alcance. Los hombres de Souza disparaban con gran precisión, evitando que sus adversarios se reagrupasen y embarcasen para perseguirlos. El coronel cogió un pañuelo de seda, se quitó el casco y se secó escrupulosamente la calva y la cara. Ya habían culminado la primera fase con el mínimo de bajas. Volvió la vista con cierta reticencia hacia delante, hacia la oscura isla que emergía de las aguas y en la que no se veía gente ni movimiento. Al examinar la fortaleza que remataba el gran cono de toba volcánica, su sensación de victoria flaqueó un poco. A sus experimentados ojos parecía inexpugnable. Todo dependía del gringo, y a Souza no le gustaba depender del éxito de una sola persona, por muy capaz que fuese; sobre todo una persona a quien apenas conocía.

Al mirar a su alrededor vio que sus hombres también contemplaban la fortaleza con expresión seria, circunspecta. Pensaban lo mismo que él. Las dos embarcaciones ya iban por la mitad de la travesía, y cuanto más crecía la isla de tamaño más se acercaba el momento de la verdad.

Miró su reloj. Todo dependía una vez más de la velocidad y la sorpresa. Desde la fortaleza se veían los barcos, y seguro que los defensores de la isla estaban informados del ataque al pueblo. Ya no disfrutaban del efecto sorpresa. Claro que eso lo tenía previsto.

Al analizar la situación empezó a reevaluar su estrategia. Cada vez veía menos lógico tomarse el tiempo de rodear la isla para asaltar la fortaleza desde la cala trasera. ¿Qué había dicho el almirante británico lord Nelson? «Cinco minutos marcan la diferencia entre la victoria y la derrota.» Y algo aún más pertinente: «No pienses en maniobras y ve directamente a por ellos». La vuelta a la isla no supondría cinco, sino diez o más minutos, además de exponerlos a una línea de costa y unos puntos de desembarco que desconocían. En cambio delante había unos muelles abiertos y vacíos que daba gusto verlos, y sin defensa.

Volvió a consultar su reloj. Era la hora de la señal de Pendergast, pero no había ningún indicio. La desazón empezó a hacer mella en el coronel. Había hecho mal en fiarse de aquel hombre. Craso error. Si desembarcaban en la isla antes de la señal sus esperanzas de penetrar en la fortaleza serían nulas, pura futilidad. En cuanto a regresar al pueblo, ya no era posible.

La señal ya llevaba cinco minutos de retraso. Mientras tanto la isla no dejaba de acercarse. Empezaban a estar a tiro de fusil. Souza habló por el micro.

—¡Parad los barcos! ¡Del todo!

Nadie cuestionó la orden, aunque sabía que estarían preguntándose «o que diabos agora». La barcaza redujo su velocidad hasta quedar completamente detenida en el agua, con un cambio brusco de sentido del motor. También el transporte puso marcha atrás. El lago estaba en calma, y el cielo despejado. Tras ellos, en el pueblo, se levantaba el humo de varios fuegos, y una nube de polvo daba testimonio de la corta batalla. Delante, la isla seguía oscura y silenciosa.

Mientras estaban parados en el agua pareció que en la barcaza cundiera un sentimiento de desasosiego, la idea de que podía estar cerca la derrota. El coronel, centro de todas las miradas, no delataba ni uno solo de sus pensamientos y dudas, sino que miraba la isla fijamente, aparentando la máxima neutralidad. Los barcos se mecían con el oleaje.

De pronto se vio una nube de humo, seguida por un fogonazo. Pocos segundos después llegó el sonido, una estampida atronadora que cruzó las aguas. Del muro externo de la fortaleza se desgajó un gran pedazo que cayó desde lo alto como a cámara lenta. Después de los sillares de piedra lo que se desmoronó fue el hormigón armado, en medio de una columna de humo gigantesca. En el flanco de la fortaleza había quedado una gran herida abierta.

La señal de Pendergast. No era la que esperaba el coronel, no; era mejor. Y parecía brindarles una vía de acceso.

—¡Adelante a toda máquina! —exclamó por su micro—. ¡Hacia el muelle!

Todos los hombres gritaron a la vez en un estimulante vítor de respuesta al fragor de los motores diésel y al salto que dieron las dos embarcaciones al ponerse en marcha hacia los muelles indefensos.

—*Estão prontos! Ataque!* —exclamó el coronel cuando los barcos se acercaron a su destino.

71

Fischer dejó la radio y se levantó al ver entrar en su despacho a Alban. Al cuadrarse ante él con la mano tendida se estremeció de orgullo, como siempre. Parecía imposible que Alban solo tuviera quince años, ya que aparentaba veinte o más: un metro noventa de estatura, unas facciones perfectamente dibujadas, unos pómulos marcados, unos ojos brillantes bajo una frente noble, el pelo rubio y corto, unos labios miguelangelescos, unos dientes blancos… La cara de un dios. Pero lo que más impresionaba era su actitud: seguridad pero sin altivez, carisma pero sin ostentación, y virilidad pero sin jactancia. ¡Cómo sería al cumplir los veintiuno!

La diferencia fue que esta vez Fischer experimentó un leve e importuno estorbo.

—¿Quería verme, herr Fischer? —preguntó Alban.

—Sí. Me han dado la noticia de que tu padre se ha escapado tras matar a Berger y a un montón de vigilantes, y parece que acaba de hacer detonar una especie de bomba improvisada que ha abierto un boquete en nuestras defensas.

Mientras hablaba examinó con atención el rostro de Alban por si veía alguna emoción incorrecta, pero no vislumbró ninguna.

—¿Cómo ha sido? —preguntó Alban.

—El cómo no importa, más allá de que ha sido fruto de poner frente a frente con tu padre a un tonto como Berger. Tu padre es un fuera de serie, Alban. Lástima que no esté de nuestro lado. —Ante el silencio del muchacho Fischer añadió—: Y ahora está a punto de desembarcar en la isla una flotilla de soldados brasileños armados.

—Lucharé —dijo enseguida Alban—. Defenderé la…

Fischer lo hizo callar con un pequeño gesto de la mano, acatado de inmediato.

—No es nada que no pueda resolver nuestra brigada especial. De hecho ya lo están resolviendo. Si te he hecho venir es por otra razón. Tengo una misión para ti, una misión especial.

Alban adoptó una actitud atenta, alerta. Eso sí lo tenía: costaba saber lo que sentía de verdad. Claro que esa opacidad formaba parte esencial de su instrucción, pero no dejaba de incomodar a Fischer.

—La prueba beta se ha acabado y ha sido un éxito, pero tengo que reconocer que me ha sorprendido que no quisieras quedarte a presenciar la muerte de tu padre. Eso indica… tal vez no debilidad, pero sí falta de interés por lo… ¿Cómo te lo diría? Los detalles. Que es justamente uno de los valores que hemos tratado de inculcarte, algo que en tu educación hemos querido que supieras valorar. Digo «falta de interés» porque me resisto a pensar que después de habernos esmerado tanto, tu decisión de salir de la sala haya tenido algo que ver con sentimientos digamos que poco viriles. En tu presencia, el tonto de Berger no habría convertido en semejante chapuza su derecho de venganza.

—Pido disculpas. Creía que con tantos soldados, además de Berger, no podía salir nada mal.

—Pues ha salido, y ahora todos los soldados están muertos.

Fischer hizo una pausa para sacar un cigarrillo de la pitillera de plata de su mesa y encenderlo. Alban esperó con respetuosa atención, las manos en la espalda. Al volver a mirarlo Fischer no pudo evitar que lo invadiera un sentimiento casi paternal hacia aquel espléndido joven. Ello hacía aún más intolerable la hipótesis de la debilidad.

—En fin, Alban, que tu última misión es la siguiente: quiero que busques a tu padre y lo mates. Así no quedará ninguna duda en absoluto sobre lo que eres capaz de hacer.

—Sí, señor —dijo Alban sin vacilar.

—Parece que el artefacto explosivo de tu padre ha agujereado el muro defensivo del antiguo sector quinto, junto a los laboratorios de patología, así que sabemos dónde estaba hace pocos minutos. Seguro que su objetivo final será encontrar y rescatar a tu gemelo. Teniendo en cuenta tus facultades especiales, buscar y matar a herr Pendergast no debería ser una misión difícil.

—Estoy preparado. No le fallaré.

—Así me gusta. —Fischer inhaló profundamente y espiró—. En cuanto lo hayas conseguido, infórmame.

Bruscamente penetró en la sala un ruido sordo de disparos, puntuado por otras explosiones de mayor intensidad debidas a granadas y morteros. Fischer vio desconcierto en los ojos de Alban.

—Por eso no te preocupes —dijo—, solo es un grupo de autóctonos insensatos encabezados por un tal coronel Souza. Pronto estarán todos muertos.

72

—*Estão prontos!* —exclamó de nuevo el coronel cuando la barcaza se acercaba al muelle y sus hombres se preparaban con las armas a punto.

Las defensas de ambas naves chocaron simultáneamente con el embarcadero, en una maniobra perfecta.

—¡Saltad!

Los soldados saltaron como un solo hombre a las planchas de madera y se lanzaron a la carga, mientras se iba preparando la segunda hilera.

Y justo después, cuando ya estaba todo el muelle lleno de hombres, explotó bajo el suelo algo muy potente que lo hizo temblar. Entre las planchas de madera brotaron lenguas de fuego que se atomizaron al instante y engulleron a los hombres. El coronel salió disparado hacia atrás y cayó al agua. La explosión levantó un lado de la barcaza, cuya borda metálica se llevó lo peor del impacto.

El brusco contacto con el agua devolvió la conciencia al coronel. Le zumbaban los oídos, tenía el pelo chamuscado y el uniforme destrozado. Al principio le pareció todo muy extraño, como si volviera de un largo viaje. Después se vio inmerso en un hervor acuoso y convulso de hombres, mientras la barcaza se escoraba fuertemente a un lado y las llamas devoraban el muelle, y todo eran gritos, cuerpos despedazados y sangre.

Al rehacerse miró a su alrededor y vio que la otra embarcación había recibido un impacto simultáneo: también se escoraba mucho a un lado, rodeado de muertos y heridos.

Los muelles estaban minados. Habían caído de pies y manos en una bomba trampa.

Intentó seguir a flote, jadeando, pero justo cuando hacía un esfuerzo de lucidez e intentaba discurrir un plan de acción oyó disparar desde la orilla con armas automáticas y vio saltar el agua a su alrededor. Cerca de él un estallido atronador levantó dos columnas de agua muy seguidas, mientras continuaba el tableteo de armas de fuego. Era la segunda fase de una emboscada devastadora.

Justo después del muelle, a la derecha, delante de la orilla, vio unas cuantas rocas grandes. Un posible refugio. Si pudieran alcanzarlas...

—¡Hombres! —gritó agitando los brazos y las piernas—. ¡Hombres! ¡Quedaos las armas y bucead! ¡Bucead! ¡Id hacia el este, hacia las rocas! ¡No salgáis de debajo del agua!

Tras repetir la exclamación se sumergió y nadó con todas sus fuerzas. Era un ejercicio que había practicado en sus tiempos del BOPE: bucear con armas.

Tuvo que salir dos veces a la superficie para llenarse los pulmones, y en ambas se encontró con una lluvia de balas. Con los ojos abiertos las veía penetrar en el lago y dejar un rastro de burbujas, aunque sabía que perdían casi todo su impulso mortal tras penetrar entre treinta y treinta y cinco centímetros en el agua.

Con los pulmones a punto de explotar, miró hacia arriba a través del agua verde y distinguió la turbia silueta de unas rocas, la parte sumergida del refugio que buscaba. Salió a la superficie en el sitio perfecto, debajo de las rocas, protegido del fuego asesino que llegaba de la fortaleza. Lo increíble fue que a su alrededor también salieron otros hombres (como mínimo media docena, incluido Thiago, *graças a Deus*) que se arrastraron hasta la orilla. Las balas que impactaban en la parte superior de las rocas provocaban una lluvia de esquirlas, pero estaban a salvo, al menos de momento.

Una gran explosión en el agua, justo al lado de ellos, recordó al coronel que el enemigo también disponía de morteros y granadas, y que estos no tardarían en encontrarlos.

Hizo un esfuerzo para no pensar en la catástrofe. Tenía hombres a su cargo. Aún podían plantar cara. No todo estaba perdido.

—¡Reagrupaos! ¡Reagrupaos! —gritó, agazapado tras las rocas con medio cuerpo en el agua.

Vio que se acercaban más soldados a nado, algunos de ellos con dificultad porque estaban heridos. Unos pocos se hundieron y no volvieron a flote. Otros pedían ayuda a gritos, pero lo único que podía hacer Souza era ver cómo los destrozaban los morteros a medida que las tropas que habían tendido la emboscada afinaban la puntería.

Jadeante, atónito ante el giro de los acontecimientos, miró a su alrededor: seis hombres, sin contarlo a él, patéticamente agazapados tras las rocas. Estaban aterrados, paralizados. Tenía que hacer algo, tomar la iniciativa y demostrar sus dotes de mando. Miró por una grieta entre las rocas y evaluó la situación. El enemigo disparaba desde detrás de una cresta volcánica, encima del muelle. Souza tenía a la derecha una extensión de rocas negras. Si conseguían cruzar la parte abierta y parapetarse en ellas podrían subir lateralmente por la cuesta y dar la vuelta a la isla sin quedar expuestos.

Miró a su alrededor.

—¡Escuchad! —Esperó un poco y añadió con todas sus fuerzas—: ¡Escuchad, *filhos de puta*!

Eso los espabiló.

—Ahora subiremos por la cuesta y nos resguardaremos detrás de aquellas rocas. Vamos, seguidme.

—¿Y el fuego de cobertura? —preguntó Thiago.

—Demasiados atacantes. Solo serviría para que supieran dónde estamos. Aquí lo que hay que hacer es correr a toda leche. A la de tres: uno, dos... ¡tres!

Después de saltar por encima de las rocas corrieron en diagonal por la ladera de ceniza volcánica. La descarga de fuego enemigo fue inmediata, pero era evidente que sus adversarios no se esperaban una maniobra tan rápida. Los siete lograron ponerse a cubierto antes de que empezaran los disparos de RPG. Souza oyó gritar en alemán a los oficiales.

—¡Seguid! —exclamó.

Avanzaron agachados, recorriendo la ladera en diagonal hasta girar por la pequeña curvatura de la isla. Los muros de la fortaleza se erguían mucho más arriba, surgidos de la toba volcánica, negra y abrupta.

Al salir del parapeto recibieron otra descarga que hizo saltar ceniza en torno a ellos. Alguien gimió a la izquierda del coronel, a la vez que se oía el impacto del plomo en la carne. Un chorro de sangre y materia corporal brotó del pecho del soldado, que se desplomó en las rocas con todo su peso.

Corrían y corrían, rodeados de balas que se hundían en la ceniza. Más órdenes gritadas en alemán: *Ihnen nach! Verfolgt sie!* El coronel lo entendió: el enemigo había salido en su persecución.

—¡Cuerpo a tierra!—exclamó—. ¡Echaos en el suelo y disparad!

Sus soldados, tan bien entrenados, se lanzaron como un solo hombre a la ceniza blanda para arrojar descargas fulminantes con sus armas automáticas. Para el coronel fue muy gratificante ver abatidos a varios de sus perseguidores, mientras el resto se ponía rápidamente a cubierto.

—¡Arriba! —ordenó—. ¡Corred!

No tardaron nada en levantarse y correr. Al llegar al otro lado de la pendiente Souza vio encima de ellos, aproximadamente a cuatrocientos metros, el boquete en el muro exterior. Dentro de la fortaleza tendrían muchísimas más posibilidades que en terreno abierto.

Sus hombres se lanzaron cuesta arriba en dirección a la brecha, aunque habían vuelto a quedar expuestos al fuego. Si llegaban al boquete, *talvez...*

73

Encajado en unos restos de tronera de un muro medio en ruinas de la vieja fortaleza, Pendergast había visto cómo se acercaban al muelle las embarcaciones del coronel, y al principio había pensado que formaba parte de la estratagema que tenían planeada desde el principio, pero después, en un momento horrible, se había dado cuenta de que Souza se apartaba del plan.

Iba derecho al muelle.

Creyó entender su razonamiento: la rapidez era fundamental. En Alsdorf habían analizado esa línea de ataque y la habían descartado a causa del riesgo de emboscada, por pequeño que fuese. Siempre existía la posibilidad de que al oír los ruidos del ataque al pueblo los hombres de la fortaleza pudieran actuar bastante deprisa para organizar una trampa, o para activar una que ya tuvieran preparada. Según el coronel, esa posibilidad era bastante remota, pero al final se había impuesto la postura de Pendergast.

Pero no lo suficiente, por lo visto.

Su corazón se aceleró al observar la maniobra. Tal vez funcionase. De hecho, ahora veía que el coronel había traído a muchos menos hombres de lo convenido. Con una fuerza tan reducida se volvían esenciales la sorpresa y la velocidad.

Si funcionaba, mejor, pero era un riesgo, una apuesta enorme.

Después saltó el muelle por los aires con una erupción de fuego. Los hombres cayeron al agua, las dos embarcaciones se escoraron... y Pendergast experimentó la inmovilidad absoluta del shock. La situación había cambiado de golpe. Oyó un tableteo lejano de armas automáticas, y al otro lado de una cresta, justo debajo de los muros de la fortaleza, vio un vago resplandor de las armas. Desde su observatorio no veía al enemigo, pero calculó que disponía de efectivos moderados (sobre los cien, buena parte de la dotación de la fortaleza), bien formados y organizados. A medida que se despejaba el humo de las explosiones en el muelle se dio cuenta de la magnitud de la debacle. Muchos integrantes de la fuerza invasora habían muerto o estaban malheridos, y a los supervivientes los estaban abatiendo en el agua. Quien parecía haber sobrevivido, no obstante, era el propio coronel, con un puñado de hombres. Vio que se acercaban a un parapeto de rocas situado al lado de la orilla, corrían por la ladera en busca de otra protección, perdiendo a otro hombre por el camino, y cubrían el último tramo que los separaba del hueco en la pared, etapa durante la que cayó un soldado más. Cuatro hombres y el coronel llegaron a la brecha y desaparecieron enseguida.

Cinco soldados. Y él. Seis contra una fortaleza de expertos combatientes bien armados, genéticamente criados para la implacabilidad y la inteligencia y que jugaban en su propio campo, defendiendo su tierra, su pueblo, su fortaleza… la razón de su existencia.

Al sopesar el problema empezó a ser consciente de que quizá no quedasen muchas formas de salir victoriosos. Su único consuelo fue que entre todas las actividades humanas la más imprevisible era la guerra.

Bajó de su observatorio y corrió por un túnel. Al oír que se acercaban botas militares se escabulló por un pasadizo lateral. Cuando pasaron los soldados salió y bajó por una escalera en ruinas que llevaba a los cimientos de la fortaleza. Oyó subir los ecos de un incipiente tiroteo dentro de los muros: sin duda los soldados defensores convergían hacia los últimos hombres del coronel, fuera en la brecha o justo al otro lado.

El ruido de disparos se intensificó en el momento en que Pendergast llegaba al gigantesco túnel que descendía y discurría por el interior de la muralla. Volvió a oír un ruido de botas a sus espaldas, y tuvo el tiempo justo de meterse en un laboratorio abierto y cerrar la puerta antes de que lo vieran. Más disparos y gritos guturales por efecto de la sangre. Al menos los brasileños estaban luchando duro en el combate.

Volvió a salir al pasadizo y continuó hasta un recodo tras el que se agazapaba otro grupo de soldados alemanes, contenido al parecer por fuego brasileño. La angostura de los túneles, el grosor de los muros de piedra y el sinfín de recesos y escondrijos ayudaban a compensar, al menos parcialmente, la grave desventaja numérica de los brasileños. Al prestar atención supuso que los soldados brasileños ocupaban un baluarte de muy fácil defensa dentro del muro en sí, y que a pesar de la fuerza con la que resistían estaban rodeados. A menos que pudieran escaparse, estaban condenados.

Dobló la esquina sigilosamente y esperó la siguiente explosión para utilizarla como tapadera sonora y abatir a uno de los soldados alemanes mediante un disparo en la arteria femoral del muslo, donde no fuera tan fácil averiguar la procedencia de la bala. Después volvió a esperar y aprovechó la siguiente ocasión para abatir a otro alemán. Ocurrió lo que esperaba: los soldados no se dieron cuenta de que estaban recibiendo fuego por detrás, sino que se retiraron con cierto desorden hacia Pendergast, creyéndose expuestos a un fuego que llegaba de delante aunque su procedencia fuera desconocida. Pendergast se escondió rápidamente en el laboratorio. Después salió (ahora delante del grupo en retirada) y rebuscó en el cadáver de uno de los soldados muertos para coger unas cuantas granadas y dos cargadores llenos de Sturmgewehr, a la vez que se resguardaba de vez en cuando de los disparos de las tropas brasileñas, sumidas en el pánico.

Una vez rearmado se volvió hacia el laboratorio, conectó con un cable todas las granadas e hizo un nudo en torno a las espoletas. A continuación buscó un alambre fino, y al encontrarlo sacó los pasadores de todas las granadas. Regresó al túnel con mucha precaución, atento a las pausas entre las explosiones y los disparos. En el momento indicado corrió por el túnel y se paró donde el techo estaba cubierto de grietas a causa de la sacudida del terreno. Cogió una camilla con ruedas de un laboratorio adyacente, se subió a ella, fijó el manojo de granadas al techo con un calzo y desenrolló el alambre del nudo que unía las espoletas de las granadas. Después empujó la camilla hacia el laboratorio y se puso en cuclillas en la puerta, donde permaneció a la espera.

Al cabo de un instante empezó a disparar largas salvas con su arma.

—*Sie sind hier!* —exclamó—. *Schnell!* ¡Por aquí, deprisa!

Añadió nuevas ráfagas al grito.

—¡Deprisa!

Los soldados alemanes volvieron raudos hacia él, retirándose como cangrejos entre disparos realizados en cuclillas.

Pendergast lanzó otra ráfaga de fuego automático y pidió ayuda.

—*Hilfe! Hilfe!*

Cuando se acercaron tiró del alambre. Las espoletas del racimo de granadas se desprendieron, y Pendergast se encerró en el laboratorio, cuya puerta era de acero. Poco después se oyó una gran explosión en el pasillo. La ventanilla de la puerta salió disparada, y hasta la puerta misma cayó dentro del laboratorio, arrancada de sus goznes. Pendergast, agazapado contra la pared del fondo, se levantó y cruzó el umbral a gran velocidad, metiéndose en una nube asfixiante de polvo. Corrió entre sillares caídos, mientras el túnel se deshacía parcialmente y empezaba a desmoronarse a su alrededor. Llegó con nula visibilidad al reducto donde estaba el coronel.

—¡Coronel, soy Pendergast! —exclamó, primero en inglés y luego en portugués—. *Me ajude!* —Y después—: ¡Síganme, disponemos de poco tiempo!

Dio media vuelta y se internó de nuevo en el polvo cegador, seguido por el coronel y los cuatro soldados que quedaban.

74

Después de la zona del derrumbe el túnel dibujaba una amplia curva por el interior de la muralla de la fortaleza, con los laboratorios a la izquierda y el muro propiamente dicho a la derecha. Era la principal vía de circulación en aquel nivel de la fortificación, el más bajo de todos, y por lo tanto un lugar peligroso. Pendergast decidió que la clave sería bajar todavía más para poder huir por el laberinto de pasadizos, mazmorras, celdas y almacenes subterráneos. Era la zona donde había estado prisionero, pero durante su rápido reconocimiento de la fortaleza no la había explorado por considerarla irrelevante.

Ahora era imprescindible, tanto así que no tenían ninguna otra opción.

Ya oía correr a un grupo de hombres hacia ellos; el eco de sus rifles y el impacto acompasado de sus botas en el pasadizo de piedra. A la izquierda había otra puerta de laboratorio empotrada en un hueco de piedra, pero estaba cerrada con llave y no había tiempo para forzar la cerradura. Indicó por gestos al coronel y sus hombres que se apretasen contra las paredes, se pusieran de rodillas y levantasen sus rifles hacia los soldados que se aproximaban.

—Fuego a discreción —dijo en voz baja.

El coronel repitió la orden en portugués.

Los pasos se acercaban, resonando al otro lado de la curva del túnel. El pequeño grupo se preparó para una emboscada a quemarropa.

En respuesta a una orden brusca, los soldados alemanes se pararon justo donde no se los podía ver. Un silencio súbito dio paso a un momento de eléctrica intensidad, hasta que aparecieron por la curva dos granadas lanzadas con pericia que chocaron contra el suelo y rodaron hacia los brasileños.

Tomados por sorpresa, Pendergast y los demás saltaron raudos y, tras dar media vuelta, se arrojaron de nuevo hacia el lado de la puerta empotrada. Las dos granadas estallaron a la vez. La onda expansiva, enorme en un espacio tan pequeño, arrojó hacia atrás al grupo. A uno de los brasileños, no tan rápido como los otros, lo pilló sin protección y desapareció en una nube de sangre, carne, huesos y polvo.

Tras sacudir la cabeza para despejársela, Pendergast disparó en la nube de polvo que lo rodeaba. Cuando oyó que caían piedras, comprendió que los soldados no podían avanzar, al menos de inmediato, por culpa de los bloques desprendidos del techo.

—¡Retirada! —dijo disparando al polvo.

El coronel y los tres hombres restantes echaron a correr. Pendergast mantuvo el fuego a discreción, y cuando estuvieron a salvo al otro lado de la curva los siguió. Sabía que unos cientos de metros más allá existía un túnel lateral. No tenía ni idea de adónde conducía, y habría preferido no aventurarse, pero ya no tenían elección.

—¡A la derecha! —dijo—. *Direita!*

Se metieron por el túnel, dejando atrás el pasadizo irrespirable por el polvo. No había ningún tipo de iluminación. Los hombres del coronel sacaron linternas para ver lo que tenían delante. Era un túnel viejo y en desuso, con nitro incrustado en los sillares y un aire estancado que olía a moho y putrefacción. Llegaron a una vieja puerta de roble con refuerzos de hierro podrido, carcomida por el tiempo, que cedió a un solo golpe de culata de fusil.

Al otro lado había una escalera de caracol cuyas piedras descendían por una fétida oscuridad. Oyeron de nuevo el ruido de botas a sus espaldas.

La escalera se había deshecho parcialmente. Resbalando entre piedras rotas y viscosas, llegaron al nivel inferior de la fortificación y corrieron por un largo túnel que empezaba en la base de la escalera, seguidos a no mucha distancia por el sonido de sus perseguidores.

El túnel se bifurcaba y desembocaba en un espacio grande, abovedado. El centro de ese lugar lo ocupaba algo de lo más insólito: una jaula aislada de acero, de unos cinco metros de lado, cerrada con llave. En vez de fijarla al suelo la habían construido alrededor de una especie de profunda fisura natural en la base sin labrar del subsótano de la fortaleza, y tanto la fisura como la propia jaula contenían una infinidad de cajas de armas, granadas, proyectiles y recipientes de pólvora estampados con esvásticas y advertencias sobre la alta peligrosidad, SEHR GEFÄHRLICH, de su contenido. Parecía el almacén central de munición del fuerte, situado en lo más profundo de sus entrañas, como medida de protección.

Su plan inicial de volar el almacén de municiones habría estado condenado al fracaso en cualquier circunstancia: el depósito estaba demasiado hundido en la fortaleza para que hubiera sido posible practicar una vía de acceso para el coronel y sus hombres.

Pero no tenían tiempo para una inspección más pormenorizada. Cruzaron la sala y se metieron por el pasadizo que arrancaba al otro lado.

Pronto se encontraron con dos bifurcaciones seguidas. El pasadizo estaba bordeado de celdas vacías, con restos podridos de puertas de madera en el suelo húmedo. Había un esqueleto antiguo encadenado a una pared, con regueros de sales de cobre. Los muros supuraban agua, que formaba charcos en el suelo de ceniza; un suelo que, según observó Pendergast, por desgracia, retenía las huellas de su paso.

Los jadeos de los soldados alemanes al correr, y el impacto de las botas, estaban cada vez más cerca.

—Tenemos que matarlos —dijo el coronel.

—Excelente propuesta —contestó Pendergast—. Granadas, por favor.

Sacó la última que le quedaba y le hizo una señal con la cabeza al coronel. Mientras corrían, este último y sus tres únicos hombres siguieron el ejemplo de Pendergast y sacaron el pasador de su granada, pero sin quitar la espoleta. Al ver un recodo, Pendergast hizo un gesto seco con la cabeza. Todos quitaron a la vez las espoletas y tiraron las granadas a la ceniza blanda antes de doblar la esquina y poner cuerpo a tierra.

—¿Cómo se dice en inglés? —murmuró el coronel—. La venganza es muy puta.

—Apaguen todas las luces —susurró en respuesta Pendergast.

Segundos después, justo a la vuelta de la esquina, el túnel tembló con una serie de explosiones que estuvieron a punto de dejarlos sordos. Pendergast se levantó de inmediato, haciendo señas de que lo siguieran los demás. Doblando el recodo a la carrera, vieron algunas vagas luces de linterna entre la lluvia de cascotes y abrieron fuego como locos contra la enorme nube de polvo, apuntando a las luces, mientras el caótico fuego de respuesta no conseguía ningún resultado.

Fue todo muy rápido. Pronto sus perseguidores estaban todos muertos, y el humo se asentó en el aire húmedo. Pendergast encendió su linterna y la enfocó en los cadáveres: seis soldados en cuyo sencillo uniforme gris solo había una pequeña insignia. En cambio el séptimo, sin duda el cabecilla, llevaba un viejo uniforme nazi, el uniforme de campo *feldgraue* de las Waffen-SS, con algunas adiciones más modernas.

—*Babaca!* —dijo el coronel dándole una patada—. Fíjese en este hijo de la gran puta, jugando a nazis. *Que bastardo.*

Tras un breve examen del oficial uniformado, Pendergast centró su atención en los otros muertos: media docena de jóvenes de buen aspecto, destrozados por las explosiones y los disparos, cuyos ojos azules miraban ciega y fijamente varios puntos abriendo la boca de sorpresa y sujetando las armas con manos delicadas. Se agachó para coger otro cargador y una granada. También los otros se reabastecieron.

A partir de entonces todo fue silencio, a excepción del cadencioso gotear del agua. El olor a sangre y muerte se mezclaba a los de cieno, moho y putrefacción. De pronto, sin embargo, se filtró en el silencio una especie de susurro. La explosión había hecho desprenderse una parte de la enorme pared, de la que empezaban a salir insectos que, desalojados de sus lugares de descanso, reptaban por el techo y caían de él en más de una ocasión: grasos ciempiés, escorpiones látigo blancos con puntas en los pedipalpos, tijeretas gigantes de pinzas aceitosas, escorpiones albinos que hacían ruido con sus pinzas y arañas saltadoras peludas.

El coronel dijo una palabrota al quitarse un insecto del hombro.

—Tenemos que salir de aquí —dijo Pendergast—. Ahora mismo.

En ese momento sucedió algo extraño: a uno de los soldados del coronel se le cortó el aliento. Después se volvió y se arrancó del pecho un puñal ensangrentado, que contempló con estupor antes de caer de rodillas.

75

Al oír el grito ahogado, el coronel Souza dio media vuelta y enfocó su linterna en el soldado, que lo observó con el más absoluto desconcierto antes de doblarse y caer despacio al suelo con el pesado cuchillo en una mano.

—¡Todos a cubierto! —dijo Pendergast poniéndose en cuclillas.

Mientras Souza se arrimaba a la pared, Pendergast indagó en el pasadizo con la luz de su linterna, examinando las paredes, los techos, las celdas oscuras y las puertas podridas. El fino haz iluminaba las cintas de niebla que flotaban por el túnel. Todo era silencio, salvo el goteo del agua. La luz pasó por el esqueleto encadenado, cuyo cráneo conservaba un largo mechón de pelo negro.

—*Nossa Senhora* —susurró el coronel.

Al girarse hacia Pendergast topó con su mirada, la de unos ojos claros que volvieron a desconcertarlo, y que casi parecían brillar en la oscuridad.

Sintió un temblor en el labio inferior e intentó contenerlo. No podía pararse a pensar en lo mal que había salido la misión. Todavía no. Desde el desastre, su hijo Thiago no había dicho nada, nada en absoluto. Souza se resistía a mirarlo, pero lo notaba; sentía la presión de los ojos del joven en la nuca, la de su miedo y sus reproches, como si fuera algo tangible.

Agazapado en espera de algo, pero sin saber de qué ni qué salida les quedaba, vio que Pendergast tendía un brazo y buscaba el pulso en el cuello del soldado caído. El agente esperó un poco y sacudió ligeramente la cabeza al lanzar una mirada al coronel. Fue como si el cuchillo se le clavara a Souza. Perder a aquellos hombres, tantos hombres de primera… Pero no era el momento de pensarlo.

Pendergast desprendió suavemente el cuchillo ensangrentado de la mano muerta del soldado, lo examinó y se lo metió en el cinturón. Souza vio que era un viejo cuchillo nazi, un Eickhorn de hoja gruesa y pesada, difícil de arrojar pero bastante grande como para partir el esternón y llegar al corazón.

El coronel escuchó una vez más, y una vez más sintió sorpresa o incluso desconcierto al no oír ni ver nada en la oscuridad. Parecía que el cuchillo hubiera aparecido por arte de magia en el pecho del soldado.

Nadie decía nada. Por un momento todo estuvo en suspenso. Fue Pendergast quien rompió el terrible hechizo al incorporarse con cautela y meterse por el túnel, haciendo señas a los hombres que quedaban de que fueran tras él. La retaguardia estaba compuesta por el coronel y su hijo, que no se miraban. Sin saber cómo, Souza había cedido el mando a aquel civil, pero no tenía ánimos para reclamar su papel. Cuatro hombres contra una fortaleza de expertos combatientes nazis: ¿qué más podía pasar? Volvió a hacer el esfuerzo de pensar en otra cosa. ¿Pendergast tenía algún plan? Era tan callado, tan raro, aquel gringo…

El túnel descendía. El aire cada vez era más pútrido y maloliente, y el agua que cubría el suelo fue adquiriendo más profundidad a medida que bajaban por la cuesta, hasta que no tuvieron más remedio que vadearla. La bruma se espesaba. Los alientos añadían aún más vaho a un aire que ya estaba saturado. El ruido que hacían por el agua reverberaba tenue entre los muros del túnel. En un momento dado Pendergast hizo señas de que se detuvieran. Permanecieron en silencio, pero no oyeron que tras ellos se moviera nadie por el agua.

El túnel se alargaba, y el agua se hacía más profunda. En la superficie verdosa flotaban insectos muertos e hinchados. Pasaron varias veces junto a esqueletos humanos encadenados o parcialmente tapiados; esqueletos de tiempos de los españoles, con los huesos roídos por el tiempo. Pasó a su lado sin hacerles caso una serpiente, un mocasín de agua blanco.

En poco tiempo llegaron a una sala circular en la que confluían varios túneles. Ahora el agua les llegaba a la cintura. Descansaron un poco mientras Pendergast daba la impresión de examinar el agua en busca de corrientes: enfocó hacia abajo la linterna y dejó caer un hilo en la superficie, pero no hubo ningún movimiento que les indicase en qué dirección ir.

Cuando Pendergast estaba a punto de darse la vuelta el coronel observó un giro brusco en el hilo. Al mismo tiempo el haz de su linterna penetró en el agua turbia e iluminó una vaga silueta.

—¡Cuidado! —exclamó.

También gritó el soldado a quien tenía detrás: Thiago. El coronel se volvió, moviendo como loco la linterna, pero Thiago había desaparecido en el agua. Debajo de la superficie se produjo un violento forcejeo que acabó tan bruscamente como había empezado. El coronel dio tumbos hacia el punto en que aún quedaban remolinos en el agua sucia. Su linterna reveló algo bajo el agua, que subía, y subía… Del cuello de la forma que emergió brotaba una sustancia oscura y turbia que se iba extendiendo por el agua.

—*Meu filho!* —exclamó cogiendo el cuerpo—. *Thiago! Meu filho!*

Al dar la vuelta al cuerpo de su hijo y levantarlo con un grito informe, le horrorizó ver caer hacia atrás la cabeza y destaparse un corte hasta el hueso del cuello, debajo de unos ojos muy abiertos.

—*Bastardos!* —chilló al soltar el cuerpo y levantar el rifle, nublada la vista por la rabia.

Lanzó una ráfaga en modo automático. Mientras Souza disparaba al agua como loco, el pánico se apoderó del otro soldado, que empezó a pegar tiros a la ponzoñosa oscuridad.

—*Bastardos!* —gritó de nuevo Souza.

—Basta —dijo Pendergast sin levantar la voz, pero con gran dureza—. Pare.

El coronel se quedó quieto al sentir en el hombro el tacto frío de la mano del agente. Temblaba de los pies a la cabeza.

—Mi hijo —dijo, desesperado.

—Está jugando con nosotros —dijo Pendergast—. Tenemos que encontrar una salida.

—¿Quién? —exclamó el coronel—. ¿De quién habla? ¿Quién es? —Sintió otro ataque de rabia que le hizo gritar hacia la oscuridad—. ¿Quién eres? *Quem é você?*

Pendergast no contestó. Señaló al último soldado.

—Tú, ponte al final. —Volvió a girarse hacia el coronel—. Usted quédese a mi lado. Tenemos que continuar.

Souza siguió a Pendergast por un túnel elegido por motivos que ni conocía ni le interesaban ya. El estadounidense se movía deprisa por el agua, deslizándose como un tiburón, mientras el coronel a duras penas conseguía mantener el ritmo. Souza vio que cogía una granada y le arrancaba el pasador pero sin soltarla, con la espoleta apretada.

Prosiguieron hasta otra confluencia de túneles, otra zona de peligro. De repente, para sorpresa del coronel, Pendergast se giró y lanzó la granada por el túnel del que acababan de emerger.

—¡Al suelo! —exclamó.

Se sumergieron en el agua justo cuando la explosión estremeció el túnel como un cañón de agua. Después oyeron circular el eco sordo de la detonación por el laberinto de pasadizos.

Pendergast señaló un túnel.

—¿Cómo sabe que es por donde se sale? —dijo sin aliento el coronel.

—Porque es el que no tiene eco —respondió en voz baja.

Al principio el agua se volvía más profunda, pero al poco rato apareció una plataforma de piedra junto a la pared, con unos escalones. Pendergast había elegido bien: era una salida, un antiguo túnel que debía de llevar al lago, una vía de agua secreta para entrar y salir de la fortaleza.

—*Agora eu esto satisfeito...* —dijo de pronto una voz entre la niebla, distorsionada y espantosa.

El coronel se echó al suelo y disparó casi sin pensar. La ráfaga quedó truncada al vaciarse el cargador. Aun así siguió apretando el gatillo, mientras gritaba:

—¿Quién está ahí? ¿Quién es?

La única respuesta fue un solo disparo en la oscuridad. Después de un breve fogonazo, el último soldado que le quedaba al coronel cayó al agua con un ruido gutural.

Pendergast se agazapó al lado de Souza, usando el muelle de piedra como parapeto, y escrutó la oscuridad con sus ojos plateados.

Souza extrajo con torpeza el cargador, lo tiró al agua y sacó otro de la mochila. Intentó ponerlo en su sitio, pero le temblaban las manos. Pendergast le sujetó el arma. Finalmente el coronel logró encajar la munición.

—Ahórrese las balas —dijo Pendergast en voz baja—, es lo que pretende.

—*Os fantasmas?* —puntualizó el coronel temblando de los pies a la cabeza.

—Por desgracia es real.

Después de su enigmática respuesta, Pendergast trepó por los peldaños de piedra, seguido a trancas y barrancas por el coronel; y así, entre resbalones, llegaron a una estrecha pasarela y la recorrieron a gran velocidad para refugiarse en un nicho.

—*Agora eu esto satisfeito…* —repitió la misma voz en aquel aire lleno de efluvios.

Su sonido fue como un picahielos en el oído del coronel. Dentro del túnel era imposible averiguar su procedencia. Llegaba de todas partes y de ninguna, grave pero extrañamente penetrante.

—¿Qué quiere decir? —susurró Pendergast.

—Qué horror… Quiere decir «satisfacción, plenitud»…

Souza no podía respirar ni pensar. A duras penas lograba asimilar lo que había ocurrido y seguía ocurriendo. Aquella pesadilla iba mucho más allá de lo que hubiera imaginado.

—Tenemos que continuar, coronel.

La voz serena del agente tuvo la virtud de sosegarlo un poco. Cogió su M16, y una vez en pie siguió la silueta huidiza de Pendergast por el pasillo. Pasaron al lado de conductos y túneles que en algunos casos supuraban agua negra.

Los siguió una risa grave. El coronel no lo aguantaba más. Volvió a tener la sensación de que todo se venía abajo. Su mundo destruido, y ahora aquello… ¿Cómo podía ser? ¿Quién era aquel demonio?

—*Você está satisfeito, Coronel?* —dijo la voz, más cerca, entre la niebla: «¿Está satisfecho, coronel?».

Fue como si de golpe desapareciera el mundo. El coronel Souza se volvió rugiendo y corrió hacia la voz. El ruido que emanaba de su boca no era totalmente humano, sino un alarido de furia animal. Con el dedo pegado al gatillo, y el arma en modo automático, movía el cañón de un lado a otro y descargaba en la bruma el cargador de treinta balas.

Al final se acabaron las balas, y en el brusco silencio fue como si Souza despertase: se detuvo y esperó, esperó el final, que de repente deseaba como nunca había deseado nada en toda su vida.

76

Apoyado contra la pared, Pendergast oyó la ráfaga, prolongada y feroz, y el grito animal del coronel al correr por el andén de piedra, seguido por un silencio súbito. Por unos instantes, cuando se apagaron los ecos en los túneles, quedó todo en suspenso. Después otro disparo desgarró el silencio, uno solo, no muy fuerte, de un arma de pequeño calibre.

Al cabo de un momento oyó el impacto del cuerpo del coronel en el agua. Después oyó otra vez la voz, que tanto conocía.

—Bueno, padre, aquí estamos. Los dos solos.

No dijo nada, a oscuras contra la pared.

—¿Padre?

Finalmente se sintió capaz de hablar.

—¿Qué quieres? —preguntó despacio, sin alterarse.

—Te voy a matar.

—¿Crees que podrás? ¿De verdad? ¿Matar a tu propio padre?

—Ya veremos.

—¿Por qué?

—¿Por qué se sube al Everest? ¿Por qué se va a la Luna? ¿Por qué se corren las maratones? Para mí es la prueba definitiva de carácter.

Silencio. Pendergast no pudo formular una respuesta.

—No puedes escaparte de mí. Te das cuenta, ¿verdad? —La voz guardó un momento de silencio. Después Alban dijo—: Pero antes voy a hacerte un regalo. Habías preguntado por la Ventana de Copenhague. ¿Quieres saber mi secreto? «Mira el mundo como si hubiera desaparecido el tiempo y verás recto todo lo que estaba torcido.» Nietzsche, como supongo que ya sabes.

De la oscuridad salió, como un murciélago, el destello de un cuchillo, tan rápido e inesperado que Pendergast no consiguió esquivarlo del todo y recibió en la clavícula un golpe de refilón que apenas le dejó un arañazo. Se retorció y se tiró al suelo. Después de un par de vueltas se levantó y corrió a refugiarse en el siguiente nicho, húmedo y viscoso. Seguía sin poder ubicar a Alban, ni siquiera por el lanzamiento del cuchillo. El joven se estaba aprovechando de las peculiaridades del eco en los túneles para ocultar su posición.

—Tú no me matarás, porque eres débil. Es lo que nos diferencia. Porque yo sí que puedo matarte. Como acabo de demostrar. Y tengo que reconocer que te has zafado estupendamente, padre. Como si lo intuyeras.

Pendergast detectó una nota de orgullo en la voz del muchacho: el orgullo de un hijo impresionado por su padre. Era todo tan raro, tan morboso, que lo desconcentraba. Sintió el pinchazo de la herida en el hombro, ya previamente lesionado, y notó que la sangre caliente se filtraba por la camisa húmeda. A una parte de su ser no le importaba vivir o morir. Su único deseo era que su hijo diera bien en el blanco.

—Sí, es verdad que podría matarte ahora mismo —continuó la voz—. De hecho ahora te tengo en el punto de mira, pero no estaría bien. Soy un hombre de honor y no te mataría como a un perro, así que te voy a dar a elegir. Contaré hasta diez. Si eliges morir, no hagas nada; cuando llegue a diez te ayudaré en tu suicidio asistido. Si quieres huir para tener alguna oportunidad, puedes hacerlo.

Pendergast se lanzó al agua, pero no hasta que el recuento llegó a seis.

Nadó lo más deprisa que pudo por debajo del agua, estorbado por el peso del fusil. Iba casi pegado a la pared y solo salía cuando necesitaba una bocanada de aire. Oyó varias ráfagas: fiel a su palabra, Alban había disparado al llegar a diez. También oyó silbar las balas en el agua a su alrededor. No iba bastante deprisa, en absoluto. No tuvo más remedio que soltar el fusil. Nadaba con los ojos abiertos, pero no veía nada. Era un agua fría, nauseabunda, llena de cosas muertas que chocaban contra él. Más de una vez sintió el roce viscoso de una serpiente de agua, pero siguió adelante ignorándolo todo.

El túnel describía una amplia curva. Al otro lado, Pendergast, que se impulsaba con fuerza bajo el agua, empezó a ver poco a poco una luz tenue. Cuando emergió a la superficie se fijó en que las paredes del túnel brillaban. Ya no había disparos. Siguió adelante, nadando por la superficie. Al salir de los túneles lo deslumbró la luz del lago. Aún era por la tarde. Echó un vistazo hacia el oeste y vio que estaba a menos de un kilómetro de la otra orilla. Se detuvo a mirar hacia atrás. No había ningún rastro de Alban, ni en la boca del túnel ni en ningún punto de la orilla.

Por poco tiempo, estaba seguro. Alban lo perseguiría.

Continuó nadando hacia el oeste en dirección a tierra firme.

77

Alban escuchó un momento a oscuras, mientras se difuminaba poco a poco el ruido que hacía su padre al nadar. La desembocadura al lago no quedaba lejos. Pendergast llegaría en pocos minutos. El corazón de Alban latía con fuerza. Sentía el máximo nivel de alerta en todos los sentidos, y una gran agilidad y rapidez de pensamiento. Nunca había hecho nada tan electrizante, de una emoción tan extraña y tan inesperada. Ahora entendía lo que había querido decir Fischer con saber valorar los detalles. Pocos años antes, como reto al cumplir la mayoría de edad, Fischer lo había mandado al bosque sin más armas que un cuchillo para que matase un jaguar. Había sido una experiencia notable, pero aquello (dar caza a un hombre, nada menos que su propio padre) superaba a cualquier otro desafío.

Caviló en lo siguiente que haría su padre y no tardó en dar con la respuesta: en vez de quedarse en la isla, donde no podía hacer nada y se encontraba en la más absoluta inferioridad armamentística y numérica, nadaría hacia la otra orilla. Lo haría hacia el oeste, en dirección al campo de los defectuosos. Porque querría buscar a su otro hijo, Cuarenta y Siete. El gemelo de Alban. El que tenía un nombre: Tristram.

Tristram. El nombre, su mera existencia, irritaba profundamente a Alban sin saber por qué.

Llegó raudo a la otra punta del andén, a una discreta puerta de metal encajada en un hueco. El giro rápido de una llave en una cerradura bien engrasada franqueó el acceso a un túnel estrecho que iba en diagonal hacia la orilla, como bien sabía. Poco después salió por otra puerta a la luz de la tarde, a una plataforma de piedra en mal estado, rodeada de juncos, que quedaba justo encima de la orilla del lago. Tras abrirse paso por la vegetación trepó unos cuantos metros por el flanco de la montaña volcánica, haciendo crujir la toba bajo sus pies. Luego se tomó un respiro para inspeccionar el lago. Su aguda vista localizó casi enseguida la figura de su padre, que nadaba hacia el oeste, hacia la orilla, como había supuesto.

Levantó el fusil y examinó su figura ampliada por la mira. Pensó despreocupadamente que a pesar de los trescientos metros de distancia, en una tarde tan plácida, sin viento, y en manos de un tirador tan excelente, el disparo sería casi infalible.

Bajó el fusil sin disparar, felicitándose una vez más por su marcado sentido del honor y la justicia. Su padre era un gran hombre, que moriría como era debido, no de lejos ni de un tiro en la espalda. Había algo menos de un kilómetro a nado. A la velocidad a la que iba, con el hombro herido, tardaría como mínimo un cuarto de hora en llegar a las ciénagas de la otra orilla. Tenía tiempo de sobra para organizar una competición más igualada e interesante.

Se echó el fusil al hombro y caminó por el sendero bien desbrozado que daba la vuelta a la isla. Al cabo de unos minutos vio un pequeño embarcadero con varias lanchas fuera borda amarradas. Se acercó y las estudió hasta elegir las más ligera y maniobrable: una de cuatro metros, de fibra de vidrio y fondo plano, con motor de dos tiempos. Saltó a bordo, comprobó el estado del depósito, arrancó y se adentró en el lago.

Surcando el agua, a la que daba golpes con su fondo plano, la lancha empezó a alejarse de la costa. Alban, al timón, miraba hacia delante, gozando del aire fresco. Tan cerca del agua era difícil ver a su padre, pero él ya sabía dónde estaba. En efecto: al aproximarse al centro del lago vio sus movimientos en la luz de la tarde, el vaivén cadencioso de los brazos y el chapoteo de los pies al nadar.

Al percatarse de su presencia, su padre se sumergió. Alban redujo la velocidad de la lancha y viró un poco hacia el sur. Al nadar bajo el agua, su padre cambiaría de dirección. No, mejor dicho, no cambiaría. Sería su sorpresa, mantener la misma dirección.

¿Cuánto tiempo aguantaría sin respirar?

Ni más ni menos que a los dos minutos (Alban casi no se lo creía) reapareció justo donde esperaba, en la misma ruta, casi cien metros más cerca de la orilla. Alban era capaz de bucear ciento cincuenta metros, pero cien seguían siendo una distancia extraordinaria, sobre todo para alguien de la edad de su padre.

Puso rumbo hacia el nadador y acortó rápidamente la distancia. ¿Y si le pasaba por encima?

Eso, ¿por qué no? Sería divertido. Su padre se sumergiría, claro. Varias veces. Alban aceleró el motor al máximo y salió disparado en dirección a la figura. Su padre se zambulló en el último momento. Alban empujó el timón a un lado e hizo que la lancha dibujase un círculo apretado hacia donde sabía que saldría su padre.

En el fondo no esperaba matarlo así, pero sí cansarlo y dejarlo sin fuerzas.

Lo mejor de todo era que sería divertido. Para ambos.

78

Buceando con los ojos abiertos, Pendergast vio que la lancha efectuaba un giro cerrado y se adaptaba con exactitud a la dirección que él tenía pensado tomar, pero en cuanto Pendergast lo vio y cambió de planes por enésima vez (todo ello bajo el agua, sin respirar) la lancha modificó su trayectoria y fue todavía más despacio, como si le leyera el pensamiento.

¿Leerle el pensamiento? Parecía absurdo... pero ante los hechos más insólitos había que sopesar las más insólitas hipótesis. Pendergast estaba al borde de una revelación. Lo intuía. En su cerebro hipóxico se estaban trenzando varios hilos: lo inexplicable de los asesinatos de Nueva York, la persecución que acababan de sufrir en los túneles de la fortaleza con su extraña exhibición de vaticinios, el orgullo de Alban al referirse a las facultades de su padre, la absoluta seguridad del joven en que Pendergast no se le podría escapar... Y esa cita tan rara de Nietzsche.

Estaba pasando algo muy, pero que muy inusitado. Era como si Alban le leyera el pensamiento, en efecto.

Pero necesitaba aire. Aire. Subió a la superficie en línea recta, emergió y respiró hondo. En ese momento vio que Alban se alejaba, hacía girar el barco y ponía de nuevo rumbo a él con cara de sorpresa y hasta de consternación.

No, Alban no le leía el pensamiento. Era otra cosa. Se acordó de lo que había dicho Constance sobre él: algo sobre un sexto sentido, o una extensión de los cinco. Su memoria repitió dos veces la sentencia de Nietzsche que había citado Alban. ¿Qué significaba?

Moviendo las piernas bajo el agua, avanzó aproximadamente un metro. Después nadó lateralmente, sin prisas, hacia la orilla. Encima de él, la lancha giró y trazó una curva cerrada, clavando el zumbido del motor en sus tímpanos. Después fue más despacio y se dirigió más o menos hacia el punto donde Pendergast tendría que salir a respirar. Y sí que saldría a respirar en ese punto, sí. Estaba claro que era lo que haría.

No, no se trataba de leer el pensamiento. Alban no se lo podía leer a nadie. Tenía alguna facultad insólita, pero no aquella. Era a la vez menos y más.

Mucho antes de necesitar aire, Pendergast se lanzó bruscamente hacia la superficie tras cambiar de planes en menos de un segundo, y Alban, que solo estaba a seis metros pero no en la dirección correcta, volvió a llevarse una sorpresa al verlo. Giró la lancha y aceleró a fondo. Pendergast esperó, se sumergió y, en el momento en que la lancha pasaba por encima de él y dibujaba un pequeño círculo, se lanzó hacia arriba con el puñal nazi en la mano para clavarlo en el casco justo cuando la embarcación pasara sobre su cabeza. La pesada cuchilla hendió la ligera fibra de vidrio. Pendergast imprimió un giro al puñal antes de que se lo arrebatase de la mano el impulso de la lancha. La hélice pasó a pocos centímetros de su cabeza, y al zumbar como una avispa gigantesca le azotó la cara con sus turbulencias.

Salió a la superficie justo detrás de la lancha. Respiró dos bocanadas de aire y nadó como un loco hacia la costa. Alban tardaría como mínimo unos minutos en achicar el agua que hubiera entrado por el agujero. Pendergast ya estaba cerca de las aguas bajas de la orilla, a un centenar de metros de donde empezaba a crecer la hierba de agua y a doscientos de las aneas y el pantano.

Siempre que podía buceaba, con cambios aleatorios de dirección, inesperados hasta para él mismo y opuestos con frecuencia a lo que le dictaba el instinto; hubo veces incluso en que volvió hacia atrás. Al subir a la superficie advirtió que Alban, inclinado en la lancha, se afanaba en taponar la fuga, aunque cada vez que lo veía salir se echaba al hombro su fusil y disparaba una bala que horadaba el agua a pocos centímetros de la cabeza del agente. Al dar media vuelta y zambullirse una vez más, Pendergast oyó pasar más balas a su lado por el agua.

No cabía duda de que su hijo tiraba a matar. Era la respuesta a otra pregunta importante a la que había estado dando vueltas.

Siguió nadando con el mismo erratismo que hasta entonces, aunque siempre tendía hacia la orilla. La lancha ya se había escorado mucho, pero parecía que Alban había tapado o rellenado el agujero y empezaba a achicar. De vez en cuando, si Pendergast salía a la superficie, se levantaba para disparar. Era un tirador espléndido. Lo único que salvaba a Pendergast era lo cerca que estaba el sol del horizonte, justo en los ojos de Alban, formando una lámina deslumbrante al reflejarse en el agua.

Sintiendo que sus pies rozaban el fondo cenagoso, nadó hasta que el agua le llegó a la cintura. Ya estaba al borde de las hierbas acuáticas. Ahora podía vadearlas agachado, aunque con dificultad. Llegaron más disparos, pero la distancia y las aneas que rodeaban a Pendergast jugaban a su favor. La vegetación se hizo más densa y lo ocultó. Aun así Alban seguía disparando. Seguro que se guiaba por el movimiento de las plantas a su paso. Pendergast logró despistarlo deslizándose entre las hileras de espadañas y agitando tallos lejanos con los brazos abiertos, pero Alban no tardó mucho en darse cuenta, de modo que las balas empezaron a silbar por ambos lados, cortando aneas y levantando nubes de pelusa.

El motor de la lancha se encendió. Pendergast aumentó su velocidad. La oía acercarse por los juncos, que azotaban el casco. Al final la embarcación tocó fondo y la hélice hizo un ruido sordo al chocar con el barro.

Un chapoteo. Alban había saltado a tierra y lo estaba persiguiendo.

Rompiendo aneas, Pendergast llegó a los matorrales del borde del pantano; los atravesó y continuó por la selva, apartando con los hombros la frondosa vegetación.

Su hijo era superior a él, física y tal vez mentalmente. No había estratagema capaz de despistar a Alban en aquella selva que tan bien conocía. La única oportunidad de Pendergast era entender a fondo su misteriosa ventaja… y usarla contra él.

Una vez más acudió sin querer a su memoria la extraña cita de Nietzsche: «Mira el mundo como si hubiera desaparecido el tiempo y verás recto todo lo que estaba torcido».

Y fue entonces cuando la revelación, como el sol al nacer, lo iluminó.

79

En su elegante despacho, el Oberstgruppenführer Fischer se dio el gusto de otro cigarrillo y le ofreció uno a su segundo, Scheermann. Después se lo encendió, disfrutando de la inversión de papeles; un gesto que demostraba su confianza y su seguridad, así como la fiabilidad que le merecía su capitán.

Se acercó a la ventana que miraba al oeste y se puso los prismáticos. Veía los movimientos de la lancha de Alban, y la pequeña silueta de Pendergast a nado. Si Alban había tenido algún reparo en matar a su padre, ahora no se le notaba.

—¡Qué simpático! Eche un vistazo, Oberführer.

Fischer se apartó para que su segundo contemplase la escena. Durante la espera inhaló la mezcla de tabaco sirio de Latakia cultivado y curado en sus propias granjas: el mejor de toda Sudamérica.

—Muy simpático, sí —dijo Scheermann bajando los prismáticos—. Alban parece a la altura de la misión. Muy alentador.

Un silencio.

—Veremos si es capaz de matar.

—Yo estoy seguro de que sí, *mein Oberstgruppenführer*. Su educación y su instrucción han sido intachables.

Fischer no contestó. En realidad la auténtica prueba, la definitiva, aún estaba por llegar. Aspiró el humo y lo dejó salir por su nariz.

—Una cosa: ¿queda algún superviviente de la unidad invasora?

—No, ninguno. Han entrado cinco en la fortaleza, pero parece que Alban y nuestros soldados los han matado a todos. Hemos encontrado los cinco cadáveres.

—¿Alguna baja en la Brigada de Gemelos?

—Ninguna, aunque sí hemos perdido un número bastante alto de soldados regulares, por encima de las dos docenas. Todavía estoy esperando el recuento final.

—Una lástima.

Fischer volvió a coger los prismáticos y miró de nuevo. Casi parecían dos niños que jugasen en el lago: las vueltas perezosas de la lancha, las inmersiones del nadador, que de vez en cuando salía a respirar… Desde aquella distancia se veía todo como a cámara lenta. De pronto, sin embargo, ocurrió algo: el barco parecía haber sufrido una perforación, y Pendergast nadaba directamente hacia la orilla.

La lógica le dijo a Fischer que Pendergast no era rival para su hijo, un hijo que llevaba los mejores genes de su padre, perfeccionados y carentes del peso de los genes nocivos. Un hijo, además, criado desde la cuna justo para aquel tipo de retos.

—Menudo espectáculo —dijo manteniendo un tono confiado—. Lo envidiarían los romanos en el Coliseo.

—Sí, Oberstgruppenführer.

Y a pesar de todo el punto de intranquilidad, la sombra de la duda, persistía en no querer disiparse. De hecho, no hizo más que crecer a medida que se prolongaba la rivalidad en el agua. Finalmente Fischer volvió a tomar la palabra.

—Confío en que en caso de que Pendergast alcance la orilla se dirija al campo de los defectuosos. Naturalmente, Alban lo perseguirá, pero para asegurarnos de que no haya problemas quiero que movilice usted a un grupo de regulares y a la Brigada de Gemelos (ahora que ya está en marcha) y los traslade al otro lado del lago. Quiero que actúen como refuerzos de Alban. Por si acaso. Ya me entiende, como simple medida de precaución. Nada más que eso.

Procuró sonar natural.

—Ahora mismo, Oberstgruppenführer.

—Que sea ya.

El Oberführer Scheerman se despidió con un escueto saludo militar. Fischer se dirigió hacia la ventana y enfocó sus prismáticos en el pequeño drama del lago. Alban, de pie sobre la lancha, disparaba… y fallaba. Claro que era un disparo de gran dificultad, y muy precario: en constante movimiento, sin poder estabilizar el arma y con aquella luz…

Pero aun así…

80

Al adentrarse en la selva, Pendergast sabía muy bien que Alban lo estaba persiguiendo, aunque detrás de él todo fuera silencio; y no le cupo duda de que tardaría poco tiempo en alcanzarlo.

Reflexionó sin detenerse en la revelación, la que acababa de tener. Ya creía entender el insólito talento de Alban, una capacidad que también poseían él y otras personas pero en forma residual y débil, mientras que en Alban se había acentuado mucho. Tendría que ser cuidadoso al trasladar a la práctica su comprensión. Tendría que esperar el momento indicado, sin dejar que Alban se diera cuenta de que alguien más estaba al corriente de su peculiar ventaja. No podía permitirse levantar la liebre en el momento equivocado.

Encontró un sendero que iba hacia el campo de los defectuosos y se lanzó por él con todas sus fuerzas. El camino ascendía sinuosamente por una loma. En pocos cientos de metros llegó a lo más alto del borde del cráter que delimitaba los cultivos y el campo. Bajó corriendo por el otro lado, pero no por las curvas, sino a campo través, a una velocidad endiablada.

Salió de la vegetación que bordeaba las tierras de cultivo. Había un campo de maíz, de una altura que podía servirle de pantalla. Lo cruzó corriendo. Las filas de plantas cortaban la trayectoria de Pendergast en ángulo recto. Aun así mantuvo casi la misma velocidad de antes, esquivando las altas hileras. Ya oía a su perseguidor. El susurro de hojas que marcaba su avance se acercaba sin descanso.

Giró noventa grados y avanzó en línea recta. Después cambió de táctica lo más rápido que pudo y atravesó las filas de maíz en zigzag, saltando de una a otra. Fue infructuoso. No había manera de quitarse a Alban de encima ni de tenderle una emboscada. Alban iba armado, y él no. La cosa acabaría mal.

Vio una luz delante y salió del maizal para cruzar a toda prisa un campo de algodón, aunque era demasiado bajo para prestarle alguna protección. Oía a Alban, que corría respirando con fuerza. Se había convertido en una carrera en línea recta de la que Pendergast solo podía salir perdedor.

Justo cuando se daba cuenta de que no llegaría al campo subterráneo vio a los que llamaban «defectuosos». Regresaban sin orden ni concierto de los campos lejanos, vestidos con harapos, cubiertas las cabezas con sombreros de paja y cargados los hombros de herramientas y accesorios. Formaban una muchedumbre extraña, silenciosa y desordenada. Los que iban delante se pararon boquiabiertos de sorpresa al ver la persecución. Pendergast buscó entre el gentío, pero no reconoció a Tristram.

Lo curioso fue que al mismo tiempo oyó cantar, y nada menos que una marcha militar. Al mirar a su derecha vio llegar desde los muelles a docenas de soldados: los gemelos. Eran unos cien, el mismo número que los defectuosos: hombres y mujeres, niños y niñas de entre catorce y cuarenta años, más o menos, portadores de sencillos uniformes grises y encabezados por varios oficiales de pulcro atuendo nazi. Iban muy armados, y al acercarse formaron sin dificultad a la vez que entonaban enérgicos una canción:

Es zittern die morschen Knochen,
Der Welt vor dem großen Krieg,

Comprendió que era el final. No podía correr más que su hijo. Se detuvo, dio media vuelta y le plantó cara.

Unos cien metros más atrás, Alban continuó a paso ligero y sonrió al aproximarse. Se descolgó el fusil, y el resto del camino lo hizo andando.

Los soldados se acercaban.

Wir haben den Schrecken gebrochen,
Für uns war's ein großer Sieg.

Pero Alban no le pegó un tiro. Cuando lo tuvo más cerca, y vio su mirada triunfante, Pendergast se dio cuenta de que quería prolongar y saborear el momento de la victoria en vez de ponerle un fin prematuro mediante un triste disparo. Ahora tenía público. Mayor dramatismo no cabía. Era la oportunidad de demostrar lo que valía, de reivindicarse en presencia de todos.

Le repugnó entender tan bien a su hijo.

Wir werden weiter marschieren
Wenn alles in Scherben fällt,

Alban se acercó con soberana confianza para registrar a Pendergast y quitarle su última arma, un cuchillo pequeño. Lo levantó y se lo metió en el cinturón: un recuerdo.

Los soldados se pararon ante ellos; jóvenes, risueños, con las mejillas sonrosadas, radiantes de salud y buen estado físico, y acabaron su canción sin romper filas:

Denn heute da hört uns Deutschland
Und morgen die ganze Welt!

El comandante, Scheermann, con el uniforme de las Waffen-SS, se paseó ante la fila de soldados. Después miró primero a Pendergast y luego a Alban. Los rodeó despacio a los dos.

—Muy bien hecho —le dijo a Alban en un inglés perfecto—. Es el último. En tus manos lo dejo.

—Gracias, *mein Oberführer* —respondió Alban.

El muchacho se volvió hacia Pendergast con una sonrisa.

—Bueno, padre, pues esto ya está.

Pendergast esperó. Observó a los peones, a los gemelos esclavos, que contemplaban la escena embobados y en el mayor desorden. No parecían tener ni la menor idea de lo que ocurría. Los uniformes, los soldados, los dos grupos de gemelos que se miraban fijamente unos a otros, cruzando un abismo insondable de biología, de genética...

Al desplazar la vista de los soldados a los peones esclavizados

447

Pendergast vio muchas caras iguales. La diferencia era que en las de los defectuosos todo era desánimo, falta de vida, mientras que los soldados presentaban el aspecto de quien ha encontrado su lugar en el mundo y no puede estar más satisfecho con él. Así tenían que ser las cosas. Todo estaba en orden.

Era tan horrible que se le hizo un nudo en la garganta. Casi le resultaba insoportable saber que su mujer procedía de ahí, que ahí la habían concebido como iteración temprana de aquel vasto experimento de eugenesia que abarcaba al menos tres generaciones, desde los campos de concentración de la Segunda Guerra Mundial hasta las selvas de Brasil; engendrado, sin duda, con el objetivo último de crear una auténtica raza superior capaz de establecer y mantener un Cuarto Reich sin las imperfecciones (piedad, compasión, falta de visión) de sus antecesores meramente humanos.

Era una idea monstruosa.

Scheermann, el Oberführer, dijo algo en voz baja.

—¿Alban? Estamos esperando.

La sonrisa de Alban se ensanchó al dar un paso hacia delante. Tras una rápida mirada al Oberführer echó el brazo hacia atrás y dio a Pendergast un puñetazo tan fuerte en un lado de la cabeza que el agente del FBI cayó al suelo.

—Pelea —dijo.

Pendergast se levantó. Le sangraba la nariz.

—Lo siento, Alban, pero no puedo darte esa satisfacción —dijo.

Quedó tendido por segunda vez a causa de otro golpe.

—Pelea. No voy a permitir que mi padre se muera como un perro cobarde.

Pendergast se levantó por segunda vez y miró a su hijo con sus ojos claros. El puño golpeó otra vez con fuerza. Una vez más, Pendergast se derrumbó.

Un grito se elevó entre los esclavos andrajosos. De repente se produjo una aparición inesperada: Tristram.

—¡Basta! —gritó—. Es mi padre. ¡Y el tuyo también!

—Exacto —dijo Alban—. Y me alegro de que lo estés viendo, *Schwächling*.

Se volvió y le dio otro puñetazo a Pendergast.

—Menudo cobarde es nuestro padre. ¡Qué desilusión!

Tristram corrió hacia Alban, pero muy torpemente. Alban, ágil, se apartó y tendió un pie, truco de colegial que acabó con Tristram de bruces en el suelo.

Se oyó la risa viril de los soldados.

Pendergast se levantó del polvo y se quedó de pie sin decir nada, en espera del siguiente golpe.

81

Las risas se fueron apagando. Alban bajó la vista hacia su hermano, tirado en el suelo. Después se volvió lentamente hacia Pendergast y cogió su pistola, una Walther P38 restaurada con mimo por sus propias manos. Palpó el arma, fría y pesada. La había recibido de Fischer al cumplir diez años, y había sustituido las cachas originales por otras de marfil que él mismo había tallado.

Su gemelo, Cuarenta y Siete, se sentó en la tierra y se quedó mirando la pistola.

—No te preocupes, «hermano» —dijo Alban con displicencia—, no tengo ninguna intención de dañar mi granja personal de sangre y órganos. —Sopesó la pistola—. No, esto es para nuestro padre.

Der Schwächling se puso en pie.

—Vuelve con los tuyos —dijo Alban.

Los oficiales nazis, mientras tanto, aguardaban expectantes. También la Brigada de Gemelos superiores. Todos querían ver qué haría Alban y qué desenlace elegiría; él, que había sido elegido para la prueba beta. Era el momento. Su momento.

No pensaba equivocarse. Sacó el cargador para verificar que estuviera lleno y lo volvió a meter en su sitio. Después, con mucha parsimonia, dejando el brazo recto, introdujo una bala en la recámara.

Pero su gemelo no se movía. Habló en alemán, en voz alta y clara.

—¿Esto está bien?

Alban soltó una risa bronca y respondió con una cita de Nietzsche.

—«¿Qué es bueno? Todo lo que eleva el sentimiento de poder, la voluntad de poder, el poder mismo en el hombre.»

—Eso es malsano —dijo su gemelo.

Alban, muy consciente de su público, hizo el mismo gesto que si ahuyentase un insecto molesto. Solo faltaba Fischer.

—¿Y qué eres tú, Cuarenta y Siete, sino un saco de sangre y órganos, un vertedero de basura genética? Tus opiniones valen menos que el viento que sopla entre los árboles.

Sus palabras volvieron a despertar risas entre los soldados. No pudo evitar echarle un vistazo a su padre, que lo observaba con esos ojos suyos tan extraños cuya mirada no supo interpretar. Daba igual. No tenía importancia.

Su gemelo (que no sabía parar a tiempo, estaba claro) habló de nuevo, pero esta vez no a Alban, sino a los suyos.

—Ya lo habéis oído. «Los tuyos», ha dicho de vosotros y de mí. ¿Cuánto tiempo seguirán tratándonos como depósitos de sangre y órganos? ¿Cuánto tiempo seguirán tratándonos como animales? Yo soy un hombre.

Un grave murmullo entre la multitud.

—No te esfuerces, «hermano» —dijo Alban—. Si quieres ver el poder de la voluntad, fíjate bien.

Apuntó a su padre con la pistola.

—¿«Hermano»? —exclamó el gemelo dirigiéndose de nuevo a la horda de los defectuosos—. ¿Habéis oído la palabra? ¿No os dais cuenta de lo mal que está? ¿Un hermano contra otro? ¿Un hijo asesinando a su propio padre?

A Alban lo sorprendió un poco que los defectuosos reaccionaran. Se oyó un murmullo cada vez más intenso, acompañado por nuevos movimientos de desasosiego.

—¡Jo, jo! —exclamó burlándose—. ¡Que hable, que hable!

Lo alivió que sus palabras suscitasen una ola de alegres carcajadas entre los soldados. Se dijo que en cierto modo aquello no dejaba de ser gracioso, el revuelo de aquel grupo de imbéciles patéticos después de tantos años de frustración y privación acumuladas. Lo que le chocó fue lo bien que hablaba Cuarenta y Siete. En principio no estaba permitido. Al mirar a su alrededor no pudo evitar que se filtrase cierto nerviosismo en su sentido adelantado del tiempo, como si fuera a descargar una tormenta. Las incesantes ramificaciones se estaban estrechando en un solo camino y convergían en su mente hacia un único futuro.

Volvió a mirar a su padre, que lo observaba con un brillo en los ojos. El dedo de Alban se acercó al gatillo. Ya era hora de acabar.

—¡Esto no está bien! —exclamó con fuerza Cuarenta y Siete dirigiéndose hacia la multitud—. ¡En el fondo sabéis que está mal hecho! ¡Abrid los ojos! ¡Somos todos hermanos, hermanas, gemelos! ¡Compartimos la misma sangre!

En el cerebro de Alban las líneas del mundo se enroscaban y encrespaban en un incendio súbito de alerta máxima. Vio y sintió el gran vuelco. No era posible. Después de un adoctrinamiento tan escrupuloso, de tantos años de hacer planes, de perfeccionarlo todo… Pero estaba sucediendo, y Alban ya empezaba a vislumbrar cómo terminaría, como la base que se transparenta bajo el cuadro final. El murmullo de los defectuosos derivaba en tumulto. Ya se aventuraban a dar pasos, con las azadas, palas y guadañas en alto, y algunos recogían piedras del suelo.

—¡Podemos impedirlo! —gritó Cuarenta y Siete—. ¡Ahora!

Alban retrocedió, apuntando a su padre con la pistola. El Oberführer Scheermann lanzó una orden. Los soldados, ya en formación y muy armados, levantaron sus fusiles.

—¡Volved a los campos! —exclamó el Oberführer—. ¡Si no dispararemos!

Pero Alban ya sabía que no, que no eran capaces de abrir fuego contra los defectuosos. Salvo unos cuantos de la última iteración de gemelos (los mejores y más avanzados, como él), los otros, llegado el momento, no podrían matar a sus hermanos. Y si los oficiales nazis a cuyo cargo estaban trataban de disparar contra los defectuosos… Todo se unía en el cerebro de Alban con una horripilante claridad. Sería el final del programa y de la colonia, un final brusco y traumático tras medio siglo de investigación científica. Por muy repulsivos que fueran los defectuosos, eran imprescindibles. Se dio cuenta por primera vez de que eran tan esenciales como él para el proyecto. Los unos no podían existir sin los otros. ¿Por qué no lo había visto antes? ¿Por qué no lo había visto nadie antes? Todo el plan se basaba en una falsa hipótesis, en un farol. Y ahora el farol lo denunciaba su propio gemelo.

Comprenderlo, asistir a un giro tan brusco e inesperado, incluso espantoso, de los acontecimientos lo dejó atónito.

La multitud de defectuosos persistía en avanzar hacia la fila de soldados, cada vez con más arrojo, blandiendo entre gritos sus toscas herramientas. Alban sentía el calor de su ira.

Ya. Apretó el gatillo y disparó a Pendergast.

Pero su padre se le adelantó. En cierto modo había empezado a moverse antes de que Alban disparase, esquivando la bala como un rayo a una velocidad increíble, inesperada. ¿Cómo lo había hecho? Alban disparó otra vez, pero le estropeó el disparo una lluvia de piedras surgidas de la multitud, que al caer encima de él lo obligaron a levantar los brazos para protegerse.

Pendergast, que se había apartado, se echó encima de Alban de un gran salto. Alban se zafó con una pirueta y su padre solo le alcanzó en un lado del cuerpo. Alban volvió a disparar, pero el diluvio de piedras le impedía apuntar bien. No tuvo más remedio que retroceder, dar media vuelta y protegerse la cabeza con los brazos. Oyó que Scheermann gritaba una orden a sus regulares: «¡Fuego por encima de las cabezas!». Cuando lo repitió se produjeron dos enormes descargas seguidas, como truenos.

Los disparos mitigaron el ímpetu de los defectuosos, que al detenerse formaron una masa caótica. De un momento a otro lo que iba a ser una lucha se quedó en un pulso. Alban miró a su alrededor y vio que su padre se había puesto en pie y estaba al lado de Cuarenta y Siete, su gemelo, al frente de la multitud. Levantó otra vez el arma, pero justo entonces tuvo una visión mental del giro inexorable de la fortuna, de cómo se enderezaban las sendas torcidas del tiempo… y, horrorizado por lo que veía, se echó atrás, mientras Pendergast lo contemplaba con sus ojos terribles. Era inútil. Todas las ramificaciones, todos los caminos del tiempo llevaban a una vía sin salida, a un jaque mate al término de cada línea temporal.

De repente salió huyendo a través de la hilera de soldados, que lo dejaron pasar, tal como preveía. Tenía que llegar al lago, coger un barco hasta la fortaleza y encontrar a Fischer.

Y avisarlo de lo que estaba a punto de pasar.

82

Al ver correr a Alban, Pendergast supo por qué: su propio don le había permitido adelantarse bastante a los acontecimientos para, en suma, derrotarse a sí mismo. Su capacidad genéticamente mejorada de intuir el futuro lo justo para salir tan bien librado en los asesinatos de los hoteles, eludir con tal facilidad la persecución de su padre, raptar a su hermano en su escondite de Riverside Drive y salir victorioso de casi todos los duelos imaginables, aquel don se había vuelto en su contra. El conocimiento del futuro, aunque fuera un simple atisbo de cinco o quince segundos, había resultado ser una espada de doble filo, y de las más cortantes.

El pulso, mientras tanto, continuaba, y la tensión se aproximaba al punto de ruptura: a un lado se agrupaban los gemelos defectuosos, furiosos, desorganizados e iracundos, y en el otro formaba con perfecta disciplina la Brigada de Gemelos, silenciosa pero afectada en lo más hondo. En medio, el reducido cuadro de oficiales nazis empezaba a comprender al fin todo el alcance del dilema que les planteaban los dos grupos enfrentados, de unos cien gemelos ambos.

—¡Obedeced! —chilló Scheermann a los defectuosos—. ¡Volved a vuestro campo! —Señaló a Pendergast—. ¡Llevaos preso a este hombre!

—¡Como toquéis a mi padre —exclamó Tristram, al frente de la multitud—, atacaremos!

Un murmullo de aquiescencia. El Oberführer vaciló. Pendergast esperaba. Hasta que vio llegado el momento.

Se acercó sin previo aviso a las filas de soldados gemelos y cogió a uno por el cuello del uniforme, como un maestro a un colegial que falta a clase.

—¡Detenedlo! —aulló Scheermann cogiendo su pistola, pero parecía demasiado paralizado para resolver la tensión. Era evidente que lo había sorprendido la huida brusca e inesperada de Alban. Sin hacerle caso, Pendergast arrastró al soldado, estupefacto y pasivo, al otro lado, mientras usaba el otro brazo para coger a uno de los defectuosos (el gemelo del soldado) por su andrajosa camisa y juntarlos a los dos de un estirón.

—¡Te presento a tu hermano! —le gritó al soldado—. ¡A tu propio hermano! —Se volvió hacia los dos grupos de gemelos enfrentados—. ¡Vamos, buscad todos ahora mismo a vuestros hermanos y hermanas! ¡Los de vuestra misma sangre!

Y vio que los gemelos, aunque no quisieran, empezaban a mover los ojos y a enfocarlos en sus oponentes. Se oyó un murmullo inquieto. La ordenada formación de los soldados gemelos empezó a deshilacharse.

—Ya basta —dijo Scheermann apuntando la pistola hacia Pendergast.

—¡O baja la pistola o atacamos! —exclamó Tristram.

—¿Atacar, vosotros? ¿Con azadas? Será una carnicería —dijo con desprecio Scheermann.

—¡Pues si hay una carnicería ya pueden despedirse de su gran experimento!

Scheermann titubeó, mientras recorría con la mirada la fila de gemelos andrajosos.

—Estos hombres... —Pendergast señaló a los responsables nazis—. Vuestro enemigo de verdad son ellos, por haber separado al hermano del hermano y a la hermana de la hermana y haberos convertido a todos en conejillos de Indias. Pero ellos no, ellos no han participado. Y siguen siendo los que mandan. ¿Por qué?

Al Oberführer le temblaba un poco la mano que sostenía la pistola. La airada multitud se movió hacia él.

—¡Dispara y morirás! —dijo alguien.

Otro lo repitió.

—Vuelve a tu brigada, soldado —dijo Scheermann con desdén.

El soldado no se movió.

—¡Si no obedeces tomaré medidas! —gritó Scheermann dejando de apuntar a la cabeza de Pendergast para encañonar al soldado.

—Baja el arma —dijo lentamente este último—. Si no os matamos a todos.

El comandante estaba lívido. Al cabo de un momento bajó el brazo.

—Atrás.

El Oberführer retrocedió con precaución, primero un paso y después otro. De pronto levantó otra vez el brazo y pegó un tiro en el pecho al soldado.

—¡Atacad a los gemelos débiles! —chilló a los responsables nazis—. ¡Fuego a discreción! ¡Destruidlos!

En ambos bandos, en los dos grupos de gemelos, se elevó un rugido de rabia. Hubo un momento terrible en el que todo estuvo en suspenso. Después fue como si se rompiera un dique. La desordenada multitud de gemelos se lanzó hacia los oficiales nazis con sus toscas herramientas en alto.

Scheermann retrocedió disparando hacia la multitud, pero sufrió enseguida el asalto de los defectuosos, que se echaron rugiendo encima de él. La descarga que lanzaron los soldados y sus oficiales inició la batalla cuerpo a cuerpo. Los oficiales nazis disparaban a bocajarro hacia la multitud, provocando una carnicería atroz. Todo era confusión, un espantoso tiroteo en campo abierto en el que los soldados luchaban contra los desharrapados defectuosos: detonaciones de armas automáticas, ruido metálico de palas y guadañas al chocar con fusiles, gritos de heridos brotando de una masa de furia, polvo y sangre…

—¡Hermanos y hermanas! —exclamó la voz de Tristram—. ¡No matéis a vuestros propios familiares!

Empezaba a pasar algo. Muchos integrantes de la Brigada de Gemelos estaban rompiendo filas y cambiando de bando. Algunos soltaban las armas y abrazaban a sus hermanos; otros apuntaban a sus superiores. Aun así hubo un pequeño grupo de gemelos que se mantuvo del lado de los oficiales y los defendió con empecinamiento.

El caos comenzó a resolverse en dos bandos que luchaban entre sí. El reducido grupo de soldados gemelos leales y oficiales nazis había quedado en inferioridad de armas y no tenía más remedio que batirse lentamente en retirada, sin dejar de disparar ni de cobrarse un alto precio. El resto de la Brigada de Gemelos, los que habían cambiado de bando, luchaba junto con los defectuosos, que ahora, más organizados, atacaban con más fuerza y ponían fin a la masacre inicial. Los nazis se pusieron a cubierto en el maizal, perseguidos por el grueso de los gemelos reunidos. Dentro del maizal la batalla seguía en su apogeo. No tardó en declararse un incendio, con llamas que brotaban de los tallos secos y un manto de humo que agravaba aún más la confusión.

Pendergast despojó a un soldado muerto de su arma y se metió en el maizal hacia lo más cruento de la batalla, abriéndose paso entre tallos partidos y grandes columnas de humo. Iba en busca de Tristram. Oyó la voz del joven llamando, exhortando y azuzando a sus compañeros en el fragor de la batalla, y lo afectó en lo más hondo darse cuenta de hasta qué punto había subestimado a su hijo.

Empezó a rodear a gran velocidad a los oficiales nazis y los pocos leales que seguían con ellos, todos ya en retirada hacia el lago. En una maniobra de flanqueo se interpuso en el recorrido que iban a seguir y se agazapó para esperar su llegada. Cuando se acercaron levantó la pistola, apuntó al Oberführer (que iba entre los últimos, como tenía previsto) y lo abatió de un solo tiro. La respuesta fue inmediata. Las armas automáticas comenzaron a segar maíz alrededor de él, pero la pérdida del comandante desmoralizó al grupo en retirada, y al cabo de un momento de pánico y confusión se dispersaron y corrieron hacia el lago, seguidos por los otros.

Dentro de la misma maniobra individual de flanqueo, Pendergast cruzó el campo de maíz hacia el este y se adentró en la selva. Surcando la vegetación llegó al borde del cráter y se detuvo a hacer un reconocimiento. Los soldados en retirada habían llegado a los barcos. Desde su observatorio vio lo que pasaba: un grupo resistía, agazapado, mientras el resto embarcaba y hundía las barcas sobrantes para evitar una persecución. Cuando la vanguardia de los perseguidores llegó a la orilla, con Tristram en cabeza, estalló otra lucha sin cuartel, pero los nazis y los aliados gemelos que aún les quedaban lograron zarpar y alejarse de la orilla a gran velocidad, dejando media docena de embarcaciones rotas e incendiadas.

A medida que las barcas se alejaban de la orilla, los disparos se fueron apagando hasta cesar del todo. Había humo por todas partes. Los nazis se habían escapado e iban por el lago hacia la fortaleza, donde librarían su última batalla.

83

Tras la retirada de los nazis el ejército de los gemelos defectuosos, engrosado por la incorporación de la mayoría de sus hermanos, puso rumbo a Nova Godói, adonde no tardaron en llegar por sendas de montaña. No había nadie en las calles, pulcramente barridas. Las alegres casas de colores tenían cerrados los postigos, y dentro no había luz. Los habitantes del pueblo se habían acobardado. Algunos se habían escondido, y todo indicaba que muchos habían salido huyendo.

Al llegar a la plaza central los grupos de gemelos empezaron a dividirse en otros más pequeños y a distribuirse por las calles laterales, dispuestos a cumplir cualquier operación de limpieza que fuera necesaria. Pendergast, que los seguía, encontró a Tristram entre la multitud y se acercó. Al principio se miraron. Después se dieron un abrazo.

—Necesitáis una base de operaciones —le dijo Pendergast a su hijo—. Yo os aconsejo el ayuntamiento. Tomad prisioneros al Bürgermeister y a cualquier otro funcionario y organizad una defensa fuerte en previsión de un contraataque.

—Sí, padre —dijo Tristram.

Jadeaba, muy rojo, con un corte en la frente que sangraba en abundancia.

—Vela mucho por tu integridad personal, Tristram. Por aquí es posible que queden muchos nazis, incluidos francotiradores en los tejados. Tú eres un objetivo prioritario.

—¿Qué vas a hacer tú?

—Tengo asuntos pendientes. En la fortaleza.

Mientras se giraba volvió a mirar a su hijo.

—Estoy orgulloso de ti, Tristram —dijo.

Sus palabras hicieron que el muchacho se ruborizase, confuso e incluso sorprendido. Pendergast, que ya se iba, cayó en la cuenta de que probablemente fuera la primera vez que lo elogiaban.

Una vez encomendada a Tristram la conquista del ayuntamiento bajó al muelle por calles secundarias. Había algunos francotiradores, pero actuaban cada uno por su cuenta y el anochecer les restaba eficacia. El sol se había puesto en el borde occidental del cono de toba volcánica, dejando en el cielo una franja ensangrentada que ya empezaba a borrarse. Vio que al otro lado del lago, en los muelles destrozados de la isla, estaban llegando las dos barcas con el resto de las fuerzas nazis. Contempló la cruel silueta de la fortaleza, que los últimos rayos del sol poniente pintaban de bermellón.

Los nazis y los pocos simpatizantes que conservaban entre los supergemelos habían sufrido una dura derrota y se estaban retirando, pero todavía quedaban muchos soldados enemigos. Los nazis aún tenían a a sus científicos, sus técnicos y sus laboratorios, y su fortaleza seguía siendo un baluarte temible, casi inexpugnable. Habían recibido un duro golpe, pero nada les impediría reemprender su malévola labor.

Y para colmo Fischer seguía vivo.

Pendergast contempló durante mucho tiempo el lago. Después fue por el muelle, eligió una simple lancha a motor, saltó a bordo, puso el motor en marcha y zarpó hacia la isla.

Ya había anochecido tanto que su pequeña nave desapareció en la oscuridad del lago. Lo cruzó sin hacer ruido a una velocidad discreta, reduciendo el zumbido del motor a un vago ronroneo. Estaba dando un rodeo hacia la parte occidental de la isla. A unos cien metros de la orilla apagó la lancha y continuó a remo, usando la linterna, cuidadosamente tapada, para localizar el túnel por el que había salido a nado al escaparse horas antes de la fortaleza. Al reconocer la entrada remó por el pasadizo de piedra, volvió a encender el motor y recorrió el laberinto inundado hasta sentir que la quilla de la embarcación rozaba la piedra del fondo. Entonces dejó la lancha varada y siguió a pie, pasando junto a los cadáveres del coronel y varios de sus hombres hasta que llegó al gran espacio abovedado en cuyo centro había una jaula de acero.

Se paró a escuchar atentamente. Oía un levísimo rumor de actividad que llegaba de arriba: pasos rítmicos de botas, ecos de órdenes…

En cambio allí, en el nivel inferior de la fortaleza, reinaba el más absoluto silencio. Se dirigió hacia el depósito de munición contenido en la jaula de acero y lo enfocó con la linterna. Era un surtido abundante y variado: rollos de cable detonador, ladrillos de C-4, montones de cargas de demolición M112, cartuchos para tanquetas de 120 mm, botes de pólvora de precisión, minas de tierra, cajas apiladas con munición para armas de pequeño calibre, cajas de granadas, RPG, morteros, ametralladoras de calibre 50 y hasta un par de pistolas en miniatura con docenas de cajas de munición para cada una.

La jaula estaba cerrada a cal y canto. Tardó más de cinco minutos en abrirla. Una vez dentro prestó más atención. Como había observado al cruzar aquel espacio por primera vez, los nazis habían aprovechado una fisura natural del antiguo volcán para almacenar su armamento. Pese a la enorme cantidad de proyectiles, armas y cajas que se veía dentro de la jaula, solo era la punta del iceberg. Bajo el nivel del suelo había una cantidad todavía mayor de artillería, protegida por las propias paredes de la fisura. Los nazis no habían querido arriesgarse a que en caso de ataque un proyectil de una fuerza invasora volase por casualidad el almacén. Por eso estaba sepultado en el nivel más bajo de la fortaleza, y el grueso del material se hallaba rodeado y protegido por roca volcánica.

También estaba diseñado para que en caso de explosión esta se viera limitada por la roca natural. De esa manera no se destruiría esa zona de la fortaleza.

¿De verdad? Al contemplar el arsenal se acordó de otra cosa: de la amplia red radial de grietas recientes que había llamado su atención en la muralla de la fortaleza. No eran grietas causadas por el asentamiento normal de un muro antiguo, sino todo lo contrario: los había provocado el levantamiento del suelo, elevación que había separado y dislocado los enormes sillares de los cimientos de la fortificación. Solo podía significar una cosa: una sacudida reciente del suelo de la caldera del volcán, debida al movimiento ascendente del magma. Señal de que el volcán extinto tal vez no lo estuviera tanto…

Justo entonces, como si estuviera hecho a propósito, el suelo que pisaba sufrió un leve temblor, similar a los que había sentido antes.

Los nazis habían tomado la precaución de proteger su arsenal de cualquier ataque externo, salvo que fuera de tipo nuclear, pero tal vez se les hubiera pasado por alto la posibilidad de un ataque desde dentro con la participación de explosivos de gran potencia... y de la madre naturaleza. Sonrió un poco al pensar que no eran buenos geólogos.

Cogió uno de los botes de pólvora negra y vertió el contenido sobre las cajas y los barriles de pólvora que formaban el depósito de munición. Después vació otros dos envases sobre las armas hasta que toda la superficie del depósito quedó cubierta por una gruesa capa de pólvora. Por último cogió dos botes más, se puso uno debajo del brazo y usó el otro para formar un reguero de pólvora que salía del arsenal, cruzaba la puerta de la jaula y continuaba por el camino por donde él había venido. Tiró el envase vacío, abrió el otro y siguió trazando el sendero de pólvora hasta abandonar el espacio abovedado y continuar por el estrecho pasadizo de piedra.

Se le acabó la pólvora. Dejó el bote en el suelo y sacó la linterna para iluminar el fino rastro negro que acababa de dejar. Tenía unos veinte metros de longitud. Descansó un minuto, respiró profundamente y se puso de rodillas para coger un mechero, acercarlo al final de la línea de pólvora negra y encenderlo.

Inmediatamente saltó una chispa que hizo brotar una llama. El reguero de pólvora empezó a arder con un silbido brusco y se fue disolviendo en una nube baja de humo de camino al almacén de armas. Pendergast dio media vuelta y corrió por la red de pasadizos del subsótano.

Justo al llegar a la lancha, y empezar a subir, oyó a sus espaldas una explosión tremenda y ensordecedora. La siguieron dos más, señal de que la reacción en cadena comenzaba a detonar una parte cada vez mayor del depósito de armas de la fortaleza. Incluso a aquella distancia la fuerza del primer estallido lo arrojó de bruces al fondo de la lancha. Se levantó con un zumbido en los oídos y empujó la lancha. Después puso el motor en marcha, aceleró al máximo y se dirigió al túnel de salida a la máxima velocidad, siguiendo las vueltas y revueltas del pasadizo, peligrosamente cerca de los muros de piedra. Las explosiones se habían vuelto tan seguidas que, en vez de ser discretas detonaciones, eran una descarga constante de ruido desatado, a medida que el arsenal nazi volaba por los aires con una violencia cada vez mayor y las explosiones penetraban cada vez más en la fisura de debajo de la fortaleza. Hasta las paredes temblaban en torno a Pendergast por la fuerza de las explosiones. Cayeron al agua piedras, tierra y juntas del antiguo techo, lo que generó una ola atronadora que empujó la lancha hacia delante.

Salió con gran estruendo por la boca del túnel justo cuando la entrada se desmoronaba a su paso, convertida en cascotes. Sin detenerse ni mirar atrás, accionó a fondo el acelerador y salió disparado hacia el pueblo de Nova Godói. Solo redujo la velocidad y se volvió para mirar la fortificación cuando iba por la mitad del lago.

Los temblores se habían detenido. La fortaleza seguía en pie, oscura y silenciosa. Solo salía una cinta de humo de la confluencia entre el túnel y la orilla. Esperó. Pasaron los segundos sin que sucediera nada. Era evidente que la explosión del depósito no había tenido la potencia necesaria para fracturar la roca y hacer un agujero hasta la cámara magmática de debajo del cono de toba.

Aun así esperó. De pronto un temblor recorrió la superficie del agua. Los oídos de Pendergast captaron un sonido grave y casi inaudible, una vibración que percibió, más que en sus oídos, en sus huesos. La superficie del lago se estremeció, y mientras se formaban olas muy pequeñas la vibración adquirió una mayor intensidad. El agua se balanceaba sin descanso. Vio una grieta roja justo en la base del gran muro que rodeaba la fortaleza. La grieta se fue ensanchando poco a poco en sentido horizontal, a la vez que desprendía fogonazos y nubes de vapor como la tapa de una olla a presión gigantesca a punto de explotar.

Un fuerte destello. Otro. No eran explosiones provocadas por el hombre. Eran demasiado potentes y estruendosas, y su origen se encontraba a una profundidad excesiva. Poco después el trueno alcanzó a Pendergast y estuvo a punto de arrojarlo por la borda. En el aire nocturno brotaron varios géiseres de lava enormes y espectaculares, como fuentes gigantes, acompañados por el fragor del gas y el vapor al escaparse. Las atronadoras estampidas se propagaron por el lago como una fuerza física que ondulaba la superficie del agua. Bajo la atenta mirada de Pendergast pareció que reventasen trozos enteros de la fortificación. Torres, bastiones y muros se convirtieron lentamente en túrgidas nubes de fuego y humo con forma de seta.

Reconoció varias figuras diminutas (algunas de uniforme, otras con bata de laboratorio y otras con mono de trabajo) que bajaban hacia el lago como hormigas y se lanzaban al agua para amontonarse en las embarcaciones encalladas. La erupción de rocas, lava y fuego también hizo brotar consigo varias figuras con la ropa en llamas, como bombas humanas que dejaban rastros de humo.

Mientras Pendergast seguía mirando, incapaz de despegar la vista de aquel espectáculo, una nueva y espasmódica serie de explosiones sacudió la isla, acompañada de horribles destellos rojos y amarillos. La fortaleza, partida ya en dos, convertía la noche en un día siniestro. Al cabo de un momento las explosiones llegaron hasta Pendergast una tras otra, como puñetazos de presión que lo empujaban con brutalidad y hacían que su lancha se tambaleara, presa de una violenta agitación. Todo ello fue el preludio de un estallido colosal cuya estela de fuego y destrucción envolvió la mitad superior de la isla; una enorme tormenta de rocas, lava y humo ascendió como una columna destructora. Hubo después otra explosión, mayor aún que la primera, y tan profunda y sorda que pareció zarandear incluso las montañas; pero más que un estallido fue una implosión, y Pendergast vio que los restos fracturados y rotos de la fortificación empezaban a venirse abajo, primero lentamente y después más deprisa, hasta que la enorme y antigua fachada se desmoronó con un crujido que no era de este mundo. Vio brotar lenguas de lava viva de la boca desgarrada de la isla y salir disparadas hacia las alturas como bengalas de fuego, antes de caer de nuevo al lago y hacer hervir el agua, exponiéndolo a una lluvia de bombas.

Volvió a arrancar, rumbo a Nova Godói.

Con un último y convulso estruendo que pareció zarandear el núcleo mismo de la tierra fue la isla entera la que se resquebrajó esta vez, lanzando a miles de metros de altura fragmentos de piedra del tamaño de una casa y sillares labrados que con una violencia increíble destruyeron muchas de las embarcaciones de quienes pretendían ser evacuados de la orilla. Dibujando grandes arcos en el cielo nocturno, los detritos llegaron tan lejos que algunos alcanzaron el pueblo de Nova Godói, incendiaron la selva y provocaron una lluvia tan devastadora de desolación que Pendergast, como en una galería de tiro, tuvo que esquivar rocas y más rocas al surcar el agua a la mayor velocidad posible, tratando de salvar la vida.

84

Pendergast llegó a un embarcadero, bajó a tierra de un salto y corrió por el muelle. El puerto estaba vigilado por varios miembros de la Brigada de Gemelos, hipnotizados por la destrucción final de la isla. Ya se estaba apaciguando el caos de la estremecedora explosión final, y los parpadeos de la isla en erupción permitieron a Pendergast ver que media docena de embarcaciones de diversos tamaños habían logrado huir de la conflagración definitiva y se acercaban al pueblo por el lago. Vio que una de ellas, pequeña y de líneas elegantes, se aproximaba a gran velocidad. Sus ocupantes parecían científicos o técnicos, con batas de laboratorio. La embarcación rugió al chocar contra las piedras del muelle. Los pasajeros bajaron a tierra. Estaban aturdidos, con los ojos vidriosos. Más de uno tenía el pelo y las cejas chamuscados. Manchados de hollín, tosían sin aliento. Ninguno dijo nada al dar tumbos hacia el pueblo por el embarcadero. La Brigada de Gemelos los miró, pero en vez de detenerlos apuntó sus armas hacia el siguiente barco, que contenía a media docena de hombres con atuendo nazi. También ellos habían sufrido los efectos de la explosión, visibles en sus rostros tiznados y las quemaduras de sus uniformes. Unos cuantos parecían heridos.

Al acercarse el barco, la brigada tomó posiciones y empezó a disparar. Durante un minuto los nazis de a bordo respondieron con fuego esporádico, pero el tiroteo casi no tuvo tiempo de empezar. Los nazis soltaron las armas y se rindieron con las manos en alto, mientras el barco se aproximaba al muelle. Un destacamento de gemelos se los llevó bajo custodia.

Pendergast volvió a mirar el lago, cuya negra superficie se había convertido en el ardiente reflejo de la isla. En los bordes de esta última, reducida a un cono de lava hirviente, solo quedaban algunos restos de muralla. Una lancha dejaba su estela en el agua al acercarse al muelle en diagonal, apartándose al máximo del parpadeo de las llamas. Pendergast se fijó en ella. Tenía un solo tripulante, sentado en la popa con una mano en el timón del motor fueraborda. Era alto, de constitución robusta, con una espesa mata de pelo blanco que con los reflejos de la torre en llamas parecía poseer luz propia.

Fischer.

Desenfundó su arma y corrió por el muelle hacia la lancha que se estaba aproximando, pero justo en ese momento Fischer lo vio y dio un acelerón que lo apartó bruscamente del embarcadero y lo impulsó hacia la playa y la selva. Pendergast disparó y falló. Fischer sacó su pistola y devolvió el disparo, pero le salió muy desviado por el movimiento de la lancha. Pendergast se detuvo y apuntó con cuidado. Esta vez la bala perforó el motor fueraborda, que empezó a petardear mientras brotaban nubes de un humo muy negro en el aire cargado de cenizas. Fischer intentó apartar la embarcación de la orilla e ir hacia el centro del lago, pero el tercer disparo de Pendergast hizo que se tambalease con las manos en el pecho y cayera gritando por la borda.

La lancha en llamas continuó a la deriva, mientras Pendergast corría hasta el final del muelle y bajaba a la playa de guijarros, al otro lado de donde había caído el cuerpo de Fischer. Al llegar a las tres grandes rocas que surgían del agua justo después del muelle saltó a la más próxima y buscó algún rastro de Fischer en el agua oscura.

Se oyó un disparo. Pendergast sintió una fuerte quemazón, una especie de tajo abrasador que le rozaba el brazo izquierdo justo debajo de la herida de cuchillo del hombro. Se desplomó en la piedra húmeda y a duras penas consiguió conservar la pistola, mientras se reprochaba su falta de cautela. Una vez en situación de ponerse a cubierto y hacer un reconocimiento visual se dio cuenta de que Fischer debía de haberse parapetado detrás de una de las tres rocas, la más alejada de la orilla.

Aunque la bala de Fischer solo le hubiera rozado el brazo, sintió el calor de un reguero de sangre que empezaba a bajar hacia el codo.

La voz de Fischer salió de detrás de la roca.

—Parece que lo subestimé —dijo—. Menudo lío ha conseguido armar. ¿Qué planes tiene ahora?

—Voy a matarlo —contestó Pendergast.

—Morirá uno de los dos, pero no seré yo. Estoy armado, e ileso. Lo de caerse por la borda ha sido un numerito, como es posible que haya adivinado.

—Mató a mi mujer y tiene que morir.

—Siempre fue nuestra, no de usted. La habíamos creado nosotros. Formaba parte de nuestro gran proyecto.

—Su proyecto está muerto. Sus laboratorios y su base operativa destruidos. Hasta sus cobayas se le han vuelto en contra.

—Es posible, pero lo que nunca morirá es nuestro sueño, el de perfeccionar el género humano. Es el gran objetivo de la ciencia, su última finalidad. Si cree que acabará con eso, se engaña usted penosamente.

—Mucho me temo que sea usted quien se engañe, *mein Oberstgruppenführer* —dijo alguien detrás de Pendergast, que al dar media vuelta vio salir a Alban de la selva.

Estaba empapado, con la camisa manchada de sangre. Había sufrido quemaduras atroces en un lado de la cara, tan perfecta hasta entonces: rosada, chamuscada hasta extremos pavorosos, tenía partes en las que se había fundido la dermis y otras en que se veían los músculos y hasta los huesos. Llevaba una P38 en la mano.

Saltó ágilmente a la tercera roca y se detuvo. De fondo se veía la isla en llamas. Pese a las quemaduras, pese a las heridas, se movía con la misma elegancia de gacela en la que tantas veces había reparado Pendergast.

—Lo estaba buscando, herr Fischer —dijo—. Quería informarlo de que no se han cumplido exactamente sus planes. —Señaló con la cabeza la ardiente carcasa de la isla—. Como probablemente haya observado.

Hablaba cambiando de mano la pistola. Soltó una risa extraña. Su estado de ánimo era algo peculiar.

—¿Por qué no salen de donde están escondidos, debajo de estas rocas, y se miran a la cara como hombres de verdad? El desenlace será honroso, ¿no es cierto, herr Fischer?

El primero en reaccionar fue Fischer, que trepó sin decir nada por la roca y se plantó en lo más alto. Al cabo de un momento Pendergast hizo lo mismo. Se miraron los tres, bañados por el infernal resplandor anaranjado.

Fischer se dirigió con amargura a Alban.

—Para mí aún eres más culpable de esto que tu padre. Me has fallado, Alban. Totalmente. Después de todo lo que he hecho por ti, generaciones de cuidados, de perfeccionamiento genético, quince años de la más rigurosa y cuidadosa educación... aquí está el fruto.

Escupió en el agua.

—¿Y en qué he fallado yo, herr Fischer?

La voz de Alban había adquirido un matiz nuevo, peculiar.

—No has pasado la última prueba de tu hombría. Has tenido muchas oportunidades de matar a este hombre, tu padre, y no lo has hecho. El resultado es que se ha dispersado la flor de nuestra juventud, la semilla destinada a plantar el Cuarto Reich. Debería pegarte un tiro como a un perro.

—Un momento, *mein Oberstgruppenführer*. Todavía puedo matar a mi padre. Lo voy a hacer ahora mismo. Deje que le pegue un tiro y recupere su favor.

Alban levantó la pistola y apuntó a Pendergast. Durante un momento largo y glacial los tres hombres, cada uno en una de las rocas que surgían del lago, se quedaron donde estaban, como las puntas de un triángulo. La pistola de Alban apuntaba a Pendergast. Este movió su arma de fuego y dejó de encañonar a Fischer para dirigirla hacia su hijo.

Durante unos minutos de agonía Alban se quedó donde estaba, y él y Pendergast siguieron apuntándose, bañados por el brillo infernal, el de la isla que tronaba en erupción, mientras se oían disparos en el pueblo.

—¿Qué? —dijo Fischer al cabo de un rato—. ¿A qué esperas? Me lo temía. No tienes agallas para disparar.

—¿Usted cree? —preguntó Alban.

Bruscamente, con la rapidez de una serpiente al ataque, desplazó el arma hacia Fischer y apretó el gatillo. La bala le dio en el abdomen. Fischer se apretó la barriga con las manos, sin aliento, y soltó la pistola al caer de rodillas.

—El fracasado es usted —dijo Alban—. Su plan tenía un fallo, un fallo de base. No debería haber dejado vivir a los defectuosos. Ahora me doy cuenta. Poder recurrir a un banco de órganos era un precio demasiado alto a cambio del vínculo filial que nunca logró erradicar usted del todo. Quien ha fracasado es usted, *mein Oberstgruppenführer*, y hace tiempo me enseñó cuál debe ser el precio del fracaso.

Apuntó y disparó a Fischer por segunda vez, en medio de la frente. La parte trasera de la cabeza de Fischer se desprendió del resto de su cuerpo y se deshizo en una neblina de sangre, hueso y materia gris. Cayó hacia atrás sin hacer ruido, y su cuerpo resbaló por la roca hasta desaparecer bajo la superficie del lago.

Pendergast vio que la P38 se había descerrojado. El cargador de su hijo estaba vacío.

También Alban se dio cuenta.

—Está visto que me he quedado sin munición —dijo, mientras se metía el arma en la cintura—. Parece que al final no voy a matarte. —Sonrió torciendo la boca, aunque debió de dolerle de manera espantosa—. Y ahora, si me lo permites, tengo que irme.

Pendergast se lo quedó mirando. Hasta entonces no había conseguido asimilar lo sucedido. Le pareció increíble que su hijo mantuviera su arrogante compostura y su engreimiento, a pesar de las terribles quemaduras, de las heridas y de haberlo perdido todo.

—¿No dirás nada para despedirte de tu hijo, padre?

—Tú no te vas a ningún sitio —dijo lentamente Pendergast, sin apartar la pistola de Alban—. Eres un asesino, de los peores.

Alban asintió con la cabeza.

—Es verdad. Y he matado a más gente de la que te puedas imaginar.

Pendergast apuntó.

—Y ahora eres tú quien debe morir por tus crímenes.

—¿De verdad? —Alban soltó una risita—. Ya veremos. Sé que has averiguado que tengo un sentido excepcional del tiempo, ¿verdad?

—La Ventana de Copenhague —respondió Pendergast.

—Exacto. Deriva de la interpretación de Copenhague de la mecánica cuántica, que imagino conoces.

Pendergast asintió casi imperceptiblemente.

—Dicha interpretación consiste en la idea de que el futuro no es más que una serie de probabilidades en expansión, de líneas temporales de posibilidad que desembocan continuamente en realidades cuando se efectúan observaciones o mediciones. Es la explicación estándar de la mecánica cuántica que enseñan en las universidades.

—Todo indica —dijo Pendergast— que tu cerebro ha encontrado la manera de aprovecharse de ello para ver el futuro cercano y esas posibilidades que se ramifican.

Alban sonrió.

—¡Magnífico! Lo que ocurre es que la mayoría de los seres humanos solo tienen una percepción fugaz del futuro inmediato, unos segundos a lo sumo. Si ves que el coche de delante reduce en un stop percibes intuitivamente la probabilidad de que se detenga… o no. También puede que sepas lo que va a decir alguien un momento antes de que lo diga. Hace más de medio siglo que nuestros científicos entendieron la utilidad de esta característica y se propusieron mejorarla mediante la reproducción y la manipulación genética. El producto final soy yo. —El orgullo de Alban se hacía patente en su tono—. Mi percepción de las líneas temporales probabilísticas… está mucho más desarrollada que en las otras personas. Puedo percibir el futuro a quince segundos de distancia, y mi cerebro es capaz de ver a través de las docenas de posibilidades que se ramifican como si mirase por una ventana, hasta elegir la más probable. Quizá no parezca gran cosa, pero ¡qué diferencia! En cierto sentido mi cerebro es capaz de sintonizar con la propia función de onda psi. Pero eso no es lo mismo que predecir el futuro. Porque, claro, según la interpretación de Copenhague, no hay un futuro fijo. Además, como tan astutamente has deducido, este don mío puede verse obstaculizado por conductas bruscas, ilógicas o imprevisibles.

Su sonrisa, que las horribles quemaduras volvían truculenta, se ensanchó.

—Pero hay una cosa de la que estoy absolutamente seguro, padre, incluso sin usar mi sentido especial del futuro: que no puedes matarme. Ahora me iré. Por la selva. La única manera de detenerme sería un tiro moral, y eso no lo harás. *Auf Wiedersehen*, pues.

—No seas tonto, Alban. Sí que te mataré.

El joven abrió las manos.

—Estoy esperando.

Se produjo un largo silencio. Después Alban siguió hablando casi con desenvoltura.

—Ahora que no existe *Der Bund* soy libre. Solo tengo quince años. Me espera una vida larga y productiva. Como suele decirse, tengo el mundo a mis pies, y te prometo que conmigo será un mundo más interesante.

Después de estas palabras saltó ágilmente de la roca a aguas poco profundas.

Mientras Alban llegaba a la playa y subía por ella, Pendergast lo siguió con la pistola, mientras los dedos de su mano izquierda dejaban caer lentas gotas de sangre. Tampoco se movió ni dejó de apuntarlo cuando Alban, sin manifestar la menor prisa, siguió hasta las hierbas del borde de la playa, trepó por el pequeño terraplén y se adentró tranquilamente en un campo de hierba hasta fundirse con el muro negro e ininterrumpido de árboles del borde de la selva. Solo entonces, muy despacio, bajó Pendergast el arma. La mano le temblaba.

85

Era Nochebuena en el Hospital Mount Mercy. Cerca de la garita del vigilante, en la zona de espera, había un abeto de Douglas recién cortado con adornos de plástico prendidos a las ramas con discretas gomas elásticas. En las profundidades del hospital se oían vagamente los ecos de una grabación de villancicos. Por lo demás reinaba en la vasta y laberíntica mansión un silencio nostálgico, mientras los asesinos, envenenadores, violadores, pirómanos, vivisectores y desviados sociales que residían en ella cavilaban absortos en las navidades del pasado: pensaban en regalos recibidos, pero sobre todo en regalos infligidos.

El doctor John Felder iba por uno de los pasillos de Mount Mercy con el doctor Ostrom. En el transcurso de las últimas semanas se le habían curado casi del todo las costillas rotas, y se le había ido pasando la conmoción. La única cicatriz externa que quedaba de su terrible experiencia en la mansión Wintour era el corte en la sien, convertido en una línea morada, irregular.

Ostrom sacudió la cabeza.

—Qué caso más raro… Sigo teniendo la impresión de que solo hemos arañado la superficie.

Felder no respondió.

Ostrom se detuvo ante una doble puerta, que como casi todas en Mount Mercy no estaba rotulada. Fuera había un solo vigilante.

—¿Es aquí? —preguntó Felder.

—Sí. Si necesita cualquier cosa llame a los vigilantes.

Felder tendió la mano.

—Gracias, doctor.

—No se merecen.

Ostrom dio media vuelta y siguió por el pasillo.

Felder saludó al vigilante con la cabeza, respiró y empujó la puerta para entrar.

Al otro lado estaba la capilla de Mount Mercy, vestigio de la época en que el hospital había sido un sanatorio para los más acaudalados. Felder, que nunca la había visto, se quedó de piedra. No había cambiado nada desde finales del siglo XIX, su momento de apogeo, cuando el gran número de donativos por parte de pacientes temerosos de Dios y afectados por alguna dolencia había proporcionado a los diseñadores de la capilla un capital que los Médicis habrían envidiado. Era una obra maestra en miniatura, una joya de absoluta perfección. La nave única solo tenía seis hileras de profundidad con un pasillo central, pero los constructores habían tenido la buena idea de recrear las bóvedas nervadas de las catedrales góticas, llenando con vidrieras delicadas y de vivos colores tanto las paredes laterales como el deambulatorio curvo. Con el atardecer el interior de la capilla casi parecía inundado de luz; los bancos, las finas columnas y el resto de la arquitectura estaban tan moteados y bañados por la luz que apenas se podían distinguir. Felder titubeó antes de dar dos pasos. Era como estar dentro de un caleidoscopio eclesiástico.

Avanzó entre las filas de bancos mirando hacia ambos lados. Todo estaba en silencio. No había nadie. Sin embargo, al acercarse al presbiterio reparó en un pequeño altar a mano izquierda. En su único banco estaba Constance Greene, inmóvil, camuflada en la penumbra de colores, de modo que Felder tardó un minuto en divisarla. Se volvió y fue hacia ella. Estaba un poco inclinada hacia delante, absorta en el libro que sostenía en las manos. Tenía los labios entreabiertos y los ojos entornados; con sus largas pestañas daba la falsa impresión de estar dormida, pero Felder se dio cuenta de que estaba muy despierta, y de que sus ojos absorbían los renglones del libro con gran concentración. Se preguntó si sería una Biblia. Trató de controlar la excesiva rapidez con la que le latía el corazón.

Ella dejó de leer y lo miró.

—Feliz día, doctor Felder —dijo.

Él la saludó con la cabeza.

—¿Le importa si me quedo?

Ella sonrió un poco y le hizo sitio en el banco. Cuando cerró el libro, Felder reparó en que no era la Biblia, sino el *Satiricón* de Petronio.

—Hace algún tiempo que no viene a visitarme —dijo Constance cuando Felder se sentó—. ¿Cómo le va?

—Bastante bien, gracias. ¿Y a usted?

—También. Espero que estas fiestas no le...

—Constance —la interrumpió Felder—, ¿le importaría mucho que prescindiéramos de los cumplidos?

Ella lo miró con sorpresa.

Felder metió una mano en el bolsillo de su americana y sacó dos sobres, viejo y descolorido el uno, nuevo el otro. Se los puso delante.

Al cabo de un momento Constance cogió el sobre viejo con las dos manos, y Felder reparó en que se le dilataban las pupilas. Lo abrió sin decir nada y miró su interior.

—Mi mechón —dijo.

Su tono era muy distinto al que había utilizado para saludar a Felder e interesarse por su estado.

Felder inclinó la cabeza.

Constance se volvió hacia él con algo que casi parecía entusiasmo.

—¿Y dónde lo ha encontrado si se puede saber?

—En Connecticut.

Ella frunció el entrecejo.

—¿Connecticut? Pero...

Felder atajó la pregunta con la mano.

—Cuantos menos detalles sepa, Constance, mejor. Para los dos.

La mirada de Constance se desplazó a la cicatriz de su sien.

—Doctor, al indicarle la existencia del mechón no pretendía que corriera usted riesgos para conseguirlo.

—Ya lo sé.

Sacó el mechón del sobre y se lo puso en la palma de la mano. Después se lo quedó mirando y recorrió su breve extensión con la punta de un dedo, con extrema suavidad. En aquel extraño recinto de color y silencio su expresión pareció alejarse mucho. Estuvo callada durante varios minutos. Felder no decía nada.

Finalmente, con bastante brusquedad, Constance recuperó la compostura, metió el mechón en el sobre y se lo devolvió.

—Disculpe —dijo.

—No faltaría más.

—Espero que no haya sufrido usted… ningún percance durante su obtención.

—Ha resultado una experiencia interesante.

Constance cogió el otro sobre, cuyo remite correspondía a un laboratorio de Saratoga Springs.

—¿Qué es esto?

—Las pruebas de ADN del mechón.

—Ajá. —La actitud de Constance, que se había vuelto cada vez más informal, se tiñó de una mayor reserva—. ¿Y qué dice el informe?

—Fíjese en el sobre —dijo Felder— y verá que no lo he abierto.

Constance le dio la vuelta.

—No entiendo.

Felder respiró hondo y se dio cuenta de que sus brazos y sus piernas empezaban a temblar.

—No necesito leer los resultados. Ya la creo, Constance. Me lo creo todo.

La mirada de Constance iba del sobre a Felder.

—Sé la edad que tiene… y lo joven que es. No necesito que me lo diga ningún análisis de ADN. Sé que no mentía al decir que nació en la década de 1870. No lo entiendo pero me lo creo.

Constance no decía nada.

—También sé que no mató a su hijo. Seguro que tuvo sus razones para mentir. En cuanto se sienta capaz de explicármelas podremos continuar.

En los ojos de Constance brilló algo.

—¿Continuar?

—Para que se le revoque la reclusión involuntaria. Y para que se le retire la acusación de homicidio. —Felder se acercó un poco más—. Constance, fui yo quien aconsejó traerla aquí, y ahora me doy cuenta de que fue un error. Usted no está loca. Tampoco ha asesinado a su hijo. Era una cortina de humo. Si me dice dónde está el niño haré que lo comprueben las autoridades, y entonces podremos poner en marcha el proceso de obtener su puesta en libertad.

Constance vaciló.

—Es que… —dijo, pero no acabó la frase; por una vez parecían faltarle las palabras.

Felder había meditado, planeado y soñado aquel momento, pero ahora que lo vivía fue como si lo tomara por sorpresa tanto como a Constance.

—Me he arriesgado enormemente para conseguir este mechón. —Se tocó la cicatriz—. Esto es lo de menos.

Dejó tiempo a Constance para asimilar sus palabras.

—Tenía que saberlo. No es culpa de usted, claro que no, pero ahora que está hecho quiero que sepa que lo volvería a hacer. Por usted caminaría sobre el fuego, Constance. No... no, por favor, déjeme hablar. Lo haría otra vez por... por lo que siento por usted. Y no es solo por haberla tratado injustamente al recluirla aquí; es por los sentimientos que se me han despertado con el tiempo. Quiero reparar la injusticia y sacarla de aquí porque tengo la esperanza de que al liberarla, y ponernos al mismo nivel, pueda verme, con el tiempo, no como médico, sino como... como... —Vaciló, más confuso que nunca—. Por supuesto que a partir de ese momento la ética profesional me obligaría a recusarme a mí mismo como médico de usted... eso, claro, si...

Finalmente se calló, confuso. Después se atrevió a coger la mano de Constance, y levantó la vista con temor para mirarla a los ojos. Bastó una simple mirada. Volvió a bajar la vista y le soltó la mano, presa de un malestar.

—Doctor... —dijo ella con suavidad—. John, estoy emocionada, de verdad, y mucho. No podría expresar cuánto valoro que me crea, pero la verdad es que jamás podría corresponder a los sentimientos que al parecer alberga usted hacia mí debido a que mi corazón es de otro.

Felder no levantó la vista. Constance había bajado gradualmente la voz durante su respuesta, cada vez más agitada. Las últimas cinco palabras fueron casi inaudibles.

Recordó el primer día en que Constance había mencionado la existencia del mechón, allá en la biblioteca de Mount Mercy; el día en que había dado a entender que encontrarlo y sacarlo a la luz haría algo más que darle la razón: sería para Felder la prueba de su amor, la manera de demostrar la hondura de sus sentimientos y borrar un pasado de pasos en falso y observaciones médicas dudosas. Se dio cuenta, sin embargo, de que todo habían sido imaginaciones suyas. Constance no había dado a entender nada de nada. Era él quien había proyectado sus esperanzas en lo que le ofrecía: una simple ocasión de comprobar que lo de su edad era cierto. Y solo porque lo exigía él.

Notó que Constance le cogía la mano, y al levantar la vista vio que sonreía. Se había recuperado del todo, y su sonrisa contenía la mezcla habitual de diversión serena y distancia benévola.

—No puedo corresponder a sus sentimientos, doctor —dijo ella apretándole ligeramente la mano—, pero algo sí puedo hacer: explicarle mi historia. Es una historia que nunca he contado a nadie, al menos en su integridad.

Felder pestañeó asimilando poco a poco sus palabras.

Constance siguió hablando.

—Lo siento, pero tendrá que quedar entre usted y yo. ¿Le interesa?

—¿Que si me interesa? —repitió Felder—. Dios mío… Pues claro que sí.

—Muy bien, pues le ruego que lo considere como un regalo. —Constance hizo una pausa—. Después de todo… es Nochebuena.

86

Se quedaron inmóviles bajo la profusión de manchas luminosas. Por encima del hombro de Felder, Constance miraba la nave de la capilla. Los dos sobres, el viejo y el nuevo, estaban sobre el banco, entre los dos.

Constance empezó a hablar.

—Nací en el número 16 de Water Street de Nueva York, en la década de 1870. Lo más probable es que fuera en verano de 1873. Cuando tenía cinco años mis padres murieron de tuberculosis. En 1878 recluyeron a mi hermana mayor, Mary, en un asilo, la Misión de Five Points. Al final desapareció. Mi hermano Joseph murió en 1880. Todo eso ya lo sabe usted.

»Lo que no sabe es que mi hermana Mary fue víctima de un médico vinculado a la Misión de Five Points, un cirujano de gran habilidad que se hacía llamar Enoch Leng y que se caracterizaba por una ambición muy singular: prolongar la duración de su vida muy por encima de la de un ser humano normal. Antes de que lo juzgue usted conviene que le explique que el doctor no pretendía extender su vida por motivos egoístas, sino que trabajaba en un proyecto científico, un plan que tardaría más en completarse de lo que duraba una vida normal.

—¿Qué proyecto científico? —preguntó Felder.

—Los detalles del proyecto no son necesarios para mi historia. —Constance hizo una pausa—. Llegamos ahora a la primera de una larga serie de extravagancias. Las teorías del doctor Leng eran tan poco ortodoxas como su sentido de la ética médica. Sus investigaciones lo convencieron de que era posible crear un tratamiento médico, una especie de fórmula o arcano, para prolongar mucho la vida. Los ingredientes solo se podían extraer de tejidos humanos vivos, tomados de una persona joven y sana.

—Madre de Dios… —murmuró Felder.

—Como especialista en un asilo de niños pobres de la zona de Five Points, en Manhattan, el barrio de peor fama de toda Nueva York en esos tiempos, el doctor Leng no andaba escaso de materia prima. Mi propia hermana fue víctima de sus experimentos. Hace unos tres años, en Lower Manhattan, descubrieron su cadáver mutilado en una fosa común junto con varias decenas más.

Felder recordó haber encontrado un artículo sobre el descubrimiento en una de sus visitas a la biblioteca pública. Era un artículo del *New York Times* escrito por Smithback, aquel reportero a quien más tarde habían asesinado. «Conque Mary Greene era hermana de Constance», pensó.

—Debo decir, aunque me pese, que mientras el doctor Leng refinaba su técnica, sus víctimas fueron muy numerosas. Baste decir que en 1885 consiguió perfeccionar su arcano.

—¿Encontró la manera de alargar su vida?

—Su técnica se centraba en la agrupación de nervios que recibe el nombre de cauda equina; siendo usted médico no hace falta que le dé más explicaciones anatómicas. En efecto, a través de una serie de perfeccionamientos cada vez más sutiles lo cierto es que logró crear un arcano que retardaría de manera drástica el proceso de envejecimiento del cuerpo humano. Yo para entonces ya era pupila suya y vivía en su casa.

—¿Que usted…? —empezó a decir Felder.

—Después de la desaparición de mi hermana me convertí en lo que llamaban entonces «pilluelos». No tenía familia. Vivía en la calle, haciendo lo necesario para sobrevivir: pedía limosna, hacía piruetas o barría la basura de las aceras para los peatones con la esperanza de recibir algún penique. Más de una vez estuve a punto de morir de frío o de hambre. Dormí muchas noches a la sombra de la Misión de Five Points, donde ofrecía gratuitamente sus servicios el doctor Leng. Un día el doctor me preguntó mi nombre. Creo que cuando se lo dije comprendió que era responsable de mi situación y no sé por qué se apiadó de mí. O no. El caso es que me llevó a su mansión de Riverside Drive y me usó de conejillo de Indias: me administró el arcano perfeccionado, probablemente para poner a prueba sus efectos secundarios, y lo extraño es que con el paso del tiempo se encariñó de mí. La razón nunca la sabré. Me alimentaba, me vestía, me educaba y… seguía administrándome el mismo elixir que se tomaba él.

Las últimas palabras fueron pronunciadas lentamente. La capilla quedó unos minutos en silencio. Era una historia increíble, y a Felder le constaba que era verdad.

Al final Constance siguió hablando.

—Durante muchos, muchos años vivimos en soledad y reclusión dentro de la mansión. Yo proseguí con mis estudios de literatura, filosofía, arte, música, historia e idiomas, en parte con la ayuda del doctor y en parte sola, recurriendo siempre que lo deseaba a su biblioteca y sus colecciones científicas. Mientras tanto el doctor Leng seguía con su trabajo. Hacia 1935 obtuvo su segundo éxito: usando una serie de sustancias y compuestos químicos que anteriormente no tenía a su disposición logró sintetizar un arcano que ya no requería… factores humanos.

—En otras palabras, dejó de matar —dijo Felder.

Constance asintió con la cabeza.

—Si era necesario para prolongar su vida no tenía especiales reparos en cobrarse las ajenas, pero como científico ofendía su sentido de la pureza y la estética. Dejó de matar, en efecto. Ya no lo necesitaba. El arcano que seguíamos tomando era ya puramente sintético. Sin embargo, su mayor objetivo seguía sin cumplirse, así que continuó con sus investigaciones hasta que en primavera de 1954 conocieron un final bastante brusco.

—¿Por qué en 1954? —preguntó Felder.

En el rostro de Constance apareció una leve sonrisa.

—Tampoco eso guarda relación con mi historia, aunque le diré una cosa: una vez el doctor Leng me explicó que existen dos maneras de «curar» a un paciente. La habitual es devolverle la salud.

—¿Y la otra?

—Poner fin a sus dolores. —La sonrisa se borró—. En todo caso, una vez concluida su labor (o cuando fue ya innecesaria, para ser más exactos), el doctor Leng dejó de tomar el elixir. Perdió interés por la vida, se recluyó aún más en la mansión y empezó a envejecer a un ritmo normal. A mí, en cambio, me dio a elegir y… elegí seguir con el tratamiento.

»Así siguieron las cosas durante algo más de cincuenta años, hasta que fuimos víctimas de una invasión inesperada y violenta. Al doctor Leng lo mataron, y yo me escondí en lo más profundo de la casa. Al final el orden se restableció y la mansión pasó a manos del tataranieto del hermano de Leng, Aloysius Pendergast.

—¿Pendergast? —repitió Felder con enorme sorpresa.

Constance asintió.

Felder sacudió la cabeza. No podía asimilar tantas cosas.

—Antes de revelarle mi presencia observé a Pendergast durante muchos meses, y él tuvo la bondad de adoptarme como... pupila. —Constance cambió de postura en el banco—. Bueno, doctor Felder, pues ya lo sabe. Ya conoce mi pasado.

Felder respiró hondo.

—Y... ¿su hijo?

Se preguntó, sin poder evitarlo, quién era el padre.

—A mi hijo lo di a luz en Gsalrig Chongg, un monasterio tibetano casi inaccesible, y a través de un complejo proceso los monjes del monasterio reconocieron en él a la decimonovena encarnación de uno de los rinpoches más santos del Tíbet. Resultó ser una situación muy peligrosa. Las autoridades chinas de ocupación han sido implacables en su represión del budismo tibetano, y especialmente de la idea de la reencarnación de los hombres santos. En 1995, cuando el Dalai Lama proclamó a un niño de seis años como undécima encarnación del Panchen Lama, los chinos lo secuestraron y desde entonces no lo ha visto nadie. Es probable que lo asesinaran. Al enterarse de que mi hijo había sido proclamado decimonovena reencarnación del rinpoche, los chinos vinieron a buscarlo.

—Y por eso hubo que convencerlos de que estaba muerto —dijo Felder.

—Exactamente. Yo fingí huir con él y lanzarlo más tarde por la borda, todo ello como maniobra de distracción. Mi detención fue muy comentada y pareció satisfacer a los chinos. Mientras tanto a mi hijo de verdad lo pasaron clandestinamente desde el Tíbet a la India.

—¿O sea, que subió al *Queen Mary 2* con un muñeco y lo echó por la borda?

—Exacto: un muñeco a tamaño natural que cayó al agua a mitad de trayecto.

Hubo un momento de silencio antes de que Felder volviera a hablar.

—Hay otra cosa que no entiendo. ¿Por qué me mandó en busca del mechón? Yo siempre supuse que era... —Se ruborizó—. Una prenda de amor. Para lavar mis culpas y ponerme a prueba. Usted, sin embargo, me ha dejado bien claro que... que no alberga ningún sentimiento de esa clase hacia mí.

—¿Aún no ha adivinado la respuesta, doctor Felder? —respondió Constance—. Bueno, supongo que hay dos. —Sonrió ligeramente—. El día en que vino a verme aquí, a la biblioteca, yo acababa de recibir la noticia de que mi hijo había llegado sano y salvo a la India. Está en Dharamsala, con el gobierno tibetano en el exilio, muy bien protegido. Ahora podrá crecer y recibir la educación necesaria para cumplir con su condición de decimonoveno rinpoche in absentia. A salvo de los chinos.

—Así que ya no hace falta mantener la ficción de que mató usted a su hijo.

—Exacto, y de resultas de ello ya no es necesario que permanezca por más tiempo en Mount Mercy.

—Pero para que le permitieran irse tendrían que certificar que está usted en pleno uso de sus facultades mentales.

Constance inclinó la cabeza.

—Lo cual significaba convencerme a mí de su cordura.

—Correcto, aunque también existe otra respuesta, como ya le he dicho: convencerlo de mi cordura aclararía las dudas que lo atenazaban. Saber que lo que decía yo era cierto lo ayudaría a resolver las dificultades de mi relato, las cuales me consta que lo han desgastado.

En algo, por lo tanto, sí que le importaba. Al menos había reparado en su conflicto interior y se había compadecido de él. En el silencio subsiguiente Felder comenzó a elaborar los argumentos que formularía para revocar el confinamiento de Constance. Lo consternó cada vez más percatarse de que no podría usar como prueba nada de lo que le había contado Constance. En una vista judicial no le darían credibilidad alguna. Tendría que encontrar otra manera de salir del laberinto judicial y de demostrar que el niño que vivía en la remota India era hijo de Constance, pero era consciente de que le debía eso y más. Al menos sería fácil probar que el niño estaba vivo, gracias a lo avanzadas que estaban las pruebas de ADN.

Tenía tantas preguntas que por alguna razón no era capaz de formularse mentalmente ni una sola. De lo que se dio cuenta fue de que necesitaba tiempo para procesar todo lo que había oído. Era el momento de irse.

Cogió los dos sobres y tendió a Constance el viejo y amarillento.

—Esto es suyo por derecho —dijo.

—Estaría más contenta sabiendo que lo tiene usted.

Felder asintió y se los guardó los dos en el bolsillo de la chaqueta. Después se puso en pie, pero antes de irse vaciló un momento. Quedaba una cuestión importante por resolver.

—Constance —dijo.

—Dígame, doctor.

—El... esto... el arcano... ¿Cuándo dejó usted de tomarlo?

—Cuando mataron a mi primer tutor, el doctor Leng.

Titubeó.

—¿Alguna vez le preocupa?

—¿El qué?

—El... Perdone, pero no se me ocurre ninguna manera delicada de formularlo. Saber que prolongaron artificialmente su vida mediante el asesinato de personas inocentes.

Constance lo observó con esos ojos suyos tan profundos e inescrutables. Pareció hacerse un gran silencio en la capilla.

—¿Conoce usted —preguntó ella al cabo— esta cita de F. Scott Fitzgerald? «La prueba de una inteligencia de primera es la capacidad de retener dos ideas opuestas en la mente al mismo tiempo, y seguir conservando la capacidad de funcionar.»

—Sí, la había oído.

—Pues tenga esto en cuenta: yo no me limité a ser beneficiaria de los experimentos del doctor Leng. Me convertí en pupila de quien asesinó y mutiló a mi propia hermana. Pasé más de cien años bajo su techo, leyendo sus libros, bebiendo sus vinos, consumiendo su comida y manteniendo con él conversaciones agradables al atardecer, sabiendo siempre quién era y qué le había hecho a mi hermana. Un caso singular de ideas opuestas, ¿no le parece?

Se quedó callada. Felder distinguió una expresión insólita en sus ojos. ¿De qué? No lo supo.

—Por eso le hago esta pregunta, doctor: ¿significa que tengo una inteligencia de primera… o que estoy loca? —Sus ojos profundos brillaron al callar—. O… ¿ambas cosas?

Acto seguido se despidió con un gesto de la cabeza, cogió el libro y empezó a leer.

87

D'Agosta temía que hubieran cerrado el viejo bar. Hacía años que no lo frecuentaba. De hecho lo conocían pocos de sus colegas de la policía. Los helechos en macetas de macramé garantizaban que ningún poli que se respetase estuviera dispuesto a ser pillado en él. Sin embargo, al meterse en Church Street por la esquina con Vesey haciendo crujir la fina capa de nieve vio con alivio que aún estaba abierto. Los helechos de la ventana parecían, si acaso, más muertos que nunca. Bajó los peldaños y entró.

Laura Hayward ya había llegado. Estaba al fondo, en la misma mesa —menuda coincidencia—, y tenía en la mano una Guinness recién servida, con su espuma. Cuando lo vio acercarse, sonrió.

—Ni siquiera sabía que este sitio tuviera un nombre —dijo mientras D'Agosta se sentaba.

Él asintió con la cabeza.

—Vino Veritas.

—Puede que el dueño sepa de vinos. O que haya estudiado en Harvard. O las dos cosas.

D'Agosta no acabó de entender el comentario, y en lugar de contestar, hizo un gesto al camarero y señaló la cerveza de Hayward.

—Me ha parecido bien quedar aquí —dijo, mientras le ponían delante su Guinness—. A un tiro de piedra de la comisaría central.

Bebió un trago de su pinta y se apoyó en el respaldo, afectando despreocupación cuando en realidad estaba hecho un manojo de nervios. Se le había ocurrido la idea cuando se dirigía al trabajo por la mañana. Nada de grandes planes esta vez. Nada de preparativos laboriosos. Su intuición le decía que era mejor tomar la vía directa.

—Parece que el despacho del capitán Singleton está que arde…
—dijo Laura para provocarlo.

—¿Ah, pero ya ha corrido la voz?

Ella asintió con la cabeza.

—Midge Rawley. La última persona que podías imaginarte. Habiendo sido secretaria confidencial de Glen, y llevar… ¿cuánto, diez años sabiendo hasta lo último que hacía?

—Sí, y creo que siempre había sido leal. Hasta hace poco. Al menos es cuando se hicieron los pagos, según la documentación bancaria.

—Yo he oído que tenía problemas personales. Se había separado de su marido y tenía a su madre en una residencia. Supongo que por eso la eligieron.

—Puede que la chantajeasen. Casi da pena.

—Casi, hasta que te acuerdas de que fue su chivatazo lo que delató el lugar de reunión en Central Park. Y lo que desencadenó un tiroteo con cinco muertos y el secuestro y asesinato de Helen Pendergast. —Laura hizo una pausa—. ¿Se ha destapado algo con la orden de búsqueda?

D'Agosta sacudió la cabeza.

—Esperamos que nos digan algo más los registros de audio y videovigilancia. O la propia Rawley. Ahora mismo los de Asuntos Internos la tienen en las mazmorras. Ya veremos. Igual le da por hablar.

Bebió un poco más de Guinness. Se estaba poniendo cada vez más nervioso, y lo que menos lo ayudaba era hablar de cualquier cosa.

—Bueno, Vinnie, el caso es que lo has hecho bien. Te has marcado un señor triunfo.

—Gracias.

—También puede que le baje un poco los humos a Singleton.

D'Agosta ya lo había pensado. El descubrimiento de un topo en su propio despacho privado pondría a Singleton a la defensiva, como mínimo, lo cual contribuiría indirectamente a apartar los focos de D'Agosta. De todos modos era una lástima; Singleton era buen hombre, qué caramba.

—En realidad el mérito se lo tendría que llevar Pendergast —dijo.

—¿Qué pasa, que te ha llamado de repente y te ha dicho a quién tenías que acusar?

—No del todo. Digamos que me ha puesto en la dirección correcta.

—Bueno, pues entonces el mérito es de tu buen trabajo. No te quites importancia, Vinnie, te has marcado un punto de los buenos. Ponte tú la medalla, y a los otros que los zurzan. —La sonrisa de Laura se hizo más profunda—. ¿Eso quiere decir que tú y el agente Pendergast volvéis a ser amigos?

—Bueno, me ha llamado «querido Vincent», si es que quiere decir algo...

—Ya. O sea, que Pendergast ha vuelto a Nueva York, el Asesino de los Hoteles ya no asesina y a los psicólogos del FBI les parece que se ha ido a otro sitio. Y hoy es Nochebuena. ¡Pero qué bien va todo, santo Dios!

Levantó el vaso.

D'Agosta se tomó otro trago de Guinness. Casi no notaba su sabor. Le costaba estarse quieto. La situación empezaba a ser insoportable. Tenía que encontrar alguna manera de sacar el tema, pero ¿cómo?

De repente se dio cuenta de que Laura había dejado el vaso y lo observaba atentamente. Se miraron un momento sin decirse nada. Después fue ella quien habló.

—Sí —dijo en voz baja.

D'Agosta se quedó perplejo.

—¿Perdón?

Ella le cogió la mano.

—Pero qué tontorrón... Deja que te ayude a no sufrir. Pues claro que quiero casarme contigo.

—¿Qué... cómo...?

D'Agosta se quedó callado. No tenía palabras.

—¿Qué te crees, que soy tan tonta? ¿Para qué ibas a citarme aquí, en el sitio más raro del mundo? Con lo que has insistido en elegir justo este bar... Donde nos conocimos. Hace dos años, ¿te acuerdas? —Laura le apretó la mano y se rió—. «Vino Veritas.» ¡Y tanto! ¿Sabes qué? Que en el fondo eres un blandengue, teniente D'Agosta; un sentimental. Que es una de las cosas, una de las muchas, que me gusta de ti.

D'Agosta bajó la vista. Estaba demasiado emocionado para hablar.

—No me puedo creer que lo supieras. Pero si…

—Bueno, ¿y el anillo dónde está?

D'Agosta balbuceó al tratar de explicar que había sido una idea espontánea, en el último momento, pero Laura lo interrumpió con una risa.

—Es broma, Vinnie. A mí me gusta lo espontáneo. El anillo puede esperar. No pasa nada.

Cogió su mano, avergonzado.

—Gracias.

Ella ladeó la cabeza sin dejar de sonreír.

—Vámonos a otro sitio, pero nuevo, y que esté bien. Esto será muy nostálgico, pero mejor fabricarnos un nuevo recuerdo. Esto hay que celebrarlo. Y no solo porque sea Nochebuena. Tenemos que hacer muchos planes.

Pidió la cuenta con un gesto al camarero.

Epílogo

Solo el fuego y las velas iluminaban la espaciosa biblioteca del número 891 de Riverside Drive Avenue, con sus paredes de madera labrada. Era una tarde de finales de enero. Sobre los coches que pasaban por Riverside y la West Side Highway caía una llovizna gélida, pero las ventanas, con barrotes y cortinas, no dejaban penetrar el ruido del tráfico, ni el tic tic del hielo en los cristales. Solo se oía el chisporroteo de las llamas, el roce de la pluma estilográfica del agente Pendergast sobre un papel verjurado de color crema y una conversación esporádica en voz baja entre Constance Greene y Tristram.

Constance y Tristram estaban sentados al lado de la chimenea, en una mesa de juego. Ella le enseñaba a jugar al *ombre*, un juego de cartas pasado de moda desde hacía décadas, por no decir un siglo. Tristram miraba sus cartas fijamente, con una mueca pensativa en su joven rostro. Constance le estaba enseñando los juegos lentamente. Habían empezando por el whist, y ya la memoria, la concentración y las facultades lógicas de Tristram mostraban una notable mejoría. Ahora estaba inmerso en las sutilezas de las espadillas, las entradas y los estuches.

Pendergast ocupaba el escritorio del rincón del fondo, frente a una pared de libros encuadernados en piel. De vez en cuando levantaba la vista de lo que escribía y recorría la sala con sus ojos plateados, que siempre acababan posándose en las dos personas que jugaban a las cartas.

El silencio de la habitación fue interrumpido por el móvil del agente. Lo sacó del bolsillo y miró el número.

—¿Diga? —contestó.

—¿Pendergast? Soy Corrie.

—Señorita Swanson. ¿Cómo le va?

—Muy bien. Por fin he vuelto a Nueva York. Por eso llamo. Le tengo que contar algo acojonante... y...

Un momento de vacilación.

—¿Va todo bien?

—Bueno, si se refiere a no oír el paso del ganso a mis espaldas sí, pero oiga, que he resuelto un caso, uno de los de verdad.

—Estupendo. Quería disculparme por no haberle podido prestar más ayuda cuando vino a verme en diciembre, pero es que tenía mucha fe en su capacidad de cuidarse sola. Una fe justificada, al parecer. Por cierto, yo también tengo que contarle algo bastante interesante.

Una pausa.

—Bueno —dijo Corrie—, ¿hay alguna posibilidad de que se repita la invitación para comer en Le Bernardin?

—Qué negligente por mi parte no haberlo propuesto de inmediato... Ahora bien, tendría que ser pronto, porque estoy pensando en tomarme unas largas vacaciones.

—Diga usted la fecha.

Pendergast consultó una pequeña agenda de citas que sacó del bolsillo de su chaqueta.

—El jueves que viene a la una.

—Me va perfecto. Los jueves por la tarde no tengo clase. —Otro titubeo—. Oiga, Pendergast...

—¿Sí?

—¿Le importaría si... traigo a mi padre? Forma parte de la historia.

—No, claro que no. Estaré encantado de verlos a los dos el jueves que viene.

Dejó la pluma y el papel y se levantó. Tristram se había marchado. Constance estaba sola en la mesa, barajando. Pendergast la miró.

—¿Cómo se las arregla con el juego?

—Bastante bien. Mejor de lo que me esperaba, la verdad. Si sigue aprendiendo tan deprisa me plantearé pasar al rubicon bezique o al skat.

Pendergast estuvo un momento callado.

—He estado pensando en lo que me dijiste. Cuando fui a pedirte consejo en Mount Mercy. Tenías razón, por supuesto: era necesario ir a Nova Godói. No había alternativa. También tuve que actuar, y con extrema violencia, por desgracia. Es verdad que he rescatado a Tristram, pero la otra mitad de la ecuación, la más compleja y dificultosa, sigue sin resolver.

Constance tardó un poco en contestar, y lo hizo en voz baja.

—Así que no has sabido nada.

—Nada. Tengo unos cuantos… esto… contactos, y lo han puesto en la lista tanto de la DEA como de los consulados de la zona. Discretamente, claro está. Pero parece que haya desaparecido en la selva.

—¿Tú crees que puede haber muerto? —preguntó.

—Tal vez —contestó Pendergast—. Sus heridas eran de extrema gravedad.

Constance dejó las cartas.

—He estado pensando… No te quiero ofender con la pregunta, pero… ¿Tú crees que podría haberlo hecho? Me refiero a matarte.

Al principio Pendergast miró el fuego sin contestar. Después se giró hacia Constance.

—Me he preguntado lo mismo muchas veces. Hubo momentos, como cuando me disparaba por el lago, en los que tuve la seguridad de que era su intención, pero también hubo otros muchos en que pareció desaprovechar la oportunidad.

Constance volvió a coger las cartas y empezó a repartir.

—Desconocer sus futuras intenciones, ignorar si está vivo o muerto… Bastante desazonador.

—Sí, mucho.

—¿Y el resto de la Alianza? —preguntó Constance—. ¿Siguen siendo peligrosos?

Pendergast sacudió la cabeza.

—No. Sus líderes han muerto, su fortaleza ha sido destruida y todos sus descubrimientos científicos de las últimas décadas se han quemado y ya no existen. Su razón de ser, los propios gemelos, se han distanciado prácticamente todos del proyecto. Según los informes que he recibido, muchos ya han empezado a integrarse en la sociedad brasileña. Por descontado que las ultimísimas «iteraciones» de gemelos, los que condujeron hasta Alban y la prueba beta, fueron los mayores éxitos de la Alianza, y tengo entendido que en algunos casos las autoridades brasileñas los están encontrado demasiado incorregibles para rehabilitarlos, pero son escasos, y es del todo imposible que *Der Bund* adquiera masa crítica por segunda vez, incluso... —Bajó todavía más la voz—. Incluso si reapareciese Alban.

Tras un breve silencio, Constance señaló con la cabeza la silla vacía de Tristram.

—¿Ya has decidido qué harás con él?

—Estaba sopesando una idea.

—¿De qué idea se trata?

—Que además de ser mi amanuense y, por lo que se ve, mi oráculo, seas tú su...

Constance levantó la vista hacia Pendergast, arqueando muy levemente una ceja.

—¿Su qué? ¿Su canguro?

—Más que canguro. Y menos que tutora. Algo más parecido a... una hermana mayor.

—La palabra clave es «mayor». Ciento treinta años mayor. Aloysius, ¿no te parece que mi edad es demasiado avanzada para volver a hacer de hermana?

—Es una idea original, lo reconozco. Pero ¿te la plantearás, al menos?

Constance lo observó un buen rato antes de mirar la silla vacía de Tristram.

—Tiene algo de conmovedor —dijo—. Todo lo contrario de su hermano, al menos según me lo has descrito. Es tan joven e impaciente... Y de un candor muy especial ante el mundo. Tan inocente...

—Como alguien a quien conocimos tú y yo.

—El caso es que percibo en él una empatía increíble y casi ilimitada, una hondura de compasión que no había visto desde el monasterio.

En ese momento Tristram regresó a la biblioteca con un vaso de leche.

—Ahora viene herr Proctor —les dijo—. Os va a traer... ¿Qué palabra ha usado? Un refrigerio.

La repitió al sentarse ante la mesa de cartas, como si quisiera saborearla.

Pendergast se volvió hacia el muchacho. Por un momento se limitó a observar el manifiesto placer con que bebía la leche. Las necesidades de Tristram eran sencillísimas, y su gratitud por cualquier atención, hasta la más pequeña, ilimitada. Pendergast se levantó de la silla y se acercó a su hijo. Tristram dejó el vaso de leche y lo miró.

Pendergast se puso de rodillas, a la altura del muchacho. Después introdujo una mano en un bolsillo de su chaqueta y sacó un anillo de oro, con un zafiro estrella perfecto. Cogió la mano de Tristram y le puso el anillo en la palma. El joven lo miró fijamente. Después de darle algunas vueltas lo acercó a sus ojos y empezó a girarlo para ver los movimientos de la estrella en la superficie del zafiro.

—Era de tu madre, Tristram —dijo Pendergast con suavidad—. Se lo di cuando nos prometimos. Cuando me parezca que estés preparado, ahora no, pero tal vez en un futuro no muy lejano, te hablaré de ella. Era una mujer muy especial. Tenía sus defectos, como los tenemos todos, y... secretos no le faltaban, pero yo la amé muchísimo. Fue víctima de *Der Bund*, como tú. También tenía una hermana gemela, como tú. Para ella fue... muy duro. Sin embargo, los años que pasamos juntos fueron los más maravillosos de mi vida. Son esos recuerdos, en concreto, los que me gustaría contarte. Quizá ayuden a compensar, aunque solo sea un poco, los recuerdos de los que te han privado... todos estos años.

La mirada de Tristram pasó del anillo a la cara de Pendergast.

—Me gustaría mucho saber algo de ella, padre.

Se oyó una tos discreta. Al levantar la vista Pendergast vio a Proctor en la puerta, con una bandeja de plata en una mano y dos copas de jerez en equilibrio. En el momento en que Pendergast se irguió, el chófer se acercó y ofreció una de las copas al agente del FBI y la otra a Constance.

—Gracias, Proctor —dijo Pendergast—. Muy amable.

—No hay de qué, señor —fue la respuesta, comedida—. La señora Trask me ha pedido que le avise de que a las ocho estará la cena en la mesa.

Pendergast inclinó la cabeza.

Al salir de la biblioteca y entrar en la gran rotonda que hacía las veces de recibidor de la mansión, el chófer se detuvo a mirar por encima del hombro. Pendergast había vuelto a su escritorio del rincón del fondo y contemplaba el fuego, bastante taciturno. Constance mezclaba una baraja, mientras hablaba en voz baja con Tristram, que escuchaba atentamente, sentado al otro lado de la mesa.

Hacía unas tres semanas, al salir en libertad de Mount Mercy, Constance se había mostrado reservada y distante con el joven, el hijo de Pendergast, pero Proctor observó que empezaba a mostrar algo más de simpatía. El fuego y las velas proyectaban una luz suave en las hileras de libros antiguos, el exquisito mobiliario y los tres habitantes de la casa. Reinaba en la sala, si no exactamente un ambiente de paz, sí algo parecido a la serenidad. Calma y compostura. Proctor no solía ser muy dado a aquellas reflexiones, pero a decir verdad la escena casi le pareció una composición familiar.

«De la familia Addams», se corrigió al salir de la biblioteca, sonriendo ligeramente.

Pendergast vio desaparecer al chófer. Entonces se volvió otra vez hacia la carta y cogió la pluma estilográfica, que siguió rasgueando el papel durante unos dos minutos. La depositó en el paño verde de la mesa y cogió el papel para leerlo desde el principio.

> Querida Viola:
> Te escribo por varios motivos. En primer lugar para disculparme por el recibimiento que te di en nuestro último encuentro. Te habías tomado muchísimas molestias por mí, y la conducta que mostré en aquel momento fue execrable. No tengo excusa, salvo decirte que —como sin duda sabes ya— no era yo mismo.
> También quiero darte las gracias por salvarme la vida. No exagero. Me la salvaste. Hace casi dos meses, al presentarte en mi puerta, me faltaba muy poco para cometer la acción que con tan poca sensibilidad te describí en aquel momento. Tu presencia, y tus palabras, detuvieron mi mano el tiempo suficiente para que me apartasen de ello otros sucesos. Por decirlo llanamente, llegaste al pelo al Dakota, y con ello te granjeaste mi eterna, infinita y más profunda gratitud.
> Tengo el propósito de irme de vacaciones. Todavía ignoro cuánto tiempo y dónde. Si me encontrase en Roma, ten por seguro que

me pondría en contacto contigo, como amiga. Así deben ser las cosas entre ambos a partir de este momento y para siempre.

Hay pocas cosas que me aten a este mundo, Viola, y aún menos personas. Te ruego que sepas que eres una de ellas.

Con gran afecto,

ALOYSIUS

Dejó la carta en la mesa, la firmó, la dobló y la metió en un sobre. Después miró a los jugadores de cartas, Constance y Tristram, absortos en la partida. Su mirada se desvió hacia la chimenea. Contempló largo tiempo las llamas, sin moverse ni tocar el jerez; tan largo tiempo, de hecho, que solo Proctor lo sacó de su ensimismamiento al regresar con el anuncio de que ya estaba servida la cena. Tristram se puso en pie de inmediato y salió en pos del mayordomo sin poder disimular el hambre. Para aquel joven cada comida era una novedad. Tras él fue Constance, a un paso más digno. El último de todos en abandonar su asiento fue el agente especial Pendergast, que deslizó los dedos por el sobre depositado sobre el escritorio y a continuación salió de la sala sin hacer ruido, silueta en penumbra que se fue volviendo cada vez más borrosa al recorrer los espacios secretos y las sombras que poblaban la mansión de Riverside Drive.

Pantano de sangre
LA TRILOGÍA DE HELEN

El agente especial del FBI Aloysius X. L. Pendergast regresa a su antigua mansión familiar en Luisiana. Tras deambular por sus jardines descuidados y aspirar en sus pasillos un ambiente húmedo y asfixiante, se detiene en la sala de armas, donde abre una vitrina para tocar por primera vez en doce años el rifle de su querida esposa Helen.

Ayer Pendergast lloraba la muerte de Helen, fallecida en un safari en África por el ataque de un león de crin roja.

Hoy descubre que no fue una tragedia fruto del azar: alguien planeó el asesinato de su mujer.

Sangre fría
LA TRILOGÍA DE HELEN

Después de averiguar que la muerte de su esposa Helen no fue un accidente, el agente especial del FBI Aloysius Pendergast tiene una única meta en la vida: la venganza. Implacable, persigue a los que lo traicionaron por los páramos desolados de Escocia, las marismas de Luisiana y hasta por las calles de Nueva York. Sin embargo, lo que descubre solo le enturbia la visión de lo sucedido: Helen podría haber sido partícipe de su propio asesinato.